W9-AXL-569
20 de Agosto, 2001

AROMA DE CAFÉ AMARGO

AROMA DE CAFÉ AMARGO

SANDRA BENÍTEZ

Traducción:
NORA WATSON

Revisión:
VIOLETA DE LYTTON

EDITORIAL ATLANTIDA
BUENOS AIRES • MEXICO

Adaptación de interior: Natalia Marano

Título original: BITTER GROUNDS
 Segunda edición publicada por EDITORIAL ATLÁNTIDA S.A., Azopardo 579, Buenos Aires, Argentina.
Hecho el depósito que marca la Ley 11.723.
Libro de edición argentina.
Impreso en España. Printed in Spain. Esta edición se terminó de imprimir en el mes de mayo de 2000 en los talleres gráficos Rivadeneyra S.A., Madrid, España.

I.S.B.N. 950-08-2016-1

Para Anita y Carlos Emilio
y para el pueblo salvadoreño,
quienes lo vivieron

NOTA DE LA AUTORA

Ésta es una obra de ficción y todos sus personajes son fruto de mi imaginación. Si bien durante el relato he tratado de mantenerme dentro del marco de la historia salvadoreña, también es cierto que, a los fines de la narración, me he tomado licencias creativas con respecto a la geografía y topografía de El Salvador. Confío en que el lector me perdonará estas libertades. En nombre de la ficción me he esforzado por inventar la verdad.

Aroma de café amargo

Escucha, a pesar de todas tus palabras,
no lo puedes comprender.

En El Salvador, el café es
mansiones con techos rojos,
muros altos coronados con trozos de vidrio,
criados de uniforme que corren sobre el mármol
hacia un timbre que suena.

En El Salvador, el café es
viajes al extranjero,
displicentes compras en Miami,
manos húmedas metidas entre
gasa, batista y seda.

Tú dices, de no ser por la dorada esperanza del café
pocos hombres saldrían adelante.
Yo te digo, cuando el pueblo cosecha,
sólo recoge pozol amargo.

En El Salvador, el café es
canastos repletos
atados a la cintura;
dedos ensangrentados
envueltos en trapos;
brazos de sisal
que se levantan una vez más hacia la rama.

En El Salvador, el café que se deja
en latas, jarros, tazas de porcelana,
jamás se enfría.

En El Salvador, el café humea siempre.

Alma del Pueblo

Familias Prieto y Contreras
(1933-1977)

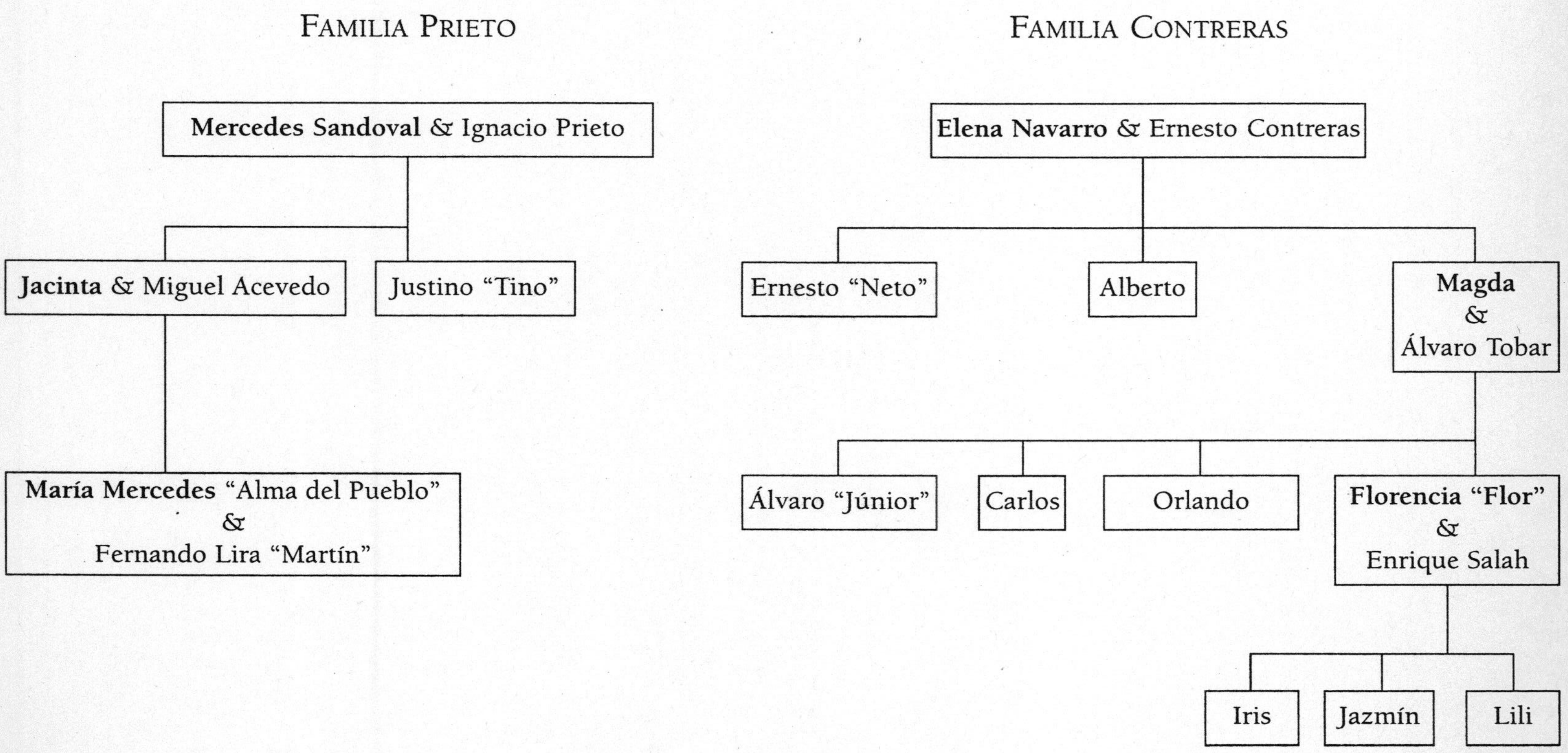

Familia Prieto

Mercedes Sandoval & Ignacio Prieto

Jacinta & Miguel Acevedo

Justino "Tino"

María Mercedes "Alma del Pueblo"
&
Fernando Lira "Martín"

Familia Contreras

Elena Navarro & Ernesto Contreras

Ernesto "Neto"

Alberto

Magda
&
Álvaro Tobar

Álvaro "Júnior"

Carlos

Orlando

Florencia "Flor"
&
Enrique Salah

Iris

Jazmín

Lili

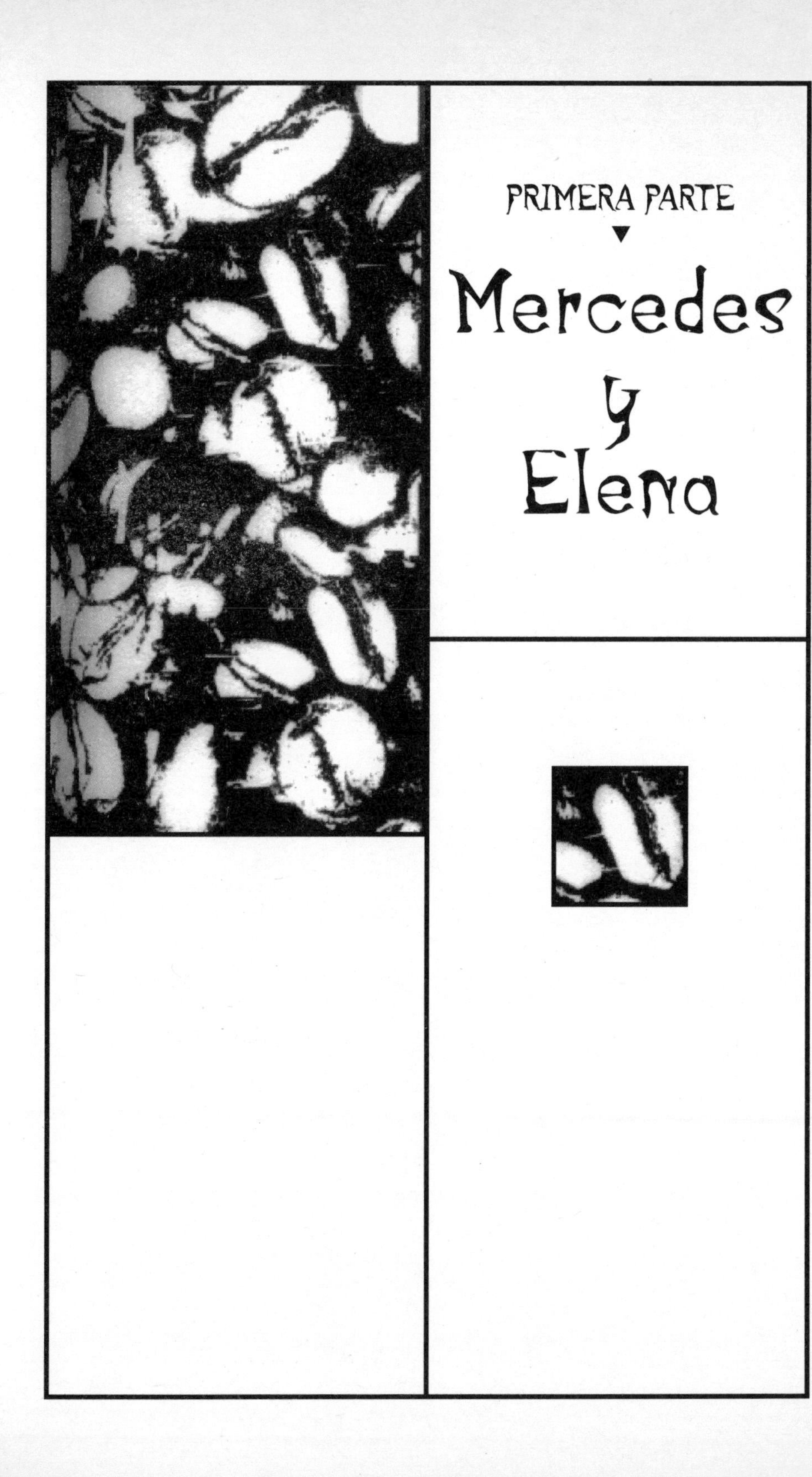

PRIMERA PARTE

Mercedes y Elena

CAPÍTULO UNO

Izalco, El Salvador
Enero de 1932

En un revuelo de alas, bandadas de pericos se echaron a volar desde las ramas de los amates y las primaveras. Ruidosamente saludaron el sol naciente y se dirigieron hacia el agitado mar cuyas olas formaban una línea reluciente de espuma que rompía y después se desdibujaba sobre la arena negra y volcánica de la playa. Las aves giraron y describieron un amplio círculo armónico antes de enfilar una vez más hacia el bosque en el que habían pasado la noche; después se remontaron y se dirigieron en busca del desayuno a los campos de maicillo que había a veinte kilómetros de allí. Ruidosamente se deslizaron por el aire y se zambulleron hacia la planicie aluvial surcada por ríos y arroyos que bajaban de las tierras altas. Proyectaron su sombra sobre los corrales cuadrados de las haciendas y los rectángulos de algunas fincas y pasaron por encima del lugar donde, cuatrocientos años antes, don Pedro de Alvarado y sus conquistadores derrotaron al poderoso ejército de los pipiles. Pero esa victoria se cobró su precio, pues en la batalla Alvarado recibió un flechazo en la pierna, una herida de la que nunca se recuperaría. Los pericos continuaron su vuelo. Sobre los manchones verdes de los pepetos y los madrecacaos. Sobre el verde más intenso de los cafetos. Sobre volcanes que expresaban la furia periódica de la tierra. Cuando llegaron al Izalco, las aves descendieron en picada hacia un ancho sendero que había alrededor del fuego y el humo que brotaban de su cráter. Y volaron alrededor de ese cono ennegrecido que se elevaba como un puño cerrado hacia el mismísimo Dios.

Más abajo, en un sendero, Mercedes Prieto vio la bandada y se apuró hacia el río que estaba a minutos de su rancho. La mañana estaba fría y húmeda. La ceniza del volcán se depositaba como polillas grises sobre los arbustos cubiertos de rocío. A lo largo del sendero, manchones de bruma adoptaban formas tenues, y esas apariciones la dejaron perpleja y la alarmaron.

Envuelto en un chal y colgado de la espalda llevaba a Justino, su hijo de dos meses. Por suerte, Tino dormía. La noche anterior había estado muy inquieto. En dos oportunidades ella tuvo que levantarse para ocuparse de esa tos seca que lo afligía desde hacía una semana. Detrás de ellos iba Jacinta. En el rancho, su marido Ignacio seguía durmiendo. Las mujeres recorrían ese sendero varias veces por día en busca de agua. Mercedes prefería no hacerlo a esa hora tan temprana. Al amanecer, la bruma siempre le jugaba una mala pasada.

Entrecerró los ojos. ¿Serían dos guardias eso que veía detrás del zacate? Un poco antes, ese mismo mes, a treinta kilómetros de allí, los cortadores de café se habían rebelado contra los patrones, y ahora se hablaba de la presencia de guardias incluso en ese sector. Mercedes se imaginó a esos hombres con sus uniformes color caqui y sus cascos; los vio mentalmente con sus rifles largos y crueles y sus pensamientos se tornaron miedo. Se frotó los ojos para ver con mayor claridad. No había nadie allí: era todo producto de su imaginación. Si hubiera desconocidos cerca, Tzi su perro sato de color amarillo que siempre la acompañaba le avisaría. Tzi se adelantó al trote. Cada tanto se detenía para meter el hocico entre los arbustos. Su aspecto era tan lastimero que Mercedes sintió pena por ese animal al que se le notaban las costillas por debajo del pelaje raído. Si tan sólo tuviera para alimentarlo algo más que un puñado de frijoles y un pequeño trozo de tortilla cada día.

Mercedes se ubicó mejor el cántaro vacío para agua que llevaba sobre la cabeza y también se ajustó más el chal sobre la nariz y la boca, una protección contra los espíritus que merodeaban a esa hora temprana. Miró por sobre el hombro para asegurarse de que Jacinta no se había retrasado, pero su hija estaba apenas unos pasos más atrás. Alta y delgada, su tapado, un chal oscuro, le cubría la cabeza y caía suelto sobre sus hombros. No había querido cubrirse la mitad de la cara, pese a la insistencia de Mercedes. "Acaba de cumplir trece y ya es una muchacha tan desafiante", pensó Mercedes.

—Ya voy —dijo Jacinta, mientras le daba un pequeño tirón al extremo del chal. No le gustaban nada esas caminatas tempranas en busca de agua. Todos los días su madre la sacudía para despertarla. Se cubría los labios con un dedo para indicarle silencio. Todos los días Jacinta se vestía deprisa y se escabullía del rancho en el que su padre seguía durmiendo. Cómo deseaba que tuvieran la misma consideración para con ella. La noche anterior soñaba con Antonio Ochoa y revivía el primer beso tierno de ambos cuando su madre le puso una mano en el hombro.

Al llegar al río, Mercedes colocó el cántaro en la orilla. En el borde del agua, se levantó la falda larga y se sentó junto al arroyo. Por entre la bruma que comenzaba a disiparse, metió una mano en esa agua tonificante. Más allá de la margen opuesta, la luz de un nuevo día se proyectaba a través de las hojas temblorosas de los conacastes. Precisamente allí estaba la mejor leña, y era en ese lugar, entre las sombras, donde Jacinta debía recogerla.

—Cruzaré ahora —dijo Jacinta. Habló en nahuatl, el idioma de los pipiles. Desde luego, la familia de Mercedes hablaba español, pero prefería el náhuatl. En esas épocas turbulentas, era preciso preservar las costumbres de los pipiles.

—Lo voy a hacer yo —dijo Mercedes—. Hoy tú te vas a quedar de este lado y te vas a encargar de acarrear el agua.

Jacinta se bajó el chal a los hombros y puso los ojos en blanco.

—Con Tino colgado de la espalda no vas a poder agacharte a recoger la leña, mamá. —Jacinta llevaba el pelo peinado hacia atrás y sujeto con dos trenzas. Su piel era del color de la melcocha y, aunque no era una muchacha bonita, su cara redonda tenía una mirada intensa que la hacía atractiva. Pero ella no lo sabía.

—Está bien —respondió Mercedes—. Pero llevate el chucho. Y no te alejés demasiado.

Jacinta se levantó la falda, metió los pies en ese arroyo cristalino y poco profundo y se estremeció un poco por lo fría que estaba el agua.

—Te preocupás mucho, mamá —dijo por sobre el hombro—. Permitís que demasiadas cosas te asusten. —Cruzó el río con media docena de pasos y giró para mirar a su madre. —En cambio yo, no le tengo miedo a nada. —Jacinta golpeó con fuerza tres veces las manos y el sonido reverberó en el aire como disparos. —Vení, Tzi —dijo.

Mercedes observó cómo los dos atravesaban el matorral y enfilaban hacia los conacastes. Tomó un poco de agua con la mano y se la llevó a la cara. Pensó que tal vez su hija tenía razón. Todo parecía tranquilo y, salvo Jacinta, no había nadie a la vista. Pronto el sol estaría en su apogeo. Hacia el mediodía, la tierra brillaría con su calidez. A lo lejos el Izalco retumbó, y la voz familiar del volcán fue un sonido tranquilizador para Mercedes.

Se secó la cara con una punta del tapado. Acercó el cántaro. Lo había metido en el río y comenzaba a llenarse cuando oyó el ladrido de Tzi.

Mercedes miró hacia el otro lado del arroyo y dejó que el cántaro se meciera con suavidad en el agua. Alcanzaba a ver los hombros de Jacinta y su cabeza que asomaban sobre un arbusto.

—¿Qué sucede? —gritó Mercedes, pero la única respuesta fueron los aullidos alarmantes del perro. Mercedes saltó hacia el arroyo. A mitad de camino cayó sobre una rodilla, pero se levantó y lo vadeó con torpeza hasta la otra orilla, con la delantera de la falda empapada y pesada. Tino se agitó contra su espalda y comenzó a llorar, pero Mercedes continuó. Tropezó en el declive de la otra margen y después avanzó por el matorral. Ya sin aliento, llegó a los árboles. Tzi corrió hacia ella y comenzó a dar saltos. Jacinta permanecía como clavada en la tierra.

—¿Qué pasa? —preguntó Mercedes.

Jacinta señaló una serie de ramas caídas que había a sus pies. Desde debajo de las ramas asomaban dos piernas cubiertas con polainas.

—La guardia —murmuró Mercedes.

—Está descabezado —dijo Jacinta.

Un torso ensangrentado yacía debajo de esa cubierta de ramas y ramitas. En el cinturón brillaba una hebilla plateada adornada con el conocido escudo. Mercedes trató de no pensar en una cabeza suelta perdida en algún lugar cercano. Tzi metió el hocico entre las ramas y Mercedes tomó una vara y le pegó para obligarlo a salir de allí.

—Quitá de allí —dijo, y el perro metió la cola entre las patas y se alejó gimoteando.

—Tenemos que decírselo a mi papá —dijo Jacinta.

—No —dijo Mercedes, sorprendida ante su propia vehemencia—. No debemos meternos en esto. —A esa altura, ya Tino lloraba a grito pelado. Mercedes sintió sus pequeños puños que le golpeaban la espalda. —Shh, tranquilo —dijo y comenzó a balancearse sobre los pies para serenarlo.

—Pero, ¿y si llega a venir otro guardia, mamá? Ya sabes que trabajan de a dos. —Antonio Ochoa le hablaba con frecuencia de la Guardia; le contó historias de su brutalidad, de cómo por dinero y en busca de poder los de la Guardia se habían vuelto contra sus hermanos, aunque Jacinta no necesitaba esa confirmación. En una oportunidad Antonio le confió algo y la hizo jurar que no se lo diría a nadie: Goyo Ochoa, su padre, había matado a dos guardias en una emboscada. ¿También esa muerte que tenían delante sería obra de don Goyo?

Mercedes giró sobre sus talones y observó los alrededores en busca de otros hombres, pero no vio a nadie. Serpentinas rosadas y azules rayaban el cielo. En los árboles, sobre sus cabezas, los pájaros gorjeaban. Mercedes levantó algunas de las ramas que cubrían el cuerpo del guardia. Se puso en cuclillas para tocarle el muslo. Tenía la piel rígida.

Jacinta se dejó caer junto a su madre.

—¿Qué hacés?

—Hace unas horas que está muerto —contestó Mercedes, y su mente se inundó con el recuerdo de Cirilo, su primogénito. Había vivido cinco meses. Cuando la criatura murió, ella se sentó debajo del laurel que crecía junto al rancho, con ese cuerpecito sin vida muy apretado contra ella. No se resignaba a renunciar a él —¿cómo podía hacerlo?—, así que no lo soltó hasta que su piel tierna se volvió dura como la piedra.

Miró a Jacinta.

—Tenemos que esconder el cuerpo. No tiene que haber rastros de la muerte de un guardia tan cerca de nuestro rancho.

Jacinta se cubrió la boca con una mano.

—¿No tendríamos que ir a buscar a mi papá?

—No. El hecho de saberlo lo pondría en peligro. —Si Ignacio se enteraba de eso, recurriría a Goyo Ochoa. Goyo, el compadre cuyo rancho estaba a pocos minutos del de ellos y quien creía en la insurrección y la rebelión.

—Pero, ¿y nosotras, mamá? Si lo hacemos, las que estaremos en peligro vamos a ser las dos.

Mercedes permaneció callada. En sus cuarenta años de vida, tenía certeza con respecto a dos cosas: desde que nacemos estamos en peligro; y, al final, son las mujeres las que deben defender y proteger.

Apartó las ramas que cubrían el cadáver.

—Rápido, Jacinta —dijo—. Debemos trabajar deprisa.

CAPÍTULO DOS

Las dos arrastraron el cuerpo del guardia —sin la cabeza, que no apareció por ninguna parte— desde debajo de los conacastes hacia una cueva que Jacinta había descubierto una vez. Sorprendentemente, pese a la rigidez de las extremidades del hombre, no costó demasiado extenderle los brazos. Pero el cuerpo era muy pesado. Lo arrastraron por sobre un terreno desigual, a través de un arroyo seco que trazaba una hendidura en el campo. Mientras lo hacían, Tino se agitaba y movía contra la espalda de Mercedes, pero esta vez ella no intentó calmarlo. Adelante estaba el promontorio que marcaba la cueva.

Mercedes apartó las enredaderas de loroco y campanillas que oscurecían la entrada. Observó un instante al guardia mientras luchaba por mantener su mirada lejos del horroroso muñón de su cuello, de la sangre que había teñido de un marrón rojizo su chaqueta e incluso una parte de los pantalones de su uniforme caqui.

Arrastraron al guardia al interior de la cueva y lo espolvorearon con la poca tierra que lograron excavar del suelo y lo cubrieron con ramas de arbustos. Una vez afuera, Mercedes inhaló con avidez el aire fresco de la mañana.

—Hicimos todo lo que pudimos.

Retornaron entonces a su tarea. Jacinta recogió la leña y las dos volvieron a cruzar el arroyo hacia donde estaba el cántaro lleno de agua. Tino se había tranquilizado y Mercedes agradeció ese respiro. Enrollando su yagual de tela, de un tirón levantó su cántaro y lo colocó sobre su cabeza. Ambas emprendieron el regreso a casa. No hablaron; hasta Tzi, como comprendiendo la gravedad de lo sucedido, trotó en silencio delante de ellas. Una vez en casa, Mercedes y Jacinta se acurrucaron junto al tiznado comal de barro ubicado sobre las brasas en el cobertizo que, algunos años antes, Ignacio había construido junto al rancho.

El olor a humo de la cocina y a café recién hecho pronto inundó el aire. La luz se filtró por entre los árboles jóvenes rodeados de enredaderas que formaban las paredes y trazaba líneas delgadas sobre el suelo de tierra prensada. Mercedes miró hacia el claro que las rodeaba y lo que vio le resultó tranquilizador: su árbol de laurel y el círculo de sombra que proyectaba, la pared baja de piedras que se extendía entre el camino y el rancho, la cerca de pascuas de fuego rojas que bordeaba uno de sus lados. En cualquier momento el aroma a café atraería a Ignacio. Cuando finalmente él se acercara, Mercedes se preguntó si también percibiría el olor de la sangre del guardia. Se pasó una mano por la cara y le puso una pizca de sal a los frijoles que se calentaban sobre el fuego. Miró a Jacinta, quien en ese momento ponía una tortilla recién hecha junto a otras cuatro que se cocinaban en el comal. La comisura de la boca de su hija se crispó.

—Hicimos todo lo que pudimos —dijo Mercedes.

Jacinta tomó un trozo de la bola de masa de maíz. Se golpeó una mano contra la otra e hizo girar la masa sobre la palma.

—No encontramos la cabeza —susurró. Más tarde pensó que cuando estuvieran recogiendo el café eludiría el ojo avizor del capataz y buscaría a Antonio Ochoa. Allí, debajo de los cafetos, le preguntaría cara a cara qué sabía sobre esa muerte. Le preguntaría si su padre había decapitado al guardia. Y, en ese caso, ¿dónde estaba la cabeza del individuo? Sabía que eran preguntas temerarias, pero ella se animaba a hacerlas.

Mercedes tragó fuerte. La sola idea de esa cabeza seccionada, de que podía estar tirada sólo Dios sabía dónde, y de que ese hecho podía ponerlos en peligro a todos, la impactó.

Un momento después Prieto apareció en el portal. Usaba pantalones blancos amplios y una camisa blanca de manta de algodón. En ese momento trataba de domar una mata de pelo que se le erguía en la coronilla. Todavía tenía el sueño impreso en la cara y ello le confería un aspecto suave y vulnerable.

—Tu café está listo, papá —dijo Jacinta.

Su padre acusó recibo con un gruñido y echó a andar por el sendero hacia el río.

—¿Se lo vas a contar? —preguntó Jacinta cuando su padre no podía oírla. Sirvió café para los tres.

—Pues, ¿no oíste lo que te dije? Tenemos que mantener todo esto en secreto.

Jacinta se encogió de hombros.

—Creo que se lo tendríamos que decir.

Cuando Ignacio regresó por el sendero, Mercedes le lanzó a Jacinta una mirada de advertencia antes de que él se instalara junto a ellas.

—Queda un pedazo de panela —dijo Mercedes—. La guardé para ustedes dos. Deshizo con los dedos el pedazo pequeño de azúcar morena y puso las migas en dos tazas. Por lo general era el hombre el que recibía el resto de la panela, pero ese día era obvio que Jacinta necesitaba algo dulce.

—¿Cómo está el niño? —preguntó Ignacio y giró la cabeza hacia la hamaca de Tino. Movió en círculos su taza de café para disolver el azúcar.

—Tiene mucha tos —respondió Mercedes—. Anoche le cubrí el pecho con un emplasto de vinagre y alcanfor.

Ignacio asintió y sorbió un trago de café. A lo lejos, el volcán retumbó.

—El volcán tiene mucho que decir. —Aceptó la tortilla que Mercedes le pasó, la cubrió con una cucharada de frijoles y espolvoreó todo con un puñado de sal. Al cabo de un momento, dijo: —Hoy no vamos a cortar.

—¡Qué! —exclamó Jacinta.

—No, hoy no vamos a cortar. Eso es todo. —Ignacio comió un bocado de tortilla.

También Mercedes se sorprendió. Su marido había hecho un anuncio similar algunas semanas antes, después de que la Guardia sofocó una manifestación en una plantación de café de Ahuachapán.

—¿Piensan hacer una manifestación en la finca de don Pedro? —preguntó, sabiendo que no le correspondía a una mujer cuestionar las decisiones de su hombre.

Ignacio terminó su tortilla, bebió otro sorbo de café y se secó la boca con el dorso de la mano.

—Yo no sé nada de eso. —Sabía, y mucho, desde luego, pero no era algo para discutir con una mujer.

Mercedes preparó otra tortilla y se la entregó. Después de vencer su vacilación, le hizo otra pregunta:

—¿Tampoco los demás van a cortar ahora? —En quien pensaba era en el compadre Goyo Ochoa. Y en su esposa, la comadre Pru. Y también en los tres hijos de la pareja.

—Depende de ellos hacer lo que quieran. —Ignacio se paró junto a la puerta, y el chancho se acercó a sus pies para resoplar y hociquear la tierra. El gallo y las gallinas hicieron otro tanto y comenzaron a picotear el pedregullo diseminado por el terreno. Hasta Tzi, al que más temprano le habían dado su tortilla, gimió pidiendo más. —Habría que dar de comer a estos animales —dijo Ignacio y pateó el chancho. Le hizo señas a Jacinta de que comenzara con sus tareas hogareñas y después se instaló junto al laurel.

Mercedes fue a sentarse en el banco que había debajo de ese árbol.

Esperó a que Jacinta se hubiera alejado antes de hablarle a Ignacio. Tenía algunas preguntas que hacerle y se arriesgaría a que su marido se enojara por ese motivo.

—¿Goyo Ochoa tiene algo que ver con que hoy no cortemos café?

Cuando Ignacio no le respondió, ella insistió:

—¿El hecho de que hoy no cortemos café tiene algo que ver con la Federación de Trabajadores? —Estaba enterada de los negocios de Goyo, de los intentos del compadre de reclutar hombres a ese grupo que se reunía en secreto una vez por semana. Estos hombres se llamaban mutuamente con nombres que no eran los suyos y en una oportunidad, cuando ella visitaba a Pru, la comadre, oyó que un hombre llamaba a Goyo "camarada".

Ignacio siguió callado. Prefería el silencio a las explicaciones, aunque no tuviera nada que explicar.

—¿Te has unido a los hombres de Goyo? ¿Has estado yendo a sus reuniones?

Ignacio resopló para demostrar exasperación. Se puso en cuclillas, la espalda apoyada contra el tronco del árbol. Levantó una vara que había cerca y comenzó a hacer dibujos con ella en la tierra, entre sus pies. Decidió decir aunque sólo fuera algo para poner fin al interrogatorio.

—No me uní a los hombres de Goyo. Y tampoco fui a ninguna reunión.

—Pero Goyo viene aquí seguido para tratar de enrolarte. Perdonáme, pero lo oí pedírtelo.

—Goyo viene aquí a tratar de convencerme y el cura viene para decirme que no debo unirme a ellos, pero yo hago lo que se me antoja.

Lo del sacerdote era cierto. El padre había venido en más de una ocasión para prevenirlos contra la banda de ateos que trataban de romper la tranquilidad de sus vidas.

—Goyo Ochoa es comunista —había dicho el cura en una de sus visitas—. Y, como tal, perderá el reino de los cielos, porque es un ateo y un hereje y el fuego del infierno será su castigo. —La cara del padre Castillo se enrojecía por la vehemencia y sus cachetes flameaban un poco cuando hablaba.

Para demostrar respeto, Mercedes había bajado la vista, pero las palabras del sacerdote la confundieron. Goyo no era un ateo. Mercedes e Ignacio conocían a Goyo y a Pru desde hacía veinticinco años, y los compadres creían, como lo hacían ella e Ignacio, en los dioses de su pueblo. En Xipetotec, el dios del maíz. En Tláloc, el dios de la lluvia. En Tzultacah, el dios de la tierra.

—No debes hacer caso de las palabras de Goyo Ochoa, Mercedes Prieto —prosiguió el cura—. Debes escucharme a mí, porque yo soy el representante del verdadero Dios. —Ella conocía a ese Dios, el que se llamaba Jesús. Sabía que ahora muchas personas de su pueblo creían también en él, pero Mercedes no podía depositar toda su fe en el cristianismo. Escuchaba al padre Castillo y estaba de acuerdo con él en que se debe amar a Jesús porque él, a su vez, amó tanto. Pero Mercedes seguía rezando a los dioses de su pueblo. Si Jesús era compasivo, no permitiría que ella se arriesgara a enojar a sus dioses por no prestarles atención.

Junto a la pared de piedra, Tzi comenzó a ladrar: Goyo Ochoa se acercaba por el camino.

—¿Ves lo que te digo? —dijo Mercedes y señaló hacia él—. Aquí viene el compadre.

Ignacio se incorporó de al lado del árbol y entró en el rancho. Muy pronto volvió a salir, el sombrero en la mano y el machete sujeto a la cintura.

También Goyo Ochoa llevaba un machete. Mientras se aproximaba, le golpeaba contra una pierna. Cuando llegó al rancho se llevó una mano al sombrero a modo de saludo. Mercedes inclinó la cabeza.

—Buenos días, compadre —dijo. "Ahora comienza todo", pensó.

En el rancho, Tino comenzó a gritar. Mercedes suspiró y fue hacia él. Más temprano, cuando lo acostó, lo había envuelto en una manta cuadrada, pero él se la había quitado moviendo las piernas. Ahora, uno de sus pies asomaba por el otro lado del tejido de la hamaca. Mientras el pequeño luchaba por liberarlo, tenía una tos seca que le oscurecía y desfiguraba la cara. Mercedes se apresuró a soltarle el piecito. Levantó a su hijo, se lo apoyó contra el hombro y comenzó a frotarle la espalda en círculos.

—Ya, ya, mi niño —murmuró con la boca pegada contra su mejilla. La piel del pequeño estaba tibia y tenía el mismo olor a humo del interior del rancho. También tenía el olor fuerte de la cataplasma que le había puesto en el pecho la noche anterior. Mercedes permaneció en la penumbra, acariciando y sedando al chiquillo, y muy pronto la tos cedió. Volvió a envolverlo con una manta y lo llevó debajo del laurel, donde le ofreció un pecho. Mientras lo amamantaba, él la miró a los ojos con expresión pensativa y grave. Tenía una mata de pelo negro que se le paraba en todas direcciones y si su expresión no hubiera sido ésa, habría tenido un aspecto casi cómico. Mercedes siguió con un dedo la marca de nacimiento que le manchaba la oreja derecha. ¿Cómo explicarla? Durante nueve meses ella se había mantenido alejada de los deformados, porque todo el mundo sabía que una mujer embarazada ponía a su bebé en peligro si sus ojos se demoraban demasiado en las personas rengas. Durante nueve meses no había respirado en forma directa el nocivo aire del amanecer. Y nunca, jamás, había permitido que los del mal de ojo la miraran. No que lo supiera, desde luego. Igual, ella conocía ese antiguo dicho: el sol pone, la luna quita. De modo que debió de haber sido el sol el que marcó a su hijo.

Algunos metros más allá, los hombres hablaban junto al muro de piedra, y cada uno miraba hacia el camino. Mercedes mantenía la vista fija en su hijo y los oídos atentos a la conversación de los hombres.

—¿Qué pensás? —preguntó Goyo.

—No sé —respondió Ignacio.

—Tenés que decidirte, hombre. El golpe es esta noche. A la medianoche vamos a tomar los cuarteles militares, los puestos policiales y los de la guardia. Esta noche nos rebelamos contra los opresores.

—Bueno, no sé, compadre —dijo Ignacio—. Hacia donde uno mire hay guardias. Es como si estuvieran esperando que se comenzara el levantamiento. Mirá a Farabundo Martí. Ya lo capturaron. Si pueden apresar al líder, imagináte lo que van a hacer con el resto de nosotros.

—No debemos defraudar a nuestro líder, compadre. Debemos dar el golpe en nombre de Farabundo Martí.

Mercedes levantó enseguida la vista y vio que Ignacio sacudía la cabeza.

Goyo continuó:

—¿Querés conservar tu rancho? ¿Tu milpa?

Ignacio contestó:

—Los he conservado todos estos años. Cuando los otros vendían sus parcelas, yo me quedé con la mía.

—Te diré una cosa, compadre: no seguirá siendo tuya mucho tiempo. Ya conocés a estos hijos de puta de los terratenientes. Ofrecen una miseria por la tierra de nuestros antepasados o la toman por la fuerza.

—Yo jamás voy a vender mi tierra. Y tampoco voy a permitir que nadie me la quite.

Mercedes notó la fuerza y la tensión en la voz de Ignacio. No era mucha la tierra de su propiedad, pero era todo lo que tenía; una parcela de tierra que se extendía sobre rocas y guijarros y el pequeño lote sobre el que había edificado el rancho.

—Sos un tonto si pensás eso, compadre —dijo Goyo—. Te digo que deberías haberte unido a la federación. Si hubieras venido a las reuniones sabrías cuál es la verdad: cómo ellos se apoderan de las tierras y cómo todos somos unos grandes idiotas por recoger café por unos centavos al día.

—Ya te lo dije antes. No quiero meterme en política.

"Sí, claro", pensó Mercedes.

Goyo dijo:

—Ésta no es una cuestión de política sino de supervivencia. De lo que se trata es de conservar la tierra, de vivir como seres humanos. Mirá a tu mujer. ¿No merece ella más de lo que tiene? ¿Y qué me decís de tu hijo? ¿No merece él tener un futuro? No, hombre, esto tiene que ver con la supervivencia.

—Lo que planean es peligroso —dijo Ignacio.

—Lo que podemos ganar esta noche vale cualquier riesgo que enfrentemos. Vení a mi casa cuando anochezca, compadre. ¿Qué me decís?

Frente a esa pregunta, Mercedes miró directamente hacia los hombres. Ignacio le daba la espalda. Ella vio cómo con la mano marcaba un ritmo lento contra la pared y, por un momento, ese hecho le dio esperanzas. Pero después él bajó la mano a un costado, y ese gesto demolió la barricada que ella se había formado adentro contra la puerta de lo inevitable. "Es inútil —pensó—. En este mundo, el destino siempre gana." Mercedes se tensó y aguardó la respuesta de su hombre.

—Iré —dijo él al cabo de un momento—. Lo haré por mi familia.

Debajo del árbol, Mercedes jugueteó con las tres ágatas rojas enhebradas en el cordón de yute que rodeaban el cuello de su hijo. Las piedras conferían salud y longevidad. Don Feliciano, el cacique, las había bendecido para darles más poder. Cada uno de los hijos de Mercedes poseía un amuleto similar. A lo largo de sus cuarenta años, Mercedes había estado embarazada nueve veces. De los bebés, sólo quedaban Jacinta y Tino.

Goyo Ochoa inclinó el sombrero hacia su vecino y volvió a desandar camino por el sendero. Ignacio se acerco a su hijo, quien dejó de mamar cuando su padre se inclinó sobre él. Tino frunció el entrecejo y estudió muy concentrado el rostro de su padre. Por un instante, Ignacio apoyó un dedo marrón contra la mejilla de su hijo.

—Será un hombre muy serio —pronunció. Se enderezó. —Iré a ver cómo anda Jacinta con los animales.

Mercedes lo observó alejarse hacia el campo. "¿Habrá una piedra especial para resguardar la seguridad de una familia?", se preguntó.

Mercedes se instaló sobre el petate de palma que era todo lo que poseía como cama matrimonial. Tino estaba pesado después de mamar y ella se lo apoyó boca abajo sobre el estómago y con suavidad le palmeó el trasero. Paseó la vista por el lugar e hizo un inventario de sus pertenencias: la silla que había sido el lugar de descanso favorito de su madre en vida, la mesa que la madre de Ignacio les había regalado antes de morir. Contra una pared del rancho, cerca de la puerta, estaba su posesión más valiosa, la cómoda que Ignacio había construido con restos de madera recogidos en la finca de don Pedro. Tenía tres gavetas, cada una de una madera diferente. Sobre la superficie estaba el espejo de mano ovalado con el asa perlada que Ignacio le había regalado el día de la boda. También sobre la cómoda estaba la alta lámpara votiva que ella siempre mantenía encendida. Proyectaba un leve resplandor sobre el retrato de la Madre de Dios, en la hilera de pequeños marcos alineados contra la parte posterior de la cómoda. Ignacio mismo había construido esos marcos. Cada uno contenía mechones de pelo que él tomó de las cabezas de los bebés muertos.

Mercedes se esforzó por digerir el significado de la conversación que acababa de oír. ¿Qué haría si perdía a su marido? Puso a su bebé dormido sobre el petate y fue a sentarse en la silla de su madre. A veces, cuando la vida se ponía difícil —cosa que ocurría con frecuencia—, se sentaba allí y convocaba a los espíritus de sus antepasados. "¿Qué debería hacer, mamá?", le preguntó a las sombras de la habitación. Porque su madre nunca le había fallado, el esbozo de un plan comenzó a formarse en la mente de Mercedes. Se vio a sí misma envolviendo a Tino con hojas de plátano, tal como lo había hecho con Ignacio cuando estaba tan enfermo. Le había hecho falta sudar para limpiarse y curarse, y las hojas de plátano lo consiguieron. Un pequeño grupo de esas matas estaba a mitad de camino entre su rancho y el de la comadre. Si se apuraba, podría recoger las hojas que necesitaba antes de que su familia regresara. Junto a la puerta, de un clavo, colgaba un machete con su tirilla de cuero. Mercedes lo tomó y enseguida miró a Tino para asegurarse de que seguía durmiendo. Abandonó el rancho impulsada por lo que el espíritu de su madre le había demostrado con claridad: si Tino comenzaba a tener fiebre, si su tos empeoraba antes de mejorar, entonces Tino obligaría a su padre a quedarse esa noche en casa.

CAPÍTULO TRES

A la luz de la luna, Ignacio Prieto avanzó por entre la alfombra de zacate enredado que tapizaba la margen del río. A lo lejos, el Izalco retumbaba. A lo largo del día, el volcán había arrojado una nube de cenizas que ahora cubría la superficie de los campos como una mortaja gris. Ignacio escuchó los gruñidos del volcán porque su voz atronadora le daba ánimos y le disminuía la ansiedad. Tino ardía de fiebre. Cada vez que su pequeño hijo tosía, su cuerpo se convulsionaba. En el rancho, Mercedes y Jacinta le habían puesto una nueva cataplasma y después otra. Cuando ningún remedio lo alivió, Ignacio supo que debía romper su promesa al compadre y correr en cambio hacia lo de don Pedro. La familia de Ignacio había recogido café para don Pedro durante muchos años. El patrón tenía medicinas; el patrón los ayudaría.

Ignacio llegó a la ladera que conducía al camino que muy pronto tendría que cruzar. Trepó por la ladera y bajo sus pies crujieron ramitas y helechos. Cuando llegó arriba se acostó boca abajo y espió el camino en ambas direcciones. De nuevo se puso a pensar en Goyo Ochoa. Ignacio imaginó al grupo de hombres que Goyo debía de estar conduciendo al pueblo de Izalco. Los imaginó blandiendo sus machetes con furia; le pareció verlos correr hacia la plaza y detenerse de pronto en silencio a las puertas del cuartel que sin duda estarían cerradas frente a ellos. También Ignacio estaba en una misión igualmente urgente. En su corazón sabía que su esperanza en un futuro mejor se centraba en el hijo para quien esa noche buscaba ayuda. Algún tiempo antes le había dicho a Goyo que un hombre podía mejorar si tenía hijos que lo ayudaran a hacerlo, pero Goyo se había burlado de semejante idea.

—Miráme —había dicho—. Yo tengo tres hijos y, al final, sólo son tres bocas más que alimentar. El problema contigo, compadre, es que sueñas demasiado. Y los sueños pueden ser traicioneros.

Ignacio se incorporó y se dirigió deprisa hacia el camino. Del otro lado, bajó por un sendero flanqueado por cafetos. Se mantenía debajo de los árboles y cada tanto tocaba su machete para tranquilizarse. Al cabo de un tiempo llegó a la entrada de la finca de don Pedro. El claro de luna bañaba los portones que estaban abiertos como invitándolo a entrar. Aunque el tiempo era esencial, no los traspuso deprisa sino que primero observó un momento desde el camino en busca de guardias. Cada temporada, don Pedro contrataba a varios pares para mantener el orden durante la cosecha. Por lo general, dos hombres se encontraban apostados junto al portón cuando llegaban los peones a hacer la recolección. Otros guardias solían ubicarse alrededor de la oficina de la finca, listos para sofocar las peleas que a veces se suscitaban en los días de pago. A esa hora de la noche los guardias podían estar en cualquier parte, así que Ignacio observó bien el terreno y escuchó con atención antes de atravesar los portones a toda velocidad y entrar en la propiedad de don Pedro.

Con la mano sobre el machete, Ignacio Prieto recorrió el camino de grava que conducía a la casa principal. Mientras caminaba, ensayaba lo que le diría al patrón y buscaba las palabras que emplearía para explicar su presencia en ese lugar en medio de la noche. "Vengo por mi hijo enfermo", le diría, y el patrón, que era un buen hombre y que entendía el valor de los hijos, los ayudaría a él y a su mujer.

Más adelante el camino terminaba en un grupo de edificios de madera que formaban una especie de contrafuerte contra la casa de don Pedro. Incluso a esa hora avanzada, había luces todo alrededor que iluminaban esos edificios y la amplia oficina anexa a ellos. Ignacio se detuvo debajo de un árbol. Trató de comprobar si se oían sonidos poco familiares que indicaban peligro, pero sólo llegó desde lejos el ladrido de un perro y, después, el aullido de otro que le contestaba.

De pronto, por el rabillo del ojo percibió un movimiento leve, pero no se inquietó demasiado porque podía deberse a la brisa que jugueteaba sobre las hojas de los madrecacaos o la sombra fugaz que una nube proyecta sobre la tierra mientras cruza delante de la luna. Podrían haber sido estas cosas y también otras igualmente inofensivas, pero él igual desenvainó el machete, pues sólo a un tonto se lo pesca desprevenido.

Y entonces oyó otro sonido, uno que Ignacio reconoció enseguida: en alguna parte del camino resonaba el crujido de botas sobre la grava. "La guardia", pensó Ignacio. Se acercó más al tronco del árbol y apretó más la mano sobre su arma. En ese momento sintió en la espalda el puntazo inequívoco del cañón de un rifle y, después, un exultante grito de victoria:

—¡Ajá! ¡Miren lo que tengo aquí!

Ignacio giró la cabeza. ¿De dónde había salido ese guardia? ¿Estaba trepado en el árbol encima de él? Del camino se oyó el sonido de pisadas que corrían, y muy pronto otro guardia lo cubrió.

—Dése vuelta —ordenó el primero—. Suelte el machete.

Ignacio giró lentamente pero sin dejar de aferrar su arma. Un indio sin su machete equivaldría a estar muerto.

—Suéltelo —ladró el otro guardia. Balanceó la culata del rifle, aferró a Ignacio de la muñeca y así logró que el machete saliera volando por el aire. También el sombrero de Ignacio cayó al suelo, y uno de los hombres lo pisó y lo destrozó con el taco de la bota. De pronto Ignacio sintió un dolor intenso en la muñeca y vio que su mano comenzaba a hincharse.

Empujándolo con sus rifles, los hombres obligaron a Ignacio a salir de debajo del árbol y a entrar en el camino. Uno de ellos lo hizo girar, le llevó los brazos detrás de la espalda y le ató los pulgares con un trozo de cáñamo. El dolor de la mano lastimada era terrible y muy pronto sus pulgares comenzaron a hincharse y a aumentar de temperatura.

—Movéte, hijo de puta —le gritó uno de los hombres.

—Indios de mierda —dijo el otro.

Los dos se mofaron de Ignacio y lo provocaron todo el camino, mientras pasaban frente a los edificios y la oficina y se dirigían al enorme patio que rodeaba la casa de don Pedro. El patrón se encontraba de pie en el corredor que se extendía alrededor de la casa. En una mano empuñaba un revólver.

—¿Qué pasa? —gritó don Pedro cuando los tres se acercaban. El patrón era un hombre maduro, alto y corpulento. Bajó de a dos los escalones del corredor. Un perro negro de pelaje brillante lo siguió.

—Encontramos a este pendejo, patrón. Estaba escondido debajo de un madrecacao. Sólo Dios sabe cuántos más vinieron con él.

"¿Qué?", pensó Ignacio. Como tenía los brazos atados a la espalda, movió la cabeza para darse a entender.

—No, no, patrón —dijo—. Vine sólo yo. Sólo yo, patrón.

—¿Cómo te llamas? —preguntó don Pedro.

—Ignacio Prieto. A sus órdenes, patrón.

—¿Eres un cortador? ¿Trabajas para mí?

—Sí, patrón. Hace diez años que lo hago. —Sin duda lo prolongado de su servicio le daba derecho a ser oído. Ignacio pensó en su mujer y su hija, y en cómo las dos habían trabajado lado a lado con él durante casi todo ese mismo tiempo.

—Mi familia también trabajó para usted —agregó Ignacio con la esperanza de acumular hechos que podrían ayudarlo en esa situación.

—¿Por qué estás aquí? —Don Pedro sostenía el revólver contra el muslo. —¿Por qué has venido a esta hora tan tardía? —Don Pedro entrecerró los ojos. Hacía días que corrían rumores alarmantes desde la capital. Los cables estaban llenos de noticias de la inminencia de una rebelión. Aunque Farabundo Martí había sido apresado, y el presidente Martínez había ordenado la detención de todos los extremistas conocidos, los indios rebeldes se estaban reuniendo. ¿Ese hijo de puta sería uno de ellos?

Ignacio sintió que se le agolpaba la sangre en la cabeza en señal de alarma. El volcán volvió a hablar: *Elige tus palabras con mucho cuidado, Ignacio Prieto, no sea que te malentiendan.*

—Vine por mi hijo. Por mi niñito, Justino Prieto. Tiene mucha tos y necesita medicinas.

—Si lo que dices es cierto —dijo don Pedro—, ¿por qué no fuiste a Izalco? Allí hay una curandera. —Como para marcar el ritmo de sus pensamientos, el patrón golpeó el revólver contra un costado de los pantalones.

Ignacio bajó la vista y se miró los pies desnudos. No podía contestar esas preguntas. ¿Cómo iba a admitir que era una rebelión lo que le había impedido ir al pueblo? No podía decir esas cosas y, aunque sabía que ahora usarían de alguna manera su silencio contra él, no dijo nada más.

Desde alguna parte de atrás de la casa, brotó una andanada de disparos de rifle e, instintivamente, Ignacio bajó la cabeza. Don Pedro levantó el revólver y lo apuntó hacia el cielo.

—¡Hombres! —gritó—. Vayan a la parte de atrás. Yo me quedaré aquí cubriendo a este indio.

Los guardias corrieron hacia allá, los rifles apoyados en el pecho. El perro negro de don Pedro los siguió. Muy pronto los tres desaparecieron del otro lado de una esquina de la casa.

Ignacio miró el revólver que lo apuntaba.

—Patrón —dijo, porque había llegado el momento de hablar—. Mi presencia aquí no es lo que usted piensa. Vine por mi hijo. Tino es muy pequeño y ahora está muy enfermo. Pero con su ayuda, patrón, mi muchacho sanará. Gracias a usted crecerá y un día será grande. Suficientemente grande para cortar café para usted, patrón. —Ignacio notó que un músculo se tensaba en un costado de la cara de don Pedro, y supo entonces que sería inútil. Todo se reducía a esto: durante diez años Ignacio y su familia había recogido el café que había hecho rico a don Pedro, y todo para nada. Al final, una década de servidumbre no le había significado ni siquiera un momento de piedad.

Se oyeron más disparos y también gritos. La noche se llenó con el ladrido frenético de los perros.

Una voz llamó desde más allá de la casa.

—Patrón, venga rápido.

Otra voz, más ronca que la primera, gritó:

—Tenemos más indios, patrón.

Don Pedro atravesó el espacio que lo separaba de Ignacio.

—¡Lo sabía! —exclamó—. Durante semanas Martínez nos advirtió de la revuelta. Bueno, el Presidente estaba en lo cierto. —Hizo girar en redondo a Ignacio y lo empujó hacia el lugar de donde provinieron los gritos.

A Ignacio le costaba mantener el equilibrio por estar siendo empujado y tener los brazos sujetos en la espalda. Rodeó el costado de la casa mientras oía que don Pedro respiraba con dificultad detrás de él. De pronto recordó las palabras de Goyo Ochoa: "Esta noche daremos el golpe contra los opresores". Ahora Ignacio lo entendía todo. Varios grupos de hombres se habían dirigido al cuartel del pueblo mientras otros enfilaban hacia las casas de los ricos. Miró en todas direcciones en busca de una vía de escape, pero no había ninguna. Más adelante, en medio del resplandor de las luces ubicadas por encima del patio, tres guardias rodeaban a una banda de cuatro hombres. Cuatro hombres vestidos con indumentaria india. Indios pipil que participaban de la revuelta.

Cuando ya casi estaban encima del grupo, don Pedro rodeó el cuello de Ignacio con un brazo y lo llevó hasta uno o dos metros de los otros. El fuerte olor a sudor del Patrón se introdujo en la nariz de Ignacio. Trató de tragar para apartar ese hedor, pero la fuerza con que don Pedro lo apretaba se lo impidió.

La voz ronca del guardia dijo:

—Había otros, patrón, pero los dispersamos. —Hizo un movimiento hacia adelante con el rifle como para demostrar la forma en que había repelido a los demás.

—¡Hijo de puta! —gritó el patrón, su boca cerca de la oreja de Ignacio—. Dejaste ir a los otros. ¿Cuántos eran?

El guardia no respondió a la pregunta de don Pedro. En cambio, desplazó su mano hacia arriba y hacia abajo por el delgado cañón de su rifle.

Con un gruñido, el patrón empujó a Ignacio hacia uno de los hombres que el guardia cubría. El hombre extendió un brazo hacia Ignacio para impedir que cayera al suelo.

—¡Ustedes los indios son todos iguales! —gritó don Pedro—. No se puede confiar en ustedes. Mírense: son unos ingratos. Yo les doy trabajo, los alimento, ¿y así me lo pagan? —Don Pedro se puso a gesticular como loco y el sudor le dibujó círculos amplios debajo de los brazos.

—También son asesinos, patrón —dijo un guardia que tenía un bigote caído y ojos grandes—. Uno de estos salvajes asesinó a Tomás. —Señaló hacia un extremo del parque donde terminaba la grava y crecía el pasto y también arbustos bajos. Como si estuviera clavado en el lugar por los potentes reflectores que iluminaban el patio, el cuerpo de un guardia yacía allí, su cabeza partida prolijamente en dos por el único golpe de un machete.

Ignacio apartó la vista. Miró a los hombres que lo rodeaban. Les habían quitado las armas, que estaban apiladas cerca, en el suelo. Ignacio reconoció a los hombres: todos eran cortadores que trabajaban en la finca de don Pedro. El que se llamaba Chema estaba herido: su cara estaba gris y le faltaba la camisa. Tenía las manos entrelazadas sobre el estómago como para impedir que se le salieran las entrañas. Entre los dedos le brotaba sangre que le manchaba los pantalones con un rojo brillante. Otro hombre sostenía a Chema sin darse cuenta de que en sus propios pantalones se acumulaba la sangre de Chema.

Ignacio miró a esos indios que no se quejaban, y la valentía de esos hombres hizo que sintiera menos miedo. Ahora estaba con su gente. Se sentía sostenido por ellos y por el odio hacia el enemigo que brillaba en sus ojos.

Los perros habían dejado de ladrar. Algunos se desperezaban y bostezaban debido a la hora.

—¿Qué hacemos con ellos? —preguntó un guardia y pateó a un perro que en ese momento le olisqueaba las polainas de tela que le cubrían las piernas.

Don Pedro paseó la vista por el patio.

—Flores —dijo—, llévalos a la oficina y enciérralos allí.

Flores, el guardia del bigote, chocó los talones.

—Sí, patrón. Como usted diga.

Don Pedro se puso el revólver en el cinto.

—Yo entraré a llamar al cuartel —dijo. Caminó de vuelta a la casa y desapareció en su interior.

En el patio reinó el silencio e Ignacio oyó el tronar del volcán. Esta vez, el Izalco no tenía palabras para él.

—Vámonos —ordenó Flores—. Marchen a la oficina.

En fila, los cinco hombres avanzaron dificultosamente por el pasto y pasaron junto al cuerpo del guardia muerto. Recorrieron el camino entre el patio y el grupo de edificios por el que Ignacio había pasado antes. Los guardias marchaban al costado de la columna, gritaban insultos y golpeaban los hombros y los traseros de los hombres con sus rifles. También los perros los siguieron, y porque eran perros y no sabían hacer nada más, trotaban alegremente como si estuvieran de paseo. Cuando el grupo llegó a la oficina, los guardias ordenaron a los hombres que se detuvieran.

Fue Flores el que habló:

—Esta noche ustedes, los indios, se olvidaron de cuál era su lugar. Ese error les va a costar caro. —Caminó con lentitud delante de ellos y se fue deteniendo frente a cada uno mientras hablaba. —Uno de ustedes mató a un guardia esta noche. Esto no lo toleraremos.

Flores se frenó delante del hombre que tenía la herida en el vientre.

—Aunque fuiste tú el que mató a Tomás, no serás tú el que lo pague, ya que muy pronto vas a estar muerto.

Flores continuó avanzando frente a la fila y se paró delante de Ignacio.

—Creo que éste será el hombre que pague esa muerte. —Aferró a Ignacio de los hombros y lo sacó de la fila.

La mano de Flores era como un hierro a fuego en el hombro de Ignacio.

—Escogí a este hombre porque no tenía sentido elegirlo —dijo Flores—. La estupidez engendra estupidez, y esta noche uno de ustedes actuó de manera insensata.

La imagen de Tino cruzó por la mente de Ignacio.

—Tengo un hijo —dijo Ignacio—. Se llama Justino.

—De rodillas —le ordenó Flores.

Lentamente Ignacio se arrodilló y sintió la tierra fresca contra sus piernas a través de la tela de sus pantalones. Inclinó el cuerpo hacia la tierra para que al final su frente se apoyara contra ella. "Tzultacah —pensó—, dios de la tierra, ahora estás conmigo como siempre lo estuviste. Con tu misericordia protege a mis mujeres y, con tu grandeza, concédeme la gracia de que mi hijo te estime y trabaje tu tierra como yo lo hice."

Ignacio Prieto, indio pipil, forzó a su mente a retraerse hacia el lugar donde nada pudiera alcanzarlo.

—Justino —dijo, pronunciando contra la tierra el nombre de su hijo incluso cuando el cañón del rifle se le clavaba en el cuello. Incluso cuando el aire explotó alrededor de él.

En el resplandor de las velas encendidas en su choza, Mercedes se encontraba sentada en la silla de su madre y cuidaba a Tino que estaba acostado en el petate a sus pies. Unas tres horas después de la partida de Ignacio, Tino había empeorado mucho, pero ahora comenzaba a mejorar. Minutos antes, cuando lo tenía en brazos, había vomitado una pelota de flemas y de leche agria y parecía que la fiebre comenzaba a ceder. En los ojos del pequeño había una expresión de aturdimiento cuando levantó la vista y la miró. Mercedes estaba empapada con el sudor de su hijo y su tapado tenía olor a vómito.

—Jacinta, traéme un poco de agua de la jarra —dijo Mercedes y se apartó un poco el tapado. Jacinta estaba acurrucada junto al petate. Cerca de la puerta, Tzi empezó a gruñir. Mercedes miró hacia la noche.

—¡Ya viene mi papá de regreso! —exclamó Jacinta y se le iluminó el rostro. Pegó un salto. —Voy a ir a recibirlo.

—Alabado sea Dios —murmuró Mercedes, aliviada.

El movimiento de la cola de Tzi llamó a Jacinta por el sendero al camino. Avanzó por entre las cenizas del volcán. Más adelante, el perro llegó a la encrucijada y su cola describió un medio círculo entre sus patas huesudas. Desde alguna parte se oyó un leve ruido. "Papá, ¿sos tú?", pensó Jacinta. No sabía bien por qué no lo preguntó en voz alta ni qué la llevó a pegar un salto, salir del sendero y esconderse entre los arbustos. Espió por entre el zarzal.

A algunos metros de allí, dos guardias avanzaban furtivamente por el camino hacia donde estaba ella. Los hombres eran dos sombras largas, pero sus rifles estaban bien definidos y cada hombre lo llevaba en posición de disparar. Tzi se paralizó al ver a los hombres; un gruñido grave resonó en su garganta antes de que ladrara y pegara un salto hacia ellos. El perro tomó de sorpresa a uno de los hombres, pero el guardia pronto se recuperó y apartó al animal con la culata del rifle. Se oyó un crujido seco cuando la madera golpeó sobre el hueso y Tzi se desplomó sobre el camino. El segundo guardia lo apuntó y le disparó. El tiro levantó al perro del camino antes de que su cuerpo volviera a caer.

Jacinta corrió de vuelta a casa, procurando siempre mantenerse agachada detrás del cerco de pascuas rojas y esperando que en cualquier momento la abatieran. Cuando llegó al rancho estaba sin aliento. Su madre estaba de pie en el portal y se había sujetado a Tino al pecho con su tapado.

—¡Mamá, la guardia! Mataron a Tzi.

Mercedes se dejó caer contra el portal y su cara se llenó de arrugas.

Jacinta tomó a su madre del brazo y la llevó al patio.

—Vámonos, mamá o también nos matarán a nosotros —le ordenó, sabiendo que esa vez ella debía ser fuerte por las dos.

Mercedes, con Tino apretado contra su cuerpo, y Jacinta, se acurrucaron detrás de unos bambúes, a poca distancia del rancho. Los dos guardias estaban a unos cincuenta metros de ellas.

—Salgan de allí —gritó uno de los hombres—. Salgan de allí, indios comunistas. —Los proyectiles de los rifles acribillaron el rancho.

Ese estruendo hizo que Tino comenzara a llorar muy despacio.

—Hacélo callar —susurró Jacinta con vehemencia, furiosa ante la idea de que el bebé pudiera delatarlas. Mercedes comenzó a darle palmaditas a su hijo.

"Vení —dijo Jacinta y de nuevo se pusieron en marcha, siempre agachadas hasta que llegaron al arroyo. Las dos se sumergieron en él y miraron hacia la casa por el borde del lecho del río. Brilló una chispa y, un instante después, el rancho ardía en llamas. El fuego chisporroteaba y trepaba por las paredes hasta que las llamas llegaron al techo antes de saltar para apoderarse también del laurel. Mercedes vio cómo las hojas de la planta se estremecían y luego se curvaban en ese calor. Vio cómo su pequeña cocina se desplomaba; observó cómo su rancho parecía suspirar antes de caer sobre sí mismo. Vio cómo ardía todo su mundo: la hamaca de Tino, la silla de su madre, el espejo de mano que había apresado su imagen, los rizos de los bebés.

Los guardias cargaron contra el macizo de bambúes.

—Esos indios tienen que estar en alguna parte —dijo uno—. Lo más probable es que estén escondidos en el matorral.

—Vamos —ordenó Jacinta.

—No —dijo Mercedes. No podía abandonar ese lugar. Del otro lado del campo la nube de humo llenaba la noche con el aroma de todos sus días.

—Tenemos que irnos —dijo Jacinta y llevó a Mercedes y a Tino a lo largo del río.

—¿Adónde? —jadeó Mercedes.

—Donde la comadre.

Mercedes permitió que la guiaran, porque no tenía fuerzas para resistirse. Mientras huían, miró hacia atrás sólo una vez y después pensó que le parecía haber visto el rostro de Ignacio en la columna de humo que se elevaba del rancho.

Cuando llegaron al rancho de Pru, Mercedes se dejó caer en un banco que había debajo de un árbol mientras Jacinta corría hacia la puerta y llamaba a gritos a la comadre. Pero no obtuvo respuesta.

—¿Dónde están todos? —preguntó Jacinta al cabo de un momento. Tuvo ganas de gritar: ¡Antonio!, ¿dónde estás, Antonio?

Mercedes ni siquiera tuvo fuerzas para reaccionar a la pregunta de Jacinta. Se abrió el tapado e inspeccionó a su hijo a la luz de la luna. Como no había tenido tiempo de envolverlo, Tino estaba desnudo contra ella. Tenía la piel más fresca que antes. Estaba despierto y la miró como si le estuviera pidiendo una explicación por el caos que lo rodeaba. Mercedes se levantó la blusa y le metió un pezón en la boca; era lo único que tenía para ofrecerle a su hijo. El bebé mamó durante un momento pero después se durmió.

—Mamá —dijo Jacinta—, aquí viene alguien. —Por un instante Jacinta tuvo la sensación de que se le detendría el corazón ante la vista de esas sombras que se le acercaban. Cuando reconoció a la comadre y a los muchachos, sintió un gran alivio. Después pensó: "¿Pero dónde está Antonio?"

—Soy yo —dijo Pru al acercarse a Mercedes. Dos pequeños se acurrucaron junto a su madre. El más chiquito se frotó el sueño de los ojos.

—Ay, comadre —dijo Mercedes—. La guardia. Quemaron todo. Todo se perdió.

—Mataron a Tzi —dijo Jacinta.

Pru asintió.

—Oí los disparos. Estábamos escondidos en el barranco. —Con la barbilla indicó la dirección en la que estaban. —Vi cómo el fuego encendía el cielo.

—Mi niño ha estado enfermo. Anoche Ignacio fue adonde don Pedro en busca de medicina. —No dijo más porque, ¿qué más se podía decir?

—Ya luego será de mañana —dijo Pru, su rostro ya no era una sombra. A la luz del amanecer parecía casi jovencita con sus trenzas cruzadas sobre la cabeza. —Goyo y Antonio se fueron anoche. Tiburcio Leónidas vino a buscarlos. Tiburcio mató a un guardia. Le cortó la cabeza con su machete.

De modo que así era. ¿Había pasado sólo un día desde que fueron al arroyo?

Tino comenzó a inquietarse y muy pronto se mojó.

—Ay, el niño se meó —dijo Mercedes y le sacó el tapado que lo cubría. Sintió la orina caliente a través de la falda.

—Dejá que yo lo tenga. —Pru alzó a Tino de la falda de Mercedes. —Comadre, andá al río y laváte. Jacinta, llevá allá a tu mamá. —Pru sostuvo a Tino erguido contra el hombro. —Manolo, entrá y traéme una manta para el niño.

Mercedes se puso de pie.

—No, dejá que yo lo tenga. Apenas estoy un poco mojada, eso es todo.

—Estás más que mojada, mamá —dijo Jacinta—. Tenés vómito en el chal. Vení, te voy a acompañar al río. Queda a sólo un minuto de aquí. —Y tomó a su madre del brazo.

—Cuando vuelvan nos iremos —dijo Pru—. Goyo me dijo que yo debía llevarme a los niños si él y Antonio no volvían por la mañana.

—Pero, ¿y mi papá? —preguntó Jacinta. Miró hacia más allá del claro, como si su padre pudiera entrar en ese momento en el patio.

—Tu padre se va a cuidar él solito —dijo Mercedes—. Si él estuviera aquí querría que todos nos fuéramos. —Le costó mucho pronunciar estas palabras. Su marido había muerto. No volvería. Ella había visto su rostro elevarse hacia el cielo.

—¿Adónde iremos? —preguntó Jacinta. ¿Cómo podían irse cuando ni su padre ni Antonio habían vuelto? No estaba bien irse de allí.

—Iremos al lugar que mi hermana Chenta Gómez tiene en El Congo —contestó Pru—. Queda hacia el norte. Pasando el volcán. Pasando el lago de Coatepeque. Cuanto todo esto se termine, Goyo se va a reunir allá con nosotros.

—Vaya, mamá —dijo Jacinta y empujó a su madre en dirección al río.

De mala gana, Mercedes cedió y se recostó contra el hombro de su hija.

Juntas, las dos echaron a andar hacia el río.

CAPÍTULO CINCO

Los dos guardias salieron del camino y comenzaron a descender por un sendero que sin duda los conduciría a otro rancho. No faltaba mucho para que amaneciera. En esa débil luz, la ceniza del volcán era como una alfombra de carbón alrededor de ellos.

—Esta vez apresemos algunos indios —dijo Flores, el de la mirada dura. Más temprano, los dos habían incendiado un rancho y a Flores lo enfureció que estuviera vacío, que ningún indio hubiera caído abatido bajo los disparos de su rifle. Rolando Morales había aprendido a no hacer enojar a su compañero. "Cuando se enfurece, no me gustaría nada estar del otro lado del cañón de su arma", pensó.

Había sido un día largo y agotador. Por la tarde encontraron el cuerpo sin cabeza de un compañero. El cadáver estaba escondido en una cueva, pero lo descubrieron por el hedor. Rolando todavía lo sentía en la nariz, así que se detuvo un momento, se apretó un orificio con un dedo y sopló con fuerza. Repitió el procedimiento con el otro y después se apuró para ponerse a la par de su compañero. Más tarde, cuando el sol estuviera alto, él y Flores regresarían para llevarse el cuerpo y buscar la cabeza. No era una perspectiva muy atractiva, por cierto. Pero igual, a pesar de las situaciones desagradables que a veces se le presentaban en su trabajo, Rolando Morales estaba orgulloso de formar parte de los que llevaban paz a la zona rural. Cada mañana, al colocarse las polainas de cuero sobre las piernas y ponerse los pantalones, una sensación de importancia y de poder lo embargaba. Cada mañana, cuando su mujer le entregaba la chaqueta caqui de su uniforme con diminutos botones de bronce, los ojos de ella brillaban porque también ella se sentía orgullosa de ser la esposa de un guardia nacional.

—Creo que estamos de suerte —susurró Flores. En esa tenue luz matinal, delante de ellos aparecía un rancho, más allá del cual sonó una voz.

Flores se llevó un dedo a los labios.

—Los sorprenderemos —dijo en voz baja—. Acercáte tú por la derecha. Yo lo voy a hacer por la izquierda.

Rolando Morales, el rifle listo, rodeó el rancho justo en el momento en que su compañero emergía por el otro lado. Un árbol solitario se elevaba en el claro. Una mujer grandota, con trenzas en la parte superior de la cabeza, estaba debajo del árbol. Se llevaba un bulto al pecho. La mujer giró la cabeza y, aunque tenía la cara en sombras, Rolando Morales vio cómo sus ojos se abrieron de par en par. Ella levantó una mano como para alejarlos.

—No —dijo. Sólo eso.

Una oleada de sonido brotó del rancho. Flores giró sobre sus talones y disparó una andanada de proyectiles hacia la puerta.

La mujer pegó un salto.

—¡Mis hijos! —gritó. Después, como si acabara de recordar algo olvidado, se dio media vuelta y echó a correr.

Rolando Morales apretó el gatillo de su rifle.

Por un instante fugaz no hubo señales del impacto de la bala, pero de pronto la cabeza de la mujer cayó hacia adelante y ella se balanceó. Sus rodillas cedieron y se desplomó hacia adelante algunos metros más allá del árbol.

En alguna parte, un niño aulló.

—¡Puta! —exclamó Flores—. Hay más allá adentro. —Entró en el rancho disparando en todas direcciones. El olor a pólvora inundó el aire.

Se hizo un silencio profundo, pero Rolando Morales permaneció listo para disparar no bien oyera algún sonido.

Flores salió del rancho.

—Allí adentro había dos niños. No crecerán para tener sus propios machetes. —Carraspeó y después escupió hacia la tierra. Con dos movimientos rápidos se alisó las puntas del bigote.

De nuevo se oyó el grito de una criatura.

Los dos guardias se miraron.

—El ruido vino de allá —dijo Flores y señaló hacia la mujer. Los dos se dirigieron al lugar donde ella yacía.

Con la bota, Rolando Morales puso a la mujer de espaldas. La bala le había entrado por la base del cráneo. Al salir, se había llevado la garganta de la mujer y un trozo de la mandíbula. Debajo de la mujer había una criatura que lloraba con desesperación.

—Parece que acabamos de encontrar un comunista jovencísimo

—dijo Flores y rió entre dientes—. Es un varoncito. —Le movió el diminuto pene con la punta del cañón del rifle. El bebé aulló con más fuerza.

—¿Qué vamos a hacer con él? —preguntó Rolando Morales.

—Matarlo —respondió Flores.

La conciencia le dio un tirón a Rolando Morales. Mentalmente vio a su mujer que, algunos meses antes, había dado a luz al primer hijo de ambos. El bebé se parecía muchísimo a éste: la misma cara redonda, la misma nariz chata, la misma mata de pelo negro y grueso.

—No —dijo Rolando, porque algo lo obligó a decirlo.

—Hasta los traidores más pequeños deben ser eliminados —dijo Flores.

Rolando Morales sacudió la cabeza.

—No éste. Éste se lo voy a llevar a mi mujer. Hace apenas unas semanas perdió una criatura. Criará a éste para que sea guardia, un gran guardia como nosotros dos.

Flores no dijo nada. Deslizó el cañón del arma por el torso del bebé hasta dejarlo apoyado en la sien de esa cabeza diminuta.

—Sos un tonto en querer llevártelo —dijo Flores. En forma abrupta volvió a colgarse el rifle del hombro. —Salgamos de este chiquero. Necesito dormir un poco.

CAPÍTULO SEIS

Mercedes y Jacinta avanzaron trabajosamente por un sendero que rodeaba los madrecacaos que crecían en una de las fincas de café de la región. Aunque el día estaba cálido, Mercedes tenía frío. Se sentía incorpórea mientras caminaba debajo de los árboles. No tenía a su hijo, y nada de lo que hubiera experimentado antes la había preparado para esa angustia. Había vivido con la muerte y vivido con la desolación que acompañaba a la vida, pero no saber dónde estaba su hijo, ignorar su condición, le producía un dolor tan intenso que no había lágrimas ni gestos capaces de expresarlo.

Nunca olvidaría el dolor de la noche anterior. Si llegaba a vivir el doble de años que ya había vivido, el estallido de los disparos de los rifles seguiría resonando en sus oídos. Había cubierto corriendo la distancia que la separaba del río y, al entrar en el claro del rancho de Pru, se encontró con el cadáver de la comadre y los cuerpos ensangrentados de los hijos de Pru. Pero, ¿qué había sido de su propio hijo? ¿Dónde estaba él durante semejante carnicería?

Vaya si había buscado a su Tino. Durante horas, ella y Jacinta recorrieron el matorral y los senderos que rodeaban el rancho de Pru. Tan segura estaba Mercedes de que en cualquier momento descubrirían el cuerpo de Tino que en su garganta tenía preparado un grito. Pero no halló a su hijo ni vivo ni muerto.

A instancia de Jacinta ahora se movían en dirección al norte, hacia El Congo, el lugar donde vivía la hermana de Pru. El volcán era la guía de ambas. El Izalco era un gran cono negro grisáceo, con sus laderas carentes de vegetación. Era una visión desoladora que reflejaba la propia desolación de Mercedes. Aunque ella ponía un pie delante del otro, tenía la sensación de ir desdibujándose poco a poco. Tal vez dentro de una o dos horas, en algún lugar del sendero, sencillamente dejaría de existir.

Mercedes miró a su hija que caminaba junto a ella. Las mejillas de Jacinta estaban sucias con tierra y lágrimas. Algunas hebras de pelo escapaban de los confines de sus trenzas y le caían sobre la cara.

Jacinta se frenó en seco.

—Escuchá —dijo. Estaban en un lugar donde el matorral crecía con densidad entre los cafetos y los madrecacaos. Jacinta llevó a Mercedes debajo de un techo de arbustos y pronto estuvieron fuera de la vista cuando dos guardias pasaron cerca. Mercedes rodeó a Jacinta con un brazo como si quisiera anclarla. Tuvo ganas de salir del escondite y correr hacia el camino. ¿Dónde está mi hijo?, les preguntaría a gritos a los hombres. ¿Quién se lo ha llevado y por qué? El hecho de que los guardias le dispararan no la asustaba. Si hubiera estado sola, recibiría de buen grado esas balas.

—Tratemos de dormir —dijo Jacinta—. Allí afuera hay demasiados guardias como para que viajemos ahora. —Lo dijo pensando en su madre. Ella debía quedarse despierta y estar alerta a los peligros que las rodeaban. Antes de la masacre en el rancho de Pru, ella estaba convencida de que no debían abandonar su tierra, pero los disparos de los rifles y el espectáculo de lo que pueden hacer sus balas lo cambiaron todo. Aunque ella no los había visto matar, estaba segura de que jamás podría explicar el que su padre y don Goyo e incluso Antonio se hubieran ido. ¿Y su hermano Tino? Su desaparición era un misterio, pero ella podría vivir con ese misterio si lograban alejarse lo suficiente de allí. Tenía que sobrevivir para poder regresar algún día y resolverlo.

Medio adormiladas, ambas se acurrucaron la una junto a la otra hasta bien entrada la tarde. Cuando la luz se fue debilitando, las dos salieron de debajo de los árboles y continuaron la marcha caminando con cautela por miedo a ser descubiertas. Al llegar al final del sendero treparon por una ladera empinada hasta el borde de un camino, para lo cual debieron aferrarse de mazos de jaraguá. El chichicaste produjo escozor en las piernas de Mercedes y las puntas de ramas secas le lastimaron brazos y piernas.

Una vez en el costado del camino, se dejaron caer detrás de un árbol de volador. Mercedes apoyó la mejilla contra el suelo. No podía seguir adelante. Si tan solo pudiera hundirse en la tierra hasta quedar cubierta por ella. Como respondiendo a su pedido, la tierra comenzó a temblar. Un estremecimiento recorrió el cuerpo de Mercedes. También Jacinta lo sintió y, alarmada, abrió la boca. Ese retumbar se convirtió en rugido cuando tres camiones pasaron cerca. En la parte posterior de cada una un grupo de soldados armados viajaban de pie y apretujados. Los camiones levantaron gravilla de debajo de las ruedas y Mercedes se apresuró a cubrirse la cabeza con el tapado y extendió el brazo para proteger también a Jacinta de esos escombros lanzados contra ellas. El paso de los camiones levantó asimismo una nube de polvo. Las dos se ahogaron y tosieron cuando pasó sobre ellas.

—Es el ejército —dijo Jacinta después de que los camiones hubieran pasado—. Como si la guardia no fuera suficiente, ahora salió también el ejército. —Cruzaron el camino corriendo y bajaron por una ladera más empinada todavía que la que acababan de trepar. Mercedes tuvo la sensación de que la tierra cedería y se deslizó por la pendiente. Jacinta rodó al lado de ella. Ambas quedaron tendidas e inmóviles algunos segundos junto a una cerca de alambre de púas.

—¿Estás herida, mamá? —preguntó Jacinta.

Mercedes sacudió la cabeza. Tenía la voz atragantada en la garganta. Algo más pesado que la sangre le corría por las venas.

—No puedo más, hija.

Jacinta asintió. Del otro lado de la cerca se extendía un campo de pastoreo, en el que había un corral y un pequeño establo.

—Mirá —dijo ella y señaló en esa dirección—. Un lugar para descansar.

Por fortuna, la locura que se había abatido sobre el mundo estaba ausente de ese establo. Allí flotaba el olor dulce del heno y el olor punzante del estiércol. Allí, el sol poniente se filtraba por las rendijas de las paredes y formaba franjas a lo largo de la madera de los corrales. Habían entrado en ese lugar furtivamente, agradecidas al ver que estaba vacío. Cruzaban hacia uno de los establos cuando de un rincón brotó un crujido. Mercedes se tensó y rogó al cielo que sólo fueran ratones.

La cabeza de una mujer asomó por un costado.

Mercedes dio un paso atrás.

—No se asuste —dijo la mujer al salir—. Soy Rufina Fermín. Las vimos entrar. —Habló en nahuatl. —Mi marido y mi hijo están conmigo. —La mujer señaló hacia sus espaldas, y en ese momento apareció su familia.

Allí estaba Vicente Fermín, el marido de la mujer. Se sacó el sombrero y saludó a Mercedes con una inclinación de cabeza. A un costado tenía un machete. A Mercedes la tranquilizó estar con un hombre que tenía un arma. Y allí estaba Basilio, su hijo, un chiquillo de once años con hombros estrechos. Murmuró: "Buenas", y no se quitó el sombrero cuando lo dijo. Su madre lo miró con desaprobación y lo obligó a saludar como era debido.

—Pronto va a estar oscuro —dijo Rufina. Invitadas por ella, Mercedes y Jacinta se acercaron a un grifo de agua que, aunque sólo dejaba caer unas gotas de agua tibia, igual ellas lograron refrescarse. Se lavaron las manos y la cara y después bebieron curvando las manos. Muy pronto estaban instaladas en el establo, con una buena visión de la puerta. Vicente ocupó la posición del frente para vigilar la aparición de cualquier visitante. Rufina se soltó un extremo del chal y sacó dos tortillas. Las partió y las repartió entre los presentes. Mercedes trató de comer su porción, pero tenía gusto a tierra. Los pechos le dolían y de ellos brotaba leche por la necesidad de que su bebé succionara su alimento. Le pasó a su hija su trozo de tortilla.

—Tenés que comer, mamá —dijo Jacinta y se lo devolvió.

Mercedes se apoyó contra el hombro de Jacinta. Los otros intercambiaron relatos, pero lo único que pudo hacer Mercedes era sostenerse un pecho debajo del tapado. Trató de concentrarse en lo que el grupo decía y de no pensar en su bebé, que sin duda estaría allá afuera en alguna parte en medio de la noche, llorando por la leche tibia que ella tenía entre los dedos.

Rufina y su familia eran de Nahuizalco, un lugar del otro lado del río y a aproximadamente una hora de trayecto del Izalco. Hacia el noroeste, la aldea de Juayua había sido tomada, agregó la mujer. Vicente les contó que las bandas de trabajadores rebeldes habían quemado el cuartel de la guardia, la alcaldía y la oficina del telégrafo. Al escuchar las noticias y temiendo represalias, la mayor parte de los habitantes del pueblo huyeron. Algunos se habían escondido en quebradas y cuevas, dijo el muchacho. Vicente comentó:

—Pero hay otros como nosotros que se dirigen mucho más lejos.

El grupo hablaba en voz muy baja sobre el peligro que corrían sus vidas y lo sombrío del futuro que tenían por delante. Esa conversación creó un vínculo entre ellos, y decidieron unir fuerzas. Porque estaban exhaustas, Vicente dijo que debían quedarse allí hasta el amanecer. Era un lugar tan seguro como cualquier otro. Afuera no había animales a la vista y no era factible que alguien los llevara allí para pasar la noche. Por la mañana abandonarían el establo. A partir del día siguiente, buscarían refugio debajo de los árboles durante el día y viajarían por la noche. Y se dirigirían a El Congo. Vicente Fermín conocía el camino. Rodearían el pueblo de Tunamiles, más allá del volcán y enfilarían hacia el lago Coatepeque. Una vez allí, según Vicente, El Congo quedaría muy cerca.

—Yo me regreso —dijo Mercedes, hablando por primera vez desde que la conversación se había iniciado.

Jacinta se sobresaltó.

—¡Qué decís, mamá!

—En la mañana, voy a volver de donde vine. Tengo que encontrar a

Tino. —Ya no le dolían los pechos, pero la delantera de su vestido estaba empapada y fría.

—Si tú volvés, entonces yo te voy a acompañar —dijo Jacinta.

Vicente Fermín levantó una mano.

—Un momento. La oportunidad de que salga con vida es mínima si usted regresa. ¿Seguro que quiere poner a su hija en semejante peligro?

—Pero mi Tino... —dijo Mercedes, y su voz se fue perdiendo.

Jacinta le pasó un brazo por los hombros. Ella era la que les había hablado a los otros de Justino y de cómo había desaparecido.

—Razón de más para no volver —dijo Vicente después de que Jacinta habló—. Si regresa, no sólo pone en peligro su vida sino también la de su hija. —Vicente sacudió la cabeza. —No. Éstas son épocas terribles. Espere a que pase el peligro; entonces podrá volver a buscar a su hijo.

Para Mercedes, fue como si el mismísimo Ignacio hubiera hablado. Miró con más atención a Vicente, pero en el resplandor que ahora los rodeaba a todos, lo único que alcanzó a ver fue una sombra con un sombrero.

—Cuando llegue el momento —dijo Jacinta— voy a volver contigo, mamá. Y juntas vamos a encontrar a nuestro niño. —Al decirlo, sintió una punzada de miedo en el estómago. Acercó a su madre.

—Tal vez tengás razón —dijo Mercedes mientras palmeaba la mano que Jacinta tenía en su hombro. La fatiga se había infiltrado de tal manera en sus huesos que levantar un brazo le demandaba un esfuerzo demasiado grande. Dejó caer el brazo sobre la falda y se recostó contra la pared del establo.

—Pero ahora debemos dormir —dijo Jacinta, y sus palabras hicieron que la conversación fuera cesando. Mercedes se acurrucó junto a su hija. Obligó a su mente a quedar en blanco y a concentrarse en la respiración suave y rítmica de los que la rodeaban. Al rato también ella se durmió.

Afuera, la bruma matinal ya casi se había esfumado. El cielo estaba rosado y el aire, fresco. Mientras el grupo se reunía, ellas permanecían de pie junto a la puerta y contemplaban en silencio el campo que debían atravesar.

El terreno era amplio y largo y, lamentablemente, libre de maleza y montes bajos que podrían ocultarlas. Una cerca de alambre de púas lo rodeaba. A la izquierda, del otro lado del alambrado, se encontraba la ruta por la cual habían viajado los camiones del ejército: hacia la derecha, más allá de la cerca, había una hilera de árboles que sería su escondite.

Vicente se apartó el sombrero de la frente y señaló a Mercedes y a Jacinta.

—Ustedes dos van a salir primero —dijo—. Basilio las acompañará. Encuentren un lugar para pasar por la cerca. Después iremos nosotros.

Por un momento el muchachito se echó hacia atrás, pero su madre lo empujó.

—Andá —dijo.

—Apuráte —dijo Vicente—. Salgamos antes de que haya demasiada luz.

Jacinta se asomó a la puerta; echó a correr y Mercedes la siguió. Por encima del hombro oyó que Rufina volvía a hablarle a Basilio.

—Vamos, andá —dijo Rufina, esta vez con más vehemencia. Muy pronto Mercedes oyó que el muchacho corría detrás de ella.

El corazón le latía con fuerza cuando Mercedes llegó a la cerca. Jacinta había encontrado un sector donde el alambre estaba flojo y había pasado por encima. Lo levantó para que Mercedes pasara por abajo lo más rápido que pudo. A su vez, Mercedes levantó el alambre para Basilio, quien se sostuvo el sombrero al pasar al otro lado.

Desde debajo de los árboles, los tres miraron más allá de la cerca. Vicente y Rufina atravesaban el campo. Se encontraban a mitad de camino hacia el alambrado cuando comenzó el zumbido. Mercedes miró hacia el camino, en dirección al lugar donde estaba segura habría una nube de polvo que indicaría la presencia de camiones que se acercaban.

Pero en el camino no había nada.

En el campo, Vicente miró hacia el cielo. Gritó algo y echó a correr. Rufina lo siguió.

El zumbido se convirtió en un pulsar sonoro. Como lanzado por una catapulta, el aeroplano rugió sobre sus cabezas. Basilio pasó como una exhalación junto a Mercedes y su sombrero cayó a tierra. Se puso a correr al lado de la cerca en busca de algún lugar donde el alambre estuviera flojo. Mercedes trató de arrastrarlo de vuelta hacia los árboles, pero no pudo hacerlo porque el muchacho estaba aferrado al alambrado.

Del aeroplano brotaron disparos y los proyectiles llovieron sobre el terreno. Cuando Vicente y Rufina fueron heridos, los dos estaban mirando hacia arriba. El recibir los disparos, cada uno se sacudió un poco y después se derrumbó como si fueran marionetas a las que les habían aflojado los hilos. Un instante después, la avioneta proyectó su sombra sobre el camino y, después, sobre el montecillo de árboles que Mercedes y Jacinta habían atravesado el día anterior. El ronroneo del motor del aeroplano se hizo más lejano hasta desaparecer. Y el silencio que quedó fue igualmente sonoro.

Basilio pasó por la cerca y echó a correr hacia sus padres. Cuando llegó, corrió de uno al otro. Al lado de su madre, sus rodillas cedieron. Mercedes, jadeando, se reunió con el muchacho y se arrodilló junto a él, mientras que la voz de Jacinta, en la cerca, era un alarido incomprensible.

CAPÍTULO SIETE

El Congo
Marzo de 1932

Después de llegar a la casa, durante días la mente de Mercedes Prieto se negó a instalarse en ese cuarto pequeño y sin ventanas que era el hogar de Chenta Gómez. A veces sentía la presencia de Jacinta que le revoloteaba alrededor; otras, era Chenta la que le metía cucharadas de sopa en la boca. Con frecuencia, la visión de Mercedes era borrosa. No lograba distinguir los colores. Cada tanto, cuando Jacinta o Chenta hablaban, sus voces se convertían en las de Ignacio o Pru. De una cosa estaba segura Mercedes: de la presencia de Basilio Fermín, acurrucado y en silencio, acostado en ese dedal de espacio que había entre la pared y su petate.

El muchachito no parecía moverse nunca, aunque Mercedes sabía que esto era imposible. Cada tanto ella le palmeaba la suave curva de la espalda, y entonces él se crispaba un poco y gemía como si fuera un perro dormido que tiene pesadillas.

Mientras Mercedes yacía convaleciente en su petate, los relatos continuaban. Historias de la matanza, de la masacre. Se dijo que habían muerto casi treinta mil: hombres, mujeres y niños indios. Que los muertos eran tantos que sus cadáveres habían sido arrojados en inmensas fosas comunes. Que el número de muertos era tan impresionante y que los habían enterrado con tanta prisa, que a veces los chanchos o los perros se aparecían con un trozo de carne humana o un hueso. Y se rumoreaba que los que no murieron en la revuelta eran perseguidos y matados cuando los encontraban.

Durante días, después de oír todo esto, Mercedes tomó la costumbre de hablar consigo misma. Lo hacía en voz muy baja y pronunciaba frases como “Si él estaba vivo cuando nos fuimos, seguro que ahora está muerto”. En una oportunidad —la habitación estaba a oscuras cuando esto sucedió, así que debe de haber sido por la noche— se le apareció la cara de Ignacio y ella le preguntó sobre Tino. "¿Lo has visto, marido mío? ¿Nuestro muchachito está vivo o muerto?" Pero Ignacio no le había contestado. La que lo hizo fue Jacinta, acostada junto a ella.

—Calláte, mamá. Dormíte de una vez.

También la noticia siguiente se diseminó velozmente por el pueblo: escuadrones adicionales de guardias estaban ahora en El Congo. Los hombres observaban con ojo alerta a los indios que podrían duplicar las acciones llevadas a cabo por sus hermanos en el sur. Porque tenían miedo de represalias, los indios dejaron de hablar en nahuatl y de usar sus vestimentas nativas. Desaparecieron los colores brillantes, y sus refajos tuvieron desde entonces el color de su tristeza. En su lugar aparecieron vestidos cortos de colores sombríos. Habían sido silenciados los armoniosos sonidos de los pipiles.

Ese día, Mercedes se encontraba sentada en la galería cubierta de la parte de atrás de la habitación de Chenta. En el mesón había veinte cuartos, todos alrededor de un patio grande sin césped. En el centro crecía un árbol alto, un maquilishuat, lleno de capullos rosados. Mercedes comenzaba a sentirse mejor. Semanas antes, cuando acababa de llegar, Chenta le había ofrecido trabajar en su puesto de comida en el mercado.

—Pero sólo cuando estés lista —le había dicho. Para Jacinta, Chenta le consiguió un vendedor de frutas que necesitaba que alguien lo ayudara. Con Basilio, la historia era muy diferente.

Ahora él salió de la habitación y cruzó el patio hacia el cobertizo que había en la parte de atrás y que contenía el retrete. Aunque tenía once años, era tan alto como Jacinta. Era un muchacho feúcho, de cara chata y tan oscura como un grano de café tostado. Minutos después salió del cobertizo y empleó sus pulgares para levantarse bien los pantalones. Se acercó a Mercedes y se echó junto a ella.

—Buenos días, niña Meches —dijo—. La llamó "niña" porque esa palabra significaba "muchacha". Casi todo el mundo la usaba para demostrar respeto y afecto hacia mujeres de todas las edades. Pero también la llamó "Meches", la forma abreviada de Mercedes. Sólo que jamás se había dirigido a ella de esa manera, y esa familiaridad llena de ternura la conmovió.

Mercedes dijo:

—Dentro de pocos días voy a ir al mercado a trabajar con Chenta.

—Yo también —dijo Basilio, la mirada fija en un punto del otro extremo del patio.

—Tú no podés trabajar en el mercado —dijo Mercedes—. Hay un trabajo para ti en la iglesia. El padre Donacio necesita que alguien lo ayude. —Fue Jacinta la que apenas días antes lo supo. Una vez por semana, los martes, ella llevaba a la iglesia un canasto lleno de frutas para que la Gerónima, la cocinera del cura, eligiera las mejores.

—Yo no quiero trabajar en la iglesia.

—El padre es un buen hombre. —Mercedes no lo conocía personalmente, sólo lo había visto en misa, pero confiaba en Jacinta en lo relativo a informaciones sobre el sacerdote. Él recibiría al muchacho y le haría lugar en un rincón de la sacristía.

"El padre tiene trabajo para ti. Podés barrer la iglesia, encalar las paredes. Hasta hacer sonar las campanas.

—Yo no quiero hacer sonar las campanas.

Mercedes se frotó los párpados con las yemas de dos dedos. Era tanto el peso que tenía encima. Y tanto lo que pesaba sobre el muchacho. "Podés hacer sonar las campanas." Qué aliciente tan poco atractivo. Como si las vidas de todos ellos merecieran cualquier clase de celebración.

—Lo siento, Basilio, pero no podés quedarte más aquí —dijo, decidida a confrontarlo—. Chenta ha sido más que generosa. —Lo cierto era que no había lugar para él. Y, además, estaba lo de Jacinta, quien aseguraba estar incómoda por la forma en que Basilio no le sacaba los ojos de encima cuando ella estaba en casa.

—Quiero volver —dijo él.

Mercedes se alarmó.

—No podés volver ahora. Es demasiado peligroso.

—Quiero regresar a mi tierra.

¿Qué encontraría él si volviera a su tierra? Su madre había muerto. Y también su padre. Ellos habían arrastrado los cuerpos de ambos por el terreno de la matanza, los metieron en el establo y los cubrieron con paja suelta, que era lo único que podían hacer a modo de entierro. Sí, él regresaría. Se arrodillaría junto a ellos y dejaría caer la cabeza como su madre le había enseñado que hiciera cuando se dirigían al camposanto para visitar las tumbas familiares. Basilio se puso de pie, entró en el cuarto y se acostó en el medio del petate de Mercedes.

Al cabo de un rato Mercedes fue a buscarlo. El café que ella había preparado esa mañana sobre el brasero de carbón que había en un rincón todavía conservaba el calor. Sobre la tapa de la cafetera había dos tortillas envueltas en un pedazo de tela. Mercedes le sirvió una taza al muchacho y se la llevó con las tortillas.

—Aquí tenés tu desayuno —dijo y se instaló junto a él.

Basilio se incorporó un poco y se apoyó en un codo para tomar la taza que ella le ofrecía. Bebió un buen trago y después comenzó a dar cuenta de las tortillas, que comió en cuatro bocados, tragando fuerte después de cada uno.

▼ ▼ ▼

Hacia fines de mayo, las lluvias empaparon el campo y derritieron capas de polvo de los árboles, de los postes de las cercas y de los lomos de los bueyes atados a lo largo del camino. El empedrado de las calles de El Congo absorbió la humedad y adquirió una tonalidad intensa que complacía a Mercedes cuando caminaba sobre ellas. Cada mañana el aire era diáfano y olía a limpio.

Desde marzo, Mercedes trabajaba junto a Chenta en el puesto de comidas. En ese amanecer temprano, las dos mujeres, ambas cubiertas con tapados, caminaban hacia el mercado ubicado en el centro del pueblo. Muy pronto llegarían los lugareños, y muchos consumirían su primera comida del día en el comedor de Chenta.

Chenta Gómez había trabajado duro para establecer su puesto de comida. Lo llamó La Cucharona de Chenta. Después de apenas dos años se había convertido en un negocio tan lucrativo que ella contrató a Emiliano, el pintor, para que diseñara un enorme cucharón verde en el dintel que enmarcaba la parte superior del puesto y le servía de marquesina.

Al cruzar la plaza, pasaron frente a la iglesia en el momento en que tañían las campanas. Mercedes imaginó a Basilio tirando de la cuerda que las hacía repiquetear. Él las hacía sonar para el Angelus al amanecer, para la misa de la mañana, y de nuevo al mediodía y al atardecer. En los meses que hacía que trabajaba en la iglesia parecía menos arisco. Todas las tardes iba al mesón de Chenta para estar sentado un rato con las mujeres. La mayor parte de las veces no tenía mucho que decir, aunque a las mujeres les gustaba mucho conversar. Le hacían preguntas como: ¿qué comida le prepara al padre la cocinera? ¿También te da de comer bien a ti? ¿El cura es muy exigente? O hacían comentarios acerca de cómo el hecho de trabajar en la casa de Jesús le hace ganar a un alma la indulgencia plenaria, o cómo un muchacho que duerme en una sacristía puede muy bien llegar algún día a ser sacerdote. Estos dos últimos comentarios provinieron de Chenta, quien decía ser muy religiosa, aunque con frecuencia faltaba a misa.

En el mercado, los vendedores ya habían apilado frutas y verduras en pirámides sobre los mostradores de sus puestos. Mientras Chenta encendía el fuego en el que cocinaría la comida del día, Mercedes iba de un puesto a otro para seleccionar los ingredientes. En su canasto iban tomates, pimientos verdes, cebollas y chiles largos y puntiagudos. Agregó ramos abundantes de cilantro y chipilín, y un repollo bien firme para cortarlo en trocitos para el curtido. Avanzó por el lado izquierdo del mercado, pasó frente a iguanas de ojos rojos cuyas patas cortas estaban atadas a estacas de madera, y se dirigió directamente al puesto de los pollos, donde eligió un par de gallinas listas para cocinar que pondrían en la olla de la sopa.

El hecho de ver todos esos alimentos y de que hubiera podido llenar un canasto con ellos complació a Mercedes. En Izalco, en las pocas ocasiones en que había ido al mercado, sólo necesitó sus manos para contener lo comprado.

Introducía las hojas fragantes de chipilín en la sopa cuando la cocinera del sacerdote entró en el mercado. No llevaba un canasto como generalmente hacía cuando iba de compras, y se dirigió deprisa al puesto. Mercedes apoyó la cuchara en el mostrador y se secó las manos en el delantal.

—¿Qué ocurre? —preguntó cuando la cocinera se detuvo delante del mostrador, el rostro tenso. Era una mujer grandota y compacta, de edad incierta. En la comisura de su boca, un lunar tenía el aspecto de un diminuto insecto oscuro.

—El muchacho se fue.

—¿Qué querés decir?

—Todas las mañanas, después de hacer sonar las campanas para el Angelus, Basilio viene a la cocina y desayuna. Esta mañana no apareció. No estaba en la sacristía ni en la iglesia. Se ha ido. Yo hice sonar las campanas para la misa. Cuando el padre sepa no estará nada contento.

—Tal vez Basilio fue adonde Chenta —dijo Mercedes, decidida a no alarmarse.

—No. Fui al mesón y él no estaba allí. Creo que se fue a Nahuizalco. Últimamente no hablaba de otra cosa. Sea como fuere, pensé que debías saberlo.

Nahuizalco era su aldea. Quedaba a un día de trayecto a pie de Izalco. Mercedes imaginó al muchacho, solo y vulnerable, recorriendo ese terreno áspero que ellos habían atravesado para llegar a El Congo.

—¿Cuánto hace que desapareció?

—Más o menos algunas horas. De todos modos, pensé en venir a decírtelo. Sos como su madre, así que me pareció que tenías que saberlo.

Mercedes se desató el delantal, lo dobló y lo puso sobre la pequeña mesa junto al comal. Miró a Chenta, quien había seguido la conversación.

—Tengo que encontrarlo —dijo Mercedes.

Basilio había abandonado la iglesia después de las campanadas del Angelus, al amanecer. Él recordaba la ruta que lo había llevado allí, cada piedra, cada mata de pasto, cada árbol. Las lluvias habían pintado de verde el campo. Los arroyos que atravesó gorgoteaban con el fluir del agua que casi llegaba a los bordes de las márgenes. Hacía tres o cuatro horas que caminaba. A un costado llevaba su machete envainado y tenía provisiones: una cantimplora de calabaza llena de agua y una alforja en la que había metido lo que encontró en la cocina de la cocinera. Hacía un rato que había dejado el camino que salía de El Congo y tenido que describir un amplio círculo alrededor del lago Coatepeque. Ahora seguía un sendero que serpenteaba y subía por las laderas del volcán. El volcán de Santa Ana. Recordaba haberlo rodeado en enero. Ahora pensaba treparlo y cruzarlo porque estaba apurado. Como habían llegado las lluvias, el sendero ya no estaba polvoriento. Cada tanto miraba hacia atrás para ver sus pisadas impresas en esa rica tierra negra, una señal de que estaba haciendo lo que había soñado durante meses.

No sabía con exactitud qué haría cuando llegara a Nahuizalco. Antes de dirigirse a la casa, se detendría en el establo. Se vio allí de pie, iluminado por las rendijas de luz, acercándose a lo que quedaba de su madre y su padre. Tragó fuerte y decidió que era mejor no pensar en ello hasta que tuviera que enfrentarlo en la realidad.

El sol estaba alto en el cielo. Ya había quemado el rocío de las matas de anís y manzanilla y de las espinas de los magueyes. El día se había puesto caluroso, y le alegró que el ala de su sombrero le mantuviera la cara en sombras. El que usaba era el sombrero de su padre. Tenía la copa cuadrada y una banda de cuero labrado, y no había día en que su padre no lo hubiera usado. El sombrero ahora era suyo. Basilio lo había levantado del campo donde quedó después del ataque. En la parte de atrás del ala, la paja clara exhibía una salpicadura oscura, y en cierta oportunidad Jacinta le dijo que debería tratar de quitar esa mancha, pero él no quiso saber nada. Era la sangre de su padre y él la reverenciaría. También reverenciaría el sudor de la frente de su padre que, después de años de trabajo, había hecho que la banda interior del sombrero estuviera tan oscura como la sangre.

Trepó más por el volcán. Cuando se terminó el sendero, eligió la huella de guijarros que le pareció mejor entre las que tenía delante. El terreno se volvía cada vez más escarpado haciéndole deslizarse y agarrarse a las matas. Cada tanto miraba hacia atrás para ver dónde había estado y contemplaba los grandes parches de tierra con pastos claros, enmarcados en un verde intenso por amplios bosques. Cada tanto emergía la configuración marrón de un maizal. Aquí y allá vio ranchos con techo de paja o, a veces, los brillantes techos de latón de los propietarios más prósperos. La huella estaba cubierta con pequeñas piedras lisas y a Basilio le sorprendió comprobar que le dolían los pies al pisarlas. Aunque solía tener las plantas de los pies callosas, a lo largo de los meses sus pies se habían ablandado. ¿Cómo podía ser de otra manera? Últimamente lo único que se le exigía era caminar por las baldosas frías de la iglesia y de la sacristía.

No le gustaba trabajar en la iglesia. No le gustaba trabajar para ningún hombre, aunque se tratara de un hombre de Dios. Hasta el desastre, él había trabajado con su padre en el rancho. Cada día salían a la milpa y se ocupaban del maíz, de las reses, del caballo, de la media docena de cerdos. Hasta el desastre, sólo eran su padre y él trabajando todo el día para regresar al mediodía y luego al atardecer al rancho y a su madre.

Basilio llegó a lo que creía era la cima del volcán. Lo que vio allí le quitó el habla. Ese volcán no terminaba en pico. El Santa Ana se elevaba hasta una planicie chata cubierta de musgo grisáceo que se extendía hasta el cráter que era su gran boca abierta. Alrededor del borde de esa boca, la tierra estaba yerma y ennegrecida, y en la tierra había grietas profundas que parecían cicatrices pavorosas. Una nube ondulante se había instalado en el cráter y por un momento a Basilio le pareció que el volcán echaba humo. Cayó de rodillas y trató de serenarse. Miró más allá de la nube y entonces lo vio elevarse en la distancia: su propio volcán, el Izalco. Y del otro lado, hasta donde alcanzaba a ver, se extendía ese enorme espacio verde que era su hogar.

Permaneció en esa posición durante un buen rato, dejando que sus ojos contemplaran ese panorama. Lo fue absorbiendo todo: el Izalco, majestuoso e infranqueable, la gran extensión de su tierra que era como una enorme manta arrugada. Todo ello se perdía en un horizonte de nubes y cielo. Allí no había milpas ni ranchos ni chozas. Ni techos de latón que reflejaran el sol. Delante no había nada que le hiciera recordar su vida allí. La cocinera tenía razón.

—No podés volver —le había dicho en muchas ocasiones—. No queda nada del lugar de donde sos.

Y era cierto. Ahora lo comprobaba. No quedaba nada. Absolutamente nada.

Mercedes emergió por un recodo del camino serpenteante que ella había utilizado para rodear el lago cuando vio aparecer al muchacho. Se detuvo y quedó un momento inmóvil: primero por el alivio que sintió al verlo, pero también porque significaba el fin de su búsqueda. Había estado caminando por horas. Ya era bien pasado el mediodía; se daba cuenta por la forma de su sombra contra la tierra. Había salido de El Congo sin llevar nada para comer, sólo con su tapado para protegerse del sol. Sabía que había sido una locura salir tan poco preparada, pero tal vez, en el fondo, sabía que no pasaría mucho tiempo antes de que encontrara a Basilio.

Un mango frondoso crecía al costado del camino. Mercedes se acercó para sentarse a su sombra. Minutos después, el muchacho se acercó y se sentó junto a ella. Permanecieron así, en silencio, durante bastante tiempo. Luego el muchacho destapó su tecomate y le ofreció un trago. Mercedes bebió con ganas, agradecida por el agua.

El muchacho abrió su alforja y buscó en el interior.

—Aquí hay algo para comer —dijo—. Pupusas. Me llevé dos esta mañana. ¿Quiere una?

Mercedes asintió y tomó la tortilla que él le ofrecía. Mientras comían, los dos observaron el camino, el sol que lo iluminaba, el arroyo que serpenteaba a su vera.

—Tú te venís de vuelta —dijo Mercedes después de beber otro trago de la cantimplora.

—Subí a lo más alto del mundo —dijo al rato Basilio—. Miré a lo lejos y vi que no quedaba nada de mi casa.

Mercedes asintió.

—Vuelvo porque no me queda ningún otro lugar al que ir.

—Así es —dijo Mercedes.

Al cabo de un momento, los dos se pusieron de pie y se sacudieron la ropa.

—Vámonos —dijo Mercedes.

CAPÍTULO OCHO

Basilio Fermín fue el primero al que se le ocurrió festejar el día del santo de Jacinta. Porque trabajaba con el cura, con frecuencia Basilio proporcionaba información de la iglesia, como por ejemplo el santoral y los días de guardar. Había llegado al mesón a comienzos de agosto, con la noticia de que la fiesta de San Jacinto caía el diecisiete. Repitió lo que el padre le había dicho: que lo que correspondía era festejar de alguna manera el santo de una persona. Al enterarse, las mujeres habían convenido hacerlo. La vida había sido dura; era hora de hacer una fiesta, dijo Chenta. En toda su vida, Mercedes sólo había asistido a una fiesta, la del día de su casamiento. Recordó cómo, hacía mucho tiempo, salió del rancho de su madre y se dirigió a la ciudad para obtener la bendición de don Patricio, el viejo cacique de Izalco. ¡Qué increíble había sido! Mercedes que avanzaba por el camino, con Ignacio de un lado y su madre del otro, seguidos por los invitados. Mercedes había llevado el espejo ovalado de mano, el regalo de bodas de Ignacio, hasta la puerta del cacique. Ahora Mercedes deseó que Jacinta obtuviera la bendición del día de su santo de don Feliciano, el actual cacique de Izalco. Pero, dadas las circunstancias por que atravesaban, ese día parecía muy lejano.

Esta noche Mercedes estaba en el corredor, al igual que la mayoría de los vecinos del mesón. Algunos clientes habituales de "La Cucharona de Chenta" también se encontraban allí. Los vecinos habían sacado sillas de sus cuartos; también habían llevado velas, que iluminaban el corredor. Jacinta se sentó en el patio, debajo del maquilishuat. Usaba el vestido que su madre había comprado en el mercado, en el puesto de Tiburcia; era color lila, con mangas abullonadas. El pelo oscuro y grueso de Jacinta le llegaba hasta más abajo de los hombros y llevaba un lazo color púrpura

—regalo de Chenta— a la altura de la sien. Mercedes recordó los años transcurridos, y cómo en ellos no había habido dinero para chucherías ni regalos. En la actualidad, si bien el pago que recibía Mercedes por trabajar con Chenta eran un techo sobre la cabeza y comida en la mesa, el dinero que Jacinta ganaba en el puesto de frutas les proporcionaba un extra que podía gastar en algunas frivolidades. Igual, Mercedes siempre trataba de ahorrar un poco; en la olla de barro que había en el fondo del ropero de Chenta había ahora cuatro billetes de un colón, tres monedas de cinco centavos y dos cuartillos.

Jacinta abrió los regalos con una leve sonrisa en la comisura de la boca. Paula Díaz, de la habitación número 5, le regaló un tapado turquesa que ella misma había confeccionado. Jacinta pegó un salto, se puso el chal alrededor de los hombros e hizo una pirueta para lucir el regalo. Zoila Pérez, de la número 2, le dio dulces de camote, unas golosinas hechas con batata. Paco López, de la número 8, al que llamaban Peche porque era tan delgado como el canto de una moneda de dos centavos, aprobó el regalo de Zoila.

—Los dulces son lo apropiado —dijo mientras estiraba un dedo en busca de uno envuelto en papel tisú rosado.

La vieja desdentada Josefa, de la número 12, hizo un chasquido con la boca y dijo:

—Peche, alejá las manos de los dulces de la muchacha.

—Mi regalo es la música —proclamó Joaquín Maldonado. Era de la habitación 20, la que estaba junto a la cantina. Joaquín era el único vecino que tenía una radio. El hecho de que en el mesón no hubiera electricidad no impidió que Joaquín les ofreciera música a los vecinos a lo largo de los años. Joaquín había hecho un trato con don Ángel, el dueño de la cantina: hizo un orificio en el blando adobe de la pared de su cuarto y por él pasó un cable hacia la cantina. Cada vez que deseaba escuchar música, sólo tenía que golpear la pared para que don Ángel enchufara el cable. Por este servicio don Ángel recibía una suma que nadie conocía y que en realidad Joaquín podía gastar, tomando en cuenta que él le cobrara a cada uno de sus vecinos una tarifa sólo por escuchar. Pero no esta noche. Esta noche, en honor a Jacinta y porque estaba convencido de que un gesto de buena voluntad periódico era una inversión apropiada, Joaquín permitió que sus vecinos escucharan música gratis. En ese momento se transmitía una ruidosa ranchera, que proporcionaba alegría a la celebración. En el mesón, Joaquín Maldonado era considerado un astuto comerciante. El hecho de que a veces tuviera buen corazón le ofrecía a los vecinos algo más que admirar.

Pese a ser el instigador de la fiesta, Basilio se mantenía alejado de los otros. Sólo cuando se produjo un silencio en la conversación juzgó que había llegado el momento de actuar. Se acercó a Jacinta.

—También yo tengo algo para ti —dijo y metió un dedo en el bolsillo de su camisa.

—¿Qué es? —preguntó ella y tomó lo que él le daba.

—Es una estampita. De San Jacinto.

—Ah —dijo Jacinta—. Justo anoche estuve haciendo preguntas sobre él. Me pregunté cómo sería, pero nadie me supo contestar. —Observó la estampita y después le sonrió a Basilio. —¿Dónde la conseguiste?

—Me la dio el padre.

—Gracias, Basilio. La voy a poner en el estante que Chenta tiene para los santos. —En una de las paredes de la habitación, Chenta había levantado un pequeño altar. Allí había una imagen enmarcada de la Virgen de Guadalupe, un rosario enrollado alrededor de un crucifijo de lata, una lámina grande del Sagrado Corazón de Jesús. En el estante había también velas votivas altas que Chenta siempre tenía encendidas y una lata de manteca en la que germinaba una maravilla. —Mirá —dijo Jacinta mientras le entregaba la estampita a Conchita, del cuarto número 3.

Conchita puso a su bebita en el suelo y examinó con atención la imagen del santo.

—Es una estampita bien linda —dijo por último.

Jacinta fue pasando el regalo entre los presentes, quienes murmuraron su aprobación. Cuando llegó a las manos de la vieja Josefa, ella espió la estampita y después echó el mentón hacia adelante antes de decir:

—Este santo se parece a mi primer marido. —Y chasqueó los labios a modo de confirmación.

Basilio estaba encantado con el alboroto que su regalo había causado. Por la radio transmitían Adelita, y él pescó el estribillo de la canción: "Si Adelita se fuera con otro, la seguiría por tierra y por mar". Lo cierto era que si Jacinta alguna vez se fuera con alguien, Basilio la seguiría por tierra y por mar. "Está bien linda hoy —pensó—, con su vestido color violeta y el lazo de Chenta en el pelo."

Luis Martínez, el joven para el que Jacinta trabajaba, estaba sentado junto a la puerta de la habitación número 7. Se acercó a ella y le entregó un paquete cuadrado envuelto en papel crepé azul.

—Tomá —dijo.

Jacinta abrió lentamente el paquete y después lo miró con curiosidad.

—Es un par de aritos —dijo Luis. Y siguió diciendo que estaban hechos con las semillas de dos marañones provenientes de su propio puesto de frutas.

Jacinta le sonrió con timidez antes de levantar el regalo para que todos lo vieran. Cada semilla de marañón era del largo de un dedo pulgar y tenía forma de riñón. Cada uno era de un color marrón amarillento y estaba cubierta con un esmalte tan intenso que brillaba como una piedra de oro. La vieja Josefa dobló un dedo y dijo:

—A ver. —Y Jacinta le pasó los aritos. Josefa entrecerró los ojos para inspeccionarlos y luego los cerró un poco más para mirar a Luis. —Mmmm —murmuró antes de pasar de vuelta los aritos.

Mercedes tuvo que reconocer que un regalo semejante daba que pensar. Además, lo que le dio más que pensar fue la forma en que Jacinta le había sonreído a Luis. Mercedes miró a Basilio, quien se había alejado y ahora estaba apoyado contra la pared del corredor. Ya no estaba resplandeciente. Cuando Chenta salió del cuarto número 10 portando un platón con cuadrados de torta y anunció "Aquí está la semita", a Mercedes le alegró esa interrupción.

—Voy a ir a buscar el café. —Mercedes entró en el cuarto y se acercó al brasero de carbón. Había estado atareada cinco o diez minutos cuando oyó que las campanas de la iglesia comenzaban a repicar. Ella hizo una pausa porque no era habitual que las campanas tañeran tan tarde. Asomó la cabeza por la puerta y miró hacia el lugar donde había estado parado Basilio, pero el muchacho ya no se encontraba allí. En el corredor y en el patio, los vecinos callaron: todos estaban pendientes de las campanadas.

—¿Qué puede estar sucediendo? —preguntó Peche—. No es hora de que suenen las campanas.

El tañido salvaje cesó y comenzó a oírse una serie de campanadas cortas. Al cabo de un momento, Joaquín continuó con el conteo en voz alta, el pecho proyectado hacia adelante como un pavo real.

—...ocho, nueve, diez, once, doce, trece. Fueron trece campanadas —dijo cuando la última resonó sobre la ciudad.

—Yo tengo trece años —dijo Jacinta y miró a Mercedes—. Mamá, ¿ése fue Basilio? ¿Hizo sonar las campanas para mí?

Algo dulce y triste conmovió el corazón de Mercedes.

—Sí, lo hizo para ti.

Joaquín Maldonado se metió los pulgares en el cinturón.

—Ese muchacho es muy vivo —les dijo a todos los vecinos.

Era el día de los Muertos. A pesar de la naturaleza de la fecha, en El Congo reinaba un ambiente festivo. Los vendedores flanqueaban el camino de tierra que conducía al cementerio.

Esa tarde, mientras Chenta trabajaba en el mercado, Mercedes instaló un brasero y un comal en el pedazo de césped debajo de los árboles frente al cementerio. Ofrecía pupusas y curtido —tortillas rellenas con queso o frijoles y ensalada de col fresca con vinagre—, a los que se dirigían a adornar las tumbas. Tenía dos baldes con bebidas: uno lleno de horchata y el otro con fresco de tamarindo. Había preparado un jarro de café. Jacinta trabajaba del otro lado de la calle: apilaba trozos de piña, de naranja y de papaya en conos de papel para vendérselos a los transeúntes.

En el cementerio, las tumbas estaban iluminadas por velas. Flamearían durante toda la noche como la superficie de las tortas de cumpleaños veraneras. Dalias, chulas y amor seco recién cortados estaban diseminados como mantas sobre las tumbas. De las lápidas colgaban llamativas flores de papel encerado. Algunas que estaban demasiado cerca de las velas se encendían con llamaradas que pronto se consumían.

Mercedes envidiaba a las personas que se dirigían al cementerio. Qué afortunados eran los que podían visitar a sus muertos. Desde la matanza, esto les había sido negado a ella y a Jacinta. Las tumbas marcadas con el apellido Prieto se encontraban en Izalco y, al igual que las posesiones pasadas, eran ya sólo un recuerdo en un lugar lejano.

Joaquín Maldonado se acercó al brasero.

—Muy buenas, niña Mercedes —dijo. Usaba su habitual par de pantalones color beige, pero la camisa que tenía puesta ella no se la había visto antes. Era negra y de mangas largas. Mercedes sacudió la cabeza.

Típico de Joaquín usar algo clerical en esa festividad religiosa. Se preguntó si el padre le habría prestado la camisa. Le indicó a Joaquín qué podía escoger para el almuerzo.

—Deme dos pupusas. —Señaló las que estaban rellenas con frijoles y después se instaló en cuclillas junto a Mercedes. —También un poco de ese curtido. Y un cafecito, por favor.

Mercedes puso dos tortillas sobre un cuadrado de papel y encima apiló el curtido. Vertió café en una lata.

—¿Cómo andan los negocios, Joaquín? —preguntó. Se refería al plan para ganar dinero que el hombre tenía todos los años. El día de los Muertos ofrecía a la ciudad su ayuda experta. Capitalizando su habilidad para leer y escribir, por una tarifa Joaquín inscribía los nombres de las almas en una libreta especial.

"El hecho de escribir sus nombres en una página es lo que les permite a las almas regresar a la casa —explicaba—. Confíenme un nombre, y yo les aseguro que durante un año esa alma no tendrá que deambular en la oscuridad." Desde luego, Mercedes no aprobaba esta actividad. Todos los años, el dos de noviembre, las almas de los suyos regresaban a ella. Todos los años ella veía con toda claridad a una de ellas. No necesitaba que otra persona las conjurara.

Joaquín se echó hacia atrás el sombrero y frunció el entrecejo.

—¿Los negocios? ¿Llama negocios a mi trabajo santo con las almas?

—Aquí tiene su almuerzo —dijo Mercedes y lamentó haber sacado el tema.

Joaquín tomó la comida, pero la perspectiva de comer no lo silenció.

—Las almas que tienen sus nombres en mi libreta correrán hacia su casa esta noche. Las que están inscriptas saben cuál es su destino. Por suerte, no se van a perder en la penumbra.

Mercedes asintió y calló. Durante más temporadas de las que deseaba contar, sus muertos habían regresado a ella. No tenía palabras para describir cómo imaginaba ese viaje. Lo único que podía decir era que se pensaba a sí misma unida a sus muertos por muchos metros de hilo de plata, hilos tan brillantes y delicados como las telarañas.

Esa noche, mientras Jacinta dormía junto a ella, Mercedes permanecía tendida sobre su petate, los ojos abiertos y fijos en la luz de la vela que ella había encendido para guiar de regreso a sus muertos. Para calmar la sed de las almas después de ese viaje había una jarra de agua sobre el estante adosado a la pared. Había también mazorcas de maíz para recordarles el hogar. Amor seco cuyos capullos se arracimaban en una lata de manteca. Y en el cuarto flotaba también el aroma al incienso que ya estaba convertido en cenizas.

Mercedes vio venir a su madre. La muerte había sido bondadosa con ella: le devolvió la piel tersa que tenía en la cara cuando era joven. Mercedes recordaba el día de la muerte de su madre y evocó ahora cómo el dolor le había distorsionado el rostro. El espíritu maligno que le carcomía el vientre a su madre también se sació con su semblante. Pero eso había sucedido mucho tiempo antes. Esa noche, como en todos los años previos a su muerte, su madre aparecía intacta.

Ignacio se presentó frente a ella. Atravesó el cuarto y se arrodilló al pie del petate. Mercedes se apoyó en un hombro y le tendió los brazos, pero él inclinó la cabeza hasta apoyarla en el piso antes de desaparecer.

Después vino Cirilo, su primogénito. Tenía el pelo parado en la coronilla. Él era el reyecito de Mercedes. De los labios del bebé brotó una especie de arrullo cuando ella lo miró; tenía la boca mojada y brillosa. Cuando aparecieron las seis hijas de Mercedes, lo hicieron de manera silenciosa y la miraron con ojos grandes y afligidos. Mercedes besó a cada una y ellas se durmieron pacíficamente.

Mercedes aguardó ansiosamente a Tino, cuya pérdida volvió a sentir con intensidad. Cuando él apareciera, lo abrazaría y bebería su dulce olor ahumado. Hasta la visión de la marca de nacimiento que tenía en una oreja sería un consuelo esa noche. Mercedes permaneció inmóvil como una estatua, porque sabía que de esa manera lo vería. Pero la luz de las velas disminuyó, empezó a amanecer y Tino no apareció.

La luz se filtró alrededor del marco de la puerta y de pronto una idea, brumosa e insustancial, se coló en la mente de Mercedes. Lentamente fue tomando forma y después estalló.

El pensamiento que tuvo fue el siguiente: Su hijo no estaba muerto. Su Tino no se había presentado porque estaba con vida.

CAPÍTULO DIEZ

Después del Día de los Muertos, Mercedes no pudo pensar en ninguna otra cosa que en que su hijo estaba vivo. La tarde siguiente, ella y Chenta volvían del mercado cuando Mercedes dijo:

—¿Qué me dirías si te asegurara que mi muchachito está vivo?

Acababan de cruzar el parque. Chenta se frenó en seco después de oír la pregunta de Mercedes.

—¿Qué decís? —preguntó Chenta y levantó las manos para sostener la canasta que se balanceaba sobre su cabeza—. ¿Cómo lo sabés? ¿Quién te lo dijo?

Mercedes aferró con fuerza el borde de su propia canasta.

—Nadie me lo dijo. Lo sé, eso es todo.

Chenta la miró fijo un rato y luego dijo:

—No está vivo. Perdoná mi rudeza, comadre, pero tu hijo está muerto, del mismo modo en que mi hermana Pru está muerta. Igual que Goyo y mis tres sobrinos. —Apuró el paso. Por sobre el hombro dijo: —Ésa es la verdad. ¿Qué sentido tiene pensar lo contrario?

Las palabras de Chenta quedaron subrayadas por su porte tieso. Mercedes pensó: "Fue un error decírselo. Mis palabras le avivaron la pena por su propia pérdida".

—Tal vez tengás razón —dijo Mercedes. En el futuro mantendría esas cosas para sí. Volvería para encontrar a su hijo, pero el viaje sería un peregrinaje solitario. Aunque Jacinta se había ofrecido a acompañarla, Mercedes no quería ponerla en peligro.

Pensó en distintas maneras de iniciar la búsqueda, pero no se decidía por ninguna. Había caminado hacia El Congo, y después vuelto cuando salió en busca de Basilio, así que no se imaginaba recorriendo de nuevo esos caminos. Además, necesitaba una forma más rápida para viajar. Para eso estaba el bus. Y el tren. Ella nunca había usado ninguno de esos medios de transporte. Un tren pasaba por El Congo —cada mañana ella despertaba con su silbato—, pero no sabía adónde se dirigía. Sabía incluso menos con respecto al costo de un pasaje. Eran tantas las cosas que ignoraba que decidió pedirle consejo a Joaquín Maldonado. Él tendría algunas ideas. Por un precio, desde luego.

Pasaron dos días antes de que tuviera ocasión de hablar con él a solas. Mercedes esperó a que Chenta y Jacinta se hubieran ido del mesón. Esperó también hasta que casi todos los vecinos estuvieran ausentes. Era una señal, pensó. El mesón estaba casi vacío, pero allí se encontraba Joaquín, sentado en la galería sobre el cajón que usaba como silla. Mercedes cruzó el patio, pasó debajo del maquilishuat y fue hacia él. Un par de pollos que picoteaban alrededor del cobertizo con el retrete se alejaron cuando ella pasó.

—Buenos días, Joaquín.

Joaquín Maldonado se puso de pie cuando ella lo saludó.

—Buenos días, niña Mercedes.

—Siéntese, siéntese. Hábleme del tren —dijo—. ¿Adónde va el tren que pasa por El Congo?

Joaquín Maldonado no tomó asiento como ella le había pedido.

—Usted quiere saber sobre el tren. Pues bien, viene de Santa Ana y se dirige a San Salvador.

—¿Va a Izalco?

Joaquín sacudió la cabeza.

—Si hace transbordo de tren, puede ir a Sonsonate. Y Sonsonate no queda lejos de Izalco.

—Así es —dijo Mercedes. Ella e Ignacio habían ido caminando a Sonsonate. La última vez que Cirilo estuvo tan enfermo, lo llevaron a un curandero que vivía allí. Y, al final, el viaje fue para nada.

—¿Cuánto cuesta el viaje a Sonsonate?

—Quince centavos. De ida.

"Treinta centavos", pensó Mercedes. Y ella sólo tenía menos de cinco colones para todos los gastos.

Joaquín Maldonado se trabó el pulgar en el cinturón.

—¿Usted está pensando en tomar ese tren, niña Mercedes?

—¿Es seguro viajar ahora? —preguntó ella sin prestar atención a su pregunta—. ¿Hay guardias en los trenes?

Joaquín Maldonado la observó con atención antes de contestar.

—Hay guardias en todas partes, niña Mercedes. Pero una mujer vestida como usted debería estar segura en un tren.

Ella usaba uno de sus dos vestidos. Éste era color verde oscuro y tenía una falda que le llegaba a media pierna. En la decoración de ese vestido no había ningún rastro de pipil.

—¿Usted me puede ayudar a tomar el tren? Necesito irme muy pronto.

—¿Qué tan pronto?

—Mañana. —Hasta ese momento no se había dado cuenta de lo impaciente que se sentía. Después de decirlo, mañana le pareció una espera demasiado larga.

—Por supuesto que puedo ayudarla, pero tendremos que estar en la estación muy temprano. A las seis, a más tardar.

—Mañana, pues. —Mercedes volvió a cruzar el patio. Al día siguiente estaría de nuevo en casa. Al día siguiente comenzaría a peinar el campo preguntando por su hijo. Entraría en ranchos y en casas blancas de adobe, siempre en busca de un bebé con una marca de nacimiento que lo identificaba como suyo.

Ya estaba en la puerta cuando recordó que no le había pagado a Joaquín por su ayuda. Se dirigió deprisa al cuarto número 20, donde él seguía sentado sobre el cajón.

—¿Cuánto le debo?

Joaquín hizo un pequeño ademán con la mano.

—Mañana —dijo—. Lo arreglaremos mañana.

La estación ferroviaria de El Congo consistía en un modesto edificio cuadrado y un amplio andén cubierto paralelo a las vías en que corrían los trenes. Mercedes y Joaquín estaban en el andén, frente a la ventanilla de venta de pasajes, con sus rejas ornamentadas. Fue Joaquín el que compró los pasajes de Mercedes.

—Dos pasajes a Sonsonate. De ida y vuelta.

Mercedes se metió un dedo en el escote del vestido y extrajo el pañuelo en que llevaba el dinero. Las monedas y los billetes estaban anudados en una esquina del pañuelo. Deshizo los nudos y contó treinta centavos.

—Aquí tiene —dijo y le entregó las monedas.

Los dos permanecieron de pie en el borde del andén.

—Cuando suba al tren, parará primero en el Sitio del Niño —dijo Joaquín—. Allí tiene que bajarse y tomar el tren que va a Sonsonate.

—¿Qué? —dijo Mercedes. No podía creer lo que él acababa de decir.

—Primero, Sitio del Niño. Después, Sonsonate. —Joaquín calló. Después se inclinó más hacia Mercedes antes de continuar. —Señora, ¿se siente bien?

Mercedes se apoyó en un poste cercano. Sitio del Niño. Era una señal. La señal de que debía hacer ese viaje.

—No, no. Estoy bien —contestó—. Mi niño desapareció durante la matanza. Yo vuelvo a buscarlo.

—Ay —dijo Joaquín y le rozó un brazo.

—Por favor, déle un recado a Jacinta de mi parte —dijo Mercedes—. Ella había abandonado el mesón con el pretexto de asistir a una misa temprana. —Cuéntele a Jacinta de mi viaje. Dígale que no debe seguirme. Y dígaselo también a Basilio. Y dígale a Chenta que volveré en cuanto pueda. Dígales a todos que no se preocupen.

El rugido de un tren que avanzaba por las vías hizo vibrar el andén.

—Ah, ¿y cuánto le debo? —Mercedes volvió a sacar el pañuelo del escote.

Joaquín Maldonado dio un paso atrás.

—Señora, por favor. Hay cosas que un hombre hace, no por dinero. —Esperó a que el tren silbara y entrara echando humo a la estación. Después ayudó a Mercedes a subir al tren y la acompañó por el pasillo hasta que ella encontró un asiento vacío.

Si el propósito del viaje no hubiera sido tan serio, y ella no se hubiera sentido tan desorientada, Mercedes podría haber disfrutado de ese trayecto en tren. Se sentó en el penúltimo vagón, donde los asientos de madera eran angostos y sin tapizar, y en cuyas ventanillas no había vidrios para impedir que el humo de la locomotora entrara cada vez que el tren tomaba una curva. Mercedes estaba sentada junto a una ventanilla, al lado de una mujer joven llamada Telma, que enseguida se había presentado. De las dos, Mercedes era la que recibía la peor parte del humo. Aunque la hacía toser, ése era el menor de sus problemas. Su principal preocupación era un par de guardias que en forma periódica avanzaban por el pasillo por entre la gente, las canastas y los pollos. En ese momento pasaba uno, meciéndose en contra del movimiento del tren. Mercedes mantuvo la mirada fija en su casco que subía y bajaba, hasta que se dirigió a otro vagón.

Telma codeó con suavidad a Mercedes.

—La guardia —murmuró, aunque tuvo que hacerlo con voz bastante fuerte para ser oída por sobre el traqueteo del tren y el ruido de la gente y de los animales que viajaban con ellas—. Si no les ponemos atención, no nos van a molestar.

Mercedes asintió y volvió a poner en su lugar la bolsa que tenía sobre la falda. En ella había una semita entera, varias pupusas, una papaya pequeña y algunas bananas. Parte de la comida le serviría de sustento durante el viaje y la otra parte era un regalo de gratitud para quienquiera hubiera mantenido a salvo a su hijo.

—¿Te vas a bajar en el Sitio del Niño? —preguntó la mujer.

—Voy a Sonsonate.

—Yo también. Sonsonate es mi pueblo. Si querés, podemos cambiar de tren juntas.

—Muy bien. —Aunque Mercedes apreciaba la cordialidad de la muchacha, no deseaba tener que verse envuelta en una conversación con ella. Se puso a mirar por la ventanilla mientras el tren avanzaba a través de plantaciones de café y, después, por llanuras en las que el ganado pastaba y los cerdos hociqueaban cerca de los alambrados. Aunque Mercedes prácticamente no hablaba, la muchacha siguió parloteando. Había estado trabajando en Santa Ana durante dos años. Allí era lavandera en la casa de doña Elena de Contreras. La niña Elena era la mejor de las patronas y ella, Telma, jamás habría dejado ese empleo si no hubiera sido tan tonta como para quedar embarazada. De modo que allí estaba, regresando a Sonsonate para tener su bebé antes de poder empezar a trabajar de nuevo. Aunque quizá después que naciera su hijo podría quedarse en el pueblo en lugar de regresar a la ciudad.

Mercedes miró a la muchacha y dijo:

—¿Es el primero?

Telma se apoyó una mano en el vientre.

—Sí. Mi primero.

—Cuando haya nacido, nunca lo perdás de vista —dijo Mercedes.

Era casi mediodía cuando Mercedes salió de Sonsonate y echó a andar hacia Izalco. Telma había cumplido con su palabra: la ayudó a cambiar al tren que se dirigía al sudoeste y se quedó junto a ella durante la hora en que ese tren tardó en llegar. Mercedes estaba agradecida por la compañía de la muchacha. Las dos se habían puesto cómodas en uno de los bancos del andén y Telma siguió hablando de la niña Elena y su marido, don Ernesto, y de cómo el señor y la señora, y toda la familia Contreras, pronto abandonarían su casa en Santa Ana para pasar la temporada del corte de café en la casa grande que tenían en su finca, La Abundancia. La finca no estaba lejos de Santa Ana; era una extensión de campo ubicada a lo largo de las faldas del volcán. Le contó cómo le encantaban los cuatro meses que la familia pasaba en la casona, la casa grande de la finca. Dijo que era como una vacación estar allí, y que aunque en la última temporada de corte el tiempo había sido horrible, realmente horrible, ella esperó con ganas la llegada de esa temporada para estar en la finca. Pero entonces se presentó el bebé, y cuando la niña Elena se enteró, se terminó todo, incluida la finca. En ese momento del relato, Telma se inclinó hacia Mercedes y dijo con tono cómplice:

—La señora, que Dios la bendiga, me dio diez colones para que tenga hasta el parto. —Telma se palmeó la zona del corazón, el lugar donde, sin duda, había guardado el dinero. Por su ayuda, Mercedes le dio una banana y dos pupusas.

Ahora Mercedes avanzó por el camino de grava que corría paralelo al arroyo que fluía cerca de su rancho. En el camino no había nadie. Años antes del problema, ese camino era muy transitado. En él se veían carretas tiradas por bueyes que los muchachos aguijoneaban con varas largas. También pasaban por allí caballos, con los costados y las ancas llenas de fardos con leña. Pero quienes más utilizaban el camino eran las mujeres y las muchachas. Mientras balanceaban con gracia cántaros con agua o canastos sobre la cabeza, las mujeres charlaban e intercambiaban chismes y las jovencitas reían por lo bajo. Y siempre había uno o dos perros en el camino. A veces era preciso rodear un rebaño ruidoso de ganado para poder continuar. Ese día, lo único que se veía era el Izalco que se erguía en el horizonte como dándole la bienvenida.

Mercedes llegó al sendero que conducía directamente a su casa. Cuando llegó a ella, comprobó que nada era como lo había imaginado. La maleza brotaba de las grietas que había en la pared de piedra. El cerco de pascuas rojas estaba muy crecido. Mercedes siguió el resplandor rojo de la cerca hasta las ramas y el tronco chamuscados que era todo lo que quedaba de su laurel. Mercedes se recostó contra la pared. Desde luego su rancho había desaparecido; ella lo había visto arder hacía nueve meses, aquella noche terrible de los disparos de rifle y de las llamas. Y ahora había vuelto, y lo único que la recibía era ese silencio que era casi igualmente terrible.

Mercedes permaneció un rato junto a la pared extrayendo fuerzas de esa roca sólida contra la que estaba apoyada. Cuando se sintió con suficientes fuerzas, caminó hacia el círculo tiznado que marcaba los límites de su mundo privado. Desde el incendio, había llegado y desaparecido una temporada de lluvias. El agua había lavado las cenizas de los restos chamuscados de sus pertenencias. Había allí algunos trozos de barro que sin duda pertenecían a su cántaro de agua o a su comal, y tres piedras ennegrecidas sobre las que se apoyaba el comal.

Mercedes recogió un trozo de barro no más grande que la palma de su mano y le quitó el hollín que lo cubría. Lo sostuvo un momento entre las manos antes de dejarlo caer en uno de los bolsillos profundos de su vestido.

Más allá del claro, miró hacia las matas de quegueishgue que crecían distraídamente al sol. Miró más allá del río y en su mente apareció el rancho de Pru con tanta fuerza que la sobresaltó.

Mercedes cruzó el claro, bajó al río y después subió por la senda que conducía directamente al patio de Pru. El rancho de la comadre todavía estaba en pie. El mango proyectaba sombra sobre él. Mercedes dejó caer la bolsa y entró en el rancho. Paseó la vista por las tinieblas; el rancho estaba vacío, y lo que ella había visto allí la última vez que estuvo hizo que se le secara la boca: Juancho y Manolo junto a la puerta, convertidos en un revoltijo ensangrentado. Mercedes salió para detenerse en el lugar donde Pru había muerto y se dio cuenta de que, al ir allí, había esperado encontrar cadáveres. Por mucho tiempo que hubiera transcurrido y por ilógico que pareciera, había imaginado que encontraría el cuerpo de Pru. Y los de los pequeños. Y también a su hijo. Pero su hijo estaba vivo. Milagrosamente estaría allí, debajo del mango, donde ella lo había dejado, vivo y confiando en que ella volvería.

Mercedes caminó por la calle principal de Izalco hasta la plaza ubicada frente a la iglesia de La Asunción. La mayor parte de los indios pipiles vivían en el barrio aledaño, que llevaba el mismo nombre de la iglesia. Era poco más del mediodía —las campanas de la iglesia habían dado la hora un momento antes— y eran pocas las personas que estaban en esas calles calurosas. Por un rato, Mercedes caminó sin rumbo alrededor de la plaza, bajo la sombra de los aceitunos. La plaza estaba rodeada de casas de adobe. Algunas de sus paredes exhibían los orificios grises del impacto de las balas. Aunque esas pruebas de la violencia de la matanza le produjeron escalofríos, Mercedes extrajo fuerza de su meta: encontrar a Tino. Pero, ¿cómo hacerlo? ¿Cómo?

De pronto se dio cuenta de que tenía hambre. Se había ido sigilosamente del mesón por la mañana sin tomarse el tiempo de comer algo por miedo de despertar a Jacinta y a Chenta. Sentada en un banco debajo de los árboles, Mercedes sacó una pupusa de su bolsa, pero sólo comió la mitad antes de envolverla de nuevo y guardarla. ¿Cómo podía pensar en comer cuando su hijo la necesitaba? Cruzó la calle hacia un costado de la iglesia y bebió profusamente de un grifo que había allí. Se secó la boca con la mano y miró hacia el Izalco, allá lejos. Pensó en Tláloc, el dios de la lluvia, que vivía en el volcán, y él la bendijo con una idea: debía confiar en que su propia gente la ayudaría a encontrar a su hijo. Sí. Le pediría ayuda a don Feliciano, el jefe pipil de Izalco. Don Feliciano era el sucesor de don Patricio, que era el cacique cuando Mercedes era joven. Los caciques actuaban como mediadores en las disputas y aconsejaban a los que les llevaban problemas. Los caciques bendecían los matrimonios de las tribus y enviaban a los integrantes de la tribu a la otra vida con oraciones e invocaciones. Cuando la madre de Mercedes falleció, don Feliciano había entrado en el rancho de Mercedes para colocar su mano sobre el cuerpo de su madre en una bendición ritual. Y cuando murió Cirilo y Mercedes no quería soltarlo, fue el cacique en persona quien con suavidad le quitó el bebé de los brazos.

Mercedes caminó deprisa hacia la casa de don Feliciano. Dobló en la esquina y tropezó con un guardia apostado frente a la puerta del cacique. En la otra esquina había apostado otro guardia.

—Ay, perdone, señor guardia —le dijo Mercedes a éste. Bajó la vista y miró sus propios pies descalzos mientras movía la bolsa de un brazo al otro.

—¿Dónde vas? —preguntó el guardia.

¿Adónde iba? Mercedes levantó la cabeza y miró la pequeña tienda que había a algunos metros de allí.

—A la tienda —dijo, e indicó hacia ella. Con el corazón latiéndole con fuerza hacia allí se dirigió antes de que el guardia pudiera decir nada más.

Escapó hacia el interior abarrotado de gente de la tienda y fue a apoyarse contra el mostrador con tapa de vidrio que quedaba a apenas un paso de la puerta. Sobre un banco del otro lado del mostrador se encontraba sentada una mujer muy corpulenta. Mercedes no la había visto antes. En el pasado, la que manejaba la tienda era la niña Generosa.

—Ay Dios —dijo Mercedes.

—¿Qué le ocurre? —preguntó la mujer.

—La guardia —contestó Mercedes y señaló hacia la puerta.

—Ah, ése es Rolando Morales —dijo la mujer—. ¿Allá afuera está también una mujer con un niño? A veces esa mujer viene cuando él está de guardia y, cuando lo hace, siempre trae al muchachito. —La encargada de la tienda pensó en la criatura y en la mancha oscura que le cubría la oreja. Cada vez que lo veía pensaba: "La madre de este niño no tuvo cuidado cuando lo llevaba adentro". Pero sólo lo pensaba; jamás diría una cosa así.

—No. Allá afuera hay sólo dos guardias —dijo Mercedes.

—Bueno, estoy segura de que uno de ellos es Rolando Morales. Desde que ahorcaron a don Feliciano, Morales monta guardia en la puerta del cacique.

Mercedes pegó un salto, como si la hubieran golpeado.

—¿Ahorcaron a don Feliciano?

La mujer asintió.

—Sí, en enero. Lo colgaron en la plaza, de uno de los aceitunos que hay allí. Pobrecito, don Feliciano, que en paz descanse. ¿En qué puedo servirla? Como ve, no tenemos demasiado surtido en estos días. —Con la mano hizo un ademán hacia las paredes con estantes que iban del piso al cielo raso, cada uno con muy pocas mercaderías.

—Nada, nada. Gracias —respondió Mercedes. Volvió a salir a la calle, lejos de donde estaba el guardia. Dobló en la esquina y, antes de darse cuenta, estaba de vuelta en la iglesia. Entró, en parte porque quería estar fuera del sol pero, más que nada, porque necesitaba un lugar donde poder pensar con tranquilidad.

La iglesia estaba fresca y en sombras. Parecía estar vacía. A lo largo de las paredes había los nichos conocidos, cada uno de los cuales albergaba un santo diferente. Allí estaban San Antonio y San Vicente, San José y San Rafael. Cerca de los nichos ardían infinidad de velas. Mercedes se sentó en un banco y puso la bolsa junto a ella. Sobre el altar principal, la figura tallada de la Virgen le dio la bienvenida. Nuestra Señora ascendía desde una luna creciente azul hacia las nubes y las estrellas radiantes. Una serie de ángeles de cachetes sonrosados la ayudaban en su asunción. Mercedes permitió que el silencio de la iglesia la rodeara. El cacique estaba muerto. ¿Por qué no lo había sabido? ¿Cómo se le había escapado esa noticia?

El párroco emergió de una puerta lateral junto al altar. Miró hacia donde estaba Mercedes y después avanzó por el pasillo principal hasta detenerse junto al banco.

—Hija —dijo—, han pasado meses desde que estuviste aquí por última vez.

Mercedes se puso de pie pero no lo miró. Él la había llamado hija. Porque él era menor que ella, ese tratamiento siempre la había perturbado.

—He estado lejos —dijo.

—Sí, claro. Son tantos los que huyeron, tantos los que murieron.

—Oí decir que don Feliciano había muerto. —Cuando lo dijo, levantó la vista y miró al sacerdote. En Izalco todo había cambiado menos el padre. Seguía siendo corpulento y robusto y su rostro se parecía a uno de los ángeles de la Virgen.

—Lamento tener que decirte que es cierto. Al cacique lo colgaron de uno de los aceitunos de la plaza. El hombre era comunista. Usaba una corbata roja cuando lo ahorcaron.

Mercedes no dijo nada, porque su mente estaba completamente ocupada con la imagen de don Feliciano colgando de una rama de un aceituno de la plaza. ¿Más temprano habría estado sentada debajo del árbol en que lo colgaron?

—¿Estás de nuevo en tu rancho? —preguntó el padre—. ¿Cómo le fue a tu familia en el levantamiento?

Mercedes deslizó una mano por el borde del banco. Miró más allá del sacerdote, hacia Nuestra Señora que parecía ascender sobre el hombro del cura.

—Vine a buscar a mi hijo —dijo. Y entonces soltó toda la historia, pero no a él, no a él sino a la Virgen.

El sacerdote se arrodilló en el banco cuando Mercedes quedó en silencio. Durante un buen rato también él permaneció callado, hasta que, respirando hondo, dijo:

—Lamento tener que decirte esto, pero tu hijo no está con vida, Mercedes Prieto. No puede estar vivo. —El cura pasó a contarle su propia historia. —Días después de la rebelión —dijo—, los indios que habían sobrevivido vinieron y llenaron la plaza. Cierto general les había enviado un mensaje: "Entreguen sus machetes y habrá salvoconductos para las mujeres, los niños y también los hombres". Y las familias habían acudido, dijo el sacerdote. Y aguardaron al sol al general que iba a hablarles de paz y de una nueva prosperidad.

El cura se puso de pie y miró a Mercedes.

—Y el general llegó —prosiguió—. Y también llegaron los camiones repletos de soldados. Comenzaron a disparar y los disparos continuaron. Yo mismo lo oí porque estaba aquí, en la iglesia. Cuando reinó el silencio y parecía que no había peligro en salir, me encontré con una pesadilla. Había tantos cadáveres, tantos niños muertos...

—Por favor —dijo Mercedes y levantó la mano como para impedir que siguiera. Su mente se llenó de las casas que rodeaban la plaza, de los orificios de bala que exhibían algunas de sus paredes. Y, en su corazón, la intolerable certeza de que su hijo estaba muerto. El cura se lo había dicho. —Por favor, basta, no diga más —dijo Mercedes y tomó su bolsa—. Con su permiso, padre —agregó, antes de levantarse del banco y abandonar la iglesia.

De nuevo en la pequeña tienda, Mercedes puso una moneda de cinco centavos sobre el mostrador.

—Déme diez velas —le dijo a la mujer, que no se había movido del banquito—. Me llevaré las blancas y largas. Y unas flores. —Del mostrador colgaban racimos de flores de papel de diversos colores.

La mujer refunfuñó y se bajó del banco. Reunió las velas y las envolvió con un cuadrado de papel marrón.

—¿Y de qué color las flores?

Mercedes señaló las blancas, las amarillas y las rosadas.

—Veo que piensa ir al cementerio —dijo la mujer y formó un ramo con las flores.

—La niña Generosa. Ella era antes la dueña de esta tienda —dijo Mercedes como respuesta.

—Si va al camposanto, la Generosa estará allí. Casi todos los de Izalco descansan ahora en el cementerio. —La mujer le deslizó una moneda de un centavo por el mostrador.

Mercedes se guardó el cambio, recogió sus compras y salió a la calle. Llevaba la cabeza bien alta cuando pasó junto al guardia apostado junto a la puerta de don Feliciano.

▼ ▼ ▼

El camposanto, el cementerio pipil, estaba al final de un camino que se extendía dos kilómetros desde el pueblo. Aunque el Día de los Muertos había llegado y se había ido, esa noche Mercedes Prieto estaba en el camposanto y recordaba de nuevo a sus muertos. El sol se había puesto horas antes y una media luna brillaba sobre los túmulos y las cruces sencillas. El claro de luna iluminaba los recuerdos dejados allí como homenaje; no había tumba que no estuviera cubierta de velas, capullos de papel y flores marchitas.

Pocos estaban allí esa noche, cada uno sumido en sus recuerdos privados. Mercedes se encontraba frente a la tumba de su familia. Había pasado toda la tarde limpiándola de basura y sacando las malezas que habían crecido en la tierra durante su ausencia. Mercedes tenía el tapado sobre los hombros. A lo largo de los años, ese tapado la había cubierto en épocas de gozo y de desesperación; era como si la esencia de su vida estuviera entretejida en sus hilos. Y también la cubría esa noche. Envuelta en su tapado, hundió las velas y los tallos de las flores de papel en la tierra blanda de su lote. Las velas ardieron sobre seis tumbas, cada una rematada con una cruz pintada de madera sobre la que estaban escritos un nombre y una fecha. Había una cruz para su madre Apolonia; una para Cirilo y cuatro más para sus hijas Segunda, Grata, Úrsula y Digna. Y estaban también Benita e Inocencia, hijas que había perdido cuando sólo llevaba meses de embarazo. Aunque sus cuerpos no estaban allí y no había cruces que las representaran, Mercedes también había encendido velas para ellas, porque eran sus bebés a quienes les había puesto nombres para hacer que fueran reales.

Mercedes se instaló junto a la tumba de Cirilo y sintió la tierra fresca debajo de ella. La luna se escondió detrás de una nube. Metió la mano en el bolsillo y extrajo el trozo de arcilla que había salvado de las ruinas de su casa. Estaba resbaloso por el moho y tenía los bordes filosos como navajas. Usó ese filo para cortarse un mechón del pelo de la coronilla. Lo enrolló alrededor del trozo de arcilla y anudó el extremo para que no se soltara. Después lo aferró una vez entre las manos y apretó con fuerza esa prueba final de su pasado. Cuando la luna volvió a asomar, los espíritus de los muertos de Mercedes vibraron con su luz. Ella usó ese trozo de arcilla para cavar un pequeño hoyo en la tumba de Cirilo. Lo colocó en ese hoyo y lo fue cambiando de posición hasta que sintió que debía dejarlo así.

Abrió las manos y las sostuvo sobre el hoyo.

—Ignacio Prieto —dijo en voz baja, y pronunció el nombre de su marido porque creía en la capacidad de la palabra para que algo se manifestara—. Esta noche te entierro junto a nuestro primer hijo Cirilo Prieto. Esta noche pongo a nuestro segundo hijo, Justino Prieto, junto a ti. —Con una vela encendida dejó caer nueve gotas de cera sobre el trozo de arcilla. Oprimió un dedo sobre cada gota de cera antes de proclamar: —Que este marido y este hijo, este padre y este hermano se unan, finalmente, a aquellos que se fueron hace mucho. —Al decirlo, por la mente de Mercedes desfilaron los espíritus de su madre, de Cirilo y de todas las niñas que se unían a Ignacio y Tino. Durante un buen rato Mercedes se aferró a esa imagen consoladora. Después llenó de nuevo el hoyo con tierra fresca y húmeda y la apisonó hasta dejarla lisa.

Hecho esto, Mercedes Prieto se abrió el tapado, se lo envolvió alrededor de la cabeza y volvió a cubrirse en él. Se acurrucó en medio de las tumbas de su familia. No faltaba mucho para que amaneciera. Cuando la noche hubiera pasado, ella se levantaría y volvería a Sonsonate, donde tomaría un tren que la llevaría de regreso a Jacinta y Basilio, las personas que más la necesitaban. Mientras tanto, se quedaría allí tendida entregando su pasado y tratando de resignarse a la idea de que en este mundo había cosas que ella no podía entender y seres amados que nunca volvería a ver.

CAPÍTULO ONCE

Finca La Abundancia
Alrededores de Santa Ana, El Salvador
Febrero de 1933

En el dormitorio de la casona, situada en el borde de la finca de café de su marido, a Elena de Contreras la despertó un sueño en el que tenía en la boca los dientes sueltos como si fueran un puñado de piedritas. En el sueño, tuvo que ir escupiéndolos uno por uno en la mano. Elena se apoyó en los codos. Era poco después del amanecer y con esa luz veteada se miró la mano esperando ver una serie de molares e incisivos en la palma. Desde luego, no había ninguno allí, y se echó hacia atrás contra las almohadas.

—Ernesto —dijo en voz baja y se volvió hacia su marido, quien dormía de costado, un poco apartado. Ella se le acercó y se acurrucó contra su cuerpo. Estaba tibio y olía a la loción con olor a almizcle que se salpicaba todas las mañanas sobre la cara después de afeitarse. —Ernesto —repitió, le pasó el brazo por encima y lo sacudió. —Volví a tener ese sueño.

—Mmmm —farfulló Ernesto.

—Amor, soñé que se me caían los dientes.

Elena esperó a que él despertara del todo. Pero como no lo hizo, permitió que su marido siguiera durmiendo. Estaban casi al final de la temporada del corte de café, la primera desde la revuelta del año anterior. Todo el día él estaba montado a caballo. Durante todo el día él y Neto y Alberto, los dos hijos de ambos, cabalgaban por La Abundancia, pendientes de cualquier señal de inquietud entre los peones. Cada noche, Ernesto se desplomaba pesadamente sobre la cama.

Elena se acurrucó más junto a él. Había tenido ese sueño antes; en tres ocasiones, para ser exacta. Después de cada vez, se había producido alguna desgracia. Poco después de la primera, la madre de Elena se descubrió un bulto en el pecho que desembocó en su muerte prematura. El segundo sueño presagió el lento deterioro de la mente de su padre. Y hacía apenas un año, el sueño había vuelto. Pocos días después, al sur de la finca, al rebelarse los campesinos contra las familias que les daban el sustento, convirtieron una noche de enero en un baño de sangre. Durante el levantamiento fue asesinado Armando Aragón, un amigo querido de la familia.

Elena se apartó de su marido y se refugió en la suavidad de su cama y de sus almohadas de plumón. La cama de bronce estaba junto a un ventanal que llegaba hasta el piso. Tenía mosquitero contra los insectos y persianas a cada lado para proteger de la lluvia. Por el mosquitero llegaba el aroma fresco de la mañana y el gorgoteo del arroyo que fluía a pocos metros. Afuera, la nueva luz se filtraba por las ramas de los pepetos y los madrecacaos y su resplandor se introducía en el cuarto.

Veintidós años antes, poco después de su boda con Ernesto, habían comenzado a vivir en La Abundancia durante los cuatro meses de la temporada del café. Por aquella época, ella seleccionó ese dormitorio como el de ellos porque, de todas las habitaciones de la casa, sólo ésa permitía entrar a la naturaleza. Qué diferente de la casa principal de Santa Ana. Esa casa, a sólo quince kilómetros, estaba bordeada por cuatro calles y sólo en el patio las plantas recordaban un poco a la casona.

Elena se pasó la lengua por los dientes y le sorprendió que estuvieran intactos y dentro de su boca. El sueño había sido tan real y le produjo tanta aprensión... ¿Qué presagiaba ese sueño? ¿Algo que sólo tenía que ver con ella? En un árbol cercano un dichosofuí gorjeó, y su canto parecía hablar de mala suerte y de felicidad perdida. ¿Sería ése otro presagio? Elena había vivido una vida despreocupada. De hecho, había sido más afortunada que la mayoría de las personas. Era la única hija de su madre; y antes del deterioro de su padre, era la luz de sus ojos. Y era también la amiga íntima de Cecilia y el verdadero amor de Ernesto. Pero los años transcurrieron y la vida tenía sus vueltas. Ahora ella tenía cuarenta años y ese hecho la preocupaba. Reconocía que era una preocupación sin importancia, sobre todo tomando en cuenta la época. En el país, los precios del café nunca había sido tan bajos. Aunque los campesinos estaban más tranquilos, el odio todavía brillaba en sus ojos. En el mundo reinaba la depresión. Últimamente también ella se sentía deprimida. Siempre había sido hermosa. Había sido una criatura preciosa. A pesar de su edad, se decía que era todavía una mujer bella. Pero después de los cuarenta, ¿hasta cuándo podía una mujer contar con su apariencia?

Bueno, basta de pensamientos sombríos y de premoniciones negativas. Afuera pronto brillaría el sol. Elena apartó la sábana de lino bordada, revoleó las piernas por el borde de la cama y buscó las chinelas con los pies. El piso de baldosas enceradas le resultó frío. La noche anterior había arrojado su bata de seda sobre la *chaise longue* y ahora la tomó y se la puso sobre el camisón sin mangas. En el tocador, con su espejo ovalado reclinable, Elena buscó la peineta de oro con que Ernesto la había sorprendido el día de su santo. Movió los frascos de perfume y revolvió en los platos llenos de alhajas falsas que don Valdemar, el joyero, le hacía especialmente para que usara en la finca. Al encontrar la peineta, se sujetó con ella el pelo en un rodete sobre la cabeza. No miró su imagen en el espejo antes de salir por la puerta.

En el hall, el sonido de la voz de su padre la recibió. Elena suspiró.

—Nonononono —entonó su padre, y esa palabra era como un mantra que viajaba por el corredor en tinieblas que atravesaba la casa. Como de costumbre, Café, el ovejero alemán de Ernesto, estaba despatarrado junto a la puerta. El viejo perro se incorporó después de que Elena le pasó por encima. Bostezó y movió la cola y siguió a Elena cuando pasó junto a las puertas del cuarto de Neto y Alberto, el de su hija Magda y el otro en el que Cecilia de Aragón y su hija Isabel dormían. Elena entró en la habitación de su padre y dejó a Café en el hall.

La luz matinal había ahuyentado las sombras de la noche por las paredes y en el imponente armario del rincón. Sobre la mesa de noche, una lámpara proyectaba su luz a lo largo del borde de la cama y sobre su padre, don Orlando Navarro, que estaba acostado sobre una pila de almohadas. Usaba su piyama azul. Tenía los brazos cruzados sobre el pecho y los hombros levantados hasta las orejas. Sus ojos estaban cerrados con tal fuerza que casi habían desaparecido.

—Nononono —canturreaba, su boca convertida en una O.

—Papi, ¿qué te pasa? —preguntó Elena mientras alisaba la sábana que estaba hecha un ovillo alrededor de la cintura de su padre. Además de ella, su padre tenía otros dos hijos; sus hermanos mayores Mario y Carlos. Ellos le habían puesto a Elena un sobrenombre: la Consentida. Al cabo de un tiempo habían acortado ese apodo hasta convertirlo en la Conse. "La Conse siempre consigue lo que quiere —solía decir uno de los hermanos— ."La Conse nunca tiene que hacer nada,— agregaba el otro." Elena detestaba ese sobrenombre. Algunos años antes, cuando aparecieron los primeros síntomas de la enfermedad de su padre, se decidió que como ella era la hija, le correspondía cuidar de él. "Papá se va a mudar a la casa de la Conse —había dicho Mario—. Es hora de que la Conse consienta a otra persona." Elena aceptó enseguida asumir la responsabilidad del cuidado de su padre, pero amenazó a sus hermanos con no volver a dirigirles la palabra si insistían en llamarla de esa manera.

—Su padre no quiere tomar las píldoras —dijo la enfermera de la noche. Usaba un uniforme blanco y estaba de pie junto al otro extremo de la cama. En la parte superior de la cabeza llevaba sujeta una pequeña toca almidonada. En las manos tenía un vaso y tabletas de diferentes formas.

—Papi, tienes que tomar tu medicina.

Don Orlando dejó caer los hombros. Cuando vio a Elena, volvió a cerrar los ojos y a abrazarse con más fuerza que antes.

—No quiero la medicina.

—Papi —dijo Elena, con una voz cantarina que a veces lo calmaba—, ¿no quieres ponerte bien? —Él no iba a ponerse bien aunque tomara píldoras grandes o pequeñas. Ningún medicamento podría curar su mente enferma.

La enfermera dijo:

—Mercedes vino hace un momento. Fue a buscar hielo.

Elena asintió. Durante semanas su padre se lo había pasado pidiendo hielo. Le gustaba chupar los trozos alargados que Mercedes cortaba del bloque.

—La Nana fue a buscar hielo para ti, Papi.

Mercedes entró con un tazón.

—Buenos días, niña Elena. —Café aprovechó la puerta abierta y se deslizó adentro de la habitación. Olisqueó alrededor de la cama antes de echarse a un costado.

Don Orlando abrió sus ojos color verdemar al oír al perro. Sacó un brazo y tanteó el costado de la cama con la palma abierta.

—¿Dónde está la Pepa? —preguntó.

Se refería a su gallina mascota. El animal estaba en la casa de Santa Ana. Era su mascota desde hacía más de diez años. Todos los días ponía un huevo para él. Por las noches, descansaba en el travesaño del pie de la cama.

—La Pepa está en casa, donde se encuentra segura, en el patio —dijo Mercedes. El señor preguntaba por la gallina todos los días, y todos los días recibía la misma respuesta.

Mercedes hizo lugar para el tazón con hielo sobre la mesa de noche, que estaba repleta de frascos y potes.

—Cuando haya tomado su medicina le daré el hielo —dijo ella y extendió el brazo para tomar el vaso y las píldoras que todavía sostenía la enfermera. Mercedes le ofreció las dos cosas a don Orlando, quien esbozó una sonrisa infantil mientras la obedecía. La enfermera lanzó un gruñido de fastidio y rodeó la cama.

—Es hora de mi desayuno —dijo.

—Gracias, Mercedes —dijo Elena cuando la enfermera hubo partido y Mercedes puso el tazón sobre las rodillas de su padre. —No sé por qué me molesto con todas estas enfermeras. —Desde la enfermedad de su padre dos años antes, Elena había tomado media docena de mujeres y cada una había huido después de trabajar apenas unos meses. "Don Orlando es un hombre muy difícil", dijo una antes de irse. Otra, después de un período en el que don Orlando arrojaba por el cuarto toda la comida que ella le servía, se fue de la casa en la mitad de su turno. "El señor es un loco", gritó para que todos los de la casa y el mundo entero la oyeran. Desde que la enfermedad se instaló y comenzó a progresar con lentitud, hubo una cantidad enorme de comentarios, todos apoyados en diversos grados de franqueza, y todos se reducían a la misma cosa: atender a don Orlando era un tormento, y sólo Elena podía calmarlo y razonar con él. Bueno, esto último fue cierto hasta que apareció Mercedes Prieto.

Elena se sentó y observó a Mercedes. La sirvienta era solícita, tierna. Con su vestido negro y suelto parecía siempre joven e imperturbable. No usaba calzado y allá por noviembre, cuando se presentó en la casa de Santa Ana, también lo hizo descalza. En aquella época, Elena se estaba poniendo al día con su correspondencia en la amplia terraza que daba al corazón de la casa: el patio interior con su bella fuente de azulejos, con los limoneros y naranjos y los rosales y jazmines. Clara, llamada la mucama de adentro porque hacía la limpieza y servía la mesa, hizo entrar a Mercedes. "Viene por el puesto de Telma", había dicho, y casi enseguida Elena tocó el tema del calzado como una forma de abreviar la entrevista, porque no estaba de humor ese día para emplear a nadie. Dijo que toda la servidumbre usaba zapatos, y que se trataba de una cuestión de salubridad. Mercedes dijo que eso tal vez fuera cierto, pero que ella jamás los había usado y que, a su edad, no pensaba hacerlo. "Lo que es más —había dicho Mercedes—, yo vengo a trabajar de lavandera, no de muchacha de adentro. La ropa se lava afuera y al sol y para las lavanderas no es práctico usar zapatos." Elena recordó la naturalidad con que Mercedes lo expresó. Y algo en esa mujer le dijo: "Tómame como soy. No lo lamentarás". Pero Elena sí lo lamentó tres meses atrás.

Aunque la habían tomado para lavar y planchar, Mercedes con frecuencia ayudaba a Elena con don Orlando. Desde el principio, su padre le cobró mucho cariño a Mercedes. La vio por primera vez la tarde en que ella llevaba en los brazos una pila de ropa de cama para guardarla en el ropero. Don Orlando estaba en ese momento en su sillón, mirando por la ventana mientras Elena le leía *Las mil y una noches*, el único libro con el que conseguía atraer su atención. Cuando Mercedes entró, él la miró, volvió a mirar por la ventana y de nuevo hacia ella. "Nana", dijo y se puso de pie. Elena se dio cuenta de lo mucho que Mercedes se parecía a la Tere, la venerable niñera de su padre que había muerto el año anterior.

—¿Tú crees en los sueños? —le preguntó Elena a Mercedes, y ella misma se sorprendió de hablarle con tanta franqueza a una criada y, además, relativamente nueva. Afuera, el sol ya estaba bajo. —Anoche tuve un mal sueño —agregó a modo de explicación.

—A veces los sueños parecen ser malos cuando en realidad no lo son —contestó Mercedes. Pensaba en las ocasiones en que soñaba con Tino y despertaba con el corazón latiéndole a toda velocidad porque acababa de ver de nuevo a su bebé. Esos sueños le causaban pesar, pero no eran malos sueños.

—Éste sí fue malo —dijo Elena—. Lo he soñado antes, y cada vez después pasó algo malo. —¿Por qué estaba diciendo eso? Quizá porque al verbalizar su temor podría hacerlo desaparecer.

—Ah —dijo Mercedes. Empleó una servilleta de la mesa de noche para secarle la barbilla a don Orlando.

—Soñé que se me caían los dientes —farfulló Elena y enseguida lamentó haberlo dicho. Tuvo la sensación de que, al hacerlo, había puesto algo en movimiento.

Mercedes la miró. Tenía ojos oscuros. En su frente había arrugas aunque no estuviera frunciendo el entrecejo. Ahora lo hizo cuando Elena le contó lo de los dientes.

—Sé que es malo —dijo Elena y volvió a mirar por la ventana—. Soñar con que a una se le caen los dientes es malo.

Mercedes asintió.

—No es bueno. Después de un sueño así hay que tener cuidado.

El principal encanto de la casona era los amplios corredores con columnas ubicados en el frente de la casa y que se extendían alrededor del lado oeste, donde estaban cerrados con tela mosquitero para que todos pudieran estar allí sentados por la tarde. Elena prefería desayunar en esa ala protegida con mosquitero porque era luminosa y aireada, y porque el arroyo corría tan cerca que su humedad ayudaba a humectar la piel. Desde allí podía observar el patio y, más allá, los edificios que comprendían la oficina de la finca y el beneficio, la planta procesadora de café. En el medio del patio crecía la antigua ceiba, con su tronco retorcido y un grosor equivalente a una docena de hombres juntos. El árbol extendía sus ramas bien alto en el tronco, y bajo su marquesina estaban los caballos atados a los postes. Aunque sólo era alrededor de las ocho, los perros de la finca ya estaban echados y dormitaban a su sombra.

Después de visitar la habitación de su padre y después de bañarse y cambiarse de ropa, Elena estaba en el corredor con Cecilia de Aragón. Elena había hecho sonar la campanilla para pedir el desayuno, y ambas aguardaban a que Clara se lo trajera.

Elena y Cecilia. Las dos eran amigas íntimas desde la infancia, cuando sus nombres eran Elena Navarro y Cecilia Muñoz. En su aspecto eran lo opuesto: incluso desde chica, Elena era elegante, esbelta y pálida. Diminutas pecas moteaban sus largas piernas y sus brazos. Cecilia era diminuta y con un cuerpo suave y redondeado. Después de tomar un poco de sol su piel adquiría un sorprendente tono cobrizo. Elena tenía pelo color caramelo y prefería usarlo largo; Cecilia era trigueña y tenía la cara enmarcada por rizos. Elena tenía los ojos verdes como su padre; los de Cecilia eran negros como el carbón.

Eran igualmente opuestas en temperamento. Elena era sensible y sentimental. En la mayor parte de las situaciones se podía predecir lo que haría. En una reunión, prefería sentarse a un lado y observar lo que sucedía. Cecilia, en cambio, era descarada y extravagante. En una reunión, la gente formaba un círculo alrededor de ella cuando bailaba. A Cecilia le importaba poco lo que las personas pensaban de ella. Para mostrar lo diferentes que eran la una de la otra, a sus familias les gustaba contar una anécdota sobre las dos. En una oportunidad, cuando tenían cinco o seis años, las niñas se encontraban en la hacienda de don Orlando, en el sector oriental del país. El padre de Elena caminaba por la habitación con un rifle colgado del hombro y con un aspecto muy deportivo con su atuendo safari. "Voy a ir a cazar conejos", les anunció a las chicas. Frente a esa noticia, Elena saltó de la silla y corrió hacia la puerta. "Voy a avisarles a los conejos que se escondan antes de que los encuentres, papi", dijo Elena con un temblor en el labio inferior. Cecilia se acercó a don Orlando y lo miró. "¿Puedo ir contigo, tío Orlando?", preguntó.

Juntas, Elena y Cecilia habían realizado sus estudios primarios y secundarios en La Asunción, el colegio católico para niñas en Santa Ana, dirigido por las Hermanas de la Asunción. En sus cursos, habían insistido en ocupar bancos contiguos, pero pronto las religiosas, en defensa de la educación, pusieron fin a la cercanía de ambas. Después del colegio, las muchachas se desquitaban de las privaciones del día: corrían a su casa a sacarse esos uniformes almidonados color azul marino con los tontos delantales blancos y después se reunían debajo del árbol de cacao que crecía en el patio de Cecilia. El árbol tenía un tronco retorcido que se prolongaba hacia aquí y allá para formar lo que las chicas pensaban parecían brazos extendidos en un abrazo. Para confirmarlo, las hojas del árbol tenían forma de corazones color verde pálido. Debajo del cacao, las muchachas chismeaban y conspiraban. Debajo del cacao, las nanas un poco más lejos, las niñas tomaban refrescos por la tarde: fresco de tamarindo para Elena, y fresco de avena para Cecilia. Cuando se convirtieron en señoritas, entraban en el elegante salón del Casino Santaneco ataviadas con vestidos de lino de colores complementarios. Cruzaban el piso lustrado hacia la mesa acostumbrada, donde les servían café con leche en finas tazas de porcelana.

En Santa Ana, la amistad entre la Elena y la Cecilia era legendaria. "La una es la sombra de la otra", decían sus padres. Cuando se casaron, cada una madrina de la otra, se mudaron a casas ubicadas en la calle Número 9, una enfrente de la otra. Cada día, cuando el doble portón de una de las casas se abría, era como si saludara al portón del otro lado de la calle. Las mujeres abrazaron alegremente sus matrimonios, pero tanto Ernesto Contreras como Armando Aragón comprendieron, aunque sin decirlo, que el vínculo que existía entre las dos mujeres era algo que ellos jamás debían tratar de debilitar.

El año anterior, después del ataque en La Merced, la amistad de ambas se hizo aun más fuerte. El año anterior, en la finca de Armando Aragón en Ahuachapán, Armando y su administrador fueron muertos a machetazos por los cortadores de café durante la revuelta.

Esa mañana, Cecilia se encontraba instalada en el sofá de mimbre con las piernas recogidas. Ella y su única hija, Isabel, se habían refugiado en la casona durante la temporada del café.

Clara se apareció con el desayuno en una bandeja de plata. En un canasto había bollos dulces y una pila de tostadas crujientes. En pequeños platos había mermeladas y mantequilla. Sobre una fuente brillaban trozos de papaya. El jugo de naranjas helado formaba una película húmeda en una jarra. Había un pequeño jarro de esencia —*espresso*— y otro más grande de leche caliente. Un pequeño tazón tenía azúcar molida. Clara dispuso la comida y la loza en una mesa de mimbre y se fue.

Elena vertió la esencia en una taza y unió el chorro de café con otro de leche. El café era espeso y de aroma fuerte. Estaba procesado en la finca y era un regalo beberlo, sobre todo tomando en cuenta que prácticamente todo el café de La Abundancia se reservaba para la exportación. Elena sirvió una segunda taza, a la que le puso dos cucharadas de azúcar como le gustaba a Cecilia. Pero no le agregó azúcar a la suya.

—Tu café, Ceci —dijo Elena.

Cecilia se puso la taza y el platillo sobre la falda. Sonrió y bajó la vista hacia la taza. Se sentía agradecida de estar allí. Qué extraño que se sintiera segura en esa finca, una finca tan parecida a la suya. Nunca volvería a aquel lugar. Pero allí, con la presencia afectuosa de Elena y Ernesto, comenzaba a ser la de antes.

—¿Dormiste bien? —preguntó Elena. Cuando eran pequeñas y con frecuencia cada una pasaba la noche en casa de la otra, algo nada común en otras familias, lo primero que hacían al despertarse era hablar sobre sus sueños. Acostadas en la habitación en tinieblas, con sólo la pequeña mesa de noche entre ellas, relataban en voz baja las imágenes que el sueño les había traído.

Cecilia se encogió de hombros.

—Ya sabes cómo son las cosas, Nena. Algunas noches son peores que otras. —Cecilia siempre llamaba "Nena" a Elena.

Elena dijo:

—Anoche tuve un mal sueño. —Le resultaba imposible retener esa información. Necesitaba contárselo a Cecilia. Necesitaba que Cecilia le dijera que todo estaría bien.

—Anoche yo soñé que veía a Armando. —Cecilia trazó círculos con las yemas de los dedos en el costado de su taza. —En el sueño, él estaba en La Merced y usaba su sombrero favorito.

Elena asintió. Imaginó a Armando con su sombrero de cuero de ala ancha. En la finca, lo usaba todo el día. A ella y a Cecilia les gustaba hacerle bromas sobre el aspecto que tenía su pelo cuando se lo quitaba. De pronto recordó otra cosa sobre él:

—¿Recuerdas cuando Armando se fue en esa cacería?

—¿Cuál?

Elena bebió un sorbo de café y mordisqueó apenas la punta de una tostada.

—La del lago Guija. Cuando les disparó a los lagartos. ¿Recuerdas la piel de lagarto que trajo de vuelta? ¿Y las carteras que nos mandamos a hacer? Él quería mandarse a hacer un sombrero. Lo que acabas de decir me hizo recordarlo.

Cecilia puso la taza y el platillo en una mesa al costado.

—Mando casi terminó muerto en ese viaje. Recuérdate que uno de los cazadores le disparó por accidente.

—Dios mío, ¿en qué estaba pensando? Perdóname, Ceci. No puedo creer que te haya hecho recordarlo.

—No es tu culpa —dijo Cecilia—. Creo que no hay cosa que digas que no me recuerde algo suyo. —Permaneció un rato callada. Después, dijo: —Ese viaje fue hace años, cuando Isa tenía dos. —Miró a Elena a los ojos. —Armando podía haber muerto entonces, Nena, hace quince años. Después de ese viaje tuvimos todos esos años juntos. —Qué matrimonio habían tenido. Él era el único hombre que conocía que le permitía a su esposa ser ella misma. Jamás habría otro hombre como su Mando.

—Sí —dijo Elena. La muerte de Armando Aragón era tan vívida en su mente como cuando se enteró de ella. Cecilia e Isabel lo habían visto todo. Durante las semanas que siguieron, Cecilia no hablaba de otra cosa: "Los oímos venir. Los perros empezaron a ladrar y después oímos los gritos. Ladridos y gritos. Era como un alarido. Alaridos en el camino y en el patio. Alaridos en los escalones, que subían hasta la puerta. Armando golpeó la espalda contra la puerta. La espalda, ¿puedes creerlo, Nena? Tenía el revólver en la mano y disparó una y otra vez, pero eso no los detuvo. Se oyó ruido a machetes. Se abrieron camino. Armando nos gritó a Isa y a mí que retrocediéramos. ¿Dónde, por Dios, está la guardia? ¿En el nombre de Dios, qué está sucediendo? Estaba oscuro, pero se veían los machetes. Se oía el silbido que hacen los machetes antes de golpear contra la piel.

Ernesto Contreras se reunió con las mujeres en la galería. Usaba pantalones color caqui recién planchados y una camisa blanca almidonada. De su hombro colgaba la funda de cuero de la que asomaba la culata de un revólver.

Elena se puso de pie y fue a saludarlo.

—Buenos días, mi amor —dijo y lo besó en la boca. "Me siento tan feliz de que estés vivo", pensó.

CAPÍTULO DOCE

Momentos después aparecieron Neto y Alberto. Neto tenía veinte años; su hermano, diecinueve. El primero de los hijos de Elena, aunque llevaba el nombre de su padre, era alto y esbelto como su madre. Alberto, en cambio, se parecía a Ernesto, que era un hombre compacto y sólido. Los hermanos saludaron a su madre con un beso. Olían a la misma loción para después de afeitarse que usaba su padre. Los dos eran sanos y fuertes; tenían el pelo húmedo de la ducha y con rastros de los dientes del peine. Los hermanos saludaron también a Cecilia con una inclinación y la llamaron "tía", porque ella era como una tía.

—¿Desayunaron? —preguntó Elena.

—Tomamos algo adentro —contestó Neto, se incorporó y se sujetó el revólver, que prefería llevar metido en el cinto. Así era más fácil agarrarlo.

—Todos tomamos algo adentro —dijo Ernesto. Se acercó y también le dio a Cecilia un beso en la mejilla—. Estuve con tu contador —le dijo—. Tú y yo tenemos que hablar. —Ernesto, a sugerencia de Elena, ayudaba a Cecilia con sus finanzas. —Pero no puedo hacerlo hoy. Mañana es día de pago. —Los días de pago siempre caían en sábado. En La Abundancia había más de dos mil trabajadores del café y llevaba casi todo el día pagarles a todos. Ernesto les dijo a sus hijos: —Hoy, los muchachos se ocuparán de la guardia. Yo iré en el auto al banco. —Por lo general, cuatro guardias estaban apostados alrededor de la finca. El día de pago ese número se triplicaba como protección para los altercados que con frecuencia se producían. Los cortadores peleaban por deudas de juego y por mujeres. El dinero en el bolsillo solía estar acompañado por una botella de guaro en la mano. La combinación de cortadores y licor era siempre una mezcla peligrosa.

Afuera en el patio, Samuel Vega, el administrador, llamó al patrón. Samuel Vega había dirigido las operaciones durante más de veinte años. En ese lapso siempre había respondido a don Ernesto. Ahora también debía responder a los hijos del patrón, una situación que le provocaba resentimiento. Los hombres que estaban en la casa salieron y se reunieron con él. Elena los observó agruparse debajo de la ceiba. Allí también había dos guardias. Neto y Alberto montaron sus caballos y se alejaron al trote. Ernesto y Samuel Vega atravesaron el complejo hacia el Cadillac, guardado en el cobertizo. El automóvil era un sedán Town 1931. Era color negro lustroso, con guardabarros grises y pescantes. Ernesto había pagado ochocientos dólares por él, y casi la mitad de esa suma para hacerlo enviar por barco desde los Estados Unidos. Elena consideraba que poseerlo era una extravagancia, aunque debía admitir que era un espectáculo agradable.

Magda, la hija de Elena de diecisiete años, salió al porche. Usaba un camisón blanco largo y estaba descalza. Su pelo oscuro y enrulado le llegaba a los hombros.

—¿Qué haces levantada tan temprano? —Elena levantó una mejilla para recibir el beso de su hija. Magda y la hija de Cecilia estaban de vacaciones y les gustaba dormir hasta tarde. Dentro de pocas semanas, las dos comenzarían su último año de estudios en La Asunción, el mismo colegio al que habían asistido sus madres. —¿Dónde están tus chinelas? —preguntó Elena.

—¿Y la Isa? —preguntó Cecilia.

—Sigue durmiendo. Café no hacía más que rascar la puerta. Me despertó. —Magda besó a Cecilia y después se sentó junto a ella. Levantó los pies y comenzó a mover los dedos. —El piso está tan frío. Es una sensación bien bonita en los pies. —Se inclinó hacia la mesa de café y se sirvió una taza. —Hoy iré a Santa Ana. Quiero ir a recoger la correspondencia.

—Tu padre acaba de irse en el auto. Él y Samuel fueron al banco.

—Ay, no —dijo Magda y volvió a colocar la cafetera sobre la mesa—. A papi no se le va a ocurrir buscar las cartas. —Acababa de comprometerse con Álvaro Tobar, que trabajaba en la cosecha de algodón de la hacienda de su familia en Usulután, del otro lado del país. Hacía casi un mes que Magda no lo veía. Y pasarían dos semanas más antes de que volvieran a estar juntos. El 2 de diciembre, después de que ella se recibiera de bachiller, Magda y Álvaro se casarían.

—¿Papá no te trajo tres cartas hace poco? —preguntó Elena.

—Eso fue el otro día —dijo Magda. Álvaro le escribía casi todos los días, algo poco común en un hombre. Pero Álvaro era así. Atento y detallista. Sentimental. Fue él quien inventó el acertijo especial de ambos: ¿cuánto suman 65 y 59? (Esas cifras representaban el número de letras de sus nombres y apellidos: Álvaro [6] Tobar [5] y Magda [5] Contreras [9].) La respuesta era 83 y no 124, como sería lógico creer. Ochenta y tres era el número de letras de las dos palabras que formaban la frase "nosotros dos".

Magda tomó una tajada de papaya de la fuente y se metió la mitad en la boca.

—Mmmm —dijo, porque la fruta estaba dulce y cremosa.

—¿Y cómo está Álvaro? —preguntó Cecilia.

Magda se lamió los dedos y aceptó la servilleta que su madre le pasó.

—Está de lo más bien. Trabajando muy duro, dice. —En sus cartas también le decía que no veía la hora de que estuvieran casados. Le escribió: "Después del 2 de diciembre, me voy a pasar el resto de la vida haciéndote el amor". Frente a ese pensamiento, Magda sintió un estremecimiento en todo el cuerpo. Pasarían el mes de luna de miel, no en Europa como era la costumbre sino en El Refugio, la cabaña rústica de su abuelo en el norte, en las montañas cubiertas de pinos de Chalatenango. Ese cambio de lugar había sido dictado por los malos tiempos en el aspecto económico. A Magda no le preocupaba. Cruzar el océano en el Ile-de-France, registrarse en el Ritz de París o alojarse en la acogedora cabaña de su abuelo, todo se reducía a la misma cosa: finalmente ella y Álvaro juntos en la cama.

Cecilia se puso de pie y se estiró.

—Vayamos a caminar un rato.

—¿Por qué no nos acompañas? —le dijo Elena a Magda.

Magda sofocó un bostezo con la mano.

—Vayan ustedes. Yo me vuelvo a la cama.

Elena y Cecilia abandonaron la casa por una puerta posterior que se abría al amplio patio donde Mercedes lavaba la ropa. Tenían la cabeza cubierta con elegantes pañuelos importados anudados debajo del mentón. También el perro fue con ellas. Ernesto insistía en que siempre fuera así. Además, le había dado órdenes a un caporal de que las siguiera en sus caminatas. A Elena no le importaba que el hombre lo hiciera, siempre y cuando se mantuviera a una distancia prudencial para que ella y Cecilia pudieran hablar sin trabas.

Ese día se atuvieron a su rutina habitual. Cruzaron el patio, pasaron debajo de la ceiba y, después, por el conjunto de estructuras de madera entre los que estaba el edificio de la administración. Pasaron por el costado abierto de la cocina, repleta de mujeres que se ocupaban del fuego de leña sobre el que se preparaban las comidas del día. El desayuno se había servido hacía horas. Al mediodía, las cocineras transportarían las tortillas y el café a los campos. Al atardecer vendrían los cortadores para la cena: tortillas gruesas con frijoles aderezados con chiles. Cada día se preparaban diez mil tortillas y diez calderas de frijoles. El café siempre era abundante; desde el amanecer hasta el anochecer, grandes ollas tiznadas hervían sobre todos los fogones.

La mayor parte de los cortadores vivían en barracas bajas que a esa hora estaban vacías. Cada familia tenía un cuarto y un lavadero. Esa mañana, algunos niños pequeños jugaban alegremente en el camino que servía de patio para ellos. Muchos tenían vientres tan distendidos que parecían más grandes que sus cabezas. Cuando Elena y Cecilia pasaban por allí, una mujer de uno de los cuartos asomó la cabeza por entre la tela que servía de puerta. Golpeó las manos para atraer la atención de los chicos. Ellos dejaron de jugar y corrieron hacia su casa, sin mirar en ningún momento hacia atrás en dirección a las mujeres que pasaban.

No lejos de los edificios, en un claro rodeado de arbustos de café y de los senderos angostos que serpenteaban alrededor de ellos, había alrededor de una docena de ranchitos de adobe con techos de tejas rojas. Frente a los ranchos, grupos de cortadores se encontraban reunidos alrededor de pilas de granos de café, listos ya para ser transportados. No lejos de allí había un barranco; en ese lugar se encontraban instaladas las letrinas y, aunque no eran visibles, el olor que despedían marcaba su presencia.

A algunos metros del camino, las mujeres pasaron por las aulas y la clínica. Ambas parecían desiertas. El encargado de la clínica estaba recostado contra el marco de la puerta con su guardapolvo blanco manchado, y se metió al interior cuando las vio.

Más allá, a la derecha del camino, se erguía el beneficio. Era un centro de actividad, porque si el café era la sangre de la finca, la planta de procesamiento era su corazón. El beneficio estaba construido junto a un río porque el agua era esencial para el procesamiento del café. Después de que los cortadores arrancaban los granos gordos y rojos —el café en uva— de los arbustos y los arrojaban en canastos sujetos a la cintura, echaban carga tras carga en pilas y después en costales. Todo esto se hacía bajo el escrutinio de los caporales quienes, armados con lápices y pequeños libros, mantenían un registro de todos los cortadores y sus medidas. Estos informes se le entregaban a Samuel Vega a tiempo para que hiciera la planilla. Una vez en los costales, el café en uva abandonaba los campos y era transportado al beneficio en carretas tiradas por bueyes.

Elena y Cecilia pasaron junto una docena de carretas, todas cargadas con costales de café. Muchos perros las rodeaban; algunos trotaron hacia Café y lo olisquearon, pero Café era un perro tolerante y no permitió que esa intrusión impidiera su avance por el camino.

Las mujeres se acercaron a los tanques de agua donde se remojaba el café para ayudar a aflojar la pulpa del grano. Al cabo de un día, los granos estaban mucho más blandos, pero igual era preciso pasarlos por una máquina con enormes paletas para terminar el trabajo iniciado por el agua. Una vez libre de la cáscara, la pulpa flota. Elena y Cecilia echaron a correr para alejarse rápidamente del hedor del café en fermentación. También el perro apresuró la marcha, pero era viejo y pronto las mujeres lo dejaron atrás. Él volvió a ponérseles a la par cuando ellas comenzaron a caminar más despacio al pasar por los tendederos, los enormes patios de cemento donde los granos adquirían color en el sol. Este café en oro era un espectáculo precioso y a Elena le daba placer ver cómo los trabajadores con sus sombreros de ala ancha rastrillaban, revolvían y nivelaban el café de Ernesto. Junto a los tendederos había largos cobertizos debajo de los cuales el café seco era llevado en cintas transportadoras a las mesas de clasificación, donde mujeres con buena vista examinaban los granos y eliminaban los imperfectos.

Elena y Cecilia llegaron al lugar donde el arroyo describía una curva. Ahora las márgenes del arroyo eran más planas y el lecho del río estaba formado por piedras, guijarros, pedrones y rocas chatas. A metros del río se elevaban grupos de sauces y conacastes; al mecerse con esa brisa leve, las hojas parecían por un momento grises y después, verdes.

Las dos cruzaron a la margen rocosa. Se dirigieron a una roca lisa, larga como una mesa, que era el destino de todas sus caminatas. Café también avanzó con cautela sobre las piedras y fue a echarse en el sector de sombras proporcionado por la roca con forma de mesa. Las mujeres treparon a ella mientras el caporal permanecía debajo de los árboles. Él se recostó contra un sauce, el machete a un costado, su bota izquierda levantada y apoyada en el tronco del árbol.

Elena se desató el pañuelo y se lo puso sobre los hombros. Se tendió sobre la roca y sintió su calidez en todo el cuerpo.

Cecilia hizo lo mismo. Cerró los ojos y, al cabo de un momento, el sol comenzó a dibujar diminutas cabezas de alfiler de luz sobre sus párpados.

—Cuando estábamos en el corredor dijiste que habías tenido un sueño. Perdóname, Nena, sé que te interrumpí.

Elena se incorporó, se llevó las rodillas al pecho y las abrazó. Miró el rostro de Cecilia enmarcado por los bordes del pañuelo. Sus gruesas pestañas eran como pequeñas medialunas oscuras contra sus mejillas.

—Soñé que se me caían los dientes.

Cecilia levantó la cabeza y se protegió los ojos del sol para ver mejor a su amiga.

—Ay, no. No otra vez.

—No sé por qué, pero esta mañana le hablé del sueño a Mercedes. Y ella dijo que después de un sueño así hay que tener cuidado. Eso me asustó.

Cecilia volvió a recostarse. Se puso un brazo sobre los ojos para bloquear el sol. No dijo nada; simplemente respiró profundo.

Elena se puso a observar el arroyo, la forma en que el agua se alejaba silenciosamente de ella.

—No debería habértelo dicho. Estos días, tú ya tienes suficientes preocupaciones. —Dijo esto, pero en realidad quería la atención plena de Cecilia. Necesitaba el tranquilizador consuelo de su comprensión y su sentido común. En el fondo, Elena quería tener de vuelta a la antigua Cecilia, la que existía antes de la muerte de Armando.

Cecilia dijo:

—¿Recuerdas cuando acostumbrábamos jugar a las entrevistas?

—Sí, me acuerdo —dijo Elena. Eran muy jóvenes la primera vez que participaron de ese juego. Cecilia lo inventó porque su padre era el dueño de un periódico. Con frecuencia las muchachas iban a La Tribuna y deambulaban por la sala de redacción, con su fuerte olor a papel crudo y tinta fresca y la actividad caótica que allí reinaba. Las chicas observaban a los reporteros, cómo con sus dedos índice creaban notas al pulsar sobre las teclas de las imponentes Underwoods. Cuando jugaban, a Cecilia le gustaba hacer las preguntas. "Yo voy a ser la periodista —decía con frecuencia—, pero tú, Elena Navarro, debes decir la verdad. Papi dice que nunca se le debe mentir a un reportero." En aquella época, por lo general Elena aceptaba ceder al pedido de Cecilia. Pero siempre tenía su propio pedido: "Pregúntame lo que quieras —decía— pero por favor no me hagas llorar". Un pedido inútil, desde luego, porque Cecilia siempre hacía preguntas tristes, como cuando quiso saber detalles del pequeño perro de Elena y cómo fue que el jardinero accidentalmente le había cortado una pata trasera con el machete cuando podaba los jazmines del patio.

—Juguemos ahora. Pero yo voy a hacer las preguntas —dijo Cecilia, allí sobre la roca al sol, el brazo todavía sobre sus ojos.

Elena se echó a reír.

—Me alegra comprobar que algunas cosas no han cambiado.

Por un momento hubo silencio. Después, Cecilia dijo:

—Dime qué sentirás cuando yo me muera, Nena.

El pedido sobresaltó a Elena.

—Por Dios, Ceci, qué cosas dices.

—Ésa no es una respuesta —dijo Cecilia.

—No quiero hablar de esa clase de cosas. Tú no te vas a morir.

—Algún día moriré, y tienes que decirme qué sentirás. Vaya, Nena, debes decírmelo. Dijiste que jugaríamos a las entrevistas.

—Voy a estar triste —replicó Elena.

—Triste. Eso no es nada. Tristes están los pobres cuando no tienen qué comer.

—Está bien. Cuando te mueras, lloraré.

—¿Llorarás mucho, Nena? ¿Te vas a tirar al piso? ¿Cuántos pañuelos necesitarás cuando me muera?

—Voy a llorar tan fuerte que todo el mundo me oirá. Si tú te mueres, yo nunca dejaré de llorar.

Cecilia levantó el brazo y miró a Elena.

—Eso me gusta —dijo.

—¡Basta! —dijo Elena—. ¿Por qué dices todo esto? ¿Crees que mi sueño tenía que ver con tu muerte?

Cecilia volvió a cubrirse los ojos.

—No puede ser —respondió—. El último mal sueño que tuviste era sobre mí.

Las dos casi habían llegado de vuelta a la casa. Estaban debajo de la ceiba cuando Elena sintió un dolor intenso en la mano. Pegó un grito y la levantó, esperando ver una avispa o un insecto parecido pegado a su dedo. Pero no había nada. Su mano tenía un aspecto perfectamente normal y, sin embargo, sentía un dolor terrible en el dedo, justo en el que llevaba el anillo. Se apretó la mano con la otra, pero el dolor empeoró.

—¡Ay, Dios! —exclamó.

—Nena, ¿qué te pasa? —preguntó Cecilia.

Elena se dobló en dos y se puso la mano entre las rodillas para aliviar el dolor.

—Ayayay —gimió. El caporal que había acompañado a las mujeres acababa de alejarse cuando Elena gritó. Ahora se acercó corriendo. Mercedes estaba junto a la pila de agua, debajo del mango, lavando ropa. Cuando oyó a Elena, se apresuró a secarse las manos enjabonadas en el delantal y corrió hacia su patrona.

—Niña Elena, ¿qué fue?

—Mi dedo. —Elena levantó la mano como para demostrarlo. Se la puso contra el corazón y después la bajó y la sacudió.

Mercedes le tomó la mano y se la examinó.

—Es su anillo —dijo—. Debemos sacárselo. Vamos a usar jabón y agua de la pila.

Magda, que había renunciado a tratar de volver a conciliar el sueño, e Isabel, estaban sentadas en la galería. Las chicas oyeron el alboroto del patio y corrieron hacia allí. Clara, la otra sirvienta, las imitó.

Junto al tanque de agua, Mercedes se esforzó en tratar de sacarle el anillo a Elena. Frotó la bola de jabón amarillo sobre su mano hasta formar espuma. Mercedes giró el anillo y lo fue haciendo avanzar poco a poco. Cuando por fin logró sacárselo, metió la mano de Elena en el agua fría de la pila. Limpió el anillo en su delantal antes de colocarlo sobre la tabla de lavar. El anillo brilló inocentemente al sol.

—Virgen Santa —dijo Clara y dio un paso atrás.

—¡Mi Dios, miren eso! —agregó Magda. El anillo era una banda gruesa de oro con diamantes engarzados en la parte superior. El padre de Elena se lo había regalado a su madre el día de la boda. Durante veintidós años, su madre nunca se lo sacó. Ahora, la parte inferior del anillo estaba achatada, como si alguien lo hubiera martillado.

—El anillo está deformado. ¿Cómo puede ser? —dijo Isabel. Estaba cubierta con su bata, y se rodeó con los brazos como si sintiera frío.

Frente a esa pregunta, todas las mujeres callaron y se quedaron mirando ese anillo deformado sobre la piedra lisa. Elena lo tomó y trató de volvérselo a poner, pero no pudo hacerlo.

—Mami, ¡qué horror! —exclamó Magda.

Cecilia dijo:

—Cuéntame tu sueño.

CAPÍTULO TRECE

Mercedes Prieto apartó la cortina que servía de puerta de la habitación de su hija.

—Jacinta —dijo Mercedes, pero vio que el cuarto estaba vacío. Era temprano por la tarde y de todos modos el lugar estaba en tinieblas porque en las viviendas de los cortadores no había ventanas; sólo cortinas que colgaban de los marcos de las puertas.

La habitación era pequeña y sucia. En ella había cuatro catres, cada uno cubierto con un petate, alineados contra la pared. El último de la izquierda pertenecía a Jacinta. En la pared arriba del catre estaba clavada la estampita de San Jacinto que Basilio Fermín le había regalado. En el cuarto no había cómoda ni sillas ni mesa, sólo los catres y un calor sofocante. Tenía el olor de las personas que vivían en él, de las personas que vivían en el corredor, de la ropa envuelta y de las escasas pertenencias metidas debajo de los catres, y de las letrinas ubicadas a pocos metros, en el barranco.

Mercedes dejó caer la cortina. Cruzó el angosto corredor y salió al camino. Era día de pago; la idea de que en días como ése podía pasar cualquier cosa flotaba por la finca como una nube de tormenta. Guardias adicionales patrullaban la propiedad, y ese solo hecho ponía nerviosos a todos. Desde muy temprano por la mañana, un flujo permanente de gente serpenteaba por el camino de a cuatro en fondo, y al final desaparecía por los anchos portones del edificio de la administración. Los pagadores, al frente de las cuatro mesas de pago, iban gritando los nombres de los trabajadores en orden alfabético. Como el apellido de Jacinta era Prieto, ella siempre llegaba a estar frente a un pagador a media tarde. Mercedes se apresuró a dar una vuelta por el fondo para ver si Jacinta estaba allí.

Mercedes había dejado la ropa del día, lavada y enjabonada, extendida sobre los arbustos para que se blanqueara al sol. Le quedaba poco tiempo antes de tener que regresar para recoger esa ropa y darle un enjuague final antes de colgarla a secar. Ernestina, una de las muchachas que compartían el cuarto con Jacinta, regresaba en ese momento de la cañada.

—Buenas, niña Mercedes —dijo Ernestina.

—¿Dónde está mi hija? —preguntó Mercedes.

—En la cola. Está con Chico Portales.

—Mmmm —dijo Mercedes. La noticia no la sorprendía. Por esa razón estaba allí, lejos del lavadero. Chico Portales y Jacinta. Si Mercedes supiera lo que había nacido entre ambos, no le habría permitido a Jacinta cortar café en La Abundancia. En El Congo fue Luis Martínez, el joven dueño del puesto de frutas, el que le dio vuelta la cabeza a Jacinta. En Santa Ana, Chico Portales había desbancado fácilmente a Luis. Desde el comienzo de la temporada del corte, Chico y Jacinta se habían gustado. A lo largo de los meses, Mercedes los había observado. Comenzaron con timidez, pero ahora se movían con confianza, como si tuvieran un secreto que complacía a ambos. No hacía falta mucha imaginación para adivinar cuál sería ese secreto. Chico Portales venía de Metapán, una ciudad al norte en la frontera con Guatemala. A los diecisiete años, era musculoso y alto, con una piel achocolatada que lo hacía muy atractivo. Sólo un tonto estaría ciego a lo que Jacinta veía en él. Igual, Jacinta tenía catorce, y aunque Mercedes no olvidaba que ella había dado a luz a esa edad, era precisamente esa responsabilidad, ese salto precipitado a la adultez lo que quería evitarle a su hija.

Mercedes se dirigió al edificio de la administración. Se protegió los ojos del sol con una mano y pasó entre las filas de cortadores. Allí había toda una humanidad, pero lo único que Mercedes notó fueron los guardias. Siempre listos para disparar, los hombres deambulaban por las filas, los rifles colgados con correas de los hombros. Debajo de los visores de sus cascos, los ojos de los guardias parecían todos iguales. Aunque estaban a metros de distancia, Mercedes sentía que sus miradas autoritarias la quemaban como si estuvieran parados junto a ella.

Mercedes entró deprisa en la administración. Adentro, la temperatura era un poco menos calurosa que afuera. Después de esperar a que sus ojos se adaptaran a la luz, vio que los cortadores avanzaban poco a poco hacia el pasillo. Algunos hombres, con sus sombreros de paja, se recostaban en silencio contra las paredes mientras esperaban. Otros hablaban animadamente. En las colas, ancianas envueltas en tapados, los brazos cruzados sobre el pecho, se inclinaban la una hacia la otra mientras conversaban en voz baja. muchachas jóvenes con vestidos ajustados y muchachos con bigotes oscuros se lanzaban mutuamente miradas. Las jóvenes reían por lo bajo detrás de manos entreabiertas. Los machos movían sus caderas angostas y lanzaban risotadas. Niños de todas edades, algunos vestidos y otros no, corrían ruidosamente por todas partes. Algunas madres se apartaban cada tanto de la fila para correr tras pequeños que se habían alejado gateando. Como la fila se movía, también lo hacían los perros que andaban por allí. En ocasiones se echaban, la lengua colgando. En toda esta actividad, no había señales de Jacinta.

Mercedes llegó al lugar donde el pasillo giraba hacia la izquierda y conducía al salón grande que contenía, en el fondo, las cuatro mesas de pago de jornales. Una valla baja, con puerta, estaba extendida a todo lo ancho de la habitación y formaba una barrera entre la autoridad y la servidumbre.

Los pagadores estaban sentados a las mesas. Pilas de billetes se alzaban delante de ellos, así como grandes cajas metálicas con compartimentos que contenían monedas de diferentes denominaciones. Junto a la mano de cada pagador había un revólver. Don Samuel Vega y don Ernesto estaban también presentes. Y los hijos de Elena. Todos estaban armados, patrullaban el espacio detrás de las mesas y verificaban con cada uno de los pagadores.

Mercedes decidió abandonar la búsqueda. Volvió sobre sus pasos y estaba a punto de enfilar hacia la lavandería cuando Jacinta transpuso la puerta.

—¿Qué hacés aquí? —preguntó Jacinta mientras se rascaba un codo y trataba de no hacerle un reproche. Era cansador que su madre la vigilara todo el tiempo. ¿Por qué era tan entrometida? Siempre estaba tan segura de saber qué era lo mejor para sus vidas.

Mercedes se dirigió a la mujer que estaba en la fila, justo detrás de Jacinta.

—Yo no quiero meterme en la fila. Sólo estoy aquí para hablar con mi hija. —Mercedes sonrió y señaló a Jacinta.

Jacinta farfulló un saludo e hizo preguntas rutinarias con voz suave porque Chico Portales estaba cuatro personas delante de ella y era evidente que su madre no lo había visto, lo cual era una suerte. Jacinta se levantó el pelo del cuello.

—Hace tanto calor —dijo. Ya no se peinaba con trenzas, porque era demasiado grande para eso. Ahora llevaba el pelo suelto, como le gustaba a Chico.

Mercedes entrecerró los ojos al notar que un par de aritos color cobre colgaban de las orejas de su hija.

—¿De dónde sacaste esos aritos?

Estoy frita, pensó Jacinta y se soltó el pelo sobre los hombros. Apartó la vista.

—Chico te los dio, ¿no es así?

—Shhh, mamá, no hablés tan fuerte —dijo Jacinta y se llevó un dedo a los labios. Sus manos estaban de color oscuro de tanto arrancar granos de café. Tenía dos moños de tela atados sobre dos lastimaduras de los dedos. Se acercó a su madre. —Es verdad, me los regaló Chico —susurró por último, porque decidió que era mejor decir la verdad y terminar con todo.

Mercedes bajó la voz.

—Espero que te los haya dado de puro bondadoso que es y no porque confía en que tú te los ganés.

Jacinta golpeó un pie contra el piso.

—¡Mamá! ¿Cómo dice una cosa así?

—Bueno —dijo Mercedes—, sólo quería que supieras cuál es mi actitud en estos asuntos.

—Eso es algo que nunca tengo necesidad de adivinar, mamá: lo que siente con respecto a cualquier cosa. —Jacinta se animó a espiar a los que estaban en la cola. Alcanzaba a ver el sombrero de Chico, con el pañuelo azul atado alrededor de la banda. Ahora la fila doblaba por el pasillo y se veían la valla y las mesas de pago.

—Puesto que es así —dijo Mercedes—, deberías saber una cosa más. Cuando termine la recolección y después de que la niña Magda se haya casado, vas a trabajar para ella. Mientras tanto, trataré de conseguir que trabajés en la iglesia con Basilio. —Gracias a Elena, Basilio había abandonado El Congo. Elena lo ayudó a encontrar trabajo en la catedral de Santa Ana.

"Ni pienso", pensó Jacinta. Ella y Chico tenían otros planes. Después de la cosecha se irían a Metapán y vivirían con Gaspar, el tío de Chico. Chico trabajaría en una hacienda de ganado de allí y ayudaría a su tío con el sindicato. Es lo que Chico hacía además de cortar café. Desde luego, era un trabajo secreto. Allí, en la finca, Chico ayudaba a Alirio Pérez a mantener informados a los cortadores. Jacinta se sentía orgullosa de que Chico trabajara por la justicia. Igual que lo había hecho Antonio, que en paz descanse, y su padre, el compadre Goyo, también que en paz descanse. Ellos habían trabajado en favor de la justicia y habían muerto por esa causa.

—¿Me has oído? —preguntó Mercedes, sorprendida de que Jacinta no hubiera protestado frente a esas noticias.

—Sí, mamá —dijo Jacinta, sorprendida por las coincidencias que pueden darse en la vida. Acababa de pensar en Alirio Pérez y ahora allí estaba él, en la cola de al lado. Ya se encontraba junto a la valla, con sólo una persona delante de él para llegar a la mesa de pago.

Mercedes repitió lo que había dicho, por si su hija no había acabado de digerirlo. Estaba por continuar hablando cuando los ojos de Jacinta la silenciaron. Mercedes miró hacia la fila de al lado.

—Alirio Pérez —llamó el pagador.

Un individuo alto y delgado desenvainó el machete y lo colocó en el piso, junto a la valla, como debían hacerlo todos los hombres. Con un movimiento insolente de la rodilla abrió la puerta y avanzó hacia la mesa. Al llegar junto al pagador, éste no miró el registro como era su costumbre. En cambio, mantuvo la mirada fija en el hombre y contó de una pila de billetes.

—Uno, dos. —El pagador colocó dos billetes sobre la mesa. Sacó dos monedas de la caja y las puso sobre los billetes. —Dos colones con diez centavos —dijo y deslizó el dinero hacia el hombre.

Alirio Pérez no se movió. No recogió su paga.

—Quiero saber por qué me despidieron —dijo con voz alta y firme.

En el salón reinó un silencio total, y este cambio súbito fue como el momento expectante entre el relámpago y el trueno. Mercedes tomó el brazo de Jacinta y se lo apretó.

El pagador se echó el sombrero hacia atrás.

—No queremos aquí cortadores como usted —dijo.

Alirio Pérez no dijo nada ni se movió. Uno de los guardias que estaban en el salón se acercó a la mesa. Don Ernesto y don Samuel llevaron las manos hacia sus armas.

—Camine —dijo el pagador—. Salga de aquí. —Se echó hacia atrás en su silla y agitó la mano con impaciencia. —Tome su dinero y váyase.

Alirio Pérez movió la mano y con un movimiento veloz sacó un segundo machete que tenía escondido en la pernera izquierda del pantalón. Por un instante el arma colgó en el aire y después silbó sobre la mesa.

La hoja le cortó la muñeca al pagador. La mano seccionada produjo un golpe seco al caer sobre la mesa.

La guardia disparó sobre Alirio, quien giró sobre sí mismo antes de desplomarse sobre la valla. Su machete se deslizó debajo de la mesa de pago. Mercedes se arrojó al piso y llevó consigo a Jacinta cuando se desató un caos en el salón. La gente gritaba, los perros ladraban, la guardia seguía disparando. Un segundo hombre fue abatido. Una mujer cayó bajo la lluvia de proyectiles. Cuando el fuego cesó momentos después, también otros se habían tirado al suelo, pero muchos corrieron en todas direcciones. Los niños gritaban y buscaban con desesperación a sus madres. El pagador estaba derrumbado sobre la pila de billetes. La sangre brotaba por el muñón de su muñeca y caía, brillante y espesa, por el borde de la mesa.

Mercedes creyó que iba a vomitar. El fuerte olor a pólvora le llenó la nariz; tenía los brazos grises por el polvo del piso que también sentía en la garganta.

Jacinta se puso de pie. Mientras se mantenía agachada, se acercó hacia el hombre despatarrado en el suelo, con un sombrero con cinta azul en la banda junto a él.

—Chico —dijo Jacinta y se dejó caer junto a él. Lo observó. Tenía los ojos abiertos.

—Mi pierna —dijo él con voz ronca. Extendió el brazo y se tocó el muslo. Jacinta le miró la pierna y vio la mancha roja que se extendía sobre la tela del pantalón. Paseó la vista por la habitación y notó que el patrón y la guardia todavía empuñaban sus armas y que el orden comenzaba a reinar en el recinto.

Jacinta echó hacia atrás la cabeza.

—¡Auxilio! —gritó—. ¡Auxilio! —Y toda la rabia contenida en su ser se expresó en esos gritos pidiendo ayuda.

El sedán Cadillac se alejó de la casona y avanzó por el gran patio. Alberto estaba al volante. Junto a él se encontraba Cecilia, muda, e Isabel, su hija. En el asiento trasero, derrumbado entre Magda y Elena estaba don Orlando. El Cadillac siguió al pickup conducido por Ernesto Contreras, con Neto en la cabina. En la caja del camión, el paramédico atendía al pagador y a los otros dos hombres heridos. Allí también viajaba Café, sentado junto a la ventanilla de la cabina. Cada tanto giraba la cabeza para verificar el viento, pero casi todo el tiempo mantenía la vista fija en la nuca de su dueño. Los dos vehículos se dirigían a Santa Ana: uno, al hospital; el otro, a la seguridad de la casa de Elena.

—Basta de eso, papá —dijo Elena. Le dio una palmada suave a la mano de su padre cuando él se incorporó y trató de alcanzar de nuevo la manija de la puerta. Elena suspiró. No habían transcurrido ni treinta minutos desde que oyó los disparos. Ella estaba descansando en las sombras de su cuarto cuando por las celosías de los ventanales se filtró el rugido de la conmoción por encima del canturreo del arroyo. Y en ese momento comenzaron a ladrar todos los perros del mundo.

Ahora la familia se alejaba de allí a toda velocidad. Elena apenas si tuvo tiempo de tomar sus objetos de valor y recoger las cosas de las que no podía prescindir: su maquillaje, su correspondencia, algunos libros, sus almohadas de plumón. En los días que siguieran, las criadas que quedaban en la casona se ocuparían de empacar y de cerrar la casa por la temporada. En Santa Ana habría paz de nuevo. Paz detrás de las paredes frescas de su casa. Paz por el amplio porche cubierto con vista al patio y su encantadora fuente de azulejos que, día y noche, le llevaba el tranquilizador sonido de una cascada.

Elena miró por la ventanilla del auto. La hija de Mercedes Prieto corría junto al vehículo, sus agraciadas piernas marrones moviéndose con rapidez. Como el auto avanzaba a baja velocidad, ella no tenía problema en mantenérsele a la par. Azorada, Elena vio cómo Jacinta se adelantaba sin siquiera mirar hacia el interior del Cadillac. Su meta era el pickup. Cuando ese vehículo transpuso los portones de la finca, Jacinta se frenó en seco. Permaneció allí de pie mirando hacia el camión que se alejaba. Cuando pasó el sedán, ella no le prestó atención. Su vista siguió fija en el camino, los brazos inmóviles al costado, mientras abría y cerraba con lentitud las manos.

Elena apoyó la cabeza contra el respaldo suave del asiento. El sueño que había tenido dos noches antes presagiaba sin duda ese nuevo hecho de violencia. Pese al horror de lo ocurrido, sintió un gran alivio: ninguno de los suyos había sido tocado, ni Neto ni Alberto, sus bienamados. Todos estaban a salvo y se alejaban de allí.

Por enésima vez Elena sintió la piel suave del dedo anular. No lograba acostumbrarse a no usar el anillo de Ernesto. En cuanto pudiera, quizá al día siguiente, llevaría el anillo adonde don Valdemar, el joyero. Elena cerró los ojos cuando en su mente irrumpió la imagen de la mano del pagador, envuelta en metros y metros de gasa y apoyada como truculento paquete en alguna parte del pickup. Elena sacudió la cabeza.

—¿Cómo puede ocurrir esto en un país llamado El Salvador? —susurró, pensaba que en voz muy baja.

Pero no era así. Su padre, sentado junto a ella, repitió como un loro:

—¿Cómo puede ocurrir esto en un país llamado El Salvador?

CAPÍTULO CATORCE

Santa Ana
Abril de 1933

La Pepa, la gallina mascota de don Orlando, se instaló en el lugar que ella misma se había preparado en el patio de Elena. Esponjó las plumas y se acurrucó en la tierra; después, hizo un ruido y volvió a sacudirse antes de ubicar bien las plumas. Entonces se puso a picotear en busca del maíz que todos los días le ponía el jardinero y que hacía rato había desaparecido. Expresando su insatisfacción con ruidos, saltó hacia el corredor, con sus gruesas columnas y arcos que rodeaba el patio en sus tres lados. Se pavoneó entre dos macetas de barro cubiertas de moho y que derramaban geranios rosados sobre las baldosas de terracota.

Elena y Cecilia descansaban en la terraza. Estaban sentadas en las sillas verdes de mimbre que antes adornaban el porche de la infancia de Elena. En la mesa de café estaba la merienda de la tarde: café y galletas María, las favoritas de las dos. Elena chasqueó los labios para atraer a la gallina y arrojó al piso el trozo desmenuzado de una galleta. La Pepa se acercó enseguida, picoteó las migas y después desapareció por la puerta abierta del cuarto de don Orlando. Marcando su paso por las baldosas estaban los depósitos gredosos que no sólo eran la firma de la Pepa sino que hacían que todos los que vivían en la casa se fijaran bien dónde pisaban.

—Qué chiquero —dijo Cecilia.

—Ya lo sé —dijo Elena—. Pero ahora que la Pepa ha tomado su baño y dormido su siesta, está lista para la cama. —Por sobre la pared posterior del patio, cubierta de veraneras, el sol poniente pintaba el cielo con el color del interior de una concha.

—No puedo creer que permitas que duerma allí adentro —dijo Cecilia e inclinó la cabeza hacia la habitación de don Orlando, una de las muchas que daban al patio.

Elena se encogió de hombros.

—La gallina hace feliz a papi. Todas las mañanas pone un huevo para él. —El jardinero había construido una caja de postura que estaba ubicada sobre el gavetero del padre. La caja, forrada con trozos de paja, estaba estratégicamente colocada junto a una lámpara que contribuía a darle calor.

Elena hizo girar su alianza matrimonial. La había recogido de la joyería de don Valdemar hacía más de un mes, pero seguía haciéndola girar cada tanto para asegurarse de que la tenía en el dedo. Cuando se la entregó al joyero y le contó lo sucedido, él quedó tan asombrado como ella por el estado del anillo. "En ese anillo puse mi mejor oro", le había dicho.

—Veo que no puedes dejar tranquilo ese anillo —dijo Cecilia, nada más que para tener tema de conversación. De pronto se sentía cansada y aburrida. El incidente de la finca le había traído de vuelta viejos terrores y últimamente no quería hacer más que dormir.

—¿Qué ocurre, Frijol? —preguntó Elena—. Te noto tan triste.

Cecilia rió.

—Me llamaste Frijol. Hace años que no me llamabas así.

—Acabo de recordarlo. —Cuando eran niñas y estudiaban inglés en el colegio, la hermana Teresa le dijo a las alumnas que todas eran seres humanos. "Repitan conmigo —había dicho la hermana Teresa—: Soy un ser humano*." Después, durante días, el estado de ánimo de Cecilia fue sombrío, hasta que por último confesó que no quería ser un frijol humano, al confundir el término inglés *being* con el otro *bean*, que se pronuncian igual. Y durante años ése fue el apodo que le puso Elena.

Jacinta Prieto emergió de la puerta del otro extremo del porche que conducía a la cocina.

—Ay, miren a la Pepa —dijo al ver las cagadas de la gallina—. Voy a volver por el azafate después de buscar un trapeador. Y atravesó de nuevo el porche.

—Esa Jacinta es un milagro —comentó Cecilia cuando Jacinta desapareció de la vista—. No hace falta repetirle las cosas. Y sólo tiene catorce años.

Era cierto que una sirvienta que pensara por sí misma, que fuera responsable y, además, joven, era toda una rareza. Era evidente que Jacinta salía a su madre. Jamás antes Elena había tenido a un par como ellas. A lo largo de los años, se había propuesto como regla no tomar a varios miembros de una misma familia. Había visto a otras personas hacerlo y oído hablar de las peleas que inevitablemente tenían siempre el

* N. de la T.: *I am a human being* en el original.

mismo resultado: menor trabajo cumplido. Sin embargo, en ese caso Elena no lamentó haber quebrado su propia regla. Después de que se mudaron de vuelta a Santa Ana, Mercedes le había implorado que le diera un empleo a Jacinta en la casa mientras esperaban la boda de Magda. El momento fue oportuno, puesto que Clara, la mucama de adentro, acobardada por lo sucedido en la finca, empacó sus cosas y se volvió a su casa en busca de la seguridad y la paz de su pueblo. De modo que Jacinta ocupó el lugar de Clara. Enseguida aprendió lo que era preciso hacer. En algunas ocasiones, Elena tuvo la impresión de que la muchacha era capaz de leerle los pensamientos. "La extrañaré cuando se vaya a trabajar con Magda. Pero para eso faltan todavía ocho meses", pensaba.

—¿Hablaste con Ernesto sobre la boda? —preguntó Cecilia.

Elena asintió.

—Sí, hablé con él. Y me dijo que, en estas circunstancias, no podremos ofrecer una gran fiesta. Dijo que el máximo serían trescientos invitados.

—Eso es ridículo —dijo Cecilia—. Es imposible no invitar al menos al doble de esa cantidad. Lo mínimo, seiscientas personas.

Jacinta había regresado al corredor y limpiaba las baldosas. Oyó hablar a las mujeres de los planes para la boda de la niña Magda. Magda tenía casi dieciocho años, apenas unos años mayor que Jacinta. A pesar del océano de privilegios que había entre las dos, Jacinta no era envidiosa. Tenía sus propios planes. Gracias a don Ernesto, los médicos le habían salvado la pierna a Chico. Gracias también al patrón, Chico vivía en un mesón en Santa Ana. Cada vez que podía, y pasando por encima de las objeciones de su madre y de la mirada herida de Basilio Fermín cuando se enteraba, Jacinta visitaba a Chico en la pensión. Le llevaba tortillas humeantes envueltas en una manta, una cacerola con caldo de carne con aroma a chipilín y cucuruchos de papel llenos de tajadas de piña y papaya. Esa buena comida era su porción de la cocina de Elena, y Jacinta se sentía feliz de compartirla con su hombre. Buena comida, descanso y aire fresco contribuirían a sanarlo. Y cuando estuviera recuperado del todo, los dos se irían a Metapán.

Jacinta siguió el rastro de la Pepa hasta el cuarto de don Orlando. El anciano dormía. Debajo de la manta, parecía un atado de leña. Una enfermera se encontraba sentada en una silla junto a la ventana y estaba concentrada en el bordado de un cuadrado de tela. La enfermera le pidió silencio llevándose un dedo con dedal a los labios. Señaló las cagadas de la Pepa y susurró:

—Debajo de la cama, niña tonta. Allí y más allá. —Jacinta le dio la espalda a esa mujer que la llamaba "niña tonta" y pasó el estropajo debajo de la cama. Utilizó el trapo de piso que le colgaba de la cintura para limpiar el sector ubicado debajo del pie de la cama, en cuyo travesaño la

Pepa se preparaba para dormir. Por fortuna la gallina todavía no se había prendido del travesaño, así que Jacinta la recogió como si fuera un paquete. Después se acercó a la enfermera y le dejó caer la gallina sobre la falda.

En el corredor, Elena vio que Jacinta se dirigía a la cocina en el momento en que Ernesto se acercaba por el hall principal con Café pisándole los talones.

—Buenas, amor —dijo Elena. El perro se echó sobre las baldosas frescas, apoyó la cabeza sobre las patas y suspiró.

Ernesto saludó con una sonrisa. Se desabrochó la funda de la pistola y la puso sobre la mesa de café. Besó a Elena en la boca y a Cecilia en la mejilla antes de desplomarse en el sofá de mimbre.

—Qué día —dijo y se pasó una mano por el pelo.

—Toma un *scotch* —dijo Elena. Hizo una seña hacia la mesa auxiliar donde había una bandeja con vasos y los botellones de cristal cortado de cuyos cuellos colgaban identificaciones de plata.

—Buena idea —dijo Ernesto y se preparó un trago. Lo prefería puro. —¿Qué les parecería un jerez? —les preguntó a las mujeres. Las dos asintieron y él les sirvió tres dedos de ese licor en copas de Baccarat. —Salud —dijo y les entregó la bebida.

Los tres se quedaron un buen rato en el porche, bebiendo y viendo cómo el sol desaparecía detrás de la pared de veraneras. La tarde se puso húmeda, lo cual acentuó la fragancia de los jazmines y las rosas. La fuente arrojó al aire su sonido musical.

—Hoy llegó carta de los muchachos —dijo Elena, quebrando el silencio. Neto y Alberto vivían ahora en San Salvador con algunos familiares y asistían a la universidad.

—No puede haber en ella mucho de nuevo, puesto que los vi apenas ayer —dijo Ernesto.

—A propósito —dijo Cecilia—, gracias de nuevo por dejar que Isabel y yo fuéramos contigo a San Salvador. —Los tres habían hecho el viaje en el Cadillac. Cecilia se había reunido con los funcionarios del banco. Había tratado de convencer a Elena de que la acompañara, pero Elena tenía programada una reunión sobre la fiesta de casamiento, que Cecilia no logró que postergara.

—Me alegro de haber podido servir de algo —dijo Ernesto.

—Vaya si me ayudas —dijo Cecilia—. Sin Armando para que se ocupe de nuestras cuestiones financieras... —No terminó la frase. Después dijo: —Nunca podré agradecerte lo suficiente tu preocupación y tus consejos. —Mirando a Elena, dijo: —Gracias por compartirlo conmigo, Nena.

Elena se echó a reír.

—Es lo menos que puedo hacer.

También Ernesto rió.

—Ustedes hacen que yo parezca una propiedad.

—Es verdad. Eres una comodidad —dijo Elena en broma.

—Si lo soy, entonces no valgo mucho —dijo Ernesto—. Soy como el café. En este momento los precios están bajos. Estuve casi todo el día en el banco. Hace cinco años, el país exportó dieciséis millones de dólares en café. Hoy, la cifra es de poco más de cuatro. Los trabajadores de la finca no están contentos. Hemos tenido que rebajar los sueldos a veinte centavos por día.

—En La Merced acostumbrábamos pagar cincuenta centavos —comentó Cecilia. El jerez estaba tibio en su garganta y la reanimaba.

—En La Abundancia también —dijo Ernesto—. Pero ahora hacemos lo mejor que podemos. Los trabajadores deberían entenderlo. Deberían entender que es necesario apretarse el cinturón. Desde luego, los cabecillas de los sindicatos no ven las cosas de esa manera. Son sólo los comunistas a los que les va bien.

—Este año no iremos a Europa —dijo Elena—. Eso ya es un ahorro. —Por lo general se iban en mayo y se quedaban allá dos meses. Viajaban a España, Italia y Francia y pasaban una temporada especialmente prolongada en París.

—Es una suerte —comentó Ernesto.

—Lo que ahorremos por no ir a Europa podríamos usarlo para la boda de Magda —dijo Elena, porque había decidido tocar el tema ahora que había salido a relucir lo del dinero y porque Cecilia estaba allí para apoyarla.

—Eso ya lo discutimos —dijo Ernesto.

—La Nena dice que sólo pueden invitar a trescientas personas —dijo Cecilia—. Pero tú sabes bien como yo, Ernesto, que si te limitas a ese número, faltará la mitad de la familia.

—Deberíamos pagarles a los muchachos para que se fuguen —dijo Ernesto.

—Eso es un mal chiste, mi amor —dijo Elena.

—Antes de que lo olvide —dijo Ernesto—. Fui al hospital a ver al pagador. La cosa no pinta bien. Tiene gangrena en el brazo. Necesita ser trasladado a San Salvador y es posible que tengan que amputárselo.

—Qué barbaridad —dijo Elena—. Primero su mano y ahora su brazo. ¿Es que la violencia no terminará nunca?

—Por desgracia —contestó Ernesto—, creo que esto recién empieza.

CAPÍTULO QUINCE

El vestidor del dormitorio de la casa de Elena parecía un pequeño departamento. Cuando ella y Ernesto se mudaron a la casa, ella hizo derribar una pared que había entre el dormitorio y el cuarto contiguo. En ese espacio, Elena diseñó dos vestidores con cuartos de baño privados anexos. El de Elena tenía una bañera con patas con forma de garras, un inodoro con un tanque de agua alto y un lavatorio con un lavamanos de porcelana adornada con flores de iris color azul oscuro. En el rincón más alejado, un bidé. El cuarto de baño de Ernesto, en lugar de bañera tenía una ducha de azulejos con grifería dorada.

Ese día, Elena estaba ordenando la ropa en el vestidor de Ernesto, algo que hacía en forma periódica. Cada tanto, Mercedes Prieto aparecía con la ropa limpia. Como se acercaba el mes de agosto, y sólo faltaban tres meses para la boda de Magda, Elena no hacía más que pensar en todos los detalles: los interminables preparativos para la ceremonia, la intranquilidad que le daba no saber cuál sería la reacción de Ernesto cuando se diera cuenta de que ella había desobedecido su dictamen y hecho todo lo necesario para que su única hija tuviera una fiesta de casamiento como era debido, el deterioro alarmante de la salud de su padre en los últimos meses, el cansancio que ella sentía por las largas noches de vigilia junto a su lecho. Por suerte, el médico le había recetado un sedante suave, gracias a lo cual don Orlando dormía frecuentes siestas, una bendición que le permitía a Elena tener tiempo para las tareas domésticas. Y también para algunos momentos de paz. Esa tarde decidió hacer a un lado las preocupaciones y dedicarse a reorganizar la ropa, los artículos de cuero y los accesorios, una tarea que siempre la calmaba.

Elena se tomó del borde de un estante para incorporarse; había estado sentada en el piso, con las piernas recogidas debajo del cuerpo. Se desperezó y se masajeó la espalda. Paseó la vista por los estantes, las gavetas, las varillas y las perchas acolchadas. Había hecho un buen trabajo. Las camisas de Ernesto estaban dobladas y ubicadas prolijamente en los estantes. Los pantalones y los sacos estaban organizados por peso y color. La mayoría eran de telas livianas en tonos grises, negro o azul marino. Sobre la pared, las corbatas de Ernesto colgaban de una madera con espigas, donde cada corbata estaba junto a otra de color complementario. Los zapatos ordenados en zapateras inclinadas, estaban lustrados como espejos por Macario quien sumaba esa tarea a la de la jardinería.

Mercedes volvió a aparecer con una nueva pila de ropa; calzoncillos blancos y camisetas de seda todavía con la tibieza de la plancha. Encima: medias en pares. El vestidor tenía un armario especial para guardar esa clase de cosas. Sobre el tocador había una pequeña bandeja de plata para las mancuernillas, los alfileres de corbata y el cambio suelto. Estos objetos repiquetearon en la bandeja cuando Mercedes, los brazos repletos de ropa, hizo un intento frustrado de abrir uno de los cajones.

—Permíteme que lo haga yo —dijo Elena y abrió la gaveta. Permaneció parada junto a Mercedes, quien usaba un vestido oscuro y suelto y, como de costumbre, estaba descalza. Llevaba su pelo entrecano sujeto en la nuca. En silencio, guardó la ropa. Elena dio un paso atrás al notar que Mercedes estaba echada hacia adelante.

—¿Te pasa algo?

Mercedes sostuvo por un momento la mano contra los ojos.

—No, nada, niña Elenita.

—Sí, sucede algo. ¿Qué es?

Mercedes respiró hondo.

—No sé cómo decírselo, pero es Jacinta. Se fugó con Chico Portales.

—¿Chico? ¿El muchacho que fue herido en la finca? ¿El del mesón?

Mercedes asintió.

—Se fue hoy. Aprovechó que tenía el día libre. —Mercedes se recostó contra el tocador. —Lo peor es que no me dijo que se iba. Mandó a Basilio Fermín, el muchacho de la iglesia. Le pidió a él que viniera a darme la noticia. —Pero en realidad eso no era lo peor; lo peor era que su hija estaba embarazada, algo que Mercedes no quiso confiarle a Elena.

—¿Adónde fueron?

—Basilio dijo que a Metapán.

—¿Está embarazada? —preguntó Elena.

Por toda respuesta, Mercedes se encogió de hombros.

—Dios mío, sólo tiene catorce años —dijo Elena y las dos, de pie en medio de la fragancia de la ropa de Ernesto recién planchada, permanecieron en silencio frente a ese nuevo giro de los acontecimientos.

▼ ▼ ▼

A mediados de noviembre Elena volvió a tener ese sueño. Esta vez, todos sus dientes se desintegraron en un polvo áspero y grisáceo que ella escupió en su mano. Al día siguiente, durante la cena, se estaba sirviendo frijoles cuando por segunda vez su alianza matrimonial se acható. El dolor, tan intenso como la primera vez, la hizo saltar de la silla, con lo cual Ester, la nueva sirvienta, dejó caer el recipiente de los vegetales y envió una lluvia de frijoles sobre el mantel de lino blanco y el piso. Gracias a la mantequilla, blanda por el calor de la tarde y muy cerca de Elena, en la mantequillera, fue posible deslizar el anillo de ese dedo hinchado.

Algunos días después, Elena y Magda se dirigían juntas a la tienda de don Valdemar para buscar una vez más el anillo de Elena. Después irían a La Boutique Europe para elegir ropa interior y de cama para completar el *trousseau* de Magda. Por último, como recompensa por haber salido a hacer compras con tanto calor, se reunirían con Cecilia e Isabel en el Casino Santaneco para beber refrescos en el salón principal.

Desde el sueño, Elena se había mostrado ansiosa y llena de temores, pero se esforzaba en no demostrarlo. ¿Quién necesitaba la tela negra de los presentimientos arrojada sobre la alegría de esa época tan festiva? Ahora que se habían recibido, Magda e Isabel estaban en casa. Cada mañana, Magda saltaba de la cama, feliz frente a su próximo casamiento, sus días llenos de amigas que celebraban ese acontecimiento cercano con despedidas y tés. Elena navegaba en la fácil corriente de los regalos de casamiento que llegaban por la puerta de calle y ella colocaba en una habitación adicional ubicada cerca de la terraza. Aparecían visitas que inspeccionaban los regalos y lanzaban exclamaciones de admiración. Inclinadas sobre los regalos, levantaban cada tarjeta colocada frente al obsequio y leían el nombre del que lo había enviado.

La cuestión del anillo de matrimonio de Elena era algo muy diferente. Cuando Elena se lo llevó de vuelta a la joyería de don Valdemar, él abrió el pequeño estuche de terciopelo que contenía el anillo y se quedó mirándolo un momento antes de tomarlo. Cuando finalmente lo levantó, lo hizo girar en su mano antes de sacar la lupa para observarlo por el lente. Como última inspección, sostuvo el anillo a la luz como si él fuera capaz de revelarle qué había causado esa distorsión. "Es un misterio. Fabriqué este anillo con mi mejor oro, con mis mejores diamantes", dijo, repitiendo así lo que había dicho en la anterior visita de Elena. Sacudió la cabeza y volvió a poner el anillo en el estuche. "Se lo arreglaré otra vez, doña Elena, esta vez gratis. Pero si esto vuelve a ocurrir, Dios no lo quiera, me lavaré las manos." Y para que lo entendieran mejor, movió las manos como si se las estuviera lavando y después las levantó, limpias y libres.

Las mujeres cruzaron la calle en la avenida Cuatro y se dirigieron a la Cinco. Permanecieron en el lado sombreado de la calle. Pasaron frente a la barbería, a la tabaquería y a una venta de artículos religiosos que vendía medallas, rosarios, misales y cosas así. En la mitad de la cuadra estaba el Hotel Florida, con sus grandes ventanales cubiertos con rejas decorativas que formaban volutas en la parte inferior y superior. En la puerta del hotel, un carruaje laqueado de negro descansaba entre viaje y viaje. El caballo que lo tiraba sacudió su gran cabeza para espantar las moscas. Los carruajes tirados por caballos seguían siendo algo habitual, pero cada vez eran más los sedanes a gasolina —Chevrolets, Packards, Studebakers— los que avanzaban por las calles empedradas de Santa Ana.

La tienda de don Valdemar estaba situada en la esquina de la Cinco y Delgado. Cuando las mujeres entraron, la pequeña campanilla saludó la llegada de ambas desde la parte superior de la puerta. La tienda consistía en un salón grande, lleno de vitrinas y con estantes de cristal en todas las paredes. En las vitrinas se exhibían collares y pulseras sobre terciopelo color índigo; anillos que rodeaban conos de terciopelo, aritos que pendían de lóbulos de terciopelo. Las gemas deslumbraban los sentidos: diamantes, rubíes y perlas, aguamarinas y ópalos, zafiros y esmeraldas. También el oro abundaba: creaciones macizas e imponentes y también sutiles filigranas. Sobre los estantes brillaban cristales de Baccarat y Lalique. La porcelana de Wedgwood, Spode, Haviland y Limoges se exhibía en atriles para lucir mejor. En cajas de cedro había cubiertos, bandejas y juegos de café y de té que enviaban reflejos de plata a toda la habitación.

De pie en medio de la tienda, Magda giró sobre sus talones de alegría.

—He estado aquí millones de veces, pero jamás me canso. ¿No te pasa que querrías tenerlo todo, mamá? —Los ojos de Magda, oscuros y expresivos como los de su padre, destellaron.

—Creo que en la casa tienes casi lo mismo —dijo Elena.

Don Valdemar entró por la puerta de atrás. Era danés. Diez años antes había huido de Dinamarca y de su política socialista represora y emigrado a El Salvador, donde los empresarios eran bienvenidos.

—No pude evitar oír lo que decían y debo confesar que casi todo lo que tienen provino de mi tienda. —Lucía esbelto con su guayabera blanca, que era su atuendo habitual. —A lo largo de los años he aprendido a saber lo que les gusta. Cuando la gente viene en busca de un regalo para ustedes, yo digo: "A Magda Contreras le gustan los objetos de Baccarat y de Limoges". ¿No tengo razón, mi joyita? —Sus ojos celestes se iluminaron al decirlo. Él la había visto crecer. Había descubierto que, pese a su tierna edad, tenía un gusto exquisito y un buen ojo para el detalle. Recordaba una oportunidad en que ella tenía diez, tal vez once años.

Apareció en la tienda con su madre y se dirigió directamente a la vitrina de la izquierda. "Esas perlas, don Valdemar —dijo—, deberían estar aquí, junto a las aguamarinas." Y señaló la otra vitrina. "Allí, junto a sus hermanas, las perlas se verían más luminosas." Magda tenía esa clase de nociones y empleaba términos que tenían que ver con las alhajas, incluso cuando era pequeña: luminoso, brillante, marquesa, cabuchón.

—Viene por su anillo, desde luego —le dijo don Valdemar a Elena—. Una mujer necesita sus diamantes en una época de tantas festividades.

—Precisamente —contestó Elena.

Momentos después el joyero puso el estuche de terciopelo sobre el mostrador. Lo abrió, sacó el anillo y se lo entregó a Elena.

—Está como nuevo —proclamó. Y así era. El anillo era un círculo perfecto de oro ancho. En la parte superior de la banda, tres diamantes, cada uno del tamaño de un grano maduro de café, apresaba la luz de la tarde. Elena se lo deslizó en el dedo y enseguida sintió su presencia familiar y tranquilizadora.

—Detesto estar sin él —dijo y levantó la mano para lucirlo.

Magda hizo lo mismo y puso la mano junto a la de su madre. El anillo de Magda tenía un enorme diamante tallado en forma cuadrada, con *baguettes* a ambos lados. Álvaro Tobar lo había comprado allí porque, de no hacerlo, se habría cansado de que se lo echaran en cara. Don Valdemar observó a las mujeres que exhibían sus anillos.

—Qué creaciones tan hermosas —dijo—. Pero, por favor, señora, recuerde lo que le dije. Es la última vez que su anillo descansa en mi banco de trabajo. Si vuelve a torcerse, Dios no lo quiera, será mejor que se lo lleve al cura. —Lo que no dijo fue que estaba convencido de que, de alguna manera, el anillo estaba embrujado y no necesitaba tener nada así en su maravillosa tienda.

Elena jugueteó con su alianza matrimonial desde que salió de la joyería y hasta que llegaron a la boutique de Madame Yvette, a tres cuadras de allí. Las palabras de don Valdemar la habían perturbado. Como es natural, Elena creía que las deformidades del anillo se debían a alguna reacción del metal, que eran fenómenos científicos que, aunque la desconcertaban, se basaban en la lógica. Pero el joyero mencionó al cura, y ello tenía implicaciones inquietantes. ¿Estaría obrando alguna fuerza maligna? Tal vez sí debería ver al sacerdote. Llevarle el anillo para que se lo bendijera.

Elena no le dijo nada de esto a Magda, quien no hacía más que hablar de la casa a la que ella y Álvaro se mudarían. Estaba en San Salvador y estaba siendo remodelada. Además de las actividades que realizaba allí en Santa Ana, Magda hacía frecuentes viajes a la capital para verificar cómo iba el trabajo en la casa. Las dos llegaron a la Boutique Europe, una tienda con fragancia a verbena y una verdadera fiesta de ropa blanca y ropa interior. Cuando entraron, Madame Yvette en persona las recibió.

—*Chérie* —exclamó—, *ton peignoir. Est arrivé!* —Madame era una mujer de edad incierta. Tenía un aire francés clásico: pelo oscuro peinado hacia atrás en un *chignon*, piel traslúcida, cejas depiladas y delineadas con lápiz, boca escarlata. Había vivido en Santa Ana durante tanto tiempo como don Valdemar. Su español estaba generosamente salpicado con los sonidos guturales de su lengua materna. Las condujo a uno de los probadores. —*Voilà!* —exclamó mientras señalaba el *négligé* de Magda y la bata que hacía juego colocados sobre un sofá. El *peignoir* estaba confeccionado en *sarcenet* blanco. Tenía tirantes de cintas, corpiño en punto *smock* rebordado en perlas y falda acampanada que le llegaba a los tobillos. La bata era de la misma seda suave, con cuello mandarín y botones perlados en el borde.

—Es precioso —dijo Magda y se apoyó el camisón contra el cuerpo. No era el habitual *peignoir* de satén con entredós y aplicaciones de encaje que casi todas las novias escogían. El *peignoir* de Magda era tan diferente como lo era Magda, y a Madame le costó mucho encontrar lo que ella con obstinación le había pedido. Lo mismo se aplicaba al vestido de novia de Magda, que había sido enviado desde la rue de Rivoli.

—Estás preciosa —dijo Elena, sonriendo. La piel color oliva de Magda contrastaba a la perfección con la tela cremosa del *négligé*. Su pelo era una masa de rizos oscuros e indómitos. Al revés de lo que se usaba, ella se resistía a domarlo, como con frecuencia se lo sugería su peluquera.

—Ninguna novia lucirá más hermosa; ninguna boda será más maravillosa —dijo Madame, de pie frente al espejo, sus manos manchadas por la edad sobre las caderas.

Elena y Cecilia, Magda e Isabel bebieron refrescos frente a una mesa en el salón del casino, un lugar que, a lo largo de los años, había presenciado la llegada a la mayoría de edad de ambos pares de mujeres. En el salón resonaban las conversaciones y la risa, el tintineo de las cucharas contra la porcelana, del hielo contra el cristal. Era el lugar más frecuentado de la ciudad para poner término a un día de compras. Historias llenas de chismes flotaban de cada mesa: "¿Te enteraste de que fulano abandonó a mengana? ¿Y qué me dices de zutana? ¿Viste lo que tenía puesto? Y, ay, ¿no son increíbles las pretenciones que en esta época tiene la servidumbre?".En la mesa de Elena, el tema principal era la boda.

—¿Y? ¿Se lo dijiste? —le preguntó Cecilia a Elena. Se refería a Ernesto y a los cuantiosos gastos para la boda que él ignoraba.

Elena había enviado setecientas invitaciones grabadas, cada sobre escrito a mano por las carmelitas que vivían en el convento de la colina. Había reservado ese mismo salón del Casino y las tres galerías adjuntas para la recepción. Los invitados estarían sentados frente a setenta mesas cubiertas con manteles de damasco. Los centros de mesa serían de lirios, azucenas, camelias y rosas blancas traídas de Guatemala el día anterior. Como detalle, tendrían listones de Moire y se colocarían sobre espejos de formas caprichosas. Los bordes de éstos, se recubrirían con hiedra, helechos y rosas blancas. Para abrir el apetito como *hors-d'œuvre: patés, vol-au-vents* de camarones, huevos endiablados, alcachofas rellenas de cangrejo. Los paladares finos quedarían satisfechos con el pavo trufado, el filet *mignon* a la New Orleans, jamón a la Reina con *petits pois* a la inglesa, acompañados de ensalada Waldorf, zanahorias a la Vichy, papas a la *maître d'hotel,* guisquiles a la jardinera, espárragos en salsa holandesa, y macedonia de legumbres. Por supuesto, el champaña que se serviría sería Dom Pérignon. Y el pastel de bodas... diseñado por doña Amparo, la única repostera verdaderamente capaz, esa obra de arte de siete pisos de alto, descansaría sobre una superficie de espejo. Hecho de torta de mantequilla, relleno de almendras, pasas de Málaga y Corinto, higos, y fruta confitada. Tendría un baño de fondant y estaría adornado con rosas de azucarado. La música serviría de fondo a la celebración: un cuarteto de cuerdas para la ceremonia de la catedral, violines durante la cena y una orquesta completa para el baile de después. En definitiva, Elena de Contreras se había empeñado en que el casamiento de su hija estuviera en los labios de los habitantes de Santa Ana durante los siguientes años. El hecho de que le costaría a Ernesto una gran parte de las ganancias de la cosecha de ese año era algo que ella no podía evitar.

Magda contestó la pregunta de Cecilia.

—Mamá no necesita decírselo a papá. Él lo averiguará bien pronto —dijo y rió por lo bajo.

—No te rías —dijo Elena—. Tu deber es estar tan linda que a tu padre no le importen todos esos gastos.

—Eso será sencillo —dijo Isabel—. Magda estará tan preciosa que tío Ernesto no se fijará en nada más. —Isabel era la primera madrina de Magda, su dama de honor, tal como Elena y Cecilia lo habían sido una de la otra.

—Una cosa he aprendido de los hombres —dijo Elena—. A los hombres lo único que les importa son sus negocios.

—Gracias por la lección, mamá —dijo Magda—. Lo tendré muy en cuenta con Álvaro.

—¡Ja! —exclamó Isabel—. Me parece que en estos días Álvaro Tobar tiene en la cabeza algo más que su negocio.

—Niña, qué sugestiva —la reprendió en broma Cecilia.

—Bueno, él no es el único —dijo Magda, y todas las mujeres se echaron a reír.

Elena puso una mano sobre el brazo de Cecilia.

—¿Nuestras hijas no te recuerdan a nosotras, Ceci?

—Ni siquiera ellas se comparan con nosotras —respondió Cecilia. Sonrió y le palmeó la mano a Elena—.¡Ah! —agregó—. Veo que don Valdemar te arregló el anillo.

Elena se echó hacia atrás en la silla y movió los dedos frente a Cecilia.

—Sí, lo tengo de vuelta.

—¿Qué dijo él? —preguntó Cecilia.

—Dijo que si se volvía a deformar, se lo llevara al padre para que me lo bendijera.

—Olvídalo —dijo Cecilia—. Tengo una idea mejor.

—¿Cuál? —preguntó Elena.

—Llévaselo a la Verídica.

—¿A la Verídica? —dijo Elena.

—¿Quién es, mamá? —preguntó Isabel.

Cecilia se apoyó en la mesa con actitud cómplice. Paseó la vista por el lugar antes de confesar:

—La Verídica es una curandera. Es en parte curandera y en parte bruja. Yo no quería confesarlo, pero desde la muerte de Armando fui dos veces a verla.

CAPÍTULO DIECISÉIS

Cecilia estaba todavía en camisón, sentada en la *chaise longue* de su dormitorio cuando Elena entró. En la *chaise* había almohadones de plumón y una frazada de cachemira hecha un ovillo. A menudo Cecilia pasaba la noche en esa amplia y sólida *chaise* con vista al patio. Desde la muerte de Armando, la cama mullida y vaporosa de ambos pasaba muchas noches sin ser usada.

Elena se sentó en una silla.

—Acabo de volver de una misa temprana. Después hablé con el padre Lorenzo. Le pedí que me exorcizara el anillo, pero no quiso hacerlo. Rezó sobre él y lo roció con agua bendita, lo cual fue muy agradable. Igual, ese sacerdote me enfurece. Tiene una actitud tan condescendiente. Es como si yo fuera una oveja y él el pastor que sabe lo que yo debería hacer.

Cecilia puso los ojos en blanco.

—¿No te dije que no fueras a verlo? Ese anillo es un misterio. Si yo fuera tú, dejaría de usarlo.

—Por el amor de Dios, Ceci. Estás hablando de mi anillo de matrimonio.

—Ya lo sé, ya lo sé. Un anillo es el símbolo del matrimonio, del vínculo entre marido y mujer. Ya sé todo eso. Yo misma me moriría si algo le pasara al mío. Aunque Armando se haya muerto, jamás me quitaré el anillo. —Cecilia hizo una pausa y luego agregó: —Pero lo que te está pasando a ti, Nena, es muy misterioso.

Elena se llevó una mano a la boca. Podían llamarla ingenua, pero no había pensado en eso. En lo del anillo y cómo simbolizaba su matrimonio. ¿De eso se trataba? ¿Las deformaciones del anillo reflejaban su matrimonio? No era posible. Ella y Ernesto tenían un matrimonio sólido.

—Tal vez tengas razón —dijo por fin Elena—. Quizá ha llegado el momento de que le haga una visita a la Verídica.

—Yo misma te llevaré —dijo Cecilia.

La Verídica cruzó el cuarto descalza hacia donde había una mesa y sillas. Usaba un vestido suelto y era obvio que adentro sus pechos grandes se movían en libertad. A Elena la sorprendió la simplicidad del cuarto. Había esperado que estuviera lleno de objetos amenazadores: velas negras, máscaras, quizá calaveras y huesos, pero nada de eso se veía. Bueno, sí había una vela en el centro de la mesa, una sencilla vela alta votiva con la imagen de la Virgen de Guadalupe en el vidrio. Estaba encendida y la llama temblaba como las de la catedral.

La Verídica le indicó que tomara asiento.

—La niña Cecilia dice que usted tuvo un problema con su anillo. Veamos.

Elena se sacó el anillo y se lo entregó. Observó cómo la Verídica lo inspeccionaba y después se lo frotaba entre las palmas de las manos como para entibiarlo.

—Déjeme que le diga lo que me ha estado pasando con ese anillo —dijo Elena.

La Verídica levantó una mano.

—No quiero saberlo. No necesito saberlo. El anillo mismo me está contando su historia. —Era una historia de traiciones, pero ella no lo diría hasta que fuera preciso hacerlo.

Elena miró a Cecilia, que estaba sentada en el borde de la silla, las manos debajo del mentón. Solamente con los ojos, Elena le preguntó a Cecilia: "¿Qué piensas?".

Por toda respuesta, Cecilia abrió bien los ojos. Había estado allí dos veces. Dos veces permaneció parada en el medio de la habitación mientras la Verídica trazaba un círculo alrededor de ella y pronunciaba la propia historia de Cecilia: "Debe estar preparada para la soledad. Años y años de soledad la esperan". Cuando Cecilia le confesó esas palabras a Elena, ésta la había apretado fuerte. Sí, con Armando ausente, ¿qué otra cosa cabía esperar? Y Elena le había dicho: "Pero me tienes a mí, Ceci. Tienes a Ernesto. Los dos te ayudaremos con tu soledad".

La Verídica volvió a hablar.

—Cuando la luna esté llena, y lo estará dentro de tres días, usted va a esperar hasta que esté oscuro. Después de que oscurezca, va a poner el anillo en un frasco de vidrio. Selle el frasco y entiérrelo debajo de un árbol.

—En casa hay un árbol de cacao —comentó Cecilia. Porque le encantaba ese árbol en el patio de la casa de sus padres, cuando se casó plantó uno en la suya.

—Perfecto —dijo La Verídica—. Cuando oscurezca, entierre el frasco debajo del árbol de cacao. Y desentiérrelo al amanecer de la mañana siguiente.

Elena y Cecilia se miraron y asintieron.

La Verídica prosiguió:

—Por la mañana, si el anillo está intacto, puede usarlo con tranquilidad y sin preocuparse de nada.

—¿Y si no lo está? —preguntaron Elena y Cecilia, casi al unísono.

—Entonces debe deshacerse de él —respondió la Verídica.

La luna brillaba sobre ellas. Su luz iluminaba el patio de Cecilia que, aunque no era tan elegante como el de Elena, tenía una colección imaginativa de arbustos y flores. La gloria del patio era el árbol de cacao con su tronco curvado y sus hojas en forma de corazón. Las dos permanecieron de pie debajo del árbol. Elena tenía en la mano un frasco limpio de vidrio que apenas esa mañana contenía miel. Esa noche tenía adentro su anillo de matrimonio envuelto en un trozo de algodón.

—Sostén el frasco mientras yo cavo el hoyo —dijo Elena en un susurro para que la servidumbre no las oyera en esa extraña actividad.

Elena utilizó una pequeña pala que había tomado del cobertizo del jardín y marcó un cuadrado de césped del pie del árbol. Lo extrajo, lo apartó y comenzó a cavar.

Cecilia se puso en cuclillas junto a ella.

—¿Necesitas ayuda?

—No. Es mi anillo. Tengo que hacerlo yo misma. —La tierra estaba fría y sorprendentemente maleable. La sintió granulosa y húmeda debajo de las yemas de sus dedos. Al hacerla girar, la tierra despidió un olor dulce y la pala comenzó a producir crujidos. Al cabo de un momento, Elena dijo: —Creo que ya es lo bastante profundo. Dame el frasco. —Elena lo ubicó con suavidad en su pequeña tumba. Lo rodeó con tierra fresca y por último lo cubrió. Para terminar colocó el cuadrado de césped sobre la herida de la tierra y lo aplastó con el pie. Después peinó el césped con los dedos hasta que ese trozo se fundió con el resto. —Espero que no nos haya visto nadie —dijo.

Desde la sombra del árbol de cacao miraron hacia la casa en busca de señales de ojos indiscretos. Los amplios corredores que corrían a los tres lados enmarcando el patio se encontraban sumidos en la oscuridad. También la habitación de Isabel estaba en tinieblas; por fortuna, ella estaba en San Salvador con Magda. La luz venía del hall principal que conducía a la puerta de calle. Otro punto luminoso procedía del dormitorio de Cecilia. Al fondo del porche. Más allá del comedor, estaba la cocina. Una franja de luz delineaba su puerta que cerraba mal y, desde detrás de ella, se oía el suave sonido de la radio de las criadas.

Elena comenzó a reír por lo bajo.

—¿Estás llorando, Nena? —preguntó Cecilia y le apoyó una mano en el brazo—. No llores. Tu anillo estará bien.

La ternura de la voz de Cecilia hizo que Elena riera más.

—No estoy llorando —dijo.

—¿De veras que no?

—No —respondió Elena y dejó caer la pala. Cuando Cecilia se agachó para recogerla, las cabezas de ambas chocaron. Elena se echó hacia atrás y se frotó la cabeza.

—Dios mío, creo que estamos locas. Sé que yo lo estoy. Acabo de enterrar mi anillo. —La idea del entierro le pareció hilarante y su risita se convirtió en carcajadas.

—Te estás riendo —dijo Cecilia.

—Sí, ya lo sé. Acabo de enterrar mi anillo y eso me parece muy divertido.

También Cecilia comenzó a reír. Se apuró a salir de debajo del árbol y dio una vuelta a la luz de la luna.

—Si Ernesto nos viera —comentó Elena.

—Bailemos a la luz de la luna —dijo Cecilia y Elena lo hizo. Las dos levantaron los brazos y comenzaron a girar.

—Mira la luna —dijo Elena. La luna colgaba como una bola brillante sobre sus cabezas.

—Seamos lobas y aullémosle a la luna. —Cecilia se sacó los zapatos con una sacudida y giró en un círculo enloquecido. Las dos se pusieron a aullar, primero en voz muy baja y después cada vez más fuerte mientras seguían girando. Elena cerró los ojos. Dentro de dos semanas su única hija se casaría. Sintió una libertad embriagadora.

La puerta de la cocina se abrió y la mucama de adentro asomó la cabeza.

—Niña Cecilia, ¿es usted? —gritó, pero no muy fuerte porque bien podría tratarse de un ladrón. Miró por el porche hacia el patio. La niña Cecilia y la niña Elena danzaban a la luz de la luna. La muchacha se quedó un momento mirándolas y después cerró la puerta muy despacio y volvió a sentarse frente a la mesa de la cocina.

—¿Qué ocurre? —preguntó la cocinera.

—Son las niñas —respondió la muchacha. Con un dedo, trazó círculos junto a su sien. —Las niñas están locas.

▼ ▼ ▼

Cuando la mañana descubrió sus primeros rosados a lo largo del alero de la ventana, Elena aguardaba. Se deslizó de la cama, abandonó la calidez del cuerpo de Ernesto y fue a su vestidor. No encendió la luz sino que tanteó en busca de una falda y una camisa suave. Había allí un florero con rosas y, aunque no podía verlas, su fragancia era intensa y embriagadora. Se salpicó agua fría en la cara, salió de la habitación y tropezó con Café, que estaba echado junto a la puerta. El perro gruñó los buenos días, pero no la siguió.

El jardinero de Cecilia se encontraba en el portón del frente. En su rostro se notaba sorpresa por la aparición temprana de Elena, pero se limitó a asentir y a dejarla pasar. Elena se apresuró por el hall de Cecilia. Dobló a la izquierda cuando llegó al porche y se detuvo un momento para contemplar el patio, cubierto de rocío y fresco con el amanecer. El árbol de cacao era un centinela silencioso; debajo de él, la pala estaba tirada sobre el césped. Elena atravesó el porche hasta el dormitorio de Cecilia y entró.

Cecilia estaba dormida en la *chaise longue*. Elena le sacudió con suavidad un hombro.

—Despierta, Ceci —dijo en voz baja—. Es hora.

Cecilia abrió los ojos, los entrecerró y miró a Elena.

—¿Qué haces aquí? —Se cubrió mejor con la frazada de cachemira.

—Es hora de buscar mi anillo. Ya es de mañana.

Cecilia bostezó y miró por sobre el hombro.

—Así es.

—Vamos, apúrate. Ya está terminando de amanecer.

—Está bien, está bien —dijo Cecilia. Se incorporó hasta quedar sentada y se desperezó. —Dios mío, el dolor de espalda me está matando.

—Lo que te está matando es esa *chaise longue*. Es dura como una piedra. Deberías volver a dormir en tu cama.

—Lo voy a hacer uno de estos días —dijo Cecilia. Se puso de pie y con los pies desnudos buscó sus chinelas debajo del sofá.

El césped estaba mojado debajo del árbol de cacao. Cecilia seguía en camisón porque Elena insistió en que no había tiempo para que se vistiera. Elena tanteó el césped para encontrar los bordes del cuadrado que había cortado. Cuando los encontró, levantó el trozo con la pala. La tierra suelta estaba más fría que la noche anterior y cedió con facilidad. Cuando la punta de la pala golpeó contra el vidrio, Elena hizo a un lado la pala y usó las manos para seguir cavando. La tierra húmeda estaba adherida a los lados del frasco y Elena la quitó. Desenroscó la tapa y la puso sobre el césped. Extrajo el algodón y la tierra que tenía en las manos ensució su blancura.

—Aquí vamos —dijo.

Cecilia se metió el camisón alrededor de las piernas.

—Todo estará bien. Ya lo verás.

Elena desenvolvió el trozo de algodón hasta que apareció el anillo. Hombro contra hombro debajo del árbol, las dos lo contemplaron. En la mano de Elena había un anillo tan deformado que era poco probable que pudiera usarse de nuevo.

CAPÍTULO DIECISIETE

Metapán, El Salvador
25 de noviembre de 1933

El tren entró en la estación de Metapán, repleta de viajeros y ruidosa por los vendedores ambulantes. Mercedes y Basilio caminaron a paso vivo por la plataforma de madera, pasaron los patios de carga y los puestos de venta de comida ubicados debajo de cobertizos de techo de latón. No prestaron atención al aroma tentador de tortillas calientes y café. No tenían tiempo para comer. Se dirigieron directamente a la calle asoleada y, según el plan, a la tienda más cercana. Allí, pidieron indicaciones para llegar al mesón de San Vito, el lugar donde Jacinta había mandado decir que vivía.

Mercedes y Basilio habían tomado el tren a Metapán muy temprano por la mañana, y ninguno de los dos le habían pedido permiso a Elena ni al sacerdote para hacer ese viaje. Puesto que Jacinta podía estar en peligro, sencillamente se fueron y decidieron enfrentar las consecuencias que esa ausencia podía tener.

Fue Basilio el que le informó a Mercedes que Chico Portales, el compañero de Jacinta, estaba involucrado con los sindicatos de Metapán. Al trabajar en la catedral de Santa Ana, Basilio tenía muchas oportunidades de oír hablar de sindicalistas e insurrectos, de la Guardia y la Policía Nacional. Lo único que tenía que hacer era permanecer callado e inmóvil y no llamar la atención mientras cumplía con sus tareas.

El día que se enteró de que Metapán era un centro de actividades sindicales, y de que uno de los organizadores del gremio era un tal Gaspar Díaz, que recientemente Díaz se había hecho humo con una suma de dinero que pertenecía al sindicato, y que los sindicalistas lo buscaban, Basilio le pasó las noticias a Mercedes. También le confesó algo que Jacinta le había hecho jurar que jamás divulgaría: que Gaspar Díaz era el tío de Chico y que Chico, además de trabajar como jornalero en Metapán, trabajaba también con su tío.

Mercedes llamó a la puerta del cuarto número 9, que parecía haber sido azul en una época pero ahora estaba deteriorada por la intemperie y tenía la pintura descascarada. Un desconocido le abrió y a Mercedes le sorprendió el aspecto del hombre.

—Estoy buscando a Jacinta Prieto —dijo, superando su alarma. Debía mostrarse cautelosa al hacer averiguaciones. Si Jacinta corría peligro, ellos no estaban allí para empeorarle las cosas.

—¿Quién? —El hombre tenía un lunar en el borde de la boca, lo cual le daba a su rostro una apariencia aniñada.

—Jacinta Prieto —repitió Mercedes.

—¿Jacinta Prieto? —dijo él, como si mentalmente buscara a una mujer de ese nombre.

Mercedes volvió a verificar el número de la puerta. En el dintel estaba pintado un número nueve verde.

—Jacinta es mi hija. En una carta me dijo que vivía aquí. —Mercedes tocó la carta, que había doblado y colocado cerca del pecho.

El hombre se encogió de hombros.

—Yo sólo estoy aquí desde ayer. Antes vivía aquí un hombre de apellido Portales.

—¡Ah! —dijo Mercedes y miró a Basilio—. Ése debe de haber sido Chico Portales. Es el compañero de mi hija. Chico trabaja en los campos de la hacienda El Potosí.

—Yo traté de conseguir trabajo en El Potosí —dijo el hombre—. Estuve allí ayer, pero no están tomando gente.

—Mi hija se ocupaba del lavado de ropa. En una carta dijo que trabajaba para la niña Eugenia. ¿La conoce usted?

—Debe de ser Eugenia Delgado —dijo el hombre—. Vive al lado de la iglesia. Tal vez la niña Eugenia pueda decirle dónde está su hija. Si quiere, puedo llevarla hasta allí.

—Sería muy bondadoso de su parte —dijo Mercedes y le sonrió. Le sonrió también a Basilio, pero él no lo hizo y giró la cara.

—Voy a buscar el sombrero —dijo el hombre y desapareció en la habitación.

—No me gusta ese hombre —dijo Basilio, aprovechando la ausencia del individuo.

—¿Por qué? ¿Qué tiene que no te gusta? —preguntó Mercedes, pero el hombre salió del cuarto antes de que Basilio tuviera tiempo de contestar. Usaba un sombrero amarillo.

—Ya podemos irnos. —Los condujo por las calles de Metapán, hasta que llegaron a una amplia puerta en mitad de una pared alta de adobe. —Es aquí.

—¿Le importa esperar? —preguntó Mercedes—. Si aquí no averiguo lo que necesito, tal vez pueda indicarme cómo llegar a El Potosí.

—Con mucho gusto —respondió el hombre y se recostó contra la pared.

Cuando Mercedes entró en la casa, el hombre se apartó el sombrero de la frente.

—¿Usted es su hijo? —le preguntó a Basilio.

—No. —Durante la caminata, Basilio se había estado preguntando qué era lo que le molestaba de ese hombre, pero no logró descubrirlo.

Mercedes apareció desde el interior de la casa.

—Jacinta está en un ranchito afuera de la ciudad. La mujer de adentro dijo que para llegar allí hace falta pasar por la cantina La Chicha.

En la cara del hombre apareció una gran sonrisa y el lunar que tenía junto a la boca se le acercó a la nariz.

—Bueno, ya lo ve. La historia tiene un final feliz.

Mercedes le agradeció su ayuda mientras Basilio se mantenía alejado y no decía nada. Antes de que se alejaran, el hombre dijo:

—La cantina está al fondo del camino, después del mercado. —Y señaló hacia la calle. —Hasta luego.

—No me gusta ese hombre —repitió Basilio cuando él y Mercedes estaban en camino—. Hay algo que me hace desconfiar de él.

—Nos hizo un favor.

—Igual, no me gusta.

—Piensa lo que quieras —dijo Mercedes. Estaba impaciente por estar frente a su hija. Habían transcurrido tres meses. Y sólo faltaban cinco para que su nieto naciera.

En el límite de la ciudad, el camino de piedrén se convertía en una extensión de rocas y tierra que en un costado se inclinaba hacia una zanja ancha y plana. Adelante y hacia la derecha, un sendero nacía de la zanja y serpenteaba a través del matorral. Árboles gruesos y arbustos de matial cruzaban la senda y Mercedes pateó un conjunto de estos últimos, procurando evitar las espinas. "Caminar por aquí es como volver a mi casa", pensó.

Los dos emergieron en un claro, frente al cual había un rancho. Mercedes sintió una oleada de afecto hacia su hija. Miró a Basilio que caminaba detrás de ella.

—¿Venís?

Basilio se sacó el sombrero y se pasó una mano por el pelo para alisárselo.

—Ya voy.

—Jacinta —llamó Mercedes cuando llegaron al rancho. Espió por la puerta entreabierta y vio una silla, una mesa y dos petates. Mercedes volvió a gritar. Había imaginado un lugar bien diferente: un fogón encendido y la presencia agradable de animales. Quizá un cerco largo de pascuas rojas, como el que tenía en su casa. Pero allí no había nada de eso.

—Aquí está —dijo Basilio.

Jacinta apareció por un extremo del patio. Usaba un vestido color morado que le colgaba de los hombros como una bolsa. Tenía el pelo enredado y descuidado.

—¡Mamá! ¿Qué hacés aquí? ¿Basilio? ¿Cómo me encontraron? —Miró a una y después al otro.

Basilio contestó:

—La niña Eugenia nos lo dijo. Yo oí hablar de Gaspar Díaz en Santa Ana. Sé que prometí no decir nada, pero tuve que contárselo a tu mamá. —Se sacó el sombrero y lo sostuvo a un lado.

Mercedes se apuró y abrazó a su hija.

—Estás tan delgada —dijo. Debajo del vestido, los hombros de Jacinta eran filosos. Se le notaban los huesos de la espalda.

Chico Portales apareció del matorral detrás de Jacinta. Usaba un par de pantalones, pero estaba desnudo hasta la cintura. Había desenvainado el machete.

—¿Los siguieron?

—No —respondió Mercedes—. Estamos solos. —Hizo un gesto de desagrado y apartó la vista del torso desnudo de Chico.

Chico Portales cruzó el patio hacia el rancho.

—De veras espero que no los hayan seguido. —Entró y emergió casi enseguida con una camisa verde. Apoyó el machete junto a la puerta mientras se ponía la camisa. —Espero que no hayan andado por Metapán haciendo preguntas.

Mercedes se acercó a Chico.

—¿Qué clase de tontos creés que somos? Como dijo Basilio, se lo preguntamos a la niña Eugenia. La única otra persona con la que hablamos fue el hombre del mesón.

—¿Qué hombre del mesón? —Chico se había estado abotonando la camisa, pero se detuvo al oírlo.

—Estaba en el cuarto número nueve —contestó Mercedes—. Dijo que te conocía.

—Dios Santo —dijo Jacinta—. Ahora también ellos nos persiguen.

—¿Quiénes los persiguen? —preguntó Mercedes.

—Sabía que había algo malo en ese hombre —dijo Basilio. Había permanecido junto a Jacinta. Volvió a ponerse el sombrero en la cabeza.

—Describímelo —dijo Chico.

En ese momento el hombre del cuarto número 9 apareció por el sendero y entró en el patio.

—Puedes verlo tú mismo —dijo. Empuñaba una pistola con la que describió un arco lento que los apuntaba a todos.

Los cuatro permanecieron inmóviles por un momento sin decir nada. Era curioso, porque alguno podría haber gritado o quizá otro podría haber salido corriendo, pero no fue así. La calma del grupo sorprendió al pistolero. Había esperado encontrarse con acción y estaba preparado para enfrentarla. Estaba listo para Gaspar Díaz. Para el machete de Gaspar Díaz.

—¿Quién es usted? ¿Qué quiere? —Por el rabillo del ojo, Chico vio su propio machete apoyado junto a la puerta.

—Eso no importa —dijo el hombre—. ¿Dónde está Gaspar Díaz?

—Se fue —le gritó Jacinta—. No sabemos adónde.

El hombre rió con disimulo y el lunar se le movió un poco. Le habló a Chico.

—Díaz es tu tío, ¿no? Cualquiera diría que un hombre debe saber dónde está su tío.

—No está aquí —dijo Mercedes—. ¿No lo ve? —Miró a Jacinta como diciéndole: No te muevas. Y luego a Basilio, instándole con la mirada a sujetarla.

—No. Ya lo veo —dijo el hombre—. Podría estar en el rancho. Desde aquí no se ve el interior.

—Entonces revise adentro usted mismo —dijo Chico.

—Tal vez lo haga. Pero quizá Díaz me espera allí con su machete. —Ahora el hombre apuntaba a Chico—. Apartáte de la puerta.

—Hijo de puta, no está aquí —gritó Jacinta y corrió hacia él.

Como reacción a ese insulto, el hombre la apuntó con la pistola y ella se frenó en seco. Aprovechando esa distracción, Chico se abalanzó hacia su machete, lo tomó y en un solo movimiento se acercó a la puerta.

El pistolero giró velozmente y disparó cuando Chico desaparecía por el marco de la puerta. Las mujeres gritaron.

—No se muevan —les gritó el hombre y les apuntó con el arma—. Tírense al suelo.

Del otro lado del patio, Basilio vaciló.

El hombre disparó hacia donde él estaba.

—Hacélo o yo te bajo para siempre.

Basilio obedeció.

El hombre les apuntó a Mercedes y a Jacinta y también ellas se tendieron en el suelo.

Él dijo:

—Supongamos que es cierto que Díaz no está aquí. Igual, una de ustedes me va a decir dónde se fue. —Se dirigió a Mercedes, que era la que tenía más cerca. —Levántese —dijo y la tironeó de un brazo.

Jacinta se incorporó.

—Deje a mi madre fuera de esto.

—No te levantés, hija mía —dijo Mercedes, justo antes de que el hombre le rodeara el cuello con el hueco del codo y la atrajera hacia sí. Después le clavó el cañón del arma en la espalda y la empujó hacia el rancho.

Los dos se detuvieron en la entrada.

—Hola, Chico —gritó el hombre hacia el interior—. ¿Te di con mi pistola? ¿Estás herido? Salí, así podemos hablar.

Adentro, Chico Portales estaba acostado a medias y apoyado contra el borde de la puerta. Tenía una mano apretada contra el muslo sangrante y con la otra sostenía el machete. Se puso en cuclillas. No saldría. Haría que el hombre entrara. Y cuando lo hiciera, lo cortaría en dos.

Cuando no recibió respuesta del interior del rancho, el hombre soltó de pronto a Mercedes, la empujó a través de la puerta y entró agachado detrás de ella.

La hoja del machete de Chico brilló en la oscuridad y el sonido de aire que se movía llenó los oídos de Mercedes. "Está pasando de nuevo" fue lo último que pensó antes de que la hoja le diera en el cuello.

Antes de darse cuenta de lo que había hecho, Chico recibió dos tiros en el pecho que lo hicieron girar hacia el patio.

—¡Ay no! ¡Ay no! —gritó Jacinta, corrió hacia Chico y se le tiró encima. Basilio se arrodilló junto a ella pero tuvo cuidado de no tocarla.

El hombre se paró junto a ellos.

Al levantar la vista, Jacinta se topó con la boca de la pistola.

—Gaspar está en Guatemala. En Agua Blanca.

—Deberías habérmelo dicho antes —dijo el hombre—. Te habrías evitado problemas. —Se metió el arma en el cinto, se dio media vuelta, cruzó el claro y desapareció por el sendero.

Basilio se puso de pie.

Jacinta estaba tirada sobre el cuerpo de Chico y sollozaba locamente. Basilio miró hacia el rancho.

—¿Niña Meches? —dijo.

Y entró a buscarla.

CAPÍTULO DIECIOCHO

El Congo
26 de noviembre de 1933

Elena estaba en casa de Cecilia cuando la sirvienta de adentro entró corriendo para decir que Jacinta Prieto estaba histérica en el teléfono desde Metapán. Elena y Cecilia cruzaron muy rápido la calle.

—Me la mataron, niña Elenita —gritó Jacinta por el teléfono—. Mataron a mi Chico también. La mataron. Mataron también a mi Chico.

De pie junto a su amiga, la oreja cerca del tubo, Cecilia fue uniendo los detalles de la muerte de Mercedes. Le trajo de vuelta el horror de su propia historia. Se dio media vuelta y se dirigió a la salita de Elena. Allí, se recostó en el sofá ubicado debajo de una imponente pintura pastoral, con su diminuta lámpara en la parte superior del marco.

Elena hizo los arreglos para los funerales. El cuerpo de Chico Portales permanecería en Metapán; él tenía su familia allí. Pero el de Mercedes, acompañado por Jacinta y Basilio Fermín, viajaría en tren a El Congo, al mesón de Chenta Gómez para el velorio. Después de calmar y tranquilizar a Jacinta, Elena llamó a un banco de Metapán para ordenar que le entregaran una suma de dinero a la muchacha.

Todo eso había ocurrido el día anterior. Hoy, Cecilia se había metido en la cama mientras Elena viajaba en el asiento posterior del Cadillac de Ernesto. Ángel, el chofer de Ernesto, conducía el sedán que se sacudía lentamente por el camino lleno de baches. A Ángel le llevó más de dos horas navegar los dieciséis kilómetros que separaban Santa Ana de El Congo. A media mañana el Cadillac se detuvo frente al mesón de Chenta Gómez. Cuando Elena se bajó, un grupo de niños con cara sucia comenzaron a gritar su llegada. Los chicos le hicieron señas de que los siguiera por la puerta principal del mesón, y por el pasillo flanqueado con sillas en las que vecinos y amigos observaron pasar a Elena. Cuando se aproximaba a la habitación número 5, una muchacha menuda con pelo negro y grueso dijo hacia el interior:

—Ya vino la señora. —Un momento después, Jacinta salió. Basilio Fermín estaba junto a ella.

—Ay, niña Elena —dijo Jacinta y levantó las manos y las sacudió antes de dejarlas caer a un costado.

—Aquí estoy contigo —dijo Elena y la abrazó. La muchacha comenzó a lloriquear. Olía a humo y a tortillas.

Jacinta se secó los ojos con el dorso de la mano.

—Gracias por estar aquí. Sé lo atareada que está. El casamiento es la semana que viene.

—Magda habría venido, pero está en San Salvador.

—Éstos son los amigos de mi mamá —dijo Jacinta y con un movimiento indicó a las personas que habían formado fila para saludar a Elena: Chenta, que tenía un puesto de venta de comidas y era la propietaria de ese cuarto; Luis Martínez, un vendedor de fruta; y la vieja Josefa, que no tenía dientes. Joaquín Maldonado pareció inflarse cuando Elena le tendió la mano.

—Estoy a su servicio, señora —dijo.

Basilio Fermín aguardaba en el otro extremo de la fila.

—Gracias por cuidar a Jacinta —dijo Elena. Basilio bajó la cabeza y habló hacia el piso:

—La niña Meches era como mi madre.

Jacinta llevó a Elena al cuarto de Chenta, que ahora servía de velatorio. Algunas ancianas envueltas en tapados oscuros salieron cuando Jacinta y Elena entraron. Salvo por una mesa en el centro del piso, la habitación carecía de muebles. El ataúd blanco de Mercedes descansaba sobre la mesa. Alrededor parpadeaban las llamas de velas votivas con imágenes de santos. El copal ardía en recipientes de barro; pequeñas espirales de humo acre para disimular el olor de la muerte. En el piso, debajo de la mesa, había una cruz hecha de sal y cal, dos elementos para ahuyentar a los espíritus malignos.

Elena se acercó al féretro. Sólo se veía el rostro ovalado de Mercedes; el resto del cuerpo estaba oculto debajo de vuelos de satín color crema. Como una monja, su cabeza estaba envuelta en su tapado negro. Tenía los ojos cerrados. En su cara no había marcas ni heridas. Y en ella no había ninguna expresión que traicionara lo que había sufrido. Elena inclinó la cabeza para leer mejor una línea escrita en lápiz directamente sobre el cajón. El texto decía: "Mamá, te llevaré siempre conmigo. Cuando vengan mis niños, sabrán quién fuiste".

Elena se santiguó y apoyó un dedo en el borde del féretro.

—Don Joaquín lo escribió en mi nombre —comentó Jacinta.

—Tu madre era una mujer extraordinaria.

—Ahora no me queda nadie —dijo Jacinta—. Excepto Chenta, toda mi familia se ha ido.

—Pronto vas a tener un hijo.

Jacinta sacudió la cabeza.

—No, niña Elena. Lo perdí en medio de un charco de sangre.

—Ay, no —dijo Elena.

—A todos los que he querido los he perdido en un charco de sangre. —Lloró en silencio, pensando en Antonio, su padre, y en Tino, su pequeño hermano. Y ahora Chico. Y también su madre.

Elena sacó un pañuelo de la cartera y se lo puso en la mano a la muchacha.

—No te preocupes, Jacinta. Después de esto, te vendrás conmigo. En casa de mi familia hay un lugar para ti.

Por la ventanilla del auto Elena observó el campo: largas extensiones de cafetales entremezclados con matorrales, una papaya solitaria en un claro, un limonero enjoyado con frutos verdes y brillantes. Era el mediodía y el viaje llevaría a Elena de vuelta a su vida: a los detalles de último momento de la boda de Magda, a la enfermedad incapacitante de su padre, a la caída de Cecilia en una nueva depresión. Pero por ese breve intervalo, Elena centró sus pensamientos en una mujer descalza de pelo entrecano, en la sencilla y buena mujer que la había servido por poco tiempo pero lo había hecho bien. Elena pensó en la abigarrada sala del velatorio con su aroma a copal, en el resplandor de la luz de las velas, en las palabras de una hija que otra persona escribió sobre madera: "Mamá, te llevaré siempre conmigo. Cuando vengan mis niños, sabrán quién fuiste".

Ángel condujo a Elena al interior de la puerta cochera y detuvo el vehículo junto al corto sendero que conducía a la puerta del frente. Apagó el motor, se bajó y le abrió la portezuela a Elena. Ella se desató la bufanda de seda para la cabeza que usaba para amortiguar el polvo del camino que durante todo el viaje se filtraba por la ventanilla del auto y la dejó caer sobre sus hombros. Estaba de vuelta en casa y ello la alegraba. Tendría tiempo para un prolongado baño de inmersión; después, se sentaría junto al patio con una buena taza de café antes de que Ernesto regresara. Al transponer el portón abierto Elena miró hacia la puerta de Cecilia en la vereda de enfrente. Movida por un impulso, decidió hacerle una breve visita. Se daría una vuelta para ver cómo había enfrentado Cecilia ese día, y se lo preguntaría sobre una taza de café y algo dulce.

Elena tocó el timbre del portón. El jardinero la hizo pasar. La puerta de calle de la casa se encontraba abierta y, una vez en el hall, Elena llamó a Cecilia. La sirvienta de adentro apareció por la puerta de la cocina.

—La niña Cecilia no está —dijo la muchacha.

Elena se frenó en seco. Le pareció muy extraño.

—¿Adónde fue?

—No lo sé. Salió muy apurada.

—¿Y la niña Isabel? —Tal vez la hija de Ceci sabría el paradero de su madre.

La muchacha sacudió la cabeza.

—No está.

—¿Están juntas? —preguntó Elena.

—No lo creo. —Sabía con quién estaba la niña Cecilia, pero jamás lo diría.

Elena atravesó el hall hacia el porche y evitó mirar el árbol de cacao del patio. Ese árbol era un traicionero, y gracias a él ella nunca volvería a usar su anillo. Abrió la puerta del dormitorio de Cecilia. En una pila sobre la banqueta de *petit point* ubicada al pie de la cama estaba su camisón y algunas otras prendas de ropa interior. Hasta ese leve desorden era algo insólito en Cecilia. Elena se sentó en una silla junto a la puerta. Respiró hondo frente a un pensamiento que golpeó en su mente como olas contra una roca. —El juego de palabras que ella y Cecilia habían jugado en la finca. "¿Qué harás cuando yo muera, Nena? ¿Qué sentirás cuando yo esté muerta?", había preguntado Cecilia. Fue demasiado. Todos esos meses sin Armando habían sido demasiado para Ceci. Ni el consuelo y compañerismo que Elena le había brindado ni la ayuda y apoyo de Ernesto fueron suficientes para mitigar esa pérdida.

Pero algo más revelador todavía se filtró en la mente de Elena: Cuando eran muy jóvenes, cuando eran chicas tontas y dramáticas, Cecilia le había dicho: "Si yo fuera a suicidarme, Nena, me metería en lo profundo del lago".

Elena echó a correr por el porche y salió de la casa en dirección al chofer, que todavía estaba en el sendero puliendo el automóvil.

—Ángel, llévame a Coatepeque, a la casa del lago de la niña Cecilia.

Ninguna velocidad le parecía suficiente. Cuando se detuvieron junto al portón de hierro, ya comenzaba a oscurecer. Elena no esperó a que Ángel le abriera la portezuela. Saltó del auto y corrió hacia el portón, pero estaba cerrado con llave. En el otro extremo del largo sendero empedrado, la casa del lago de Cecilia parecía vacía y desolada. Elena forcejeó con el portón con la esperanza de que se abriera, pero no fue así y por un momento esto operó un cambio en su estado de ánimo. Tal vez se había apresurado demasiado en adivinar las intenciones de Cecilia.

Elena volvió a espiar hacia el sendero, esta vez con más atención. En la esquina más alejada de la casa, en el lugar donde el sendero describía una vuelta, le pareció ver algo. En esa semioscuridad no podía estar segura. Parecía la parte posterior de un automóvil. Decidió que ese hecho merecía una investigación. Esa casa del lago había pertenecido antiguamente a los padres de Cecilia, y cuando Cecilia y Elena eran pequeñas acudían a ella con frecuencia durante la temporada de verano. A poca distancia de allí había una angosta abertura en la pared por la que ellas a veces se deslizaban dificultosamente cuando el portón estaba cerrado.

—Volveré en un minuto —le dijo a Ángel, quien de pie junto al vehículo parecía perplejo. Ella siguió la pared y avanzó en forma paralela al camino hasta encontrar la antigua abertura. Logró introducirse por ella y después retrocedió hacia el sendero de acceso. Al fondo, la casa era un edificio cuadrado de estuco con techo de tejas rojas. Sobre su cabeza, una bandada de cotorras chillaron ruidosamente y al unísono viraron sobre el techo y echaron a volar sobre las aguas color turquesa del lago.

En la casa no se veía ninguna luz. En el jardín crecían pinos y sauces altos que creaban reflejos majestuosos en las ventanas. Elena rodeó la esquina hacia el lugar donde creía haber visto el vehículo. Un automóvil se encontraba estacionado allí, y no era el de Cecilia: era el pickpup de Ernesto, el Ford negro que él a veces conducía por la finca o cuando Elena usaba el Cadillac.

Esa visión desconcertó a Elena. ¿Qué hacía Cecilia conduciendo el Ford de Ernesto? ¿Y dónde estaba el chofer de Cecilia? Cecilia jamás conducía ella misma. Entonces una nueva pregunta suplantó las anteriores: ¿Qué hacía Ernesto allí?

En los años venideros, cada vez que pensaba en ese momento Elena sabría que había sido allí, en ese momento —de pie en una esquina de la casa del lago de Cecilia, mientras el sol poniente se derramaba en el hueco azul del lago— cuando su vida se dividió para siempre en su propio antes y después.

A lo largo de los años se preguntaría si debería haberse ido. Si debería haber regresado por el sendero y haberse deslizado de vuelta por la abertura en la pared y trepado al auto y regresado a su vida… a su vida uniforme y tranquila. Pero no lo había hecho.

Rodeó el Ford, subió los tres escalones que llevaban a la puerta sin llave que conducía a la cocina. Atravesó esa pintoresca cocina con su estufa de leña y los encantadores jarros y fuentes de cerámica. Caminó sigilosamente por las frescas baldosas del espacioso living, después por el hall hacia la luz que la llamaba desde la puerta del dormitorio de Cecilia; la luz que iluminaba la escena que durante el resto de su vida trataría de olvidar: la cama. Cecilia y Ernesto. Ernesto y Cecila en la cama.

CAPÍTULO VEINTE

Don Orlando estaba acostado en su habitual estupor y la luz del velador proyectaba un círculo dorado más allá de su pecho pero no hacia el pie de la cama donde dormía la Pepa. Elena había enviado a la cocina a la enfermera privada de turno para que cenara mientras ella permanecía sentada en la habitación en sombras, a espaldas de la ventana. La esencia de rosas del jardín se deslizaba por el corredor y se filtraba por las cortinas de encaje con diseño de flor de lis que colgaban sobre la ventana. Una suave brisa mecía las cortinas y, aunque Elena no podía verlo, intuía cada vez que su borde le ondeaba sobre el hombro como alguien que suspira. Esa noche había luna llena; la había observado seguir el auto durante todo el camino de regreso del lago. De una cosa estaba segura: algo muy grande la había perseguido esa noche hasta la casa y se le había instalado en el corazón.

Ernesto y Cecilia. Los dos giraron perezosamente en el ojo de la tempestad en la mente de Elena. Los dos giraban, entrelazados; los brazos y las piernas de Cecilia alrededor del cuerpo de Ernesto. Elena se puso de pie y acercó la silla a la cama de su padre. Volvió a sentarse y lo observó. Era un hombrecillo encogido; su piel translúcida se extendía sobre los huesos elegantes de su nariz y sus mejillas, sus brazos y sus dedos. Yacía extrañamente inmóvil debajo de una frazada liviana. Sólo su boca se movía; sus labios se moldeaban alrededor de cada respiración.

Elena puso una mano encima de la de su padre.

—Papi —murmuró—. Sucedió algo. —Si fuera posible, lo sacudiría hasta despertarlo; lo sacudiría hasta que fuera de nuevo el padre sano y cortés que había sido. Si ella poseyera la palabra mágica, la palabra que lo pusiera bien de nuevo, la emplearía con el único propósito de poner en evidencia lo que Ernesto y Cecilia habían hecho. Eso era lo que más quería: que su padre vengara esa espantosa traición, que su padre reuniera a sus hijos y que los tres lo hicieran en su nombre. Un simple deseo. Castigo y venganza en su nombre.

Elena oyó un ruido en la puerta. Giró la cabeza y vio a Ernesto de pie en el umbral. El patio, con su vegetación lujuriosa y la cascada alegre de la fuente eran el fondo detrás de él. Junto a Ernesto estaba Café, ansioso e inocente.

—Elena —dijo Ernesto, su voz un temblor, sus ojos muy abiertos y llenos de remordimientos. Se quedó donde estaba y no se acercó a ella.

Elena se agachó para que su frente tocara la frazada de su padre.

—Papi —dijo.

—Elena, por favor. —Ahora Ernesto le apoyaba una mano en el hombro y frente a ese contacto ella se sobresaltó, se puso de pie y al hacerlo volteó la silla.

—No me toques.

Ernesto pescó la silla antes de que golpeara contra el piso.

—Por favor, Elena, escúchame.

Elena salió de la habitación. Una vez en el porche, la fragancia de las rosas, la forma en que el claro de luna lechoso se derramaba sobre el patio, la súbita conciencia de que seguía vestida de negro tal como asistiera al funeral, de que todavía tenía el pañuelo sobre los hombros y de que lo había presenciado todo; esas cosas se sumaron en su mente. Se quitó el pañuelo y lo hizo a un lado. Extendió un brazo y se sostuvo de la silla verde de mimbre.

—No necesito escucharte. Ya vi suficiente —dijo.

—Daría cualquier cosa. Daría todo lo que tengo por borrar lo de esta tarde.

"No puedes darte ese lujo —pensó ella—. Nunca podrás dártelo."

Alentado por el silencio de su esposa, Ernesto dio un paso adelante y siguió hablando con tono desesperado.

—Esta tarde. Fue la única vez. Algo irracional nos pasó, Elena. Por favor, créeme. Cecilia está en su casa. Se siente demasiado avergonzada para enfrentarte. Está enloquecida por la vergüenza y el pesar.

—Ahora escúchame tú —dijo Elena—. Quiero que te vayas de aquí. Quiero que cruces la calle. Quiero que le digas que hoy estoy vestida de negro. Que estoy de luto porque mi mejor amiga acaba de morir. Dile que jamás permitiré que entre en esta casa. Dile que en mi vida nunca volverá a haber lugar para ella.

Ernesto se apretó la nuca.

—Estoy seguro de que no lo dices en serio, Elena.

Por primera vez desde que estuvo de pie en el pasillo de la casa del lago, Elena levantó la voz:

—¡Vete! ¡Fuera de esta casa! —Giró la cabeza y cerró los ojos, mientras oía la fuerte respiración de Ernesto detrás de ella. Al cabo de un momento oyó pisadas que se alejaban por el hall. Oyó el clic-clic-clic de las uñas de Café contra las baldosas del suelo. Oyó el leve ruido de la puerta de calle al cerrarse.

Ni media hora más tarde, Magda Contreras llegó a casa después de un té tardío con Isabel y otras amigas, y encontró a su madre atacando las rosas con furia. Con su silueta dibujada por la luz de la luna, Elena estaba junto al cerco, con una gran tijera de podar en la mano. Con cada embestida lanzaba un pequeño gruñido y su pelo suelto se elevaba y descendía sobre sus hombros como una mantilla. Magda la observó, horrorizada. Vio cómo esas hojas filosas se abrían camino por entre los capullos y las hojas. Vio cómo los pétalos de rosa caían en cascada como una lluvia color marfil. En el aire, la fragancia de las rosas era tan intenso como la sangre.

Magda corrió hacia su madre.

—¡Mami, por Dios!

Elena giró y soltó la tijera de podar, y sus pechos subían y bajaban debajo del vestido negro de lino.

—Dios mío, mírate los brazos. Y las manos. Mira lo que te hicieron las espinas —dijo Magda.

Elena levantó los brazos. Los cortes sangraban en sus antebrazos y sus manos. La sangre salpicaba los pétalos cremosos diseminados alrededor de sus pies. Elena dejó caer los brazos a los costados y se dirigió a la casa.

Magda le pasó un brazo por la cintura.

—Así. Apóyate en mí. En el nombre de Dios, ¿qué sucedió? —Magda estaba desesperada por saberlo. En un extremo del porche se habían reunido los criados. —Por favor, mamá. Por favor dime qué pasó.

—Pregúntaselo a tu padre —respondió Elena.

Magda le pasó un brazo por la cintura.

CAPÍTULO VEINTIUNO

En Santa Ana, la mayoría de las casas de la gente rica estaban a poca distancia de la catedral y, desde hacía tiempo, esa proximidad afortunada dio origen a la costumbre de la caminata nupcial. Las novias, después de despertarse con las primeras luces y pasar la mañana en preparativos personales, se presentaban minutos antes de la ceremonia en la entrada de sus casas y, acompañadas por sus asistentes y su familia inmediata, marchaban en gran procesión por las calles empedradas, cubiertas especialmente para la ocasión con ramitas de pino hacia la iglesia gótica, donde el novio y los que lo rodeaban y los invitados a la boda, todos alertados por los estridentes acordes de la marcha nupcial de Mendelssohn, se ponían de pie en medio de un crujido de tafetas y gabardinas para recibir y honrar a la novia.

Y fue así que Magda Contreras apareció en la entrada de su casa, ubicada a tres cuadras de la catedral, seis días después del escándalo que dividiría para siempre las vidas de los Contreras en un antes y un después.

Magda era una novia deslumbrante. El vestido francés, un luminoso *peau-de-soie* adornado con encaje de Alençon, destacaba la cremosidad de sus hombros y la plenitud de sus pechos. Su velo, una vaporosa cascada coronada con perlas, le llegaba a la cintura, tan estrecha como una mano bien abierta.

Ahora, quizá por cuarta vez, Elena arregló el velo de Magda: atrás, a los costados, adelante. Esta responsabilidad, como todas las tareas que tenían que ver con mantener a la novia hermosa y serena, caía por tradición en la primera madrina quien, hasta una semana antes, sería Isabel Aragón. Pero como Cecilia había huido a los Estados Unidos con Isabel a la rastra, Elena, por el bien de su hija, procuró calmar las aguas tormentosas que giraban alrededor de ellas buscando otra muchacha para que cubriera el papel de Isabel. Pero Magda había insistido en que no hubiera suplentes para ese puesto de honor; un pedido que a Elena no le resultó fácil aceptar. Después de todo, una dama de honor ausente sería otra bandera roja de alarma que haría que siguieran las habladurías.

—Ya está —dijo Elena y le dio a la cola del vestido de Magda un último tirón. A través de la tela diáfana de su velo, la cara de Magda lucía suave y nebulosa. Pero no sus ojos. Los ojos oscuros de Magda brillaban con intensidad por entre esa tela sutil y preguntaban: "¿Por qué? ¿Por qué? ¿Por qué?"

—No me mires así —dijo Elena, en voz baja para que las cinco damas de honor, todas muy excitadas, no pudieran oír. Elena tiró de la parte superior de sus guantes blancos de seda que le llegaban más arriba de los codos y ocultaban su piel herida.

—No puedo evitarlo. Es el día de mi boda.

—Yo tampoco puedo evitarlo.

Magda respiró hondo y enderezó los hombros.

—Lo siento, mamá. Es sólo que...

—Ya lo sé —dijo Elena y le apoyó una mano en el brazo—. Hagamos las cosas lo mejor que podamos.

Magda trató de esbozar una amplia sonrisa. Levantó la falda del vestido y salió a la vereda. En términos del clima era un día glorioso y las ramitas que cubrían el empedrado llenaban esa mañana asoleada con la fragancia de los limones. La ruta hacia la iglesia ya estaba flanqueada por curiosos. Detrás de Magda, el sendero de su casa estaba repleto de miembros de la familia: hermanos, primos, tías y tíos. Junto a la puerta, sobre el escalón que conducía hacia ella, se encontraba de pie su padre, elegante y sombrío en su frac negro para la mañana. Magda apartó la vista para no verlo. Reprimió la andanada de preguntas que la acosaban: ¿Cómo pudo él? ¿Cómo pudo tía Ceci? La asqueaba imaginarlos juntos. Lo que habían hecho le arruinó la boda. Le arruinó la vida a su madre. ¿Y qué pasaría con Isabel? ¿Qué pasaría con la amistad de ambas?

Elena golpeó las manos para conseguir la atención de todos. Debido a los guantes, el sonido fue amortiguado pero eficaz.

—Llegó la hora —gritó, y los miembros de la ceremonia se alinearon detrás de Magda, detrás de las cinco damas de honor, todas con vestidos iguales. La florista estaba cerca y le entregó a Magda el ramo: un conjunto de magnolias blancas sujeto con cintas color marfil, cada una de las cuales estaba delicadamente anudada en el extremo.

Elena ocupó su lugar en la fila. Ernesto se acercó y se paró junto a ella. No se hablaron. Durante toda la semana él se había mostrado manso y conciliatorio. Le había pedido perdón, le había solicitado su absolución.

Pero a lo largo de todo ese tiempo Elena mantuvo un silencio pétreo y se apartaba de Ernesto cada vez que él se le acercaba. Cierta mañana él entró en el vestidor de Elena cuando ella estaba sentada frente al tocador cepillándose el pelo. Le puso un sobre delante y lo apoyó contra un frasco de My Sin, de Lanvin, antes de girar sobre sus talones en silencio. Elena se quedó mirando el sobre, un cuadrado de papel pergamino color celeste. Con tinta azul, estaba dirigido con la caligrafía familiar de Cecilia: Sra. Elena Navarro de Contreras. Presente. Elena puso el cepillo sobre el tocador. Extendió el brazo hacia el sobre, pero frenó la mano antes de tocarlo. La fragancia a almizcle de la colonia de Ernesto seguía flotando en el aire y la hizo caer en la cuenta: antes de viajar a Nueva York Cecilia y Ernesto debían de haberse visto nuevamente. De otro modo, ¿cómo podía ella haber recibido ese sobre? Sintió que se le encendían las mejillas. En el espejo, sus ojos verdes echaron chispas. Levantó el cepillo y se lo pasó por el pelo. El sobre la había llamado, pero ella no le había prestado atención. La misiva de Cecilia, cualquiera fuera su contenido, siguió cerrada. Elena la puso, fuera de la vista, junto con su anillo matrimonial deformado, en el fondo de un cajón del tocador.

La procesión comenzó a moverse. Serpenteó por esas calles fragantes, pasando por tiendas y por frentes de casas encalados y deteriorados por la intemperie, al lado de la gente que llenaba las veredas, alrededor del parque arbolado, debajo del sol deslumbrante hasta entrar en la repentina frialdad y las sombras de la catedral.

El cuarteto de cuerdas tocó Brahms cuando Elena, del brazo de su hijo mayor, entró solemnemente por la nave central hacia el banco de adelante y los lugares reservados para ella y Ernesto. Durante todo ese trayecto interminable, Elena sonrió todo el tiempo a la gente congregada. Un leve temblor le jugueteó en la comisura de los labios, amenazando con delatarla, pero ella lo domó con una sonrisa más ancha y, cuando correspondía, levantando un brazo y haciendo un leve saludo a alguna persona especial. La iglesia resplandecía con las luces de las velas y las melodías que brotaban de violines y cellos eran al mismo tiempo una rapsodia y un lamento. Al avanzar por el pasillo central, Elena notó miradas furtivas y sonrisas cautelosas. Los comentarios, los rumores y las preguntas eran casi palpables. "Maldita seas, Cecilia de Aragón", pensó Elena, y una nueva oleada de furia le tensó la columna e hizo que sus pies pisaran con mayor firmeza.

Álvaro Tobar, alto y de hombros anchos, pelo rizado y buen corazón, estaba de pie de espaldas al altar, las manos entrelazadas a la altura de la cintura. Elena se deslizó hacia el banco cuando Brahms cedió su lugar a los acordes majestuosos de Mendelssohn y la música resonó contra la alta bóveda de la iglesia. Meses antes había tenido un sueño. Meses antes había hablado de ese sueño y puesto algo en movimiento. Este día, giró la cabeza y vio a su hija y Ernesto que iniciaban su procesión por el pasillo central. Elena se mordió el labio inferior y sintió una tristeza tan intensa que le cortó la respiración. Después de frenar una lágrima inminente con el guante, contempló cómo el futuro comenzaba a acercársele.

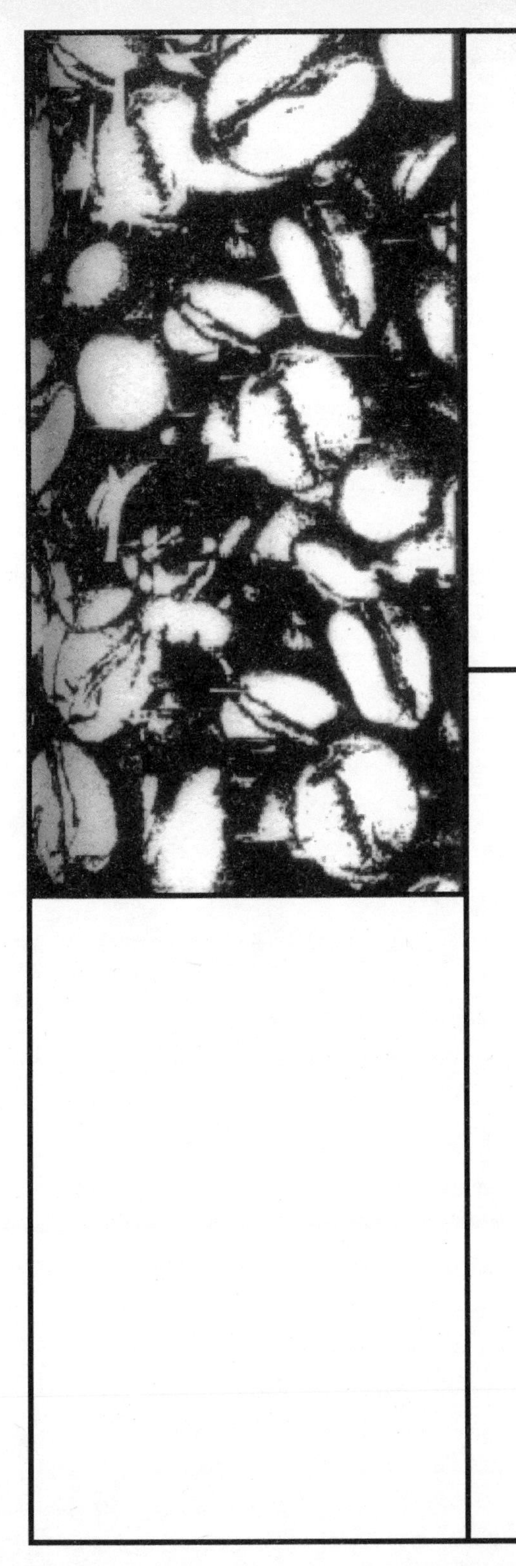

SEGUNDA PARTE

Jacinta y Magda

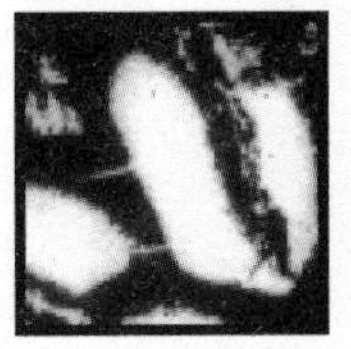

CAPÍTULO VEINTIDÓS

San Salvador
6 de agosto de 1945

Jacinta Prieto salió del dormitorio de Magda en el momento en que Rosalba, la sirvienta de adentro, se acercaba corriendo por el hall.

—Es hora. Está por empezar —dijo Rosalba. Se refería a la radionovela *Las dos*, que se transmitía a mediodía. Cada día, las criadas se reunían en la cocina para durante media hora almorzar y oír la interminable historia de dos hermanas, una malvada y la otra buena, y de los enredos que tenían lugar debido a esas naturalezas tan opuestas. El episodio de ese día prometía ser particularmente sabroso: Inocencia Sinfín, la esencia de la bondad, estaba por enterarse de que Bárbara Parasiempre, su hermana, vivía una aventura con su propio marido.

Jacinta giró la llave del dormitorio de Magda y después tiró del picaporte para asegurarse de que quedaba bien cerrada. Colocó las llaves en el aro que llevaba sujeto al cinturón para que las llaves volvieran a descansar sobre su uniforme gris. Las llaves eran su pasaporte a todos los tesoros de la casa de Magda. La delgada llave de bronce le permitía entrar en el cuarto donde se guardaban los cubiertos de plata, la porcelana y la cristalería adicionales; la llave larga y sencilla abría la despensa, con sus chocolates y galletas, sus dulces y mermeladas; otra llave, bastante parecida a esta última, abría el fresco aroma de la ropa blanca recién lavada: manteles y servilletas, crujientes sábanas y fundas blancas, todas bordadas en seda con las iniciales entrelazadas C por Contreras y T por Tobar. También en el aro llevaba las llaves de las cómodas privadas de Magda y don Álvaro. Precisamente era la de Magda la que Jacinta acababa de ordenar. Pero la llave con el corazón en la parte superior era la favorita de Jacinta porque abría un cuarto muy amplio tapizado con estantes llenos de las cosas que, a lo largo de los años y a pesar de las malas épocas,

Magda había ido acumulando con esmero. Mercadería que en un futuro muy cercano y con la intercesión de la Virgen —como a Magda le gustaba decir—, sería sacada de la casa y llevada a la tienda de regalos con que su empleadora había soñado durante los nueve años que Jacinta trabajaba para ella.

Jacinta se dirigió a la cocina. Al igual que la casa de Elena, la de Magda era una estructura colonial cuyo principal atractivo era un patio interior con una fuente y el amplio corredor que lo bordeaba. Las dos casas tenían gruesas paredes de yeso que contribuían a mantener el fresco de la mañana hasta bien entrada la tarde. Ambas tenían cielos rasos altos rodeados de molduras decorativas, pisos de roble encerados y muchas ventanas provistas de vidrio texturado. Pero las similitudes terminaban allí.

El gusto de Elena en lo tocante a mobiliario y decoración le confería a su casa un aire suave y hasta sobrio. Elena prefería las maderas oscuras y pesadas: piezas talladas en nogal, caoba, cedro y palo de rosa. Esta paleta sombría se veía reforzada por los cuadros con marcos rococó que eran sus favoritos: en el living y los dormitorios, paisajes franceses o *madonnas* y caballeros italianos; en el comedor, naturalezas muertas con frutas y vegetales. En la casa de Elena, los pisos de madera estaba desnudos y las pisadas que sonaban en cualquier lugar resonaban por doquier. Desde lo de Cecilia, y después de la muerte de don Orlando, un estado de ánimo melancólico flotaba en la casa. Casi ninguna de las personas que iban allí de visita lograba escapar de esa lobreguez contagiosa. Cada día, a eso de las cuatro, el estado de ánimo de los criados languidecía, y ningún cafecito de la tarde o noche de sueño profundo impedía que a la tarde siguiente la depresión volviera a abatirse de nuevo sobre ellos. Hasta la Pepa, la gallina mascota de don Orlando, sucumbía a ella. Durante semanas después del fallecimiento de su dueño, no hizo otra cosa que recorrer todos los cuartos de la casa buscándolo. Fue Jacinta la que descubrió a la gallina: sus patas amarillas apuntando al cielo raso, estaba prensada entre el colchón enrollado de don Orlando y el pie de su cama.

Aunque los negocios mantenían a Ernesto Contreras lejos de la casa durante el día, él portaba consigo una nube negra propia y también estaba muy afectado. Sólo el patio de Elena conservaba cierta apariencia de alegría; insensiblemente, la misma naturaleza y la hermosa fuente de azulejos la impusieron.

En la casa de Magda, en cambio, el ambiente era alegre y animado. Era una muestra de la facilidad con que ella había transformado lo ordinario en lo excepcional. Aunque la fuente de su patio era sólo de piedra común y corriente, ella había destacado ese hecho rodeándola con un collar de fondos de botellas de champaña. No sólo cualquier botella con el cuello enterrado boca abajo, desde luego, sino sólo las de Dom Pérignon que se sirvieron en su fiesta de bodas. En el patio, los árboles y los arbustos de flores extendían sus hojas y hasta sus ramas hacia el interior lleno de sol de las paredes pintadas de color pimiento, azafrán y rosado. Mish, el gato, y Bruno, el perro, cuando conseguían hacerlo impunemente, dormían sobre chintzes floreados o debajo de los nuevos muebles estilo Chippendale mexicano que, porque eran livianos y del color de la miel, no eran nada convencionales y daban que hablar a los visitantes. Las mascotas despertaban de sus siestas frente a cantidades de telas enmarcadas de arte naïf, nichos iluminados que contenían santos antiguos o angostos estantes de vidrio en los que se exhibía la colección de Magda de pisapapeles de Baccarat, Saint Louis y Clichy.

Jacinta cruzó el corredor con piso de mármol, el único lugar en la casa, además de la cocina, que no estaba cubierto con alfombras persas. El tintineo del conjunto de llaves que portaba al costado era el símbolo de su poder y, mientras caminaba, ese sonido proclamaba su importancia en el reino doméstico de Magda.

Las fiestas de agosto que conmemoraban la Transfiguración del Divino Salvador del Mundo, el patrono de El Salvador, estaban en pleno apogeo. Magda y don Álvaro, sus tres hijos pequeños, Tea la niñera y la vieja Delfina, la cocinera, estaban en el lago de Coatepeque para unas cortas vacaciones. Cada año en esa época, la familia y los que la rodeaban huían del ajetreo de la capital y del bullicio de los vendedores callejeros reunidos frente a braseros en las esquinas. En el lago, la familia se refugiaba de la cacofonía de los aparatos de radio, de los estallidos intermitentes de los fuegos artificiales y de los aullidos y ladridos con que los perros respondían a esos estruendos. En el lago, los días carecían de la ruda humanidad y la hedionda insolencia de ciertos hombres que, al sentir el peso de vejigas llenas, se volvían hacia las paredes y, en plena calle, se abrían la bragueta con movimientos rápidos y arrogantes y teñían el adobe con sus humeantes chorros.

Cuando Jacinta entró en la cocina, Rosalba sintonizaba la radio. Basilio Fermín observaba por entre los barrotes de hierro de la ventana a las personas que deambulaban por la calle. La casa de Magda, una de las muchas mansiones elegantes de la zona del centro, se encontraba a cuadras de la catedral, la sede permanente de la estatua del Salvador del Mundo. Todos los años, en esa fecha, la estatua era llevada en procesión por las calles entre la multitud de fieles que la honraban. Esa mañana, bien temprano, Basilio y Rosalba se habían abierto paso por entre el gentío y encontrado un buen lugar en la plaza, frente a la iglesia, desde donde alcanzaban a ver la imponente figura de el Salvador, la cabeza coronada por rayos de luz, los brazos levantados en alto en una bendición, que se alzaba por sobre un enorme globo azul y blanco que representaba el mundo.

Rosalba ajustó el volumen de la radio porque la cocinera, a la que le faltaban pocos decibeles para la sordera total, mantenía el volumen muy alto cuando estaba lejos.

—Ya está —dijo Rosalba—. Así está mejor. —Se acercó a la cocina —era nueva y a gas— y levantó la tapa de la olla con la sopa, con lo cual la habitación se llenó con el fuerte olor a caldo de pollo con papas y chipilín. —¡Ay, me quemé! —gritó Rosalba y dejó caer la tapa que repiqueteó contra la superficie de la cocina. Había aprovechado la ausencia de Magda para pintarse los labios de color rojo escarlata y ahora hizo pucheros y se chupó las puntas de los dedos, mientras miraba hacia donde estaba Basilio. Tenía diecisiete años y desde que trabajaba en la casa, cada vez que Basilio estaba a la vista ella movía sus caderas generosas y echaba hacia adelante sus pechos abundantes para que su uniforme blanco le destacara las formas, pero Basilio no le prestaba atención: él sólo tenía ojos para Jacinta.

Basilio giró la cabeza desde la ventana.

—Deberías haber venido con nosotros esta mañana —le dijo a Jacinta.

Rosalba había servido sopa en tazones y los colocaba alrededor de la mesa.

—Alguien tenía que quedarse en la casa. Eran órdenes de la niña Magda —dijo, mientras trataba de quitarse el rojo del lápiz de labios.

—No hacía falta que yo fuera. Vi la procesión desde el techo del cobertizo —dijo Jacinta. Ella y Bruno, el perro guardián, habían subido por la rampa rústica construida por Basilio para tener acceso rápido a su techo. Cuando la procesión se había acercado por la calle, Bruno se puso a ladrarle a la gente y Jacinta lo golpeó con la mano, pero sin lograr ningún resultado. Entonces centró su atención en el Cristo oscuro y barbado que subía y bajaba por encima del gentío. El hecho de verlo había agitado en ella viejas tristezas: ¿Dónde estaba la muchacha que había sido alguna vez? ¿Esa joven de trenzas, ingenua y a la vez osada, que siempre se sentía segura en compañía de su gente? Gente que formaba sus propias procesiones detrás del tocado de plumas del cacique.

—¿Subiste al techo de Basilio? —preguntó Rosalba mientras envolvía tortillas calientes con una manta y las ponía junto al plato de Basilio—. Por Dios, Jacinta, ¿no sos demasiado vieja para eso? —Rosalba volvió a concentrarse en la radio y se puso a toquetear el sintonizador. —¿Dónde está nuestro radioteatro? Ya es la hora.

—Jacinta no es vieja —dijo Basilio mientras soplaba la sopa. Cuando se conocieron —trece años antes, pero parecía una eternidad— ella sólo tenía trece y él, casi doce. Aunque sólo había entre ellos una diferencia de un año y medio, en aquella época equivalía casi a un siglo. Ahora que los dos tenían algo más de veinte años, esa diferencia había perdido importancia.

—¿Dónde está nuestra radionovela? —repitió Rosalba, giró el dial y de la caja comenzaron a brotar trozos de música y de comentarios.

—Dejámelo a mí —dijo Jacinta— y limpiáte la boca. La tenés manchada de lápiz labial rojo. —Movió el dial a la emisora YSU, la que emitía *Las dos*. Pero los diálogos habituales de esa radionovela no brotaban de la radio. En cambio, la voz de un anunciador decía: "Repetimos para los que en este momento nos sintonizan: la bomba atómica, la primera de su clase y el arma más poderosa de la Tierra, fue lanzada hoy por aviones de los Estados Unidos de Norteamérica sobre Hiroshima, Japón".

—¿Qué? —dijo Rosalba mientras se frotaba los labios con el dorso de la mano—. ¿Quiere decir que no podremos oír la novela?

—Calláte, niña tonta —dijo Jacinta y subió el volumen para oír las noticias: bombas, conflagración, muerte. Miró por encima de la mesa a Basilio, y cuando las miradas de ambos se encontraron, un campo de rastrojos de Izalco cubierto de rocío se alzó entre ellos. Basilio palmeó el sombrero de su padre muerto, los ojos opacos, la boca laxa. A lo lejos estallaban los fuegos artificiales.

Más tarde ese mismo día, cuando la fiesta terminó y en las calles volvió a reinar la tranquilidad, Jacinta se quitó el uniforme y se puso ropa de calle. Caminó de la casa a la parada del ómnibus número 2 y viajó en él durante cinco minutos por la avenida España a Colonia La Rábida, el barrio donde vivía Pilar Lazos, su mejor amiga. Jacinta pasaría la noche en casa de Pilar y volvería a la de Magda por la mañana. Pese a las protestas de Jacinta, Basilio la acompañó y después la vio desaparecer del otro lado de la puerta de Pilar antes de darse media vuelta. No volvió a tomar el ómnibus sino que caminó de vuelta; el trayecto le llevó alrededor de media hora, un lapso que tuvo para sí y para reflexionar sobre lo que le ocupaba la mayor parte del día: cómo hacer para que Jacinta lo amara.

Jacinta y su amiga estaban en la cocina de la casa de Pilar. Los platos enjuagados estaban apilados en la pileta. Calendarios de los años 1943, 1944 y 1945 colgaban en línea despareja sobre la pared. Cada uno representaba una figura religiosa, que era la razón por la que Pilar los había dejado allí. El de ese año mostraba a Nuestra Señora de los Dolores, con su corazón atravesado por una espada y rayos coronados por estrellas alrededor de la cabeza.

En la mesa, Pilar sirvió un dedo de licor en un vaso. Apoyó la botella y se la deslizó a Jacinta.

—Bebé un poco —dijo Pilar—. No seas tan santulona.

Jacinta negó con la cabeza. La botella tenía una etiqueta roja y sobre ella había un hombre de piernas largas, botas negras y pantalones blancos ajustados. Usaba una chaqueta roja con un corte en la parte de atrás. En la cabeza tenía una chistera y en la mano, un bastón negro. Jacinta se preguntó si era posible que un hombre así existiera. No podía leer lo que decía la etiqueta porque estaba en inglés... bueno, supuso que era inglés. Con el dedo índice siguió el dibujo de las letras sobre la botella.

—Yo-ni Wal-quer. —Miró a Pilar. —¿De dónde sacaste esto?

—De la niña Julia, en la Escalón. —Pilar abandonó la mesa y puso la botella en el fondo de la alacena y lejos, esperaba, de los ojos y manos de sus hijos. —Trabajé allí una semana. Ayer fue el último día.

Pilar era costurera. Tenía veintinueve años, tres años más que Jacinta. Hacía años, antes de la depresión y cuando empezó a coser, Pilar había instalado un taller en su salita. Por aquel entonces, los vecinos eran su fuente principal de ingresos, y a todas horas en la casa se oía el zumbido de la Singer y la entrada y salida de mujeres que iban allí con recortes de revistas de modas que confiaban en que, cuando Pilar copiara los modelos, ellas estarían lanzadas en el camino de la transformación. Cuando vinieron los malos tiempos y estalló la guerra, la necesidad de los servicios de Pilar habría declinado si no hubiera sido por la gente rica. Antes de la guerra, los ricos siempre preferían comprar sus modelos en el extranjero, pero la disminución de sus fortunas los obligaron a hacer economías. Cuando se enteraron de los dedos mágicos de Pilar, competían por su trabajo. En cada casa había un cuarto especial para Pilar. Cada familia le proveía todo lo que ella necesitaba para crear: una Singer (unas pocas le ofrecieron una máquina de coser eléctrica, pero ella prefería la común que podía manejar con un balanceo de los pies), una amplia mesa para corte, tijeras excelentes y bien afiladas, rollos de tela, bobinas de hilo, cierres automáticos largos y cortos y una variedad de novedades, tales como tarjetas rodeadas de encaje y entredós o delgados tubos de vidrio en los que brillaban lentejuelas y cuentas.

Pilar volvió a la mesa y vació el contenido de su vaso. Arrugó la cara y se estremeció un poco.

—¿Cómo podés beber eso? —preguntó Jacinta. Había conocido a Pilar seis años antes, cuando empezó a coser para Magda. En seis años, Pilar siempre se había estremecido al beber un trago de alcohol.

—No pasaron hoy *Las dos* —dijo Pilar mientras se pasaba la mano por su grueso pelo castaño que le llegaba a los hombros—. Hoy era el día en que Inocencia se iba a enterar de lo de Bárbara y Raúl.

—Hablás igual que Rosalba.

—Esa Bárbara es tan mala —dijo Pilar—. ¿Te imaginás? ¿Tu hermana seduciendo a tu marido para tener una aventura con él? ¡Uy! —Pilar puso los ojos en blanco ante la sola idea.

Jacinta se lo imaginaba muy bien. Durante tres años después de la muerte de su madre había vivido en casa de Elena y presenciado las consecuencias de la traición fraternal: Cecilia había hecho lo que había hecho, y el corazón de Elena se endureció de resentimiento, un hecho que se evidenciaba en la línea dura de su boca, en la actitud tensa con que navegaba por sus días y, curiosamente, en la forma en que distraídamente se comía las uñas hasta que le quedaban tan cortas que parecían desaparecer en las almohadillas carnosas de las yemas de sus dedos.

—Vamos a tener que esperar a mañana para saber qué piensa Inocencia —dijo Jacinta—. Hoy los gringos soltaron una bomba y sólo Dios sabe lo que sucederá después.

—A lo mejor la guerra se termina —dijo Pilar.

—Esperemos —contestó Jacinta. Durante toda su vida siempre había habido alguna clase de guerra. Su infancia se vio plagada por la lucha sangrienta que le quitó a sus seres queridos. Aunque los años con Elena y después con Magda pusieron cierta distancia entre ella y el horror de su pasado, seguía viviendo en un mundo que todavía se lo recordaba de muchas maneras. Apenas el año pasado, en Pascua, una rebelión militar contra la dictadura en el poder transformó la ciudad en un campo de batalla. A lo largo de dos días los tiroteos resonaron en las calles. Durante el sitio, los teléfonos dejaron de funcionar y la electricidad se cortó. Los aviones militares volaban en círculos y dejaban caer bombas que no dieron en el blanco e incendiaron dos manzanas de la ciudad. El Teatro Colón ardió en llamas, lo mismo que una importante tienda de departamentos y muchos pequeños comercios. Al final, los cadáveres tapizaban la calle y el olor a guerra estaba en todas partes.

—Qué cara tan triste —dijo Pilar.

—¿Quién, yo?

—¿Quién más? —Pilar extendió el brazo sobre la mesa y palmeó la mano de su amiga. —¿Qué te preocupa?

Jacinta se encogió de hombros. ¿Cómo decirle que la guerra que libraba ahora no era exterior sino interior? Un conflicto que, paradójicamente, su madre había hecho realidad; su madre, que parecía seguir viviendo dentro de ella. A veces, tarde por la noche o, con más frecuencia, muy temprano por la mañana, cuando Jacinta estaba acostada en el catre de la pequeña habitación que compartía con Rosalba, su madre se movía dentro de ella. No era una locura sino un consuelo. Sentir la piel y la carne de su madre dentro de los confines de sus propios huesos y su piel. Oír la voz de su madre dentro de su cabeza como una brisa que atraviesa hojas verdes era un consuelo misterioso. "No olvides lo que hemos dejado atrás", le susurraba Mercedes, y Jacinta recordaba el olor a humo de su rancho, el perfil alegre de la cerca de pascuas rojas, la sólida seguridad de la pared de piedra. Cuando llegaba el amanecer y su débil luz volvía a iluminar el cuarto, Jacinta miraba fijo el cielo raso, la rajadura del yeso justo encima de su cabeza. Según su estado de ánimo, imaginaba que esa rajadura era un río y que ella estaba de vuelta en Izalco y vadeaba el río y se dirigía hacia el bosque de conacastes y las sombras que éstos proyectaban. Otras veces la rajadura del cielo raso era una profunda grieta en la piel aterciopelada de los duraznos perfectos que Magda importaba en cajones. En ocasiones esa imagen daba paso a otra; el trasero café y pequeño de su hermano perdido. Cuando pensaba en Tino, recordaba sus ojos oscuros y serios, la mancha que le cubría una oreja. Pero siempre, cualquiera fuera lo que imaginaba que era esa rajadura en el cielo raso, al final la veía como una línea divisoria. Era la manera en que vivía su existencia. Apresada en el medio, recordando de dónde había venido y sabiendo en qué se había convertido. Ella era una muchacha india que ahora parecía satisfecha con vivir con las personas parecidas a las que le habían robado el pasado.

—Vaya, decímelo, pues —dijo Pilar—. ¿Qué te pasa?

—No lo sé. Creo que pienso demasiado. Ojalá pudiera ser como Rosalba, que lo único que hace es chachalaquear y ser feliz.

—¿Sabés qué necesitás? Necesitás un hombre, eso es lo que necesitás. —Pilar, desde luego, conocía el pasado de Jacinta. Sabía todo lo referente a su familia, a Chico y cómo lo habían matado junto a su madre. Estaba enterada de lo de Chico y el hijo de Jacinta, y cómo esa criatura jamás tuvo oportunidad siquiera de vivir.

Jacinta se echó a reír.

—No puedo creerlo. Tú creés que tener un hombre es la solución de todo.

Pilar hizo girar el dedo índice alrededor del borde interior de su vaso.

—Tú no ves ningún hombre cerca de mí, ¿verdad? —Ella se había enamorado de tres hombres; hombres de vidas turbulentas y dulcemente crueles. Para demostrarlo, había tenido un hijo con cada uno. Por el momento no quería saber nada de hombres. Pilar se llevó un dedo a la boca y así habló: —Pero volviendo a lo tuyo: recordá mis palabras, lo que necesitás es un hombre.

—No es así.

Pilar levantó enseguida una mano en son de protesta.

—Sí que lo necesitás. Y, ¿sabés quién te quiere? Basilio Fermín. Ese hombre venera el suelo donde caminás. Ése es el hombre que necesitás.

—Tal vez sea lo que necesito, pero para mí es como un hermano. Basilio lo sabe. Sabe cómo debe ser. No puedo evitar lo que siento, Pilar.

—Supongo que no. Al final, no depende de nosotros de quién nos enamoramos.

—También es cierto —dijo Jacinta—, que tampoco depende de nosotros de quién no podemos enamorarnos.

—Quizá. La vida es complicada, ¿verdad? —Pilar se puso de pie, se desperezó y se frotó la espalda con la mano. —Vayamos a sentarnos afuera y a esperar a los niños. Deberían estar pronto de vuelta.

Las dos fueron a sentarse sobre la pared baja de cemento que separaba las casas de la vereda. Después del calor del día, la noche era refrescante y miles de estrellas perforaban el índigo que estaba sobre sus cabezas. En una esquina, un farol arrojaba un círculo pequeño de luz sobre la mitad de la calle. Eran poco más de las ocho. Los hijos de Pilar estaban en el cine ubicado a algunas cuadras de allí. Como era fiesta, se les permitió ir a ver la película de Cantinflas que proyectaban allí desde hacía una semana. Cantinflas era la nueva sensación entre los comediantes mexicanos.

—Sentí el aroma —dijo Pilar y respiró hondo. El aire estaba perfumado con las enredaderas en flor de San Carlos y con la bruma húmeda que se elevaba de la tierra al descender la noche. Las piernas de Pilar, al igual que las de Jacinta, se balanceaban contra la pared y el cemento era áspero contra su piel, pero el alcohol que había bebido era una presencia cálida en su estómago y no le importó esa aspereza. Otros vecinos también estaban sentados sobre la pared y hablaban en voz baja. Algunos caminaban por la vereda antes de regresar a sus casas y a sus lechos. El sonido de una guitarra brotaba de una radio cercana. Dos sombras oscuras se acercaron a ellas y muy pronto se materializaron en una mujer y un hombre.

—Buenas, Pilar —dijo la mujer y se detuvo un momento. El hombre permaneció en el borde de la vereda, cerca de la calle. Era de estatura mediana y de cuerpo compacto; un cigarrillo encendido brillaba en las sombras que le oscurecían el rostro. Jacinta no alcanzaba a ver sus facciones con claridad, pero tuvo la impresión de que si la luz del farol lo iluminara, a ella le gustaría su cara. El hombre metió una mano en el bolsillo del pantalón y permaneció así hasta que la mujer regresó junto a él.

—¿Quiénes eran? —preguntó Jacinta cuando la pareja se hubo alejado.

—Olivia y Miguel Acevedo. Viven a pocas cuadras. Yo le cosía a ella antes. En dos años aumentó cuatro talles. ¿Por qué me lo preguntás?

—Por nada —respondió Jacinta. Y luego: —Creo que él tiene una cara interesante. Al menos lo que alcancé a ver.

—¡Ja! —dijo Pilar y echó la cabeza hacia atrás—. Oíganla. Hablamos de hombres, de cómo necesitás uno, y tú te apresurás a negarlo. Y ahora, cuando aparece uno, te parece interesante.

—Dije que me parecía que tenía una cara interesante. No dije que él me parecía interesante.

—Es lo mismo —dijo Pilar—. De todas formas, Olivia siempre está cansada. Me sorprende que haya salido esta noche. Me sorprende que no esté en la cama.

—Ah —murmuró Jacinta. Se preguntó qué hacía un hombre frente a una mujer cansada. ¿No eran siempre los hombres los que cansaban a las mujeres?

Muy temprano a la mañana siguiente, Jacinta abandonó a Pilar para tomar el ómnibus de regreso. A pesar de la hora, había mucha actividad en la calle y por las veredas que bordeaban las casas bajas del barrio. Algunas mujeres barrían los portales con pasadas furiosas, mientras otras caminaban deprisa para dirigirse a su lugar de trabajo fuera del barrio. También había hombres: uno avanzaba por la calle a algunos metros de Jacinta. Al principio ella no le prestó demasiada atención, pero después de caminar detrás de él durante dos cuadras, le impresionó su andar seguro y resuelto. Llevaba un periódico doblado en una mano y le rozaba la pierna cuando caminaba. Al observarlo con más atención notó también sus hombros anchos y la camisa blanca almidonada tirante sobre ellos. "Ése es un hombre —pensó—, que sabía adónde se dirigía. Un hombre que no parecía lamentar de dónde venía."

La parada del ómnibus estaba más adelante, y el hombre se puso el periódico debajo del brazo y fue a pararse junto a las otras personas que aguardaban el vehículo junto al cordón de la vereda. Algo en ese hombre le resultó familiar.

—Buenos días, Miguel —dijo una vieja.

—Doña Faustina —dijo el hombre e inclinó la cabeza.

Miguel. El hombre de la noche anterior. Jacinta quería estudiarlo bien, pero el ómnibus se acercó y se produjo una leve conmoción cuando algunos trataron de empujar a los otros y adelantárseles. Miguel aguardó su turno para subir y cuando llegó, pareció percibir la presencia de Jacinta detrás de él.

—Después de usted —dijo e hizo una reverencia con la mano.

Ella lo miró entonces bien. Tenía la piel más clara que la de ella. Sus ojos eran oscuros. Su boca era plena y de aspecto generoso. Un fósforo de madera ennegrecido aparecía entre sus labios y le confería un aspecto juguetón. Una traba plateada le sujetaba la corbata negra a la camisa. Todo esto observó Jacinta en los segundos que le llevó agradecerle a Miguel su cortesía. Subió los escalones del ómnibus y caminó por el pasillo hasta un asiento vacío. Se ubicó junto a la ventanilla y vio que el hombre se le acercaba. Ya no tenía el fósforo entre los labios. Se detuvo dos filas más adelante y se sentó en el asiento opuesto. Desde donde ella estaba, si miraba por entre las cabezas de otros pasajeros que rápidamente colmaban el vehículo, alcanzaba a verlo bien. Él tenía la cabeza inclinada sobre su periódico y ese hecho le resultó alentador a Jacinta. Era un hombre que sabía leer. Algo nada frecuente. Ella misma sabía leer gracias a la instrucción que Elena había insistido en que tomara. Otra cosa nada común.

—Su dinero, por favor —dijo una voz. Jacinta centró su atención en el guarda del ómnibus que acababa de llegar a su fila; permanecía parado en el pasillo, el brazo extendido. Jacinta metió la mano en el bolsillo y le entregó al hombre una moneda de cinco centavos. Miró hacia donde estaba Miguel. Él ya no leía sino que estaba sentado muy derecho, como listo para pegar un salto en cualquier momento. El ómnibus frenó con un chirrido de frenos. Miguel se paró y caminó por el pasillo hasta la salida posterior. Jacinta miró por la ventanilla. El ómnibus se había detenido frente a la oficina de correos, una imponente estructura de madera con una serie de entradas amplias. Miguel caminó directamente debajo de la ventanilla de Jacinta y después, antes de que el ómnibus arrancaran del cordón de la vereda, ella lo vio entrar en el edificio del correo. "Por supuesto", pensó. Miguel era un empleado postal.

Jacinta siguió sentada muy tiesa durante las dos cuadras que recorrió el ómnibus hasta su parada. Ella se bajó en la esquina, a pasos de la puerta de la casa de Magda."Quizá Pilar tiene razón,— se dijo—. A lo mejor sí necesito un hombre". A lo largo de los doce años transcurridos desde el asesinato de Chico, en ningún momento había pensado en otro hombre. Pero esa mañana sí lo hizo. Y nada menos que en un hombre casado.

CAPÍTULO VEINTITRÉS

En la cavernosa sala principal de la oficina de correos, Jacinta permanecía pacientemente en la fila de Miguel Acevedo. Era una fila larga, así que tuvo tiempo de notar cómo las voces se fusionaban con el eco de pisadas y el crujido de papeles. El bullicio del edificio tenía un sonido que se elevaba desde superficies oscuras lustradas y pasaba junto a conjuntos de buzones para rebotar contra el cielo raso y sus amplias vigas talladas. Alrededor de ella, el agradable aroma de la caoba emanaba de mostradores, paredes y pisos. En el aire flotaban las historias selladas dentro de los miles de sobres que entraban en el local y salían de él.

Jacinta pasó el peso del cuerpo de un pie al otro. Había revisado la casilla postal de los Tobar para ver si habían llegado cartas y colocado la correspondencia en su bolsa de compras. Ese día llevaba tres cartas para despachar. Las tenía en la mano en forma de abanico: una de Magda a Elena; otra que ella había escrito para Delfina, que no sabía leer ni escribir, y una tercera, también suya a Chenta en El Congo. A lo largo de los años, cada vez que tenía un fin de semana libre, algo que sólo sucedía cada tres meses, Jacinta periódicamente visitaba a Chenta. Pero en realidad eran las cartas y no tanto las visitas las que las mantenían en contacto. Jacinta volvió a observar la fila. Cinco personas la separaban de Miguel. Desde que lo había conocido tres semanas antes en casa de Pilar y, más tarde, en el ómnibus, Jacinta había ido dos veces al correo. En cada oportunidad había suplantado en esa tarea a Basilio Fermín, quien esa mañana estaba en el patio podando las gardenias cuando ella se le acercó con la noticia. "No te molestes hoy con la correspondencia. Yo voy a ir al correo después de almorzar." Basilio se agachó, sacó un trapo del bolsillo de atrás del pantalón y se secó con él la cara. "Ésta es la tercera vez", dijo mientras volvía a guardar el trapo. "¿Y?", contestó Jacinta y corrió a sacarse el uniforme y cambiarse de ropa antes de que él tuviera tiempo de decir nada más.

La cola avanzó algunos centímetros. Si Jacinta estiraba el cuello podía ver con toda claridad a Miguel. Él trabajaba con rapidez. Con gran habilidad desprendía estampillas de grandes planchas e imprimía sobres y papeles con veloces golpes de un sello de goma. Y respondía las preguntas que le hacían, de una forma que demostraba que no dependía de un jefe ni era indiferente. Las dos veces anteriores Jacinta y él no hablaron. La primera vez, ella se puso en la fila de al lado porque no deseaba hacer contacto con él. No sabía bien por qué había ido. Si esa misma mañana, en la parada del ómnibus, la idea de ese hombre era apenas algo difuso en su mente. La segunda vez estuvo más audaz: se acercó a su ventanilla y deslizó sobre el mostrador las cartas que había llevado. Lo miró con los ojos bien abiertos y expresión sincera, pero la reacción de él no fue distinta de la que tenía con los otros, así que Jacinta se limitó a tomar las estampillas que él le entregaba y después, en silencio, darse media vuelta y alejarse. Esa noche permaneció tendida en la cama escuchando los suaves ronquidos de Rosalba en el cuarto y el silbato del sereno que patrullaba la manzana y anunciaba así su presencia periódica durante su vigilancia. El silbato del sereno era una señal en la noche y le provocó interrogantes alarmantes: "¿Qué me pasa? ¿Por qué, después de tantos años, en mi corazón está la presencia de otro hombre?". Sola en la cama imaginó a Miguel, su mirada penetrante, sus manos de piel clara, seguro y rápido en su tarea.

Delante de Jacinta quedaba ahora sólo una persona en la cola, cuando de pronto Miguel cerró su ventanilla. Ahora apareció un cartel de "Cerrado" donde antes estaba Miguel. Jacinta se quedó mirándolo un momento, muy frustrada. Se corrió a la fila de al lado y aguardó de nuevo para despachar su correspondencia. Una vez afuera, levantó una mano para protegerse los ojos del resplandor de la tarde. Miró hacia la calle y, milagrosamente, vio a Miguel: estaba frente a un quiosco de venta de billetes de lotería. Jacinta fue hacia allí.

—Me llevaré cuatro billetes —le decía Miguel al vendedor. Miguel espió la enorme hoja impresa con columnas de números sujeta al costado de ese quiosco destartalado.

En la cara del vendedor apareció una gran sonrisa. Tenía dientes ennegrecidos que parecían pequeños muñones.

—Compre toda la hoja, señor —dijo—. Una hoja de veinte billetes le dará suerte. Con ella puede ganar cien mil colones.

—No —dijo Miguel—, cuatro vigésimos es suficiente. Pero, ¿cuáles escoger? Ésa es la eterna cuestión.

—Compre éstos, señor —dijo Jacinta, decidida a actuar sin demora. Y señaló al azar un número de la hoja. —Yo también voy a comprar cuatro de ese número. Tengo un buen pálpito. —¿Estaba loca? Ella no creía en gastar dinero en la lotería.

—¿De veras cree que éste es bueno?

—Es el uno-nueve-ocho-tres-cinco, ¿verdad? —dijo Jacinta leyendo el número de la hoja—. Es un muy buen número.

—Usted parece tan segura. Debe de haber ganado muchas veces. —Miguel la miró muy serio.

—Bueno, sí, gané suficiente. —¿Qué estaba diciendo? Casi no se reconocía.

El vendedor le guiñó un ojo a Jacinta y le dijo a Miguel:

—La señorita tiene un toque mágico. Compre ese número, señor. Se juega dentro de cinco días.

Miguel observó a Jacinta.

—¿De verdad? ¿Usted tiene un toque mágico?

Jacinta agitó la cabeza porque su mejor rasgo era su pelo negro y grueso.

—Así es.

—Entonces está decidido. Me voy a llevar cuatro billetes de ese número —le dijo Miguel al vendedor.

—Y yo otros cuatro.

—Una muy buena elección —dijo el vendedor mientras desprendía los ocho billetes de la plancha de veinte.

Jacinta abrió su monedero y sacó el cambio. Los dos pagaron sus billetes y echaron a andar por la calle.

—Me parece que acabo de poner mi fortuna en sus manos —dijo Miguel y metió su compra en un bolsillo del pantalón. De pronto se detuvo en medio de la vereda, con una expresión de intriga en el rostro. —Dígame, ¿no la conozco? Me parece cara conocida.

Jacinta hizo una seña hacia el edificio del correo que estaba detrás de ellos.

—Vengo seguido a buscar la correspondencia. Tal vez usted también lo hace. Soy Jacinta Prieto. —No hacía falta mencionar el barrio de Pilar y la noche en que él había pasado frente a su casa.

—Ah, ¡eso es! Yo trabajo en el correo. Tal vez usted ha venido a mi ventanilla. Soy Miguel Acevedo, empleado público. —E inclinó la cabeza hacia ella.

Jacinta se echó a reír.

—Empleado público. Me gusta cómo suena. —Volvió a sacudir la cabeza y sintió que el pelo le rozaba los hombros. —Bueno, tengo que irme.

—¿La voy a ver luego? Dentro de cinco días se decide nuestra fortuna.

—Eso será el lunes.

—Si nuestro número gana, tendremos algo que celebrar, ¿no le parece?

—Sí, podríamos hacerlo —dijo Jacinta. Se despidió de él, se alejó y todo el tiempo sintió sus ojos fijos en ella.

El lunes, Jacinta permaneció de pie mientras Magda desayunaba. El periódico del día estaba sobre la mesa, junto al individual de lino. En alguna parte de ese periódico estaba la lista de los números de lotería ganadores, y Jacinta estaba deseando consultarla, pero no podía tener el diario hasta que los señores hubieran terminado de leerlo. Magda bebió un café mientras repasaba los menús de la semana. Jacinta respondía a cada una de las sugerencias de Magda y hacía una anotación mental de los ingredientes que cada plato requería para poder darle a la cocinera una lista para el mercado. Para distraerse, Jacinta observó la enorme pintura que había sobre el aparador y que mostraba cortadores de café durante la época de la cosecha. En el cuadro, todos los cortadores parecían contentos, una apariencia visual engañosa que sin duda hacía que las crudas realidades de la cosecha fueran más digeribles para los ricos.

Más temprano, don Álvaro había entrado en la habitación y, como era su ritual matutino, ceremoniosamente desplegó el periódico (¡pobre del que osaba hacerlo antes que él!) y lo leyó durante el desayuno. La mala suerte hizo que esa mañana leyera cada una de las palabras que contenía. Cuando finalmente terminó, echó la silla hacia atrás y tomó su sombrero del perchero de la pared antes de salir por la puerta. Jacinta estaba a punto de tomar el periódico cuando Magda apareció y se sentó para su café con leche con tostadas. Magda pasó enseguida a la sección sociales y puso el diario sobre la mesa cuando los niños entraron con sus uniformes de colegio. Los varones —Álvaro (llevaba el mismo nombre que su padre, así que lo llamaban Júnior) tenía once años; Carlos, diez y Orlando, ocho— tomaron deprisa su desayuno y en un revoloteo de abrazos y besos se despidieron de su madre. Y se fueron con Basilio para la corta caminata hasta el Liceo Centroamericano. Un año antes era Tea, la niñera, la que acompañaba a los muchachos de ida y de vuelta del colegio, pero Júnior se había quejado de que parecía un marica por llevar siempre a su niñera a la zaga. Aceptó la presencia de Basilio porque no menoscababa su virilidad. "Es como si tuviéramos un guardaespaldas", había dicho el chiquillo.

Magda había vuelto a concentrarse en el periódico. Ahora señaló una fotografía que aparecía en mitad de la página.

—Mira esto —dijo, con un gesto hacia otras fotografías y relatos—.

Es una fiesta después de otra. Aquí hay un bautismo, aquí tres bodas, aquí un té. Y mira todas estas despedidas. ¿Sabes lo que significa, Jacinta? Significa regalos. Muchísimos regalos.

—Significa Tesoros —dijo Jacinta.

—¡Sí! Significa Tesoros. Significa que está llegando el momento de abrir la tienda. Lo único que estoy esperando es que se materialice la ubicación perfecta. —Magda apartó el periódico, bostezó y se desperezó. Bebió otro sorbo de la taza de café que tres veces antes Jacinta le había llenado en un intento de apurar el trámite. Magda se secó la boca con una servilleta. —¿Sabes? Cuando Tesoros abra, tú estarás a cargo de la casa y de los niños. ¿No te importa, verdad Jacinta? Es muy importante para mí.

—La cuestión sigue siendo, niña Magda, si realmente cree que yo puedo hacerlo.

—Por supuesto que puedes. —Magda se puso de pie y apoyó una mano sobre el brazo de Jacinta. —Lo has estado haciendo. Las cosas no cambiarán demasiado. —Magda se acercó más a Jacinta y la miró con expresión cómplice. —Lo que debemos hacer es tranquilizar a don Álvaro en el sentido de que nada cambiará cuando yo abra mi tienda. —Magda puso en blanco sus ojos oscuros. —Ya sabes cómo son los hombres. En el fondo, todos son unas criaturas.

—Sí —dijo Jacinta. Los dos hombres que ella había conocido, Antonio y Chico, ellos sí que habían sido bebés. O adolescentes, en todo caso. Pensó en su padre. No podía siguiera imaginar a Ignacio Prieto como un bebé.

—A propósito, hay correspondencia para despachar —dijo Magda por encima del hombro mientras se dirigía a su dormitorio y a la ducha. Le escribía a su madre dos veces por semana y recibía sus cartas en contestación. Algunos días antes había llegado también una carta de su padre, algo nada frecuente. Las noticias en la carta de su padre fueron inquietantes: "Tu madre se niega a comer mucho. ¿No puedes hacer algo al respecto?".

Jacinta corrió hacia la cocina con el periódico.

—Ya puedes levantar la mesa —le dijo a Rosalba, que estaba frente a la mesa de las criadas y bebía café de un plato en lugar de hacerlo de una taza. Rosalba se incorporó y salió de la cocina farfullando algo. Tea también estaba sentada a la mesa. Era de mediana edad y tan flaca y seca como la rama de un árbol. Era la única de las sirvientas que podía escuchar o no *Las dos*. Ahora que los tres varones estaban en la escuela, Tea disponía de más tiempo, aunque tenía bastante trabajo entre manos, ya que era la responsable de mantener en orden los cuartos y los armarios de los chicos y de ordenar la sala familiar, donde estaban los trenes y los modelos de autos.

Frente a la mesa, Jacinta abrió el periódico en la página donde estaba la lista de los números ganadores de la lotería. Estudió la lista, primero el número grande que figuraba al tope de la página y después la corta lista de números de tamaño mediano impresa debajo. El uno-nueve-ocho-tres-cinco no figuraba entre ellos. Se dejó caer en una silla, apoyó el diario sobre la mesa y comenzó a buscar en las columnas de números que había en el resto de la página. Lo hizo con lentitud, subrayando cada número diminuto con un dedo. Del otro lado de la habitación, Delfina enjuagaba una cacerola en la pileta.

—Jugaste a la lotería. —La cocinera se acercó y se sentó junto a Jacinta. —Tú nunca jugás a la lotería. —Como era sorda, hablaba en voz muy alta.

Rosalba entró con una bandeja repleta con la vajilla del desayuno.

—¿Quién jugó a la lotería? —Puso la bandeja en la pileta.

—Mi número no ganó —dijo Jacinta, sorprendida ante lo ocurrido. Estaba tan segura de ganar. Metió los dedos entre los botones del uniforme y extrajo los billetes que había guardado en el corpiño. Los puso sobre la mesa. Tal vez había recordado mal el número. No. Allí estaba: 19835.

Rosalba se acercó.

—Tú nunca jugás a la lotería.

—No puedo creer que no gané.

Tea dijo, con tono burlón:

—Sólo los ricos ganan a la lotería. ¿No lo sabías?

Rosalba se colocó en su sitio la gran peineta que usaba para levantarse el pelo. Había visto ese peinado en una de las revistas de Magda. Aparecía en una fotografía que mostraba a una mujer que estaba siendo besada por un marinero. El gringo había inclinado hacia atrás a la mujer, y la besaba en mitad de la calle. Rosalba se imaginó besada por Basilio de la misma manera. Debajo del árbol del extremo más alejado del patio, la rodearía con los brazos y la inclinaría hacia atrás de forma idéntica.

—Dejáme ver esa lista.

Jacinta apartó los billetes.

—No servirá de nada. Uno-nueve-ocho-tres-cinco. Es un número perdedor. —Fue a la alacena, sacó una taza y se sirvió café en la cocina.

—¿Ves? ¿No te lo dije? —dijo Tea. Estaba terminando una tortilla de a pequeños mordiscos, que era su manera de comer.

—Te equivocas —dijo Rosalba—. Parte del número ganó algo.

Delfina se rodeó la oreja con una mano.

—¿Qué dijo?

—Que parte del número de Jacinta ganó algo —repitió Rosalba con voz más alta para hacer juego con la de la cocinera.

—Broméas. —Jacinta dio un paso atrás porque casi acababa de derramarse café encima. Bajó la taza y se acercó a la mesa.

—No, nada de eso. Mirá. El número ocho-tres-cinco ganó algo. —Rosalba tenía la cabeza agachada sobre el periódico. Varias hebras de pelo escapaban de la peineta y le caían sobre la cara.

—¿Qué pasó? —repitió Delfina.

—Que el billete de Jacinta ganó —respondió Rosalba.

—¿Qué ganó? —preguntó Delfina, los pelos del mentón obvios ahora a la luz de la ventana.

—Dejáme ver. —Jacinta miró el número que Rosalba le indicaba. La muchacha tenía razón. Debajo de la columna de los ganadores de cinco colones aparecían los últimos tres dígitos del número. Jacinta volvió a desplomarse en la silla. —Son veinte colones. —Su sueldo mensual era de treinta colones, diez colones más que Tea y Delfina, los miembros más antiguos de la servidumbre, quince colones más que el resto. —Gané veinte colones.

Llegó Basilio después de acompañar a los chicos a la escuela.

—¿Alguien ganó dinero? —Colgó el sombrero del respaldo de una de las sillas de la cocina.

—Jacinta ganó veinte colones —contestó Delfina.

—Tú nunca jugás a la lotería —comentó Basilio.

—Fui yo la que encontró el número —señaló Rosalba.

El ruido intenso de una chicharra sonó del otro lado de la cocina, por un corto hall interior que conducía al garaje y a la entrada de servicio posterior.

—Es Juana —dijo Basilio—. La haré pasar. —Juana era la lavandera, el único miembro del personal que no vivía en casa de Magda.

Jacinta recogió sus billetes ganadores y se los puso de vuelta en el corpiño.

—Hoy yo voy a llevar la correspondencia al correo —gritó en el momento en que Basilio salía por la puerta de la cocina.

Eran casi las tres cuando llegó a la oficina de correos. Se puso en la fila de Miguel y cuando finalmente llegó a la ventanilla, esperó a que él levantara la cabeza y la viera.

—Ah, señorita Prieto —dijo cono una amplia sonrisa—. Usted es el rostro de la suerte. —Bajó la voz y continuó: —Estoy seguro de que sabe que nuestros billetes ganaron. Yo juego desde hace muchos años y jamás gané más que unos pocos colones.

—Nosotros ganamos veinte. Veinte cada uno. —Jacinta deslizó por la ventanilla hacia Miguel la carta que Magda le había escrito a Elena.

—Justo ahora iba a la oficina de la lotería a cobrar. Supongo que usted ya lo hizo.

—En realidad no. —Él seleccionó la estampilla apropiada para Jacinta y se la entregó. Miró su reloj pulsera. —Mire, es casi la hora del almuerzo. Aprovecharía ese tiempo para cobrar mi billete. ¿Le importa que la acompañe?

Jacinta humedeció la estampilla con la punta de la lengua y después la pegó en el sobre.

—Si usted quiere...

—Muy bien, entonces. Me voy a reunir con usted en el quiosco de lotería. —Miguel puso el cartel de "Cerrado" en la ventanilla y Jacinta fue a la casilla postal de los Tobar para recoger la correspondencia antes de reunirse con él. Como el corazón le latía tan deprisa se distrajo estudiando el remitente de cada carta que sacaba de la casilla. Parte de la correspondencia estaba dirigida a don Álvaro, pero tres cartas eran para Magda. La de Elena no era ninguna sorpresa, ni tampoco la segunda, de Leonor, la esposa de su hermano Neto. Pero la tercera era un asunto muy diferente y habría hecho que Jacinta corriera de vuelta a la casa si no hubiera hecho planes con Miguel. La tercera carta venía en un sobre cuadrado y celeste, con el nombre "Cecilia de Aragón" escrito con tinta color azul oscuro en el extremo superior izquierdo.

La oficina principal de la lotería estaba ubicada en Paseo Independencia, cerca del Teatro Nacional. Jacinta y Miguel decidieron ir caminando y volver en el ómnibus. Para no perder tiempo cortaron camino por parques del vecindario y después tomaron la calle Arce, una calle llena de gente y de comercios. El pulso de Jacinta se había serenado, pero ahora era su mente la que se agitaba con furia. En su bolso de compras había noticias de Cecilia; y al lado de ella caminaba un hombre con una resplandeciente camisa blanca y un leve aroma a limón. Mientras caminaba, Jacinta se hizo dos preguntas: ¿Qué clase de noticia traería esa carta? y ¿Por qué Miguel Acevedo se mostraba tan complaciente con ella? El hecho de que tuviera esposa hacía que esta última pregunta resultara a la vez inquietante y emocionante.

Aquí y allá, a los costados de los edificios, mujeres emprendedoras habían instalado pequeños puestos de venta de fruta.

—¿No quiere fruta mi reina? —le preguntaban cuando Jacinta pasaba. El olor reconfortante de tortillas calientes flotaba en la calle y muy pronto pasaron por un comedor lleno de gente que almorzaba allí. Eso le trajo El Congo a la memoria. Su madre. Chenta. El puesto de fruta de Luis. Curiosamente, por su mente también desfilaron Josefa, la vieja desdentada, y hasta el evasivo Joaquín Maldonado. Tal vez fue la carta de Cecilia la que provocó la aparición de esos recuerdos. Cuando menos lo esperamos y en el momento más extraño, el pasado podía extender su largo brazo y volver a tocar nuestra vida.

—¿Por qué está tan seria, señorita, cuando estamos a pocas cuadras de tener billetes nuevos en los bolsillos?

—Perdone. Hay tanto ruido en la calle. Y, por favor, llámeme Jacinta. Jacinta Prieto.

Llegaron al Paseo Independencia, una amplia alameda bordeada por palmeras y árboles de sombra. En el centro había un andén con césped. Esperaron a que disminuyera el tráfico para cruzar a la oficina de lotería.

—Por Dios —dijo Jacinta—. Mire la cola que hay. —Una fila serpenteaba hasta la parte exterior del edificio. —Tal vez no es buen momento.

Miguel volvió a consultar su reloj.

—Todavía nos quedan cuarenta minutos. —Se había arremangado las mangas hasta los codos y Jacinta alcanzó a ver el vello abundante que cubría sus brazos bien torneados. Ocuparon su lugar en la fila mientras el sol se abatía sobre ellos. Sorprendentemente, la cola avanzó rápido y pronto estaban de nuevo en la calle, cada uno veinte colones más rico. En la parada del ómnibus, Miguel encendió un cigarrillo y se puso el fósforo de madera entre los dientes antes de dar una bocanada.

—¿Sabe?, me siento en deuda con usted. —Miguel se palmeó el bolsillo que contenía su ganancia. —Tengo confianza va a permitir demostrarle mi gratitud. Algún día, después del trabajo. Me gustaría convidarla a un cafecito.

Ella se imaginó sentada con Miguel en un café, con uno de los vestidos que Pilar le había cosido.

—Tal vez. Quizá en mi día libre. —Además de un fin de semana cada tres meses, tenía un día libre cada dos semanas.

—¿Y cuándo será eso?

—Ya pronto —contestó, porque no quería ser demasiado directa. Tantos años sin un hombre en su vida, y ahora éste, con sus pantalones de pinzas y su camisa planchada, sus ojos negros y ese encantador palillo del fósforo moviéndose entre sus labios cuando hablaba. Paseó la vista por la calle y después volvió a mirarlo. —Dígame, señor, ¿qué va a hacer con su dinero?

Miguel levantó una mano.

—Por favor, dígame Miguel. Después de todo, somos socios en la buena fortuna, ¿no es así?

Jacinta rió.

—Supongo que sí.

—Con respecto al dinero, tengo planes bien definidos. Lo voy a dividir entre mis hijos. Ellos tienen planeado un viaje con su mamá a la casa de su abuela en San Vicente. El dinero les va a caer bien.

—Ah, ¿tiene hijos? —O sea que tenía esposa y también hijos. Madre de Dios. ¿Qué estaba haciendo ella?

—Tengo tres. Un varón y dos niñas.

—¿Qué edad tienen?

—El varón tiene diez; las niñas, quince y diecisiete. En realidad ya son mujeres.

—Se debe de sentir muy orgulloso de ellos.

—A veces me hacen sentir orgulloso. Pero, dígame, ¿qué me dice de usted? ¿Tiene hijos?

—No, no tengo.

—¿Está casada, Jacinta?

—No, no estoy casada.

—Entonces debe de tener muchos pretendientes.

Ella no respondió sino que bajó la vista, porque sintió que comenzaba a ponerse colorada.

—Es una buena combinación —dijo él al cabo de un momento—. Usted es una mujer seria y también modesta.

Álvaro Tobar aferró el volante de su automóvil deportivo convertible y se aprestó a tomar la curva que se acercaba. Miró el velocímetro. La aguja marcaba los 130 kilómetros por hora. Tomó la curva y reprimió el impulso de apretar más el acelerador. A Álvaro le fascinaba su auto. Le encantaba la sensación de poder que experimentaba cuando estaba en el asiento del conductor. Tenía el Ford desde antes de la guerra y tal vez ahora que la guerra había terminado y tan pronto como la Ford empezara a fabricar de nuevo automóviles, él se compraría un modelo nuevo. Pero no vendería ése. Palmeó el volante como para asegurarle su lealtad al vehículo.

Álvaro observó el cielo. Era un atardecer de comienzos de noviembre. El viento norte hacía girar nubes negras sobre su cabeza. El aire estaba pesado por la lluvia inminente, sin duda uno de los últimos chaparrones previos a la estación seca. Esperaría a que cayeran las primeras gotas antes de levantar la capota. Quizá, si tenía suerte, le ganaría a la lluvia. Estaba a sólo pocos kilómetros de San Salvador y, una vez dentro de los límites de la ciudad, a apenas minutos de su casa.

Sus pensamientos se centraron en la cosecha de algodón. Durante la semana anterior había estado en la costa este, en El Porvenir, la plantación que tenía en las afueras de Usulután. En ese viaje había ayudado a preparar la hacienda para la cosecha, que comenzaría a fines del mes. Era mucho lo que estaba en juego con su algodón. Él siempre se refería a él como “mi algodón”, un negocio que controlaba él y no su madre. Evocó el rostro fuerte y atractivo de su madre, Eugenia Herrera de Tobar. A los setenta y tres años, doña Eugenia seguía siendo la soberana absoluta de la familia Tobar y, como tal, controlaba sus negocios y sus asuntos personales con el mismo vigor con que lo había hecho desde la muerte de su marido. Álvaro tenía cinco cuando el administrador de la finca dijo desde la puerta abierta de la casa grande "Hubo un accidente. Fue el caballo. Arrojó al señor al barranco". Con el tiempo, Álvaro comenzó a caer en la cuenta del impacto que ese hecho había tenido en su vida.

Volvió a mirar de nuevo el cielo. Se estaba poniendo muy oscuro. Pensó de nuevo en su padre, que había estado en coma tres días antes de morir. Sólo durante ese tiempo su madre se había permitido llorarlo. Después del funeral, y porque debía criar a Álvaro y a sus cuatro hermanas, ella tomó las riendas de la hacienda de ganado de su marido y de su vasta propiedad y en ningún momento las soltó. Bajo su control, las empresas de su marido prosperaron. Sí, hubo momentos en que ella clamaba por las vueltas del destino que la habían obligado a recorrer un sendero tan lleno de responsabilidades. "La vida me ha impuesto una carga muy pesada —solía decir—. Una carga que desearía tanto que me quitaran de los hombros." Cuando la gente oía esto, asentía con la cabeza con solemnidad y chasqueaba la lengua como diciendo: "Vaya, qué mujer tan valiente que eres. Cómo te sacrificas por tus hijos". Incluso de niño, cuando Álvaro oía las lamentaciones de su madre, había espiado en el corazón de su madre como si ella tuviera el pecho de vidrio. Y allí había visto el placer que esa carga le proporcionaba.

La obsesión de su madre era el poder. ¿Podía él culparla? También Álvaro había sentido un atisbo de ese poder. Lo olía en su algodón. Estaba en el negocio desde hacía cuatro años. Los primeros tres fueron prometedores. Se libraba una guerra mundial y, a diferencia del café, los precios del algodón subían en forma constante gracias al crecimiento de la industria textil local. Aunque la época de la cosecha coincidía con la del café y en ambos casos se dependía en forma casi exclusiva de jornaleros de temporada para la recolección, en el país había tanta mano de obra que alcanzaba para ambas plantaciones. Mejor aún, los recolectores eran eficientes y baratos; una bendición, en especial para el algodón, ya que como representaba una cosecha anual era preciso repetir la siembra todos los años.

Desde el comienzo, su madre no lo había alentado a iniciarse por su cuenta. "Sólo los tontos se dedican al algodón cuando existe ganado que criar o café para cultivar", decía, con lo cual lo obligaba a empeñarse más para demostrarle que estaba equivocada. Álvaro había pasado meses buscando el terreno apropiado entre las propiedades que la familia poseía en la planicie costera. Cuando lo encontró, él mismo lo sembró y después vigiló las plantas en crecimiento. Viviendo en un rancho cerca del campo, estaba presente en el momento en que las plantas florecieron: primero los capullos de color blanco pálido, tan delicado como los hibiscus; después, prodigiosamente un día más tarde, esos capullos se volvían rosados.

Álvaro ingresó en el extremo sur de la ciudad y redujo la velocidad del vehículo al pasar frente al extenso cuartel El Zapote, cuyos imponentes bastiones todavía exhibían orificios de balas y de mortero de los dos golpes de Estado del año anterior. Mantuvo la velocidad baja hasta haber pasado por el Palacio Presidencial. Después de la toma del poder por parte del general Castañeda, en ambos lugares había una fuerte presencia militar. Álvaro pasó frente a soldados que montaban guardia, sus rifles con bayonetas caladas cruzados sobre el pecho. El régimen de Castañeda llevaba apenas un año, y si bien no había llegado a los extremos de represión de Martínez, su predecesor, Castañeda todavía no había realizado verdaderas concesiones de orden económico. Pero era aún demasiado pronto para saber qué medidas tomaría para con los dueños de las plantaciones de algodón de tamaño mediano.

Cuando Álvaro llegó a la avenida Cuscatlán aceleró y se abrió paso por entre el tráfico. Algodón. Cultivarlo implicaba un riesgo, porque con el algodón nunca se podía ganar tanto dinero como con el café, pero Álvaro no permitió que ese pensamiento lo perturbara. Contaba con varios medios para ganar dinero: las propiedades y campos que compraba y vendía, un puesto en la directiva del banco, el negocio de los camarones en la costa. Había abandonado hacía años la práctica de la abogacía, aunque en ocasiones tomaba uno o dos casos en calidad de asesor. Pero era en el negocio del algodón donde había puesto su corazón y su dinero. Tan seguro estaba de un rendimiento extraordinario, que el año anterior había invertido en él también el dinero de Magda. Era lo que había heredado del legado que su abuelo le dejó doce años antes. Magda se lo había confiado a Álvaro, quien lo manejó con prudencia y procuró que aumentara. Cuando fuera el momento adecuado, ella podría usarla para cristalizar sus propios planes: una tienda de regalos llamada Tesoros. Cuando acababan de casarse, Magda no hablaba de otra cosa. Pero entonces llegaron los hijos y la depresión y la guerra. Las circunstancias y el tiempo habían trabajado en favor de Álvaro. A pesar de haber llenado un cuarto con muestras de mercaderías que ofrecería en el negocio, Magda había permanecido en su casa, en el lugar al que pertenecía. Álvaro creía a pies juntillas en el adagio que decía que el lugar de la mujer es el hogar. ¿Quién mejor que él para saberlo? Un hombre que había tenido una madre como la suya.

La lluvia comenzó a caer cuando cruzaba la avenida Roosevelt. Álvaro lo hizo por la intersección; después estacionó junto al cordón de la vereda y saltó del auto. Trabajó deprisa tironeando la lona para poner la capota. La lluvia le mojó la espalda y los hombros cuando calzaba los ojales en los broches metálicos. Pronto estaba completamente empapado y le colgaban la parte de atrás de la camisa y de los pantalones color caqui. Volvió a instalarse detrás del volante en el momento en que se largaba un fuerte chaparrón. La lluvia caía en ángulos contra el auto y marcaba un ritmo contra la capota y el capó de acero. El interior del auto se empañó y la atmósfera se puso húmeda y pesada. Álvaro limpió un círculo en el parabrisas con un puño. Otros autos se habían detenido, las cunetas se estaban llenando y muy pronto el agua fluía por el centro de la avenida.

El desastre de la cosecha del año anterior le ocupó la cabeza. Se echó hacia atrás en la butaca y recordó su algodón, los copos hinchados y listos para estallar en una nube de blanco, infestadas malévolamente con gorgojos.

Pero este año sería diferente. Él había tomado medidas al respecto: pasó casi toda la semana haciendo acopio de DDT dieldrina y malathion, insecticidas que impedirían el fracaso de la cosecha. Les había enseñado a los capataces de qué manera había que espolvorear pacientemente las plantas, un procedimiento que ellos les transmitirían después a los recolectores.

Álvaro se pasó una mano por el pelo húmedo. No le había contado nada de esto a Magda, desde luego. ¿Para qué preocuparla? Todo era cuestión de flujo de fondos, de dinero transferido de una cuenta a otra, de préstamos bancarios y pagarés. Este año la cosecha le daría cuantiosas ganancias. Este año, gracias a los insecticidas, la cosecha sería excepcional.

Álvaro y Magda, en el santuario del dormitorio de ambos, donde ella era la ilusionista suprema: en el centro del escenario, una amplia cama con dosel de cuyos rincones caía un *voile mate* que se amontonaba sobre una alfombra color canela. Como en un lienzo de Rubens, las paredes tenían un reflejo cobrizo con la luz suave de los candelabros de pared y las lámparas votivas que titilaba sobre los estantes y las mesas. Esa luz leve se extendía a lo largo de la alfombra y hasta el costado de la cama, de modo que las dos figuras recostadas sobre las almohadas, sus cuerpos húmedos después de hacer el amor, brillaban con ella.

Álvaro respiró profundamente y cerró los ojos. Se hundió más en las almohadas, una mano apoyada en el muslo de Magda, sus dedos sobre la almohadilla de su pubis. Magda era suya y Álvaro nunca parecía tener suficiente de ella. Durante doce años, casi todas las noches que estaban juntos, sea en esa habitación mágica o en cualquier cuarto al que los viajes de ambos los llevaran, cada uno exploraba y escalaba el cuerpo del otro como si fuera la primera vez. Ella era inagotable e inventiva, una combinación de cualidades poco frecuente en una mujer. Antes de su matrimonio, Álvaro había tenido algunas otras mujeres: un primer amor, una muchacha dulce y tímida que en dos ocasiones le permitió que la montara pero las dos veces mantuvo los ojos cerrados y las piernas tan apretadas que él terminó, a pesar del obstáculo y sin duda debido a su excitación, sobre el borde óseo de sus muslos. Y después hubo también putas, mujeres carnosas y chillonas que no vacilaban en abrir las piernas de par en par pero que, cuando él terminaba con una serie de gemidos apagados, enseguida giraban el cuerpo y se apartaban, la mirada opaca, como cuando él sacaba un colón de la billetera y se los ponía en la palma de la mano.

Pero desde Magda no hubo otras. ¿Qué hombre, teniéndola a ella, necesitaría otra? Él poseía a una hechicera y era poseído por sus encantamientos, por sus piernas abiertas, por ese lugar cálido y salado que tenía entre ellas. Estaba poseído por su boca, su lengua, sus dedos.

Magda se movió debajo de sus dedos. Él giró la cabeza para mirarla y vio que lo observaba. Ella tenía los ojos brillantes y el pelo húmedo convertido en rizos. La transpiración le había dado lustre a sus mejillas, a sus pechos y a la tenue línea amarronada que el hecho de tener hijos le había trazado en el vientre. Magda empujó las caderas contra la mano de Álvaro.

—Ahora hazlo con los dedos —dijo, y él se puso de costado y le deslizó adentro un dedo—. Que sean más de uno —dijo ella, buscó su mano y arqueó la espalda hacia él. Álvaro hizo lo que ella le pedía y muy pronto sintió que ese terciopelo interior se estremecía con su roce. Magda gimió. —Sí —dijo—. Exactamente así.

CAPÍTULO VEINTICINCO

Magda colocó en el plato una pechuga de pollo de la fuente que Rosalba le ofrecía.

—Qué rico —dijo. El pollo tenía un color dorado apetitoso y un agradable olor a ajo. Rosalba le sirvió a Álvaro, en la cabecera de la mesa, y después a los varones quienes, con la excepción de Júnior, se movían en las sillas y parecían a punto de saltar. —Quédense quietos, monitos —dijo Magda—, o comerán en la despensa como de costumbre, con Tea y no conmigo y con Papá.

—Nos portaremos bien —dijeron Carlos y Orlando al unísono. Estaban frente al mismo lado de la mesa. Orlando se había sujetado la servilleta en el cuello de la camisa para que pareciera que usaba una gran corbata blanca.

—Eso sí que sería raro —comentó Júnior con tono de hermano mayor. Tenía todo un lado de la mesa para él solo y disfrutaba de esa distinción. Mantenía las manos sobre las rodillas, tal como su madre le había enseñado, y sabía que sólo debía levantarlas hacia el tenedor y el cuchillo cuando ella empezara a comer.

Rosalba pasó a servir coliflor con salsa de mantequilla (los varones pusieron cara de asco), arroz azafranado y un guiso fragante de frijoles negros con chorizo, que colocó en el medio y junto a un centro de mesa de flores color morado y blanco, una fuente de vidrio llena de lechuga y una pequeña jarra con jugo de limón recién exprimido. Magda opinaba que las ensaladas aderezadas sólo con limón eran un depurador intestinal y en cada almuerzo insistía en que la familia se sirviera una porción después del plato principal.

—¿Cuando vayamos a la hacienda podré montar a caballo, Papá?

—preguntó Orlando. Dentro de pocas semanas, cuando Álvaro se trasladara a El Porvenir para la cosecha de algodón, se llevaría a los varones por unos días. El período escolar acababa de terminar y los niños estaban de vacaciones hasta febrero. Además, Tea, cuya tarea era ocuparse de darles de comer, de mantenerlos relativamente limpios y de procurar que se acostaran en hora, y Basilio Fermín, también irían. En la hacienda él acompañaría a sus hijos a andar a caballo, a pescar en el río o a explorar la propiedad.

—Puedes montar a Brisa —dijo Álvaro. Brisa era la yegua de lomo hundido que, por su edad, sólo podía andar al paso.

Orlando hizo una mueca. Tenía pelo grueso y enrulado como su padre y su mismo rostro abierto y amable.

—Brisa es demasiado vieja. Quiero montar a Sultán. —Y con el cuchillo jugueteó con el arroz y empujó algunos granos hasta el borde del plato.

—Sultán es mi caballo —dijo Júnior—. ¿No es así, Papá?

—Niños, no peleen —los reprendió Magda—. Orlando, come el arroz. —Cuando todos los varones se fueran ella centraría toda su atención en la tienda. El día anterior, cuando Álvaro volvió de El Porvenir, ella no lo había molestado con los detalles de sus propias noticias. Después de una semana ausente, él estaba ansioso de hablar de la hacienda, de los preparativos realizados para la cosecha. Y aseguró estar hambriento de una buena comida casera; y de acostarse temprano y de los hechizos que en ese lecho tenían lugar. Con todo gusto ella había satisfecho sus deseos, en particular el último, porque cuando Álvaro no estaba también ella anhelaba esos momentos juntos. Pero eso había sido ayer. Hoy, confiada en que su marido era un hombre satisfecho y, por ende, dispuesto a oír sus opiniones y proyectos, le daría sus noticias.

—Amor —dijo, mientras por sobre las flores observaba la forma en que él disfrutaba de la comida—, no creerás lo que sucedió.

—¿Qué cosa? —preguntó él y bebió un sorbo de agua.

—Encontré el lugar perfecto para Tesoros. Un lugar absolutamente perfecto.

Álvaro apoyó el vaso con agua junto al plato.

—Ah. ¿Y dónde queda eso?

—A dos puertas del Gran Hotel y cinco cuadras de casa. ¿Puedes creerlo?

Álvaro frunció el entrecejo.

—¿Ésa no es la tienda de periódicos de Quique Aguiluz?

—Exactamente. Pero Quique decidió expandirse y vender no sólo periódicos y revistas sino también libros. Y por lo tanto necesita un local más grande. Así que se muda en febrero. Cuando lo haga, yo puedo ocupar su lugar actual. Ya está decidido. Hice el trato cuando estabas ausente.

—¿Hiciste un trato?

—Bueno, sí. Firmé un contrato de alquiler. Tenía que moverme con rapidez. Hay una lista de otras personas que querían ese local. La ubicación es espléndida, eso no puedes negarlo. Quique quiere un pago en efectivo equivalente a tres meses de alquiler y un depósito de garantía. Me pareció justo. Hasta conseguí que aceptara esperar el pago una semana. —Magda también bebió un trago de agua. Se secó la boca con la servilleta antes de continuar. —No hace falta decir que necesitaré parte de mi dinero.

Álvaro cubrió con la mano su cuchillo y luego su cuchara como si los estuviera protegiendo.

—No puedes tener tu dinero.

—¿Cómo que no puedo tener mi dinero?

—Todo tu dinero está invertido.

—¿Cómo es posible? —preguntó Magda.

—Es posible porque los tiempos han sido difíciles, ¿tengo que recordártelo? Es posible porque, para poder obtener el mejor interés, el rédito más seguro, tuve que invertirlo. ¿Quién podía imaginar que la guerra terminaría? Podría haber continuado para siempre. Si yo hubiera sabido que llegaría a su fin, habría actuado de manera diferente.

Magda permaneció un momento en silencio. Después dijo:

—¿Y cuándo crees que estará disponible mi dinero?

—Dentro de varios meses. Un año, quizá. No lo sé así, de improviso. Tendría que revisar tu portafolio.

—De acuerdo, entonces, te lo pediré prestado a ti. Tú me darás el dinero. Y, a propósito, no sólo debemos tomar en cuenta el alquiler sino que, entre ahora y febrero tendré que hacer por lo menos dos viajes de compras al extranjero. Uno a Nueva York y el otro a Londres. Y tal vez un tercer viaje a Alemania. Tú lo sabías, Álvaro. Hace años que hablo de este proyecto.

Carlos, el hijo del medio, que había heredado la serenidad de don Orlando, su abuelo, arrugó el semblante:

—Papis, por favor no se peleen.

—No nos estamos peleando, mi amor —dijo Magda—. Mamá y Papá sólo están discutiendo.

—Qué discusión —dijo Júnior y apoyó una mejilla en el puño.

—Por favor, nada de codos sobre la mesa —dijo Magda.

—No puedo prestarte dinero —dijo Álvaro—. También mi dinero está invertido.

—¿Todo tu dinero? ¿Todo tu dinero está invertido?

—Está invertido en la cosecha de este año. Después de febrero mejorará el flujo de efectivo. Después de febrero podré prestarte dinero.

—Entonces será demasiado tarde.
—Es todo lo que puedo hacer.
—No, no lo es.
—¿Qué quieres decir?
—Estás en la directiva del banco. Iré a tu banco y pediré un préstamo.
Lo que Álvaro amaba de la forma en que Magda manejaba la casa, los muchachos, el personal; lo que amaba de ella en la cama lo odiaba cuando se trataba de los planes de ella de entrar en el mundo de los negocios. Una mujer no tenía lugar en ese mundo. Y, por cierto, menos que menos una mujer que era también esposa y madre.
—Te diré lo que haremos. No hace falta que vayas al banco, déjamelo a mí. Yo hablaré con la comisión de préstamos.
—¿En serio? —preguntó Magda—. ¿Procurarás que me lo den?
Álvaro le sonrió a Magda por encima de la mesa.
—Haré lo que pueda —respondió.
Magda se arregló la servilleta sobre la falda.
—Gracias, amor. Sé que harás todo lo posible.

Y él había hecho todo lo posible. Hizo lo que era mejor para Magda, lo que era mejor para sus hijos, lo que era mejor para él, aunque se hubiera puesto en último lugar.

Había solicitado una reunión especial de la comisión de préstamos. Una vez reunida, expuso frente a ese panel de hombres, algunos de su misma edad, la mayoría no, unos pocos mayores que él, los hechos de la situación de Magda: "He aquí una mujer ejemplar —les había dicho—. Una madre dedicada, una esposa amante y fiel. He aquí una ciudadana que desea abandonar la seguridad de su hogar para emprender peligrosos viajes al extranjero, para trabajar muchas horas lejos de su familia. No se equivoquen, caballeros —había dicho—. Aunque esta mujer no tiene ninguna experiencia en el campo de la venta al por menor, aunque en el presente esté descapitalizada, esta mujer es capaz, eficiente y perspicaz. Encarna el espíritu de la mujer salvadoreña; trabajadora e inteligente. Una mujer dedicada a salir adelante. Bajo la mano creativa de esta mujer, bajo su mirada vigilante, bajo su manejo hábil, una nueva empresa florecerá en nuestra capital. Esta empresa, en la que con toda seguridad cooperarán las esposas, hijas y madres de ustedes para que sea próspera, merece no sólo la consideración de cada uno sino también su voto para proporcionar los fondos que la pondrán en marcha".

Él, desde luego, se abstuvo de votar, porque por su discurso apasionado era evidente cuál era su posición. Sólo les llevó minutos tomar una decisión. Antes de que la expresaran en voz alta, todas las miradas se centraron en Álvaro, y él soltó los hombros, pero sólo durante un instante, antes de cuadrarlos para oír que se veían obligados a rechazar el pedido de su mujer. El hecho de que él no hubiera dicho ni una sola palabra en contra de ella contribuyó a aplacar el dolor de la derrota.

CAPÍTULO VEINTISÉIS

Aunque era mediados de noviembre, las lluvias habían cesado y los días cálidos y las noches tibias del verano se habían instalado definitivamente, hacia el norte de la capital, en las montañas, concretamente en el departamento lleno de pinos de Chalatenago. El verano era tan fresco que durante el día por lo general la gente llevaba los brazos cubiertos. Durante la noche, el aire se volvía tan frío que todos se acurrucaban en la cama y, hacia el amanecer se cubrían como momias. Ubicada a lo largo del borde de la cordillera de Alotepeque estaba El Recreo, la hacienda de Elena de Contreras. La propiedad medía alrededor de diez mil hectáreas e incluía amplios valles, empinadas laderas cubiertas de pinos, riscos escarpados y los arroyos cristalinos que en realidad provenían del río Lempa y el río Sumpul en la frontera con Honduras, a tan sólo diez kilómetros de allí.

Cuando el padre de Elena, Orlando Navarro, era joven, había descubierto esa propiedad en una cacería de venados. Al emerger de un bosque de pinos, con la Remington colgada de un hombro, llegó a un claro tan verde que tuvo que parpadear por la maravilla que tenía ante los ojos. "¡Virgen Santa!" exclamó, giró sobre sus talones y el espectáculo que se abrió delante de él no sólo fue ese valle increíble que lo rodeaba sino la majestuosidad del pinar que acababa de dejar, la brisa que murmuraba entre ellos y el risco de montaña que se erguía, imponente, sobre su cabeza. La propiedad estaba ubicada en un valle llamado el Llano de la Virgen, y cuando se enteró de que estaba en venta, enseguida la compró. Algunos años más tarde construyó una casa en el mismo lugar donde había descubierto ese prodigio.

Cuando Orlando Navarro murió, le heredó El Recreo a Elena. De todas las propiedades de su padre, era la que ella más amaba. Sus dos hermanos, por el hecho de ser jefes de familia, heredaron la finca de café, la planta procesadora de café y los terrenos a lo largo de la costa y en la capital. En un intento de equiparación, a Elena también le dejó una modesta renta anual; el testamento especificaba que no más porque ella tenía un marido para mantenerla. Elena no opuso ninguna objeción a la disparidad de los legados. El Recreo era suyo y eso bastaba para satisfacerla. Desde la muerte de su padre en 1934 ella no había pisado la propiedad, al principio porque no tenía ánimo ni energía suficiente para enfrentar a los fantasmas que poblaban el lugar y, más tarde, sencillamente por una cuestión de hábito. Fue Magda la que, apenas el día anterior, había convencido a su madre de que fueran allá. A las dos les vendría bien alejarse, había dicho Magda. Ella misma necesitaba un poco de tiempo para adaptarse el golpe que le significó la negativa del banco de prestarle dinero. Conversaría con su madre sobre un nuevo plan de acción a tomar.

Esa mañana, bien temprano, las dos estaban acurrucadas en unas *chaises longues* colocadas frente al fuego que el cuidador había encendido en la chimenea de piedra. El olor del fuego había despertado a Elena, quien se levantó y enseguida se puso un par de pantalones (eran de Magda, quien había insistido en que su madre los usara) y un conjunto de suéteres de cachemira. Elena salió al porche de atrás donde estaba el balde con agua, y no le sorprendió la delgada capa de hielo que tuvo que romper para poder llegar al agua con que se salpicó la cara. Antes de volver a entrar en la casa permaneció un momento en el porche contemplando el establo y el corral entre la bruma que en ese momento se elevaba del campo, el arroyo y los árboles.

Adentro, el ambiente estaba impregnado de olor a resina de pino. El aire de la montaña se filtraba por las ventanas y la puerta. La esposa del cuidador había puesto una cafetera de loza y una cesta con pan dulce sobre una pequeña mesa que había entre las dos mujeres. Elena y Magda sostenían jarros que no sólo servían para contener el café sino también para calentarles las manos.

Magda todavía llevaba puesta la bata; apartó el cobertor que había traído del dormitorio y estiró las piernas hacia el fuego. Usaba zapatillas y un par de las medias de tenis de Álvaro.

—Por suerte ya no tengo tanto frío.

—Espera a lavarte la cara —dijo Elena—. Había hielo en el balde.

—No, gracias. Prefiero usar la canilla de agua caliente del baño.

—Cuando yo era niña aquí no había ningún cuarto de baño. Teníamos los enormes barriles de agua a los costados de la casa. Y la letrina que papá construyó junto al arroyo. Por aquella época yo siempre era la primera que se levantaba. Y enseguida corría hacia los barriles, impaciente por quebrar el hielo. —Bebió un sorbo de café antes de continuar. —Acostumbraba creer que el hielo era un milagro. No importaba qué hacía el sol durante el día; al oscurecer, la noche volvía a sellar el agua. Cada mañana había hielo en el barril, un hielo tan liso y sereno que a veces yo tenía la impresión de que podía ver mi cara en él. —"Y la cara de Cecilia siempre junto a la mía", pensó Elena, pero no lo dijo.

—Suena muy romántico, mamá, pero prefiero los adelantos modernos.

—¿Cómo olvidarlo? Fuiste tú la que exigió que construyéramos el cuarto de baño.

—¿Y por qué no? Era mi luna de miel. Ya bastante fue que no pudiéramos viajar a Europa. Yo no estaba dispuesta a acarrear agua, utilizar la letrina y lavarme en el arroyo durante mi luna de miel. —En realidad había aprovechado a fondo ese río. A media tarde, después de que el sol se había extendido durante horas sobre los campos, después de que le había quitado un poco el frío al agua del arroyo, después de que los cuidadores se iban, Magda y Álvaro corrían de la casa y cruzaban el claro camino al río, e iban dejando caer la ropa en el camino para sumergirse totalmente desnudos en el agua. —De todos modos, lamento haber mencionado mi luna de miel porque estoy furiosa con Álvaro.

—¿Por eso estamos aquí? ¿Ésa es la razón por la que entraste como un ciclón ayer en Santa Ana y me arrancaste de allí para el fin de semana? ¿Porque estás furiosa con Álvaro?

Magda se sentó sobre las piernas mientras el fuego lanzaba chispas amarillas y luego verdes.

—Bueno, sí. En parte por eso. Pero también lo hice porque me pareció que era hora de que salieras un poco de la casa. No puedes quedarte allí encerrada para siempre.

—¿Y quién dice que no puedo?

—Yo lo digo. Y también mis hermanos. —Magda miró a su madre, quien estaba con la vista fija en el fuego. Tenía la mano derecha alrededor del jarro de café. En la muñeca usaba las pulseras de oro que eran su firma. Su mano izquierda, de dedos largos y elegantes ahora que había dejado de comerse las uñas, descansaba sobre el muslo. En el anular no llevaba ningún anillo. El anillo, deformado durante la época de los malos sueños, seguía en ese estado. Años antes, Elena lo había depositado en la bandeja de plata que estaba sobre la cómoda de Ernesto.

—También Papá dice que deberías salir con más frecuencia —agregó Magda.

—Eso es interesante.

—Papá también dice que no has estado comiendo casi nada.

—¿Qué puede importarle a él que yo coma o no coma?

Magda dejó pasar ese comentario.

—A mí me importa que comas o no, mamá. Mírate. Estás en los huesos. Ya nada de lo que te pongas te queda bien.

Elena se encogió de hombros y siguió mirando el fuego.

Por un momento, Magda no dijo nada. En el lugar de su madre, tal vez tampoco ella habría actuado de manera diferente. ¿Quién era ella para decir cómo deberían haber sido las cosas entre sus padres? Era evidente que a lo largo de los años habían llegado a una suerte de tregua. Hablaban. Eran cordiales el uno con el otro. Seguían compartiendo la misma cama, y lo que hacían en ella era su secreto. Magda bajó las piernas al piso y se sirvió más café.

—¿Más café, mamá?

Como respuesta, Elena abrió una mano sobre su jarro. Apoyó la cabeza contra el respaldo de la *chaise*. Todavía no se había levantado el pelo y le formaba un marco dorado alrededor de la cara. Debajo de la piel color alabastro de las sienes había delgadas venas azules.

—Hace algunos días recibí una carta. —Magda había resuelto no decir nada al respecto, pero ahora decidió correr el riesgo. —Era de Cecilia.

La mano que Elena tenía extendida sobre el jarro de café se crispó en un puño. Habló, pero sin mirar a Magda.

—Dime, querida, ¿por qué estás furiosa con Álvaro?

—¿Me oíste, mamá? Dije que...

Elena levantó la mano con tanta rapidez que sus pulseras se elevaron y cayeron al unísono y casi no hicieron ruido.

—No lo digas. Sabes perfectamente bien que prohibí que ese nombre se pronunciara en mi casa. —Los ojos verdes de Elena brillaban tanto como la resina de pino que crujía en el fuego.

—Perdóname, mamá. —Magda se recostó hacia atrás en la silla, aliviada de que la hubieran silenciado. Qué cerca había estado de producir un nuevo desastre entre sus padres. Si le hubiera contado a su madre el contenido de la carta de Cecila, si le hubiera transmitido la profunda preocupación de Cecilia por la declinación física de Elena, ¿su madre no se habría preguntado quién había informado a Cecilia de esas novedades? Aunque era Isabel la que lo había sabido de labios de Ernesto (según decía Cecilia en la carta, se habían encontrado en el banco), ¿su madre lo creería? Por supuesto que no. ¿Qué otra cosa pensaría sino que Cecilia y Ernesto habían vuelto a estar juntos? Magda no quería ni pensarlo. Esos dos. ¡Cuánto daño habían causado! Por culpa de ellos, su madre se había encerrado en Santa Ana. En San Salvador, en casa de Isabel, la conducta de Cecila la había obligado a hacer otro tanto. En cuanto a la amistad de Magda con Isabel, lamentablemente era cosa del pasado. A pesar de que durante años habían intentado mantenerse en contacto. Pero los encuentros fueron incómodos, por mucho empeño que pusieran las dos en planearlos. Cuando Isabel se casó con Abraham Salah, el rico nieto de un inmigrante palestino, ella cometió un acto de autodestierro al alejarse, como lo hizo, del seno de la alta sociedad y arrojarse en brazos de una comunidad marginal que, salvo en lo que tenía que ver con los negocios, era discriminada.

—A veces es difícil amar a los maridos —dijo Magda.

—¿Por qué estás enojada con Álvaro?

—Estoy enojada porque estoy segura de que él tuvo algo que ver con que el banco rechazara mi solicitud de préstamo.

—Por supuesto que lo hizo —dijo Elena—. Así son los hombres. No quieren que las mujeres triunfen. Lo consideran una amenaza. Está en su naturaleza.

—Eso parece una aprobación. Me temo que yo no puedo ser así de comprensiva.

Elena volvió a encogerse de hombros.

—Los hombres no pueden evitar su naturaleza. En cierta forma, habría que tenerles lástima. —A veces, cuando no podía dormir, ella permanecía tendida en la cama teniéndose lástima. Había intentado encontrar una imagen que ilustrara lo que sentía por sí misma. Esa mañana, al volver a la casa después de estar en la terraza, encontró esa imagen perfecta: se tenía lástima porque tenía el corazón cubierto con una costra helada que ninguna luz diurna podría quebrar jamás y ningún calor podría derretir.

—Bueno, yo no le tengo lástima a Álvaro. No le tengo lástima a ningún hombre. Los hombres lo tienen todo y eso me enfurece. Estoy enojada conmigo misma por permitirle a Álvaro hablar en mi nombre. No sé qué estaba pensando. Yo misma debería haber ido al banco. Pero no, tontamente dejé que Álvaro presentara mi propuesta. —Magda se quedó un momento contemplando el fuego antes de continuar. —Pero, por otro lado, no puedo permitir que una negativa de préstamo me desaliente. Gracias a Dios hay otros bancos en los que puedo presentar mi proyecto.

—Hablemos de Tesoros —dijo Elena—. Cuéntame de nuevo los planes que tienes para la tienda.

Magda no privó a su madre de ningún detalle. Le habló del local que había encontrado, de sus planes para decorarlo, de los viajes de compras que debía realizar para aprovisionarse de mercadería. Y le describió su innovador plan de compras desde su casa para los clientes que preferían no salir. Estos clientes podían llamar a la tienda y pedir lo que necesitaban y Magda les proporcionaría una lista de opciones que después les entregaría en la puerta de sus casas. De esa manera, las mujeres podían hacer su selección en el hogar y enviar lo elegido de vuelta a la tienda para que lo envolvieran para regalo y realizaran la entrega.

—Para ello tendrás que tomar un chofer —dijo Elena. Había estado mordisqueando un trozo de pan dulce y ahora comió un último bocado.

—Basilio puede hacerlo. Es muy trabajador y confío en él. Haré que alguien le enseñe a manejar.

Elena se quitó una miga del costado de la boca y de la pechera del suéter, con lo cual repiquetearon sus pulseras. Se puso de pie y se acercó a la chimenea. Los leños se habían quemado por completo y transformado en una cama de rubíes. Ella giró la cabeza y miró a su hija.

—Olvídate de ir a otro banco.

Magda se incorporó de la *chaise*.

—Pero mamá, es la única manera. Tengo todo mi dinero invertido y...

—Espera —dijo Elena—. No quiero que vayas a otro banco porque yo te prestaré el dinero.

—Por Dios, ¿crees que ésa es la razón por la que insistí en que viniéramos aquí? ¿Para pedirte dinero? Créeme, mamá, no es así. Sabes que tengo el dinero de mi abuelo. Puedo hacer esto yo sola. De veras que sí.

—¿Te estás escuchando? Por supuesto que quieres hacer esto por tu cuenta. Pero por el momento necesitás ayuda. Bueno, para eso está una madre. Yo te prestaré el dinero. —Elena sonrió, feliz de poder de nuevo servir para algo.

Magda corrió hacia su madre.

—No puedo permitir que hagas una cosa así.

—Por supuesto que puedes. Lo que necesites, lo tendrás.

Magda rodeó a su madre con los brazos.

—Ay, mamá. Jamás pensé en pedírtelo. Realmente quería hacer esto sola.

—Ya lo sé. Y lo harás. Con una pequeña ayuda mía.

Magda echó hacia atrás la cabeza para poder mirar a Elena a los ojos.

—Gracias, mamá, gracias. Me has enseñado tanto. Gracias a ti aprendí que las mujeres debemos estar unidas.

—No —contestó Elena—, eso no. Son las madres y las hijas las que nunca deben defraudarse mutuamente.

CAPÍTULO VEINTISIETE

Febrero de 1946

—Date vuelta —farfulló Pilar por entre una hilera de alfileres que le asomaban por la boca. Estaba arrodillada junto a Jacinta y le marcaba el dobladillo de su vestido nuevo. Las dos estaban en el cuarto del frente de Pilar que, desde la llegada de tiempos mejores, ella había vuelto a transformar en taller. Las vacaciones habían traído un ajetreo de trabajo. Además de los bonos de Navidad y los aguinaldos, los empleadores también solían regalar cortes de tela que alcanzaban para confeccionar vestidos, blusas y faldas. Desde las vacaciones, la mitad de las mujeres del barrio habían llamado a la puerta de Pilar. Como prueba de ello, cortes de telas plegados y en una enorme variedad de colores y diseños llenaban todos los estantes y superficies y aguardaban la mano hábil de Pilar.

—¿Te parece demasiado corto? —preguntó Jacinta por sobre el matraqueo del enorme ventilador metálico de pie ubicado en un rincón. Para aliviar el calor del verano, Pilar había abierto tanto la puerta de calle como la de atrás, y el ventilador ayudaba a extraer un poco de aire de un lugar y enviarlo al otro. Jacinta giró los hombros y miró atrás su imagen reflejada en el espejo giratorio de pie de Pilar. El hecho de verse con tan buena figura en ese vidrio la complació.

—No te movás —dijo Pilar y le pegó un golpecito en una pierna—, o el ruedo te va a quedar torcido.

Jacinta se enderezó. Hundió el mentón en el pecho, bajó la vista y se miró el vestido. Estaba hecho con una tela un poco resbalosa que tenía un estampado de pequeñas medias lunas sobre un fondo azul oscuro. El modelo tenía mangas abullonadas y hombreras. Una línea de botones de alabastro bajaba en el frente del vestido. Jacinta levantó una pierna para verlos mejor.

—Me encantan estos botoncitos. Me encanta que hagan juego con las lunas del estampado. —Magda había adquirido el corte y los botones en uno de los viajes de compras que hizo con su madre a Nueva York.

—Te dije que te quedaras quieta. —Al cabo de un momento, Pilar agregó: —Ahora podés girar un poco. Ya casi terminé.

Jacinta giró un cuarto de círculo y después quedó inmóvil.

—Es el mejor vestido que he tenido. Una vez tuve otro vestido mejor. Cuando era chiquita, mi madre, que en paz descanse, me compró uno para el día de mi santo. Era color lila, con mangas abullonadas. Yo lo usé hasta que la tela estaba tan gastada y finita que casi era transparente. —Con el recuerdo del vestido vino también el sonido de las campanas de la iglesia. Basilio Fermín, que las hacía sonar trece veces. —¿Te parece que éste es demasiado corto?

—No es demasiado corto. Además, tenés bonitas piernas. Deberías lucirlas más seguido. Ya está. Terminé. —Pilar se puso de pie y señaló el espejo.

Jacinta inclinó la cabeza y se observó en el espejo. No era alta pero sí esbelta, y esto le ayudaba a parecer de más estatura. El vestido creaba otra ilusión, pensó. Con ese vestido parecía elegante.

—Necesito zapatos nuevos para usar con esto.

Pilar fue a sentarse frente a la Singer, ubicada junto a la ventana abierta. Había dejado un vaso con limonada en la mesa de la máquina, y bebió un gran trago.

—Puedo prestarte mis zapatos rojos de taco alto. El rojo va bien con el azul. —Pilar deslizó una mano dentro de su vestido y se puso en su lugar el tirante del corpiño. —Este tirante me está volviendo loca, se me desliza todo el tiempo.

—Tal vez te acepto —dijo Jacinta, aunque no le gustaban demasiado los zapatos que Pilar acababa de ofrecerle. Eran sin puntera y tenían tacones muy altos. En resumidas cuentas, no eran elegantes.

—Me parece que tú tenés planes para ese vestido —comentó Pilar.

—Es posible. —Jacinta se acercó a su propio vaso con limonada y terminó su contenido.

—¿Y esos planes incluyen a Miguel Acevedo? —preguntó Pilar con un movimiento de las cejas.

—Shhh —dijo Jacinta, se llevó un dedo a los labios y paseó la vista por el lugar para comprobar si los hijos de Pilar ya habían vuelto de la escuela, cosa que no era así. —Prometiste no decir nunca su nombre. Nunca se sabe quién puede estar oyendo. —Jacinta se dejó caer en el extremo desocupado del sofá, que estaba repleto de revistas, cortes de tela y parafernalia de costura. —No sé por qué te cuento cosas. —De pronto pegó un salto porque algunos de los alfileres que Pilar había puesto en el ruedo del vestido le pincharon las piernas cuando se echó hacia atrás.

—¿Y me lo has contado todo? —Pilar volvió a mover las cejas.

Jacinta hizo un ademán con la mano. Ella le había contado todo a su amiga. Que desde el día en que Miguel y ella cobraron el dinero de los billetes de lotería, se vieron casi todas las semanas. En las tardes libres de Jacinta o cuando ella iba al correo en busca de correspondencia, coincidiendo con la finalización del horario de trabajo de Miguel. La primera vez que se reunieron fue sólo en plan de celebrar las ganancias de la lotería. En agradecimiento, Miguel la convidó con un café y una porción de semita, dijo que por haber elegido números ganadores.

Desde el principio encontraron muchos temas de conversación y descubrieron que eran compatibles. Los dos eran personas serias, nada inclinadas a la frivolidad. Al comienzo sus encuentros eran breves y superficiales, pero a medida que pasaban las semanas sus conversaciones sobre temas comunes y corrientes se fueron haciendo más personales. A ambos les gustaba leer y encontraron una coincidencia en las novelas de Corín Tellado. A Miguel le costó admitirlo, dada la naturaleza romántica y dulzona de las obras de esa autora, pero a Jacinta la conmovió esa confesión, porque era como si Miguel hubiera abierto una puerta de su corazón para que ella pudiera espiar su interior. Y lo que vio en él la sorprendió. Descubrió que era un hombre diferente de todos los que había conocido. Un hombre que vivía su propio destino, que no se sometía ni le debía nada a nadie. Un hombre al que las circunstancias no habían obligado a vivir su existencia movido por posiciones rígidas y filosofías radicales. Un hombre capaz de ternura y al que no le importaba convivir lejos de los extremos.

Todo esto Jacinta se lo había contado a Pilar. Lo que no le reveló era que la esposa de Miguel planeaba hacer dentro de algunas semanas un viaje a San Vicente con sus hijos.

—Mirá, tengo que contarte algo —dijo Jacinta, porque la noticia le estaba pesando en la cabeza—. La familia de Miguel se va de viaje. Van a estar lejos una semana.

Pilar enarcó las cejas.

—¿Y Miguel se queda en la casa?

—Sí, se queda. Tiene que trabajar.

—¿Va a estar solo una semana?

Jacinta asintió.

—Por una semana entera.

—Dios mío, igualito que en *Las dos*. ¿Te acordás del episodio en que la Bárbara se va con Raúl?

—Calláte. ¿Cómo podés decir una cosa así? Mi vida no es una

radionovela. —Jacinta apoyó un codo en el brazo del sofá y apoyó una mejilla en el puño.

—Perdonáme. No me quise burlar de ti.

—Bueno —murmuró Jacinta.

—¿Qué pensás hacer?

—Miguel quiere que me vaya con él. Es mi fin de semana libre, así que puedo hacerlo.

—¿Adónde van a ir?

—No sé. A alguna parte. No sé. —Jacinta hizo girar uno de los botones del vestido.

—¿Nunca antes estuviste con él?

—Nunca estuve con él —respondió Jacinta, su voz un lamento. —Estoy asustada, Pilar. Es un hombre casado. Tiene hijos.

—Eso no tiene nada que ver.

—Cada vez que entregué mi corazón, alguien murió.

—Aunque lo digás, amiga mía, no fue tu amor el que hizo que mataran a Antonio y a Chico. Ellos murieron porque creían en ideas peligrosas. Contestáme esto: ¿Querés estar con Miguel?

—Sí. Quiero estar con él.

—Bueno, entonces. Es suficiente —dijo Pilar—. Si te vas con él, supongo que te vas a cuidar.

—¿Cuidarme?

—Ya sabés —dijo Pilar, se señaló el vientre y giró la mano—. Bebés.

—Ay, tú —dijo Jacinta—. Las cosas que decís. —Ella no tenía de qué preocuparse. Hacía tiempo había perdido al hijo de Chico junto con un tejido escarlata. Ella no necesitaba protección. Su destino estaba echado. En su futuro no habría bebés.

Fernanda, la hija de ocho años de Pilar, entró por la puerta, de regreso del colegio, una hora más tarde. Sostenía como al descuido la mochila, cuyas tiras de cuero arrastraba por el piso.

—¡Nanda, niña! —exclamó Pilar—. Mirá lo que estás haciendo.

Nanda dejó caer la mochila al lado de la puerta, junto al ventilador. Se paró directamente frente a las aspas y muy pronto su falda color amarillo canario se infló como una campana.

—Ahhhh —dijo. Tenía un par de piernas amarronadas que desaparecían, muy derechas y delgadas, en sus toscos zapatos de escuela.

—Nanda, ¿qué modales son esos? ¿No sabés saludar? —la regañó Pilar. Y, después: —En la cocina hay limonada.

Nanda besó a su madre y luego a Jacinta.

—Hola, tía. No quiero limonada. Quiero fresco de Quaker.

—No preparé fresco. Hice limonada. —Pilar estaba de nuevo frente a la Singer y cosía las últimas puntadas del dobladillo del vestido de Jacinta. —Tengo un millón de cosas que hacer y a ti se te ocurre querer algo distinto de lo que hay. ¿Dónde están tus hermanos? ¿Y dónde está Harold?

—Ya viene —contestó Nanda.

—Yo te voy a preparar un fresco —dijo Jacinta. Una vez en la cocina, tomó el paquete de Quaker de la alacena y puso algunas cucharadas de avena en un colador que colocó sobre una cacerola. Vertió agua sobre la avena y después apretó la avena mojada con el dorso de la cuchara. Cuando la cacerola estuvo llena de un líquido lechoso, le roció azúcar y revolvió la mezcla. —Aquí tenés —dijo y le entregó a Nanda un vaso.

—¿Qué se dice? —gritó Pilar desde el cuarto del frente.

—Gracias, tía. —Nanda bebió el refresco de un trago. Después apoyó el vaso en la mesa y se secó la boca con el dorso de la mano. —La maestra nos contó una historia. Era sobre la Ciguanaba.

Eduardo, que tenía once años, entró por la puerta.

—La Ciguanaba. Nanda no sabe hablar de otra cosa. —Emilio entró detrás de Eduardo. Tenía siete años y como era su primer año en la escuela y lejos de su madre, se acercó directamente a Pilar y la abrazó fuerte.

—A mí no me gusta la Ciguanaba —dijo Emilio con una mueca y apoyó la cabeza en el hombro de su madre. Todos los niños eran muy diferentes y, en consecuencia, no parecían hermanos: Nanda era alta, delgada y de tez oscura; Eduardo era alto, pero su tez era color oliva. Incluso a su edad, era puro músculo. Emilio, en cambio, tenía ojos claros y una cara gordinflona cuya expresión permanente era de aflicción.

—La Ciguanaba es una bruja —le dijo Nanda a Jacinta—. Tiene pelo largo y pegajoso y uñas largas y afiladas.

—La Ciguanaba se esconde junto al río —dijo Eduardo al entrar en la cocina. Levantó los brazos, abrió los dedos y lanzó un fuerte gemido para asustar a su hermana—. Si Nanda no se porta bien, la Ciguanaba va a dejar la orilla del río y vendrá a llevársela.

Nanda se puso de pie de un salto.

—Ya calláte, mono feo. —Lo llamaba así porque a él lo irritaba.

Pilar dijo desde el otro cuarto:

—Todos ustedes son unos monitos. Tomen un poco de limonada y tranquilícense.

—Yo no soy un mono —dijo Emilio con voz temblorosa.

—No, no lo sos. Tú sos el tesoro de tu mamá —dijo Pilar. Se oyó el chasquido de un beso. —Mirá, aquí se viene Harold por la vereda.

Jacinta se reunió con Pilar mientras los tres niños desaparecían en su cuarto, que estaba junto a la cocina.

—¡Harold! Hay limonada —gritó Pilar y asomó la cabeza por la ventana.

Harold Parada entró. Era el hijo de la hermana muerta de Pilar y vivía con ella desde que murió su madre cuando él tenía seis años. Harold tenía las mangas arremangadas hasta el codo. Alrededor de una muñeca usaba una pulsera suelta con su nombre. Como tenía catorce años y era muy inquieto, sacudió la mano con afectación para que la pulsera se le deslizara por el brazo.

—Uno de estos días esa pulsera se te va a salir del brazo —dijo Pilar—. Entra y bebe algo fresco. —Se puso de pie y fue a la cocina.

Harold se sentó a la mesa y bebió una limonada. Tenía un cuerpo larguirucho y la sombra de un futuro bigote sobre el labio superior.

—Me voy al parque —dijo.

Pilar puso los ojos en blanco, como diciendo "¿Qué más hay de nuevo?" y también se sentó frente a la mesa.

—¿A qué parque? —preguntó Jacinta al reunirse con ellos.

—El Campo Marte. Los soldados suben allí la bandera a las cinco. —Todas las tardes Harold permanecía en ese lugar debajo de los árboles, fascinado frente al espectáculo de esos hombres tan espléndidos y valientes. Los observaba marchar con aplomo militar al ritmo de un tambor alrededor de la circunferencia de la cancha de juegos hasta el promontorio donde estaba el mástil. Cuando era mucho más joven y no sabía nada de la obligación que tiene la gente de aparentar indiferencia, Harold solía marchar abiertamente junto a los hombres y con sus pies intentaba reproducir el sonido producido por las botas de sus héroes. Ahora que era todo un hombre, Harold permanecía debajo de los árboles, pero igual seguía con la vista la marcha de los soldados alrededor del campo de juego hasta el mástil en espera del momento solemne en que arriaban la bandera. Algunas semanas antes, durante la ceremonia, Harold había conocido a Víctor Morales, un muchacho un año mayor y tan obsesionado con los soldados como él.

—Víctor Morales dice que mi nombre significa "comandante de armas" —señaló Harold.

—¿Cuándo vas a invitar a casa a ese tal Víctor Morales para que lo conozcamos? —preguntó Pilar.

Harold se encogió de hombros y se llevó un dedo a la oreja.

—Víctor tiene una marca de nacimiento. Es como una gran mancha en la oreja.

—Por Dios —dijo Jacinta—. Yo tenía un hermanito con una marca así. Lo que se la causó fue un eclipse de sol.

—El sol pone, la luna quita —dijo Pilar.

—¿Dónde está ahora tu hermano? —preguntó Harold.

—Se murió.

—Ah —dijo Harold. Y, después: —Víctor piensa entrar en el colegio militar. Su padre es un subteniente en la Guardia. Cuando sea el momento, su padre lo hará entrar.

—Yo no estaría tan segura —dijo Pilar—. Entrar en el colegio militar es muy difícil. Hay que ser escogido. —Ella lo sabía porque durante un tiempo muy breve tuvo un novio que era militar. Rompió con él la noche en que él llevó su arma a la cama.

—Yo también voy a ir al colegio militar. —Harold sacudió la muñeca para que su pulsera de la suerte volviera a bailarle en el brazo.

—Espero que creás en milagros —dijo Pilar—. Va a hacer falta uno para que consigas entrar.

—Lo voy a hacer. Ya vas a ver.

—¿Para qué querés ser soldado? —preguntó Jacinta, la mente llena del recuerdo de su hermanito muerto y de las cosas que hacen los soldados—. Los solados matan.

Harold bebió el último trago de su limonada. Echó su silla hacia atrás.

—No, tía, te equivocás —dijo—. Los soldados defienden.

El sonido agudo de la bocina de un sedán Ford flotó hasta ellos.

—Es Basilio —dijo Jacinta y miró hacia la calle por la puerta abierta—. Dijo que me iba a venir a buscar después de la última entrega.

Todos salieron porque era una novedad en ese barrio ver que un auto se detenía frente a la casa.

CAPÍTULO VEINTIOCHO

Basilio Fermín estaba de pie junto a la puerta de la terminal de ómnibus Parque Bolívar. En las manos hacía girar, una y otra vez, el sombrero de su padre, la parte inferior del ala ancha lustrosa por tanto roce de las yemas de sus dedos. Aunque alrededor de él rebotaban los ásperos sonidos y los diferentes olores propios de los medios de transporte, nada de eso lo distraía. Ni el hedor ni el chillido de los ómnibus que entraban y salían ni la estridente voz que propalaban los parlantes ni el constante movimiento humano de ese lugar integrado por viajeros, todos sombríos, apurados y cansados por el viaje. Jacinta le había mentido y él sintió que se le partía el corazón. Basilio mantenía la vista fija en el ómnibus número 9. Ella le había dicho que iba a El Congo a visitar a Chenta, pero ahora estaba en el ómnibus que en cualquier momento partiría hacia La Libertad.

No era por error que estaba en ese vehículo. Él la había llevado a la estación, a pesar de los intentos de Jacinta de disuadirlo. Usaba su lindo vestido nuevo con las pequeñas lunitas color crema. Cuando llegaron, unos quince minutos antes, Basilio mismo la depositó en la cola del ómnibus que iba a El Congo. "Andáte, andáte — le dijo ella mientras hacía un gesto de despedida con la mano— .Ya hiciste suficiente." Pero él se quedó un momento más para desearle buen viaje y para meter la mano en el bolsillo en busca del pequeño cordero que él había tallado para Chenta. Había envuelto el regalo en un cuadrado de colorido papel tisú que Rosalba le dio. Cuando Jacinta tomó el paquete, sus hombros descendieron un poco antes de que ella pusiera el regalo en el bolso abierto y grande que era su único equipaje. Basilio advirtió ese pequeño cambio en la postura de Jacinta, pero lo atribuyó a la emoción que le produjo ese gesto suyo tan delicado, y se alegró de haberla conmovido.

Esa sensación agradable lo llevó a complacerla y a alejarse por entre el gentío hasta llegar casi a la calle, pero en ese momento se volvió. Para mirarla por última vez giró al llegar a la puerta. La vio en ese momento salir de la fila donde él la había dejado y correr hacia un ómnibus con un destino muy diferente.

Basilio Fermín siguió parado en la puerta de la estación hasta que el ómnibus se alejó. No lograba ver a Jacinta por las ventanillas del vehículo, pero igual la imaginó adentro. Vio su espalda recta contra el respaldo del asiento; vio sus manos entrelazadas y apoyadas sobre el bolso que llevaba sobre la falda. Y sintió también los latidos enloquecidos de su corazón; y, aunque el ómnibus acababa de partir, vio con toda claridad que ella ya estaba muy lejos de él.

Basilio se puso el sombrero en la cabeza y abandonó la estación, sus pisadas pesadas con la certidumbre de que todo lo que había temido durante los tres últimos meses con respecto a Jacinta estaba a punto de hacerse realidad.

CAPÍTULO VEINTINUEVE

La Libertad

Miguel Acevedo esperaba en la estación cuando entró el ómnibus. Por las ventanillas abiertas, Jacinta lo vio apoyado contra una columna. Fumaba un cigarrillo y usaba la guayabera de mangas cortas que tenía puesta la noche que lo vio por primera vez caminar por la vereda frente a la casa de Pilar. Cuando el ómnibus frenó del todo, él arrojó el cigarrillo al suelo y lo aplastó con el tacón del zapato. Se pasó una mano por el pelo y salió de debajo del voladizo del andén. Jacinta no se unió al grupo de pasajeros que se pusieron de pie de un salto y colmaron el pasillo del vehículo hacia la salida, gritando holas por las ventanillas y perdone, perdone a los otros pasajeros. Cuando la conmoción se calmó, Jacinta caminó con lentitud hacia la salida, comprimida entre una mujer con un bebé inquieto en el hombro y un hombre con un terrible olor a ajo. Todo el tiempo observó a Miguel por las ventanillas. Él permanecía de pie en el andén, una mano metida en el bolsillo del pantalón y una mirada de anticipación y luego de decepción cuando cada pasajero descendía. Cuando le llegó el turno a ella, Jacinta se secó la línea de transpiración que tenía sobre el labio superior y bajó del ómnibus hacia la luz del verano y el intenso olor salado de una ciudad costera.

—Aquí estás —dijo Miguel—. Fuiste casi la última en bajar. —Como de costumbre, un pequeño fósforo usado asomaba por el costado de su boca.

—Aquí estoy —dijo Jacinta y por un momento los dos permanecieron de pie e incómodos sin tocarse hasta que él la tomó del brazo y la guió a la sombra del voladizo del andén.

—Hay un lugar para nosotros en la playa —dijo él—. Allí está mucho más fresco y queda bastante cerca como para que vayamos caminando. ¿Te puedo llevar la bolsa? —agregó.

Ella se la apretó más contra el cuerpo y respondió:

—No, está bien. La llevo yo.

Echaron a andar mientras cada uno permitía que el espectáculo y los sonidos del pueblo llenaran el incómodo silencio que se interponía entre ellos. Avanzaron por las calles empedradas, pasaron por desteñidas casas de adobe, alrededor de perros acostados aquí y allá en las veredas en sombra. Cada tanto, Jacinta miraba a Miguel y, cuando lo hacía, él la estaba mirando y le sonreía. Esto serenó el torbellino de emociones que llenaba la cabeza de Jacinta con autorreproches y expectativas.

—Mirá —dijo Miguel y señaló el mar que, cuando asomaron por una esquina, era una pincelada turquesa frente a ellos. A lo largo de la costa se proyectaban muelles. Los pescadores levantaban sus presas desde pequeños barcos hacia los comerciantes que hacían sus ofertas en voz alta, de pie en los desembarcaderos. También las gaviotas planteaban sus exigencias con gritos agudos.

—Virgen Santa —dijo Jacinta. El olor a sal y a pescado llenaba el aire y esto le hizo recordar la única vez anterior que le había pasado. —Cuando era chiquita, fui una vez al mar con mis papás. —Los tres habían viajado de Izalco a Acajutla para contemplar por sí mismos esa vasta extensión de la que sólo habían oído hablar. —Mi mamá estaba tan sorprendida. No hacía más que correr hacia las olas y después huir de ellas. Antes de volver a la casa llenó un frasco con agua de mar y lo cerró bien con un tapón. Durante mucho tiempo conservó ese tesoro sobre el tocador. Pero después, aunque nunca permitió que nadie abriera el frasco, el agua de mar se fue desapareciendo poco a poco. Yo siempre le decía a mi mamá que le volvería a llenar el frasco, pero nunca volví a tener oportunidad de regresar al mar. —Jacinta se miró las sandalias, los dedos marrones de sus pies y sus pequeñas uñas perladas. —Ay, Dios, seguro que esto era más de lo que querías saber.

—No, por favor. Fue bonito oírlo. Pero espera a ver el lugar que encontré hoy. Creo que va a marcar para ti un regreso apropiado junto al mar. —Se sacó el fósforo de los labios y lo arrojó.

El lugar encontrado por él estaba cerca del camino principal y a través de un palmeral. Un sendero muy transitado serpenteaba debajo de las palmeras hasta el océano. Cuando salieron de debajo de los árboles, Jacinta apoyó su bolsa en el suelo y se llevó una mano a la boca. Sacudió la cabeza con incredulidad frente al panorama que se abría frente a sus ojos. La playa era una cinta ancha de arena volcánica negra y brillante y, junto a ella, el mar color azul intenso. En la playa, una choza de pasto surgía debajo de más palmeras.

—Vení —dijo Miguel, tomó la bolsa de Jacinta y avanzó hacia la choza. Ella se quitó las sandalias antes de seguirlo. La arena estaba firme y muy caliente, y aunque las tiernas plantas de sus pies protestaron, ella no buscó lugares en sombra para aliviarlas. Después de tanto tiempo, la alegraba sentir esa prueba inequívoca de tierra bajo los pies.

Una mujer grandota que usaba un vestido muy suelto los recibió en la choza.

—Veo que regresó con la señora —comentó la mujer.

—Ésta es Ofelia, la dueña —le dijo Miguel a Jacinta, sin mirarla. Jacinta inclinó la cabeza a manera de saludo y avanzó sobre un piso de baldosas. Mesas y sillas pintadas de color turquesa, desteñidas por el sol y la intemperie, ocupaban un espacio alrededor de la choza. A un lado había un largo mostrador junto a una ruidosa refrigeradora que exhibía en letras escarlata la leyenda "Coca-Cola". Ofelia levantó la tapa con una mano y con la otra extrajo dos botellas que enseguida destapó.

—Siéntense, siéntense —dijo, avanzó descalza por el piso y puso las botellas sobre una mesa.

—Perdonáme —dijo Miguel cuando la dueña se hubo ido—. Cuando fui a esperar el bus le dije que iba a recibir a mi esposa. —Miguel apoyó las manos alrededor de su botella.

Jacinta asintió.

—Entiendo. —Miró hacia la playa. Las gaviotas se zambullían y volaban a toda velocidad, y sus chillidos sonaban como un reproche. Jacinta bebió un trago grande de la bebida y el líquido fue una explosión helada en su boca. Inspeccionó los alrededores y entonces notó la presencia de otra choza y lo que parecía ser un cobertizo anexo para cocinar. Más allá parecía haber un claro. Vio los postes de una cerca y un portón. Una bandada de pollos picoteaba alrededor de la cerca. Más lejos, en la playa, había otras chozas más pequeñas debajo de las palmeras. De algunos árboles colgaban hamacas de colores vivos.

—Por si te lo estás preguntando —dijo Miguel—, nos vamos a quedar allá, en la última choza. ¿La ves debajo de las palmeras?

—¿Se hospedan aquí muchas personas? —preguntó Jacinta mirando hacia la playa, preocupada por la idea de que otras personas fueran testigos de su atrevimiento.

—Algunas —respondió Miguel. Le puso una mano en el brazo y ella lo miró. Miguel notó la expresión preocupada que le velaba los ojos. —Por favor, Jacinta, no te preocupés.

Ella le sostuvo la mirada por un momento y ambos quedaron callados. Entonces Jacinta le sonrió apenas y dijo:

—Bueno —porque habían recorrido un largo camino en ese fuerte calor de verano y porque, durante ese breve período que tenían por delante ninguno de los dos se merecía estar triste.

▼ ▼ ▼

Caminaron por la playa, Jacinta con su vestido con estampado de lunitas, Miguel con los pantalones arremangados y una camiseta sin mangas. Juguetearon con las olas, las manos entrelazadas, mientras sus pisadas dejaban cráteres en la arena, un registro efímero de la unión entre ambos. Cuando el sol comenzaba a ponerse, estaban comiendo en la choza principal y cada uno apartó la vista del otro y de la comida para observar, con sorpresa, a dos vacas que salían de la parte de atrás de la propiedad y se dirigían a la playa. Los animales se echaron en la arena y serenamente contemplaron cómo ese sol amarillo se hundía en el horizonte. Cuando la oscuridad se extendió sobre el agua, las vacas se levantaron con un movimiento lleno de gracia e, impasibles, volvieron sobre sus pasos. Jacinta y Miguel, al igual que las parejas de otras mesas, se echaron a reír y comentaron sobre lo sucedido antes de reanudar la comida: bandejas de camarones del río, cada uno del tamaño de una langosta pequeña e igualmente suculento.

Después de la cena, Jacinta y Miguel se acurrucaron en una hamaca doble colgada entre dos palmeras, cerca de su choza. Las lámparas de querosén encendidas allí y entre los árboles trazaban círculos de luz suave. Desde la choza principal y flotando sobre la playa, una melodía de la radio era interrumpida en forma periódica por el sonido rítmico de las olas que rompían. Después de la intensidad del calor de ese día, la noche estaba agradablemente fresca. Jacinta usaba la combinación que era toda la ropa que había llevado, además de su vestido y un tapado. En la hamaca, comían las naranjas que Jacinta trajo de casa. Ella peló la fruta y arrojó la cáscara al suelo. Un perro, que los había seguido hasta la choza después de la cena, se incorporó y se acercó a investigar.

—¡Chucho! —exclamó Miguel cuando el animal metió la cabeza debajo de ellos. Pateó al animal y con ese movimiento los dos estuvieron a punto de caer de la hamaca. Jacinta se echó a reír y movió el cuerpo para evitarlo.

—Cuando estás en una hamaca no se pueden hacer movimientos bruscos —dijo—. ¿No lo sabías?

—Sí lo sabía —contestó él, riendo también.

—Una vez yo tuve mi propia hamaca. Acostumbraba dormir en ella. —Separó los gajos de la naranja. —Pero eso fue en otro tiempo. En otra vida. —Qué lejana le parecía esa época.

—¿Y qué me decís de tu vida de ahora? ¿Es buena? —Abrió la boca para el gajo de naranja que Jacinta le ofrecía.

—Tengo todo lo que quiero —respondió ella y le fue dando el resto de la naranja y secándole el jugo de la boca con los labios cuando él terminó. —Tenés sabor a naranjas.

—Mmmm. Y tú tenés un toque mágico. ¿Te acordás? Eso fue lo que dijo el que nos vendió los billetes de lotería.

—Sí, lo dijo.

—Y lo tenés, Jacinta.

Ella le besó la mano, se la sostuvo y aspiró el aroma dorado del tabaco entre sus dedos.

—¿Qué querés de mí, Miguel? —preguntó Jacinta de pronto, y a ella misma la alarmó la naturaleza de su pregunta.

Era obvio que también lo alarmó a él, porque pegó un salto y la expresión lánguida de su mirada cambió a desconcierto.

Ella le puso una mano sobre los labios.

—No me contestés. Lamento el haberlo dicho.

Miguel le besó la punta de los dedos.

—Yo no puedo contestar tu pregunta, Jacinta. Lo único que puedo decirte es que me estoy enamorando de ti.

Jacinta cerró los ojos y le apoyó la cabeza sobre el pecho. En ese mundo en miniatura que se habían fabricado en la hamaca, ella estaba suficientemente cerca de Miguel como para oírle los latidos del corazón y saborear el gusto salado de su piel.

—Yo te quiero también, Miguel —dijo un momento después.

Por un tiempo se quedaron entrelazados en la hamaca, sintiendo cada uno el calor del otro, escuchando el movimiento del mar que servía de fondo a la enormidad de las declaraciones de ambos. Pronto Miguel se bajó de la hamaca, alzó a Jacinta, la llevó a la choza y la apoyó con suavidad sobre una amplia estera que había sobre el suelo arenoso. Lentamente se desvistieron: Jacinta reveló sus pechos turgentes con sus pequeños pezones marrones; Miguel, su pecho fuerte y la prueba engrosada de su pasión. Muy despacio se acostaron juntos sobre la estera, la única respuesta de ambos a los imponderables de la vida.

Todo era tan familiar: ella envuelta en un tapado y acostada sobre un petate colocado directamente sobre el suelo. Desde allí, la sombra que proyectaba el techo de la choza olía a polvo y a viejas frondas de palmeras. Cerca sonó el estridente saludo de un gallo. En combinación y con su tapado, Jacinta se levantó del lado de Miguel y salió de la choza hacia el leve rosado de la mañana. El mar se movía con majestuosidad y sin apuro. Caminó hasta el borde del agua y se sentó. La arena estaba fría y húmeda y, en esa luz insustancial, de un color negro profundo. La noche anterior ella había sorprendido a Miguel y a sí misma con la pregunta de "¿Qué querés de mí, Miguel?".Ahora se hizo esa misma pregunta: "¿Qué es lo que querés, Jacinta?". La felicidad. Quiero la felicidad fue su respuesta instantánea. Entonces brotó la pregunta final: "¿Estuvo mal querer tanto?".

Envuelta y calentita en el tapado, Jacinta no se alejó del agua. Permitió que formara un charco alrededor de sus pies y después extendió las piernas contra la arena que tenía delante.

—Tenés compañía —dijo una voz a sus espaldas y ella giró la cabeza en el momento en que Miguel se le sentaba al lado. Él le pasó un brazo por el hombro y los dos contemplaron cómo el rosado del cielo daba lugar al amarillo, el púrpura y el azul.

Miguel le dio una última pitada al cigarrillo que había encendido al despertar. El fósforo que usó lo tenía entre los dientes y Jacinta se lo arrancó y con él escribió su propio nombre en la arena. Miguel entonces usó el fósforo para escribir su nombre debajo del de Jacinta y rodeó los dos con un enorme corazón atravesado por una flecha.

—Tenemos que irnos de aquí después del desayuno —dijo Miguel.

Jacinta se recostó contra él.

—Ya lo sé.

En ese momento rompió una ola, el agua se acercó y, al alejarse, se llevó sus nombres.

Apenas después del mediodía el ómnibus de ambos entró en la estación Parque Bolívar. Durante el viaje de dos horas no pudieron sentarse juntos porque se habían alejado despacio de la playa y casi perdieron el ómnibus. Sólo Jacinta consiguió asiento; Miguel tuvo que viajar parado en el pasillo, al principio justo al lado de Jacinta pero después, empujado por otros pasajeros de pie, terminó en el fondo del vehículo.

Con los pies de nuevo en tierra, se quedaron parados en la estación digiriendo la conmoción de la vida real que vibraba alrededor de ellos.

—Tengo algo para ti —dijo Miguel, metió la mano en el bolsillo y sacó un pequeño frasco que le entregó a Jacinta—. Ofelia me dio el frasco —explicó—, que yo llené con agua de mar.

—Ay —dijo ella y se le formó un nudo en la garganta por la ternura de lo que Miguel había hecho. Se puso el frasco contra el pecho.

—Andáte —dijo él—, o llegarás tarde.

Ella dio media vuelta y se alejó. Sentía su vida completamente diferente de cuando, el día anterior, transpuso la puerta de la estación. Al salir a la calle deslizó el recuerdo de Miguel en un rincón de la bolsa, contra el paquete envuelto en papel tisú que era el regalo de Basilio Fermín a Chenta.

CAPÍTULO TREINTA

Basilio Fermín estaba sentado en cuclillas en el jardín, la espalda contra el cobertizo que también era su vivienda. El día había terminado, lo mismo que la cena. En ese momento soplaba en la pequeña flauta de madera que él mismo había tallado algunos años antes. También había creado la música que tocaba: una melodía melancólica que expresaba lo que tenía en el corazón. Basilio no estaba solo; como todas las noches, tenía por compañía a Bruno. El perro estaba echado junto a los atados de ramas podadas apilados cerca. Cada vez que Basilio tocaba una nota alta, el perro se rascaba las orejas y miraba a través del jardín hacia la casa de Magda, donde las lámparas encendidas en el corredor y en los cuartos de atrás producían un resplandor que se hacía más intenso a medida que avanzaba la noche. Una puerta se abrió y se cerró y Bruno se puso de pie de un salto.

—Chucho, chucho —dijo para calmar al animal, porque cuando caía la noche Bruno se tomaba muy en serio su papel de guardián.

—Basilio —llamó una voz desde la oscuridad a un lado de la casa—. Soy yo. Decíle a Bruno que soy sólo yo.

Basilio se enderezó cuando Rosalba ingresó con cautela en el halo de luz proyectado por la lámpara de querosén apoyada en un estante dentro del galpón.

—Vaya, Chucho —dijo Basilio, y el perro se volvió a echar cuando reconoció a la persona que estaba allí.

—Seguí tocando —dijo Rosalba—. Me gusta cuando lo hacés. —Se había trenzado el pelo y cruzado las trenzas en la parte superior de la cabeza. Un moño rosado las adornaba como una corona de tela. —¿Qué era lo que tocabas? Parecía tan triste.

Basilio deslizó la flauta en el bolsillo de atrás del pantalón.

—¿Te importa si me siento? —Rosalba señaló la caja que había cerca de la puerta del galpón y se instaló en ella antes de que Basilio tuviera tiempo de responder. —¿No ha hecho un gran calor? Ha hecho tanto calor que no me importaría sacarme algo de ropa y saltar a la fuente. Aunque no creo que cupiera allí, ¿no es así, Basilio? —Rió entre dientes con timidez y luego metió un dedo por el cuello de su uniforme y le dio unos tirones como para ventilarse un poco. —Decíme. ¿Qué canción era la que tocabas? Me dieron ganas de llorar.

—Era sólo una cancioncita.

—Permitíme ver tu flauta —dijo Rosalba y movió los dedos hacia él—. Vamos, enseñámela.

Basilio le entregó el instrumento. Si le hacía caso tal vez ella se iría. La noche antes, con Jacinta ausente, y no adonde Chenta sino sólo Dios sabía dónde, Rosalba había ido a visitarlo y él tuvo que simular que necesitaba algo en la cocina para alejarse de ella. Esa táctica no le serviría esta vez, porque Jacinta estaba en la cocina y, desde su regreso esa tarde, entre los dos se había levantado un silencio tenso que era, para él, una nueva forma de soledad.

—No te importa que la toque, ¿verdad Basilio? —Rosalba se llevó la flauta a los labios y sopló fuerte por los orificios que tenía arriba y abajo, lo cual produjo una serie de sonidos discordantes. —¡Querés oírme!

—Para tocar la flauta hay que soplar con suavidad.

—Yo puedo soplar suavecito. —Rosalba hizo un nuevo intento, esta vez con resultado más agradable. —Eso está mejor, ¿no te parece?

—Sí.

Rosalba dejó sobre su falda la flauta, que formó un delgado puente entre sus amplios muslos claramente esbozados debajo de su uniforme.

—Yo no te gusto, ¿verdad Basilio?

La pregunta fue tan sorpresiva que Basilio quedó sin habla.

—Sé que no te gusto, pero no me importa. —Rosalba tomó la flauta y se levantó. Y, antes de que Basilio pudiera impedírselo, ella se metió en el cobertizo.

Él se quedó allí parado, sintiéndose como un tonto porque no sabía qué hacer con esa muchacha fastidiosa. Bruno caminó hacia el cobertizo y asomó la cabeza adentro. Y enseguida giró la cabeza y miró a Basilio como diciéndole "Sí, vaya si está adentro". Basilio pateó un montoncito de tierra y se acercó a la puerta.

Rosalba estaba sentada sobre el catre y sonreía. En el interior del cobertizo, la lámpara de querosén estaba ubicada de manera que proyectaba una gigantesca sombra de ella contra una pared con estantes en los que había latas y frascos y los animales de madera tallados por él y puestos en fila.

—Esto es como una cueva —dijo Rosalba. En eso tenía razón. El catre y una silla eran los únicos muebles. Una serie de bolsas con tierra negra y fertilizante estaban apiladas junto a otra pared, y ellas, lo mismo que el piso de tierra, producían un olor terroso y dulce. —Puse la flauta sobre la silla —dijo ella y la señaló. El espacio era tan pequeño que al hacer ese gesto tiró el sombrero de Basilio que colgaba de un clavo bajo en la pared. —¡Ay, Dios! —exclamó, levantó enseguida el sombrero y se lo puso en la cabeza. —Miráme.

—¡Dáme eso! —En un instante Basilio estaba junto a ella, y se trabaron en una pequeña escaramuza por el único recuerdo que él poseía de su padre. Ella reía y se aferraba al ala con las dos manos, y muy pronto quedó acostada en el catre, con él a horcajadas sobre su cuerpo. Basilio extendió el brazo en busca del sombrero. Debajo de él, ella era suave, redondeada y cálida. Había dejado de reír y él sentía su aliento sobre la mejilla y, después, al costado del cuello. Cedió a la presión y el roce que tenía debajo. Fue una respuesta visceral que no pudo controlar, y su corazón le bombeó algo espeso y quemante en el pecho y en los muslos. Rosalba lanzó un pequeño grito agudo que podría haber contenido su nombre. Levantó las piernas y apretó los muslos contra las caderas de Basilio, y en ese momento Bruno gruñó. El perro estaba en el catre y mostraba los dientes. El gruñido que brotaba de su garganta era aterrador.

A Basilio se le apretó el pecho contra las costillas.

—No te movás —le dijo a la muchacha, que estaba como paralizada debajo de él—. Vaya, chucho —le dijo con suavidad al perro. —Vaya, vaya —repitió como un mantra que pronto suavizó la línea de pelo erizado que el animal tenía en el lomo. Basilio se incorporó lentamente; siguió hablándole hasta que el perro se tranquilizó un poco y le permitió acercarse. —Andáte —le dijo a la muchacha—. Yo voy a detener el perro. —Y entonces oyó que Rosalba se levantaba y salía corriendo por la puerta.

A la mañana siguiente, Basilio podaba el jazmín que crecía junto a la pila de agua. Se había desnudado el torso por el sol y el calor abrasador que sentía en la espalda era su manera de expiar la casi equivocación de la noche anterior. Rosalba. No quería pensar en ella, así que cedió al sonido hipnótico de la fuente, al ritmo opaco de los golpes de su machete. Tan absorto estaba que no advirtió la presencia de Jacinta hasta que ella le habló. Basilio se enderezó y el corvo quedó inmóvil a su lado.

—Te traje la ropa —dijo ella mientras apretaba contra el cuerpo un atado de ropa como si reprimiera algo. Por lo general era la lavandera la que le entregaba su ropa lavada, así que le sorprendió ver a Jacinta allí parada con la ropa.

—En realidad, quiero hablar contigo. —Jacinta fue a sentarse en el borde azulejado de la fuente, en un cuadrado en sombras ofrecido por los árboles. —Hay algo que necesito decirte. —Dejó caer un brazo dentro del agua antes de continuar. —El sábado no fui donde Chenta. Quería que lo supieras.

Él asintió por debajo del ala de su sombrero y sintió que el sudor se le deslizaba por el pecho y por la espalda.

Jacinta sacó la mano del agua y se la secó en la falda antes de ponerse el atado de ropa sobre las rodillas. Encima del atado había un paquete envuelto en papel tisú.

—Aquí está el chivito que tallaste para Chenta. No me pareció bien guardármelo. La próxima vez que vaya a verla, cuando realmente vaya a visitarla, se lo voy a llevar en tu nombre.

Él miró el paquete color turquesa que era la prueba de su rechazo y los celos arremetieron contra su corazón, pero entonces pensó en Rosalba y en lo que habían estado a punto de hacer a sólo metros de allí, en el galpón, y sintió vergüenza.

—Perdonáme, Basilio. Siento haberte mentido.

—¿Adónde fuiste el sábado?

—No importa adónde fui.

—¿Fuiste con el hombre del correo?

—¡Virgen Santa! ¿Cómo supiste de él?

—Lo vi contigo. Los vi juntos.

Ella se puso de pie. En dos pasos cubrió la distancia que los separaba.

—¿Dónde? ¿Dónde nos viste?

—No importa dónde.

Ella lo miró fijo, y estaba tan cerca que él alcanzó a ver la sorprendente negrura de sus ojos, la leve decoloración en un extremo de la boca. Por un momento Jacinta no dijo nada; luego la luz cambió detrás de sus ojos y ella regresó junto al borde de la pila, el atado de ropa tan apretado contra su pecho que ahora daba la impresión de que lo utilizaba para mantenerse erguida. El calor que Basilio había acumulado mientras trabajaba al sol lo abandonó, y fue a pararse junto a ella porque era lo único que se le ocurrió hacer. Por un momento permanecieron así, mudos, mientras el agua caía melodiosamente detrás de ellos.

Fue Jacinta la que rompió el silencio.

—Después de que murió mi mamá, siempre deseé haberme muerto con ella.

—Yo no quiero que te murás. —“No podría vivir si te murieras”, pensó Basilio, pero no podía decirlo.

—Desde aquel día en Metapán he llevado una vida diferente. Nosotros llevamos una vida diferente. —Jacinta bajó el atado a su falda.

—Mirános aquí, Basilio. —Señaló hacia la casa y, después, con un gesto, abarcó el jardín y el cielo y todo más allá de esas dos cosas. —No puedo olvidar de dónde vinimos. Nuestra gente. Nuestras costumbres. Nuestras benditas parcelas de tierra. Yo nunca olvidaré todo eso, pero ya no existe. Lo que fuimos ya no existe.

Él se apretó la nuca y recordó la época en que era todavía un muchacho y cómo había caminado de El Congo y por las montañas hacia su casa. Lo que ella acababa de decir era cierto. En la cima del volcán lo había visto por sí mismo. En una única mirada comprendió el vacío de su pasado.

Jacinta apartó la vista del perfil filoso de Basilio, de su boca.

—De manera que ahora estamos en la casa de doña Magda. Para llegar aquí tuvimos que hacer algunas concesiones. Mi madre tuvo que hacer concesiones para poder sobrevivir. A tu madre la mataron antes de que tuviera tiempo de hacerlo. Los dos hicimos concesiones para mantenernos vivos. Vivimos una existencia protegida al trabajar para los ricos. —Ella volvió a mirarlo. —Pero es un precio pequeño el que pagamos por esa seguridad, ¿no lo crees así, Basilio?

Él asintió y deseó ser suficientemente hombre para levantar la mano y ponerle un dedo en la curva del cuello.

—De modo que, ya ves. Los años pasan y ahora yo soy una persona diferente. Ahora estoy contenta de estar viva.

Basilio hizo un ruido ahogado que disfrazó de tos, porque vio la repentina alegría que llenó el rostro de Jacinta y porque sabía que no era él quien la causaba sino un hombre de camisa blanca almidonada que se ganaba la vida poniendo sellos sobre las cartas.

—El hombre del correo, ¿cómo se llama? —La pregunta era tonta, porque hacía que ese hombre fuera más real incluso que cuando lo vio con Jacinta sentados debajo de los árboles en el parque, o cuando los vio a ambos en el café, la cabeza de cada uno inclinada hacia el otro por sobre las tazas de café.

—¿Qué importa cómo se llama?

—Importa —dijo Basilio porque no podía evitar querer saberlo.

—Se llama Miguel —dijo al fin Jacinta. Se puso de pie y fue hacia el cobertizo—. Voy a poner esta ropa en el catre —agregó por encima del hombro.

En un santiamén estaba de vuelta y extendió frente a Basilio un cuadrado de tela blanca.

—¿De dónde sacaste esto?

—¿Qué es?

—Lo encontré en el cobertizo. Estaba en el suelo junto a tu catre.

Él se puso de pie, alarmado por la seriedad de su voz.

—¿Qué es? —repitió.

—Es uno de los pañuelos de doña Magda. ¿Cómo terminó un pañuelo de Magda en tu cuarto?

—Rosalba —dijo Basilio, y el nombre se le escapó antes de poder controlarlo.

Jacinta encontró a Rosalba en la sala. La muchacha había enrollado la alfombra persa y en ese momento barría el piso que estaba debajo. Mish estaba acurrucado debajo de una mesa baja y acechaba la escoba. Cuando la vio pasar frente a su hocico pegó un salto.

—¡Gato condenado! —exclamó Rosalba. Usó la escoba para echar el gato y después golpeó el piso varias veces con el extremo de la escoba para ahuyentarlo por el corredor hacia el jardín. Rosalba giró la cabeza y se sobresaltó al ver a Jacinta allí parada.

—Por Dios, ¿de dónde saliste? —dijo.

Jacinta extendió el pañuelo de Magda como si fuera un ratón que sostenía por la cola.

—¿Ves esto?

Rosalba se tomó del palo de escoba antes de preguntar:

—¿Qué es?

—Sabes bien qué es. Es un pañuelo de Magda. Y lo dejaste en el cuarto de Basilio.

—¿Qué?

—Ya me oíste. ¿De dónde lo sacaste?

—No sé de qué hablás.

—No mintás, Rosalba. Dejaste caer el pañuelo de la señora en el cobertizo.

—Yo no estuve en el cuarto de Basilio. ¿Él dijo que estuve allí? Si lo hizo, entonces el que miente es Basilio.

Jacinta dobló el pañuelo y se lo puso en el bolsillo.

—Escucháme, Rosalba. Basilio Fermín es un hombre decente. Un hombre decente y trabajador. No voy a permitir que lo metas en problemas.

Rosalba apartó el palo de escoba y dijo:

—Estoy segura de que Basilio se puede cuidar solo, ¿no lo creés?

—Escúchame. Sos tú la que debe cuidarse. Entrar en el cuarto de un hombre es una tontería y sólo puede traer problemas. ¿Tu mamá no te enseñó nada?

Rosalba adelantó el mentón.

—¿Y quién te creés que sos para hablarme de esa manera?

—Soy la que está a cargo, ésa soy. Y hay también otra cosa, muchachita tonta. —Jacinta palmeó el bolsillo que contenía el pañuelo. —Tú y yo sabemos que esto vino de la señora. Cómo lo conseguiste es algo que sólo puedo adivinar. En el futuro será mejor que te cuidés, muchacha. De ahora en adelante te voy a estar vigilando, como el gato hizo con la escoba.

Ellas no lo veían, pero desde el jardín Basilio lo había oído todo. Volvió junto a los jazmines, embriagado al enterarse de que Jacinta lo consideraba un hombre decente.

CAPÍTULO TREINTA Y UNO

El nombre de la tienda de Magda, Tesoros, era un verdadero hallazgo: era, sin duda, el lugar donde se podían encontrar tesoros. Convertía en una aventura la molesta e interminable tarea de encontrar el regalo perfecto para un bautismo, una primera comunión, un cumpleaños, un santo, compromisos, fiestas de despedida y casamientos. El negocio, a diferencia de las otras tiendas de regalos con sus chillones mostradores y estantes de exhibición y su elegancia convencional y formal, era más un escenario, un acontecimiento en el que la actriz principal era Magda de Tobar.

Tesoros ocupaba una esquina estratégica en la misma cuadra que el Gran Hotel San Salvador. Tenía dos amplios salones, con grandes vidrieras. Uno daba a la Avenida España; el otro, a la Calle Poniente. Además de estar a pasos del mejor hotel del país y conectado a él a través de un pasillo interior, el local estaba a poca distancia del Teatro Nacional, el mercado central y la catedral. En suma, era una ubicación insuperable.

Pero si bien todo eso era importante —en realidad necesario para que el negocio pudiera prosperar—, más importante todavía era lo que la gente veía cuando entraba en la tienda. En Tesoros, la bienvenida la daban el color, la textura y la fragancia. Estantes color azul añil contra paredes color granada. El piso en color tabaco. Suaves telas teñidas en café adornaban las cornisas.

Aunque Magda era *avant-garde,* no era tan tonta como para negarle a la mujer salvadoreña la comodidad de sus elecciones habituales. Así que además de los regalos de cristal tallado, porcelana, cristal, hilo, batista, encaje, teca, caoba, oro y plata, Tesoros ofrecía retablos de metal repujado y estatuillas de barro, santos tallados, antiguos y nuevos, objetos de cerámica hechos a mano para una variedad de usos, fotografías enmarcadas de cosas comunes y corrientes: una puerta de madera, una berenjena, gotas que brillaban sobre un banco de hierro. Había pinturas primitivas sobre latón o madera, y también almohadones, manteles, individuales de chintz y gobelinos. Asimismo, una línea de pisapapeles y cajas decorativas que se había convertido en la marca de fábrica de Magda. En un rincón, sobre una gran mesa redonda y flanqueadas por floreros con girasoles, había una colección de velas de todo tipo.

En las seis semanas que llevaba abierto, Tesoros había captado la atención tanto de la clientela como de la prensa. La visión innovadora de Magda hacía que la gente hablara de la tienda y comprara en ella. En términos generales, fue un buen principio. Pero de todos modos a Magda no se le escapaba que gran parte de ese éxito se lo debía al nuevo espíritu de posguerra que había hecho que la gente gastara en lujos y frivolidades. Si lograba pasar esa etapa de lo novedoso (que era muy promisoria pero no se debía confiar demasiado en ella), si el negocio se mantenía y crecía, ella ofrecería una gran fiesta de gala para celebrarlo. Pero no hasta entonces.

En el hogar no todo era tan prometedor: Álvaro, cuando no estaba en la costa pendiente de su algodón, actuaba como un niño. Frente a la mesa, con frecuencia apartaba sus comidas preferidas y exigía platos con los que la cocinera no estaba familiarizada. Era muy quisquilloso con las camisas y deslizaba un dedo por los impecables cuellos blancos para señalar manchas que insistía estaban allí. En unas pocas ocasiones le hizo el amor a Magda con intensidad y rapidez, para después darle la espalda antes de siquiera satisfacerla. Como estaba con la tienda, en casa Magda se tomaba su tiempo, decidida a mostrarse paciente. Habló un poco de esta situación con Jacinta, quien estaba ansiosa de obtener la ayuda del personal para ayudar a serenar al señor. Para sí, Magda se decía: "Que Álvaro tenga sus pataletas. Pronto, cuando se acostumbre a la realidad, volverá a ser el de antes".

Esa mañana de abril, Magda estaba en el fondo del local, frente a una mesa larga que servía de mostrador, ocupada en reordenar un florero de azucenas atigradas antes de que el trabajo aumentara. Teresita, su asistente, estaba también frente al mostrador contestando un llamado telefónico.

—Sí, tenemos un buen surtido de candeleros, niña Isabel —decía Teresita.

Magda atrajo su atención:

—¿Quién es? —le susurró e indicó el teléfono.

Teresita cubrió el micrófono con una mano.

—La niña Isabel de Salah. Quiere que le lleven la mercadería a la casa.

—¡Dios mío! —exclamó Magda—. Deja que yo hable con ella.

—Magda tomó el teléfono y saludó a su vieja amiga de infancia. Las dos mujeres conversaron un momento y muy pronto convinieron en que la misma Magda le llevaría una selección de artículos para que Isabel eligiera en su casa lo que deseaba. Hacía años que no se veían y a Magda la alegraba esa oportunidad de ponerse al día con esa relación.

A las cuatro en punto Basilio Fermín llegó en el sedán para recoger a Magda y la mercadería. Avanzaron por la avenida Roosevelt hacia San José de la Montaña, la colonia donde vivía Isabel. En el monumento a El Salvador del Mundo Basilio dobló hacia la derecha, ascendió por la colina y pasó frente a la iglesia de San José, por el que se había nombrado ese barrio. Esa parte de los suburbios formaba una terraza en una ladera de la montaña. A diferencia de las casas de una planta que en la ciudad estaban una junto a la otra, en San José de la Montaña eran de dos plantas y separadas de la calle y de las contiguas por muros: de piedra, jardines y senderos de acceso. Nada familiarizados con ese vecindario, Magda y Basilio espiaban por las ventanillas en busca del número 152.

—Allí está —dijo Basilio. Entró en el sendero de una casa de estuco blanco con aleros de madera oscura y un balcón de madera en arco que se extendía a lo largo del segundo piso. El jardín del frente, aunque no era grande, tenía en un rincón un mango frondoso y, en el medio, un arriate de margaritas rojas y amarillas. Magda se apeó del auto y paseó la vista por el barrio, sus casas y calles tranquilas, sin prácticamente ningún auto ni persona a la vista. "Qué interesante —pensó—,que Isabel viva en este lugar. Aquí, en el borde de la ciudad, aislada de la sociedad en todos sentidos".

La amplia puerta de calle de la casa se abrió de golpe e Isabel se acercó al auto, los brazos abiertos en señal de bienvenida.

—¡Magda! No puedo creer que estés aquí. —Las mujeres se abrazaron con cariño, mientras decían, casi al mismo tiempo: "¿Cuánto hace que no nos vemos?" y, "Una eternidad, ya lo sé". Del brazo, transpusieron la puerta y entraron en una pequeña habitación del frente con fuerte olor a madera de cedro. El cuarto tenía piso de baldosas y pesados muebles de cuero. Magda e Isabel se sentaron juntas en el sofá y el suave cuero del almohadón rodeó el trasero de Isabel porque había engordado bastante.

—Realmente, ¿cuánto tiempo hace? —preguntó Magda.

—Desde antes de que mi hijo Enrique naciera. —Isabel llenaba generosamente un vestido suelto de algodón. De manera poco convencional, no usaba medias ni tacones altos ni maquillaje. Era rubia, como su padre lo había sido. Tenía una serie de pecas en el puente de la nariz y en los brazos, que le daban un matiz dorado. —Como puedes ver, me he convertido en una mujer sencilla. Tener hijos me cae bien. Ahora tengo cuatro. Uno más que tú, me parece.

—Y veo que pronto llegará el número cinco —comentó Magda y señaló la amplitud del vestido que usaba Isabel.

Isabel echó la cabeza hacia atrás y rió.

—No, no es así. Tengo este aspecto porque estoy muy gorda.

Magda sintió que se le encendían las mejillas.

—Dios mío, lo siento tanto. Por favor, perdóname, Isa.

—No tengo nada que perdonarte. Pero mírate. —Isabel se apartó un poco para observarla mejor. —Estás más linda que nunca. Mamá y yo estuvimos leyendo sobre Tesoros en el periódico y estamos muy orgullosas de ti, Magda, y tan felices de que conseguiste cumplir tus sueños. —Isabel tomó las manos de Magda y la atrajo hacia sí. —¿Recuerdas cuando solíamos planear nuestras vidas tendidas en la cama? Tú te casarías con Álvaro Tobar. Siempre lo dijiste. Y tendrías la mejor tienda de regalos del mundo. ¿Yo? Yo nunca sabía qué quería ser. Hasta que conocí a Abraham, y entonces todo cayó en su sitio.

Magda sonrió y apretó las manos de su amiga, pero la evidente felicidad de Isabel la desconcertaba. Durante todos esos años Magda la había imaginando viviendo la existencia triste y arrepentida de una hija que debía compensar la grave equivocación de su madre. Pero allí estaba Isa, nada atribulada por el pasado. Se había casado con Salah, un miembro adinerado de la comunidad árabe y le había dado la espalda a la alta sociedad. Los Salah eran turcos, un término desagradable y burlón empleado para indicar a todos los inmigrantes árabes y palestinos y sus descendientes. La palabra resultaba molesta en la boca por el peso que llevaba de desprecio, exclusión e intolerancia. En la sociedad salvadoreña, sólo los chinos sufrían una discriminación igual. Discriminación en todo salvo en los negocios. En los negocios, los chinos y los turcos eran invitados a la mesa. Porque eran hábiles en los negocios y honestos y astutos habían permanecido en El Salvador y a lo largo de las décadas se habían multiplicado y prosperado.

—Dime, ¿cómo está tía Ceci? —preguntó Magda, sin duda pensando que era la madre de Isabel la que llevaba el peso del pasado. Hacía trece años que no veía a Cecilia, concretamente desde dos semanas antes de su boda con Álvaro.

—Está en el jardín. ¿Qué te parece si mando a una sirvienta a tu auto en busca de la mercadería que trajiste? Y mientras yo la veo, tú saludas a mamá. Verte le dará un gran gusto.

Cuando Magda salió a la parte de atrás de la casa de Isabel entendió por qué su amiga había elegido vivir allí. Había lugar para extenderse, y el jardín de Isabel se extendía en todas direcciones. Si estaba limitado por muros, no estaban a la vista. Una abundancia de árboles frutales florecía al sol. También había macizos de flores rodeados de piedras. Magda se puso a caminar por el parque y sus tacones altos se hundieron en ese césped esponjoso. Pasó junto a una piscina y un grupo de bancos pequeños ubicados en la sombra. Pronto vio a Cecilia, que usaba un gran sombrero de paja y un vestido suelto que, desde atrás, se parecía bastante al de Isabel. Cecilia estaba arrodillada frente a un jardinera con flores y trabajaba esa tierra negra y rica con una paleta.

—Hola, tía Ceci —dijo Magda, se le acercó y de pronto se sintió incómoda e insegura. ¿Qué diría su madre si supiera que ella estaba allí? ¿Si se enteraba de que había buscado a Cecilia?

Cecilia miró por sobre el hombro y levantó una mano para protegerse los ojos del sol.

—Querida Magda —dijo y se puso de pie mientras su sombrero caía en tierra—. Isa me dijo que era posible que vinieras. Deja que te mire. —Tomó las manos de Magda y la hizo girar. —Qué bonita estás. Ay, Dios, te estoy ensuciando. —Cecilia sacudió las manos de Magda y después las suyas. Parecía más pequeña de lo que Magda recordaba. El glorioso pelo de Cecilia era ahora una serie de rizos canosos, pero en general era la misma Cecilia de hacía mucho. La misma tez morena. Los mismos ojos oscuros y luminosos. La misma expresión traviesa en las comisuras de la boca. —Deja el sombrero donde está —dijo—. Ven, sentémonos.

—Esto es un paraíso —dijo Cecilia cuando estuvieron sentadas en un banco debajo de un árbol—. Yo paso mucho tiempo aquí. —Extendió las manos, los dedos bien abiertos. —Mírame. Mira cómo están llenas de tierra. —Tenía las uñas cortas. —Cuando acabábamos de mudarnos aquí, Isa y Abraham tenían un jardinero. Pero al cabo de un año, yo hacía más en el jardín que ese hombre, así que le pedí a Isa que lo despidiera.

—¿Tú trabajas en el jardín? ¿Haces todo esto sola?

—Así es. Y me hace muy feliz.

—Sorprendente —dijo Magda. Sorprendente, también, porque todo lo que había creído sobre Isa y Cecilia no resultaba ni remotamente cierto.

—Háblame de tus hijos. Sé que tienes tres. Isa me mantiene al día. Y, desde luego, están los periódicos y su columna de sociales llena de novedades. —Cecilia puso los ojos en blanco y rió.

Magda pasó algunos minutos recitando la letanía concerniente a sus hijos: que Júnior era muy serio, adoraba los automóviles y quería conducir autos de carrera; que Carlos, el del medio, quería cultivar algodón como su padre; que Orlando, el menor, detestaba el colegio pero adoraba a su perro Bruno. Durante el relato, la mente de Magda era como dos caballos que siguen sendas diferentes. Uno avanzaba al trote, e informaba a Cecilia sobre la familia; el otro se encabritaba y corcoveaba con pensamientos sobre Cecilia: la forma en que estaba allí sentada, levemente inclinada hacia adelante, muy atenta y pendiente de sus palabras. La forma en que le brillaba la cara, sin arrugas y llena de vida. Y sus ojos. Sus ojos eran grandes, inocentes y sin vergüenza. Esa parte de la mente de Magda era la que todo el tiempo se hacía preguntas: ¿Ésta puede ser la mujer que traicionó a mi madre? ¿Ésta es la que se acostó con mi padre? Magda prosiguió hablando de sus hijos, las manos sobre la falda, mientras con un dedo trazaba círculos sobre su pulgar. No quería pensar en su padre y Cecilia. Era un pensamiento desagradable que la dejaba perpleja.

—De modo que ahora necesitarías tener una niña, ¿no lo crees? —decía Cecilia.

—¡Ay, Virgen, no! —exclamó Magda—. Es suficiente para mí. Y sí tengo una hija. Se llama Tesoros.

—Supe del comienzo exitoso que tuviste. Todo el mundo habla de la maravilla que es Tesoros. Desde luego, no me sorprende en absoluto. Desde el minuto en que naciste supimos que eras diferente.

Cuando ella dijo "supimos", una expresión de tristeza asomó en sus ojos.

—Dime, querida Magda, ¿cómo está tu madre?

Si no lo hubiera preguntado, Magda se lo habría reprochado. Y ahora que lo había hecho, la pregunta de alguna manera la perturbó.

—Mi madre está bien, tía Ceci —respondió Magda.

—Por supuesto, estábamos preocupadas por ella. Cuando Isa se cruzó con tu padre y él le habló de la salud de tu madre, de que no comía nada y de lo delgada que estaba, bueno, como es natural, nos alarmamos. Por eso te escribí. Espero que no te haya molestado.

—¿Cómo podía molestarme una cosa así? —dijo Magda—. De hecho, mi madre está bastante involucrada con Tesoros y con que yo tenga éxito con mi proyecto. —Magda no entró en detalles acerca de la resurrección de Elena: los viajes de compras que habían hecho para la tienda, los kilos que había aumentado, el nuevo guardarropa que le había pedido a Pilar que le hiciera.

Dos perros salchicha rojizos se acercaron corriendo por el parque con las orejas al vuelo. Detrás los seguía gateando un bebé regordete. Y, detrás de todo, Isabel.

La criatura se acercó a Cecilia y le tiró los brazos. Reía incontrolablemente mientras los perros le ladraban y le lamían las piernas.

—Éste es mi nieto Enrique. Ya tiene casi dos años —dijo Cecilia y levantó la voz por sobre el barullo. Isabel se acercó y tranquilizó a los perros.

—Mi casa es siempre un circo —dijo.

Magda estaba por hacer un comentario cuando vio que un venado asomaba de detrás de un árbol. Dio un paso atrás sin poder creer lo que veía.

—Dios mío —dijo y Enrique levantó su cabecita rizada de la falda de su abuela y miró hacia donde Magda señalaba.

—Es mío —dijo Enrique y avanzó hacia el animal, un brazo extendido como en una bendición.

—No puedo creerlo —dijo Magda—. Hay un venado en tu jardín.

—Enrique lo bautizó Bambi —dijo Isabel—. También tiene un pavo real, pero es un ave demasiado mala para estar suelta todo el tiempo.

—Increíble —dijo Magda.

Más tarde, después de que todos bebieron un vaso de limonada fría, después de que Isabel seleccionó la mercadería que deseaba y dio indicaciones para su entrega, después de que Cecilia hubiera recogido una canasta de flores y frutas para que Magda se llevara a su casa, Isabel y Magda estaban de vuelta en el sendero de acceso. Isabel asomó la cabeza por la ventanilla del auto.

—Me alegra tanto que hayas venido —dijo, su mirada serena y profunda.

En el asiento de atrás, Magda tomó prestada la serenidad que vio en la cara de Isa.

—Yo también me alegro de haber venido —dijo.

Basilio arrancó el auto y lo condujo colina abajo, y el interior del vehículo estaba lleno de los últimos rayos de sol de la tarde y del aroma intenso de los mangos y papayas, junto con el de los geranios. Magda se volvió a recostar en el asiento. Pensó: "Qué equivocada estaba, qué equivocada". No supo bien si pensaba en Cecilia o en su madre.

CAPÍTULO TREINTA Y DOS

El Parque Cuscatlán era el lugar ideal para una cita; quedaba en la línea del ómnibus, por la avenida Roosevelt, a doce cuadras de la oficina central de correos. El parque era pequeño y era menos frecuentado que los parques más populares del sector del centro. Sin embargo, el Cuscatlán era uno de los más hermosos porque estaba poblado de maquilishuats, árboles de hojas anchas que daban una sombra intensa y tenía flores color rosado vivo, tan delgadas como las mariposas que secan sus alas al sol. Jacinta y Miguel habían estado allí una vez antes, un mes atrás, cuando los árboles estaban en plena floración. Hoy, los senderos y caminos del parque estaban cubiertos con flores caídas que constituían una alfombra única pero hacían que caminar sobre ella fuera resbaloso. Jacinta tomó a Miguel del brazo mientras caminaban debajo de ese dosel verde en el que los clarineros y dichosofuis cantaban sus melodías. Tenían el parque casi para ellos solos. Desde su viaje a la playa dos meses antes, se encontraban para tomar café una vez por semana, pero siempre era a los apurones en cafés apartados, llenos de gente que hablaba en voz muy alta. Hoy tenían algunas horas por delante: era el mediodía libre de Jacinta, algo que sólo ocurría una vez por mes y que ella estaba dispuesta a aprovechar bien.

—Va a llover —dijo Miguel mientras balanceaba el paraguas hacia adelante y hacia atrás al caminar. La estación de las lluvias ya casi estaba encima. De mayo a noviembre, un chaparrón por la tarde sería un acontecimiento cotidiano.

—Sos el único hombre que he conocido que tiene su propio paraguas.

—Bueno, entonces los hombres que conociste deben de haberse mojado mucho.

Jacinta se echó a reír.

—Mojarse no es tan malo, ¿sabés?

—Tal vez no.

—Seguro que no. Mojarse limpia.

—Yo prefiero mi ducha. —Miguel se detuvo y metió la mano en el bolsillo en busca de un cigarrillo. Jacinta lo observó encender uno y darle una pitada, y muy pronto el aroma a tabaco se mezcló con el olor punzante de las flores pisoteadas que tenían bajo los pies. Miguel se puso el fósforo usado entre los dientes.

—¿Por qué siempre hacés eso? —preguntó Jacinta cuando reanudaron la marcha.

—¿El fósforo? No lo sé. Es sólo una costumbre. A Olivia no le gusta... —Se encogió de hombros y no siguió.

Jacinta no dijo anda. Eran así las cosas entre ellos. A veces Miguel hacía comentarios enigmáticos sobre su esposa que Jacinta descifraba hasta llegar a su significado completo: Olivia se había dejado después de que empezaron a llegar los hijos; Olivia siempre estaba cansada y casi nunca le gustaba salir. Jacinta, a su vez, a veces hablaba de Basilio y era más expansiva que Miguel en sus comentarios. Decía que Basilio le daba lástima y que desearía poder hacerlo feliz. Igual, cuando salía a relucir el tema de Olivia o de Basilio, cada uno escuchaba al otro y hacía comentarios superficiales porque, dada la naturaleza de la relación de ambos, ¿qué sentido tenían los comentarios? Los comentarios solían convertirse en sugerencias; las sugerencias podían convertirse muy pronto en acusaciones y las acusaciones, en recriminaciones.

Llegaron a un punto en que el camino terminaba y había un claro bordeado de chulas y margaritas. Cruzaron ese espacio y fueron hasta una pequeña loma; a un lado había un grupo de grandes piedras decorativas y al otro, un montecillo de arbustos y árboles. Ese lugar era un verdadero refugio compacto y apartado. Lo habían descubierto en la última visita que hicieron a ese lugar. Allí se habían recostado sobre ese césped esponjoso, allí hicieron el amor por segunda vez. Hoy, desde el momento en que entraron en el parque, sin decirlo estaba estipulado que ése sería su destino y que hacer el amor era su propósito.

Una vez en la colina, apartaron las flores caídas con los dedos y se instalaron sobre el césped, a la sombra de las rocas y los árboles. Jacinta hundió los dedos en ese pasto mullido en un intento de barrer la manchas rosadas dejadas por las flores.

—Creo que te equivocás y que no lloverá.

La última vez que estuvieron allí, una profusión de flores había oscurecido el cielo, pero hoy el cielo estaba retaceado de azul por entre las ramas frondosas de los árboles.

—Va a llover —dijo Miguel y apagó el cigarrillo en el pasto—. Todavía no es la estación, pero va a llover. Lo siento en los huesos.

Jacinta le dio un empujoncito.

—¿Lo sentís en los huesos? Hablás como un viejo.

—Soy viejo en comparación contigo.

—Tener treinta y cinco años no es ser viejo. —Le arrancó el fósforo de la boca, le sacó el extremo ennegrecido y se puso el fósforo en el bolsillo. Después frotó los dedos contra el pasto para limpiarse el hollín.

—¿Por qué siempre hacés eso? —preguntó Miguel con tono burlón al repetir la pregunta que ella le había hecho—. A esta altura debés de tener docenas de fósforos.

—¿Y qué hay si los tengo? —Los había reunido en una caja de fósforos por la única razón de que él los había tenido entre los labios. Ese tesoro, así como el frasco con agua de mar que él le había dado después del viaje, ella lo había escondido en una caja que puso en el fondo de un cajón del tocador. Jacinta se echó hacia atrás sobre ese colchón de pasto. Contempló el cielo y las nubes que se movían perezosamente entre los árboles. —Es curioso, pero cuantos más años tengo, más pequeño se vuelve el cielo.

Miguel se tendió junto a ella y también miró hacia arriba.

—Tú creciste en el campo. En el campo el cielo siempre es muy grande.

—Y tú creciste en la ciudad.

—En la ciudad el cielo siempre es pequeño.

Ella se puso de costado para verlo mejor.

—Tú y yo somos tan diferentes… —No siguió porque era tanto lo que podía decir y estaba demasiado emocionada para decirlo.

Él la miró y se apoyó en un codo.

—¿Cómo? ¿En qué sentido somos diferentes?

Ella le puso una mano a un lado de la cara. Un conjunto de imágenes desfiló por su mente: ramas de cafetos henchidas de frutos; sus propios dedos tiesos y escoriados en lo alto, tratando de recogerlos; barrancos escarpados con olor a suciedad y a humanidad apiñada; un laurel en llamas, sus hojas curvándose con el calor; Tzi, el perro fiel, y cómo las costillas le asomaban de su pelambre amarillenta; la falda negra y larga de su madre, con su borde de pájaros bordados. ¿Qué había en la vida de Miguel que pudiera competir con todo esto?, se preguntó. ¿Veredas y cemento? ¿Pies bien calzados? ¿Un colchón grueso apoyado sobre un elástico de madera? ¿El olor de pan recién horneado que se filtraba hacia una calle abarrotada de gente?

—Somos diferentes, eso es todo —dijo al fin, pero lo que quería decir en realidad era: "Hay un mar de diferencia entre nosotros. Es la diferencia entre el caos y la tranquilidad". Durante la mitad de su vida había soportado lo primero y ahora, después de probar la segunda, ¿cómo dejarla ir?

Él apoyó una mano sobre la de ella que seguía sobre su cara.

—Te quiero, Jacinta —dijo—. Veo tanto dolor en tus ojos que se me parte el corazón. —La recostó suavemente hacia atrás, le besó los párpados y le rodeó la cara con las manos como si fuera una cosa valiosa y frágil. La ternura de ese gesto conmovió tanto a Jacinta que sintió que los ojos se le llenaban de lágrimas y experimentó un deseo tan intenso y dolorido que se incorporó y se apretó contra el cuerpo de Miguel.

Y, así, hicieron el amor por tercera y última vez. Una tarde en el parque, cuando él pensó que llovería y ella, que no. Cuando a ninguno de los dos se le pasó por la cabeza que lo que hacían juntos debajo de un cielo azul y sobre el pasto verde nunca volvería a suceder.

En casa de Pilar había una conmoción. Los chicos estaban a mitad de camino de la casa a la escuela cuando de pronto comenzó a llover y tuvieron que correr a protegerse debajo de aleros y en portales a lo largo del camino. En su apuro, Nanda resbaló y se raspó una rodilla, y ahora estaba despatarrada en una silla junto a la pileta, su pierna huesuda sobre la mesa de la cocina mientras Pilar le aplicaba un desinfectante en la herida.

—¡Aiiiii! —gritó Nanda.

—Dejá de gritar —dijo Pilar y se puso a abanicar el raspón con una mano—. Los vecinos pensarán que te estoy matando.

—¡Soplá! ¡Soplá fuerte! —gritó Nanda. Emilio hinchó los cachetes e hizo lo que su hermana le pedía.

—¡Me estás escupiendo! —gritó Nanda y empujó a su hermano. Emilio se recostó contra su hermano mayor Eduardo, sentado en otra silla.

—Le dije que no corriera —dijo Eduardo.

—Tú no sos quién para decirme qué haga —gritó Nanda, mientras se abanicaba con furia la rodilla.

—Qué exagerada —dijo Eduardo, puso los ojos en blanco en dirección a su hermana y le pasó un brazo por la cintura a su hermano menor.

—Juro que todos ustedes van a ser mi muerte —dijo Pilar y comenzó a vendarle la rodilla a Nanda. Después volvió a tapar el frasco de desinfectante y lo puso en la alacena.

—Yo no hice nada —lloriqueó Emilio.

Eduardo dijo:

—Nanda, ya podés bajar la pierna. Estoy cansado de verte la ropa interior.

Emilio rió por lo bajo y Nanda se apresuró a bajar la pierna. Fulminó con la mirada a Eduardo y se alisó la falda.

—Tengo el uniforme sucio de la vereda.

Harold, el sobrino de Pilar, entró. No estaba solo; con él venía un muchacho con el rostro moreno de un indio, y se quedó junto a la puerta.

—Desde la calle oí los gritos de Nanda —dijo Harold y se pasó la mano por el pelo, húmedo por la lluvia inesperada—. ¿Qué pasó?

—Se cayó y se raspó la rodilla —dijo Emilio.

—¿Ves? ¿No te lo dije? Apuesto a que los vecinos creen que estás muerta —dijo Pilar—. Hola, Víctor —agregó, dirigiéndose al amigo de Harold—. Siéntense. Les voy a traer algo de tomar.

Pronto había sobre la mesa cinco botellas de Coca-Cola. Pilar, apoyada contra la pileta, bebió también de una.

—¿Cómo están las cosas, Víctor? —preguntó. Algunos meses antes había muerto la madre de Víctor. Él tenía quince años y se esforzaba mucho por ocultar lo que sentía frente a la pérdida de su madre.

—Bien —respondió Víctor. Giró media vuelta la botella de gaseosa y después se puso las manos sobre las rodillas.

Harold, que también había perdido a su madre, dijo:

—Víctor debería venir a vivir con nosotros.

—Estoy segura de que el papá de Víctor tendría mucho que decir al respecto —dijo Pilar. El padre del muchacho era Rolando Morales. Ella sabía que era un subteniente de la Guardia Nacional. No lo conocía, pero sabía cómo eran esos hombres. Armas. Tácticas. Vida Militar. Camaradería. Eso era lo que más les interesaba a esa clase de hombres.

—A mi papá no le importaría —dijo Víctor. Volvió a tomar la botella y la giró una vez más antes de tomar un trago. Vivían en Colonia El Refugio. Ahora sólo quedaban los dos en esa pequeña casa rosada que, desde la muerte de su madre, parecía achicarse día a día. Cuando no estaba de servicio, su padre permanecía sentado en la oscuridad sin encender ni una lámpara ni una vela, iluminado sólo por la luz ambiente que venía de afuera. Vestía pantalones arrugados, camiseta con olor a transpiración, sin zapatos ni calcetines, mientras su uniforme colgaba de la pared, sobre una percha, imponente incluso en esa penumbra, almidonado y planchado y señalando como una flecha hacia sus zapatos lustrados a espejo. Ese espectro incorpóreo colgado contra la pared era lo que a Víctor lo fascinaba. Esa aparición era alguien, y había poder en su paso y en el apretón de sus manos. Si ese hombre lo golpeaba en la mejilla o en la nuca, si decía cosas que le apretaban el corazón o que le aflojaban las rodillas, lo conomovían. Así eran las cosas con hombres como Rolando Morales. Al que Víctor no amaba era al hombre cabizbajo en la oscuridad, la cabeza hundida entre los hombros, que bebía una cerveza tras otra. Con cada sorbo de la botella, ese hombre podía volverse aun más cruel.

—Podríamos poner otro catre en mi cuarto —dijo Harold mientras jugueteaba con la esclava con su nombre que tenía en la muñeca.

—Es mi cuarto también —dijo Eduardo—. Pero no me importaría que Víctor viniera a quedarse.

—A mí tampoco —dijo Emilio, porque también era su habitación. Los tres varones compartían un dormitorio: Eduardo y Emilio en la cama doble y Harold en su propio catre; Pilar y Nanda compartían la cama grande del segundo dormitorio.

—Bueno —dijo Pilar— tenemos que pensarlo. —Aunque era evidente que la cosa había pasado de una conversación intrascendente a algo mucho más serio. El muchachito estaba allí, tan tieso que parecía almidonado. Sin una madre que le facilitara las cosas, lo que tenía delante era un camino difícil. Era un chico feo y de tez oscura. Y como si esto no fuera suficiente, estaba la cuestión de su marca de nacimiento.

—Todos hablan y hablan, pero nadie le preguntó a Víctor qué opina —dijo Nanda.

—Nanda tiene razón —dijo Pilar y puso una mano sobre el hombro de su hija. Sólo tenía ocho años, pero a veces Nanda decía cosas sorprendentes. —¿Qué querés tú, Víctor?

Victor sacudió su propia pulsera con su nombre en un intento de simular indiferencia. ¿Qué quería él? Quería a su madre. Ella había muerto en forma inesperada. Un día estaba sana y bien, y al siguiente tenía una hemorragia tan severa que pasaría un año antes de que el dueño de la casa cayera en la cuenta de que la única manera de resolver el problema de las manchas de sangre era cambiar las baldosas del piso.

—Decínos qué querés, Víctor —dijo Nanda.

"Les diré lo que quiero —pensó Víctor, pero no lo dijo—. Quiero a mi madre. Cuando ese hombre se sienta en la oscuridad y se pone a chupar cerveza, a veces me murmura cosas. No olvidés que yo te encontré, muchacho, dice el hombre. No olvidés que estarías muerto si no fuera por mí." Víctor bebió otro trago de gaseosa para que lo ayudara a lavarle la memoria. Sabía que había sobrevivido a algo terrible porque sus sueños lo confirmaban. En sus sueños, el sonido de armas de fuego era intenso y el olor a pólvora era fuerte. A veces sus sueños estaban poblados de cadáveres y ranchos en llamas. ¿Qué quería? Quería a su madre. Sin su madre, ¿quién lo protegería de sus sueños? ¿Quién lo protegería de su padre?

—Bueno —dijo Pilar, impresionada por el silencio de Víctor—, no tenés que decir lo que querés. —Se acercó a la mesa y se puso a recoger las botellas de gaseosas y muy pronto la tensión que se había creado en la habitación disminuyó. Los muchachos, al percibir ese cambio, se fueron a sus cuartos para quitarse los uniformes antes de concentrarse en sus tareas escolares. Harold y Víctor permanecieron en la cocina un momento, y Pilar estaba por asegurarle a Víctor que el tema de su mudanza con ellos no era un asunto cerrado, cuando Jacinta llegó de visita. Esa presencia inesperada provocó un oleada de nueva actividad: los niños salieron corriendo a saludarla y Harold se apresuró a presentarle a Víctor y después se excusó y los dos se fueron.

—De modo que ése era el famoso Víctor —dijo Jacinta cuando sólo ella y Pilar quedaron en la cocina. Pilar había calentado café y Jacinta bebía una taza. —Pobrecito, perder a su mamá. Y esa marca de nacimiento. Estoy segura de que ha sido causa de muchas mortificaciones. —Pensó en el pequeño Tino y en su pequeña oreja manchada.

—Harold quiere que se venga a vivir aquí —dijo Pilar. Ella no bebía café. Esa única Coca-Cola había sido suficiente.

—¿Se lo vas a permitir?

—No sé. Hay que tomar en cuenta a su papá. Su padre es un guardia, un subteniente de La Guardia.

Jacinta levantó los hombros y se estremeció.

—Ésa es razón suficiente para que permitas que el muchacho viva con ustedes.

—Quizá —dijo Pilar, y después cambió de tema porque el solo hecho de pensar en el muchacho y en sus ojos grandes y tristes la deprimía—. De modo que, contáme. ¿Qué te trae hoy por aquí?

—Tenía la tarde libre —dijo Jacinta, levantó la vista y miró el reloj—. No tengo mucho tiempo. Debo estar de vuelta en la casa a las cinco.

—Si no te queda mucho tiempo, ¿qué hiciste toda la tarde?

—No querrás saberlo.

—Ah, entiendo. —Pilar levantó una mano. —Calláte. No hace falta que digás más.

—No lo voy a hacer.

—¿Qué pasa? ¿No estás contenta?

—Nunca he estado más contenta.

—¿Cuál es el problema, entonces?

—Ése es justamente el problema —contestó Jacinta.

CAPÍTULO TREINTA Y TRES

Lo cierto era que a nadie le quedaba tan bien el verde como a Magda. El verde perico, para ser exactos. De verde, la piel blanca de Magda parecía más blanca, y sus ojos y su pelo renegridos tomaban una tonalidad incluso más intensa. Quebrando una tradición que decía que sólo el negro o el azul marino debía usarse después de la puesta de sol, Magda usaba esa noche verde. Un vestido de noche corto *strapless* en un *peau-de-soie* que le abrazaba los pechos y se ensanchaba alrededor de su cintura. Las esmeraldas le rodeaban el cuello y la muñeca, un préstamo de Elena para esa noche. Y, colgando de sus orejas, dos *baguettes* de esmeraldas que Álvaro le había regalado para celebrar su primera cosecha exitosa de algodón. Era la primera vez que usaba esos aritos porque sabía que debía estrenarlos en la inauguración de gala de Tesoros.

Magda se acercó más el espejo del tocador y se aplicó un poco más de *kohl* en los bordes exteriores de los ojos. Usaba el pelo suelto, recogido a ambos lados con pequeñas peinetas laqueadas. Se alejó un poco para admirarse.

—Por si te cabe alguna duda, estás espectacular —dijo Álvaro detrás de ella. Por el espejo ella lo vio apoyado en el marco de la puerta del vestidor. Usaba su traje azul marino y la corbata con un diminuto cuadriculado en rojo. La punta de un pañuelo de seda le asomaba por el bolsillo superior del saco.

—¿Cuánto hace que estás ahí?

—Lo suficiente para volver a enamorarme de ti. —Se le acercó y la levantó. Le acarició la parte superior de los pechos y fue siguiendo con un dedo la forma en corazón de su escote. —Eres muy linda.

—Gracias, amor. —Se llevó la mano de él a la mejilla y aspiró la fragancia de su colonia. Esto era lo que había estado esperando. El marido de antes.

Álvaro le frotó la nariz contra el cuello y ella rió con suavidad.

—Me hacés cosquillas. —Cerró los ojos y sintió el roce de su lengua sobre la piel. Se apretó contra él y la excitación de Álvaro fue evidente incluso a través de la tela de su vestido.

Él le susurró al oído, con esa voz tan grave y melodiosa que era toda una caricia:

—Te deseo, Magda. Aquí mismo, en el vestidor.

—Yo también te deseo, pero acabo de empezar mi período fértil.

—Usaré un preservativo. Me lo pondré. Aquí, tócame —y le bajó la mano.

—Ve a buscar ese preservativo, Álvaro. Rápido. Consíguelo. Quiero sentirte dentro de mí. —Pensó en su vestido, en su maquillaje. Si cedía a su deseo se lo arruinaría todo, pero fue sólo un pensamiento fugaz.

Él siguió seduciéndola.

—Yo me sentaré en el banquito. Y tú te levantarás el vestido y te sacarás la ropa interior.

—Sí, mi amor, sí. —Sintió un alboroto eléctrico entre las piernas.

—Entonces tú me montarás, ¿sí, Magda? De tacones altos y medias y portaligas. Me montarás muy despacio, ¿verdad que sí?

—Ay, sí. —Sintió humedad entre las piernas.

De pronto sonaron llamados furiosos a la puerta del dormitorio. Magda y Álvaro se separaron de un salto.

—¿Quién es? —gritó Magda, con una voz que no parecía pertenecerle. Más golpes.

—Somos nosotros, mamá. Déjanos entrar. Ábrenos.

Álvaro cuadró los hombros y se levantó los pantalones. El corazón de Magda le golpeaba en el pecho y respiró hondo varias veces para serenarse.

—Yo iré a la puerta —dijo Álvaro. Antes de que él se alejara, ella le besó la mano.

—Recuerda esto, mi amor —dijo—. Después de la fiesta. Aquí, sobre la banqueta, con mi vestido verde, te haré todo lo que quieras.

La reunión superó la capacidad de Tesoros y se extendió por el corto pasillo interior del hotel y hasta uno de los grandes salones del vestíbulo. Las mujeres deambulaban por el local, que estaba resplandeciente con velas y fragante con las flores enviadas por personas que le deseaban a Magda éxito en su empresa. Algunas mujeres iniciaron una refinada competencia que pronto se transformó en una puja para ver quién compraba más. La asistente y la vendedora de Magda, ambas vestidas con túnicas oscuras, actuaron con profesionalismo: contestaban preguntas y tomaban órdenes, envolvían regalos y los ponían en bolsas de papel color rojo que habrían de convertirse en la firma de Tesoros.

Los invitados llenaron el salón grande del hotel, con su espléndida alfombra persa y sus paneles y frisos ornamentales. Palmeras enanas colocadas en macetas en los rincones se estremecían con las leves corrientes de aire producidas por los perezosos ventiladores de techo. Camareros en uniformes bien planchados usaban la luz suave de los candelabros de pared para navegar por la habitación con bandejas repletas de *hors-d'œuvres* y copas con champaña. Los invitados del sexo masculino, después de realizar el infaltable recorrido por la tienda, se congregaban alrededor del imponente bar tallado y cargaban el aire con humo de cigarrillos y con sus vehementes discusiones sobre el café y el algodón, el ganado y el azúcar, y el lugar que ocupaba El Salvador en el nuevo orden mundial determinado por la guerra.

Las matronas, vestidas en seda negra y con alhajas de perlas y de oro, se habían reunido en grupitos alrededor de mesas con manteles de lino. La fragancia de sus perfumes se elevaba desde sus muñecas, la piel laxa de sus cuellos, la parte posterior de los lóbulos de sus orejas, y emitían el típico aroma embriagador del dinero y los privilegios.

Magda, convertida en una iridiscente mariposa verde, se deslizaba de un grupo a otro entre alabanzas y felicitaciones y movida también por la anticipación deliciosa de lo que la aguardaba con Álvaro en el vestidor. Conversaba en una mesa con su madre y su suegra cuando notó que Álvaro la miraba desde el otro extremo del salón. Le sonrió con coquetería y lo saludó con la mano y después volvió a concentrarse en la conversación, excitada nuevamente por la pasión que vio en los ojos de su marido.

Frente a la mesa también estaba Margarita, la esposa del hermano de Magda.

—No sé cómo lo hacés —dijo Margarita—. Yo jamás podría dirigir un negocio y mantener la paz en casa.

—Estoy segura de que a Magda no le resulta nada fácil mantener contento a mi hijo —dijo doña Eugenia, la madre de Álvaro—. Lamento no haberlo criado de modo que fuera menos exigente.

"También yo lo lamento", pensó Magda. Durante seis meses se había esforzado a fondo para mantener calmas las aguas de su hogar. Ahora, todo parecía indicar que lo había logrado.

—No te culpes, Eugenia —dijo Elena—. Todos los hijos son exigentes. Es lo que nosotras las madres conseguimos con malcriarlos.

—Los hombres merecen ser un poco malcriados —dijo Margarita—. Después de todo, trabajan duramente para mantener su hogar.

Magda le sonrió con dulzura a su cuñada. "Eres una hija de puta detestable", pensó.

Laura de Castillo, la mejor amiga de Margarita, también estaba sentada a la mesa.

—Algunos hombres no mantienen precisamente a su familia. Miren a Raúl en *Las dos*. Inocencia se mata trabajando, ¿y qué consigue a cambio? Un marido inútil, vago y mujeriego. —Laura hizo un gesto de burla y se puso en su lugar la gargantilla de oro.

—Es un inútil, de eso no cabe ninguna duda —dijo doña Lydia de Campo, que era muy vieja y por la forma en que apretó la línea roja que eran sus labios por un momento pareció habérselos tragado.

Magda sonrió. Las mujeres estaban ahora enfrascadas en el tema de las radionovelas, así que había llegado el momento de seguir recorriendo el salón.

—Bueno, señoras mías, voy a saludar a los otros invitados. No olviden que pronto llegará el sacerdote para bendecir la tienda. —Enfiló hacia Álvaro, que estaba frente al bar. Se le acercó por atrás y le puso una mano en el hombro. Él enseguida se la cubrió con una suya. Magda se acercó más.

—¿Cómo supiste que era yo?

—Eres la única mujer con una mano tan caliente que me quema a través de la chaqueta.

—¿Ustedes dos no saben que secretear no es de buena educación? —preguntó Ernesto, el padre de Magda, en son de broma.

Magda dejó caer la cabeza simulando arrepentimiento.

—Tienes razón, papá. Reconocemos nuestro error. —Levantó la cabeza. —Le decía a Álvaro que el padre Adolfo llegará en cualquier momento. —Magda miró a su marido. Álvaro se apoyó en los talones y le sonrió.

—¿Crees que necesitás la bendición del padre para que Tesoros prospere? —preguntó Ernesto.

—En los negocios, se necesita toda la ayuda que se puede conseguir. Recuerdo cuando el padre Lorenzo bendijo La Abundancia, Papi.

Ernesto suspiró.

—El padre Lorenzo está muerto.

—Pero era muy viejo, don Ernesto —dijo Álvaro—. Es notable que el padre viviera el tiempo suficiente para casarlo a usted y también a mí. Ya era viejo cuando los casó a usted y a doña Elena.

—Supongo que es así —dijo Ernesto.

—¿A qué se debe esta preocupación tuya por la muerte, papá? Últimamente, no hablas de otra cosa. —La semana anterior, en la reunión familiar, estuvo casi una hora pasando lista de todas las personas conocidas que habían muerto.

—Las personas mueren, no sé si lo sabés —dijo Ernesto.

—Imposible negarlo —dijo Magda. Estiró el cuello y vio que el padre Adolfo entraba en el salón. Dado el giro que había tomado la conversación, la llegada del sacerdote fue más que oportuna.

Magda saludó al padre, que no usaba su habitual sotana sino un traje negro con cuello clerical. Tenía el pelo peinado con brillantina, su única vanidad visible. A Magda le caía bien el padre Adolfo. Tenía treinta y tantos años, quizá cuarenta, y ya había llegado así de lejos. Estuvo trece años en la catedral de Santa Ana, trabajando con el padre Lorenzo hasta que éste murió. Y después fue ascendiendo hasta ocupar el puesto del anciano sacerdote. Un año antes el padre Adolfo fue transferido a San Salvador.

Magda y el sacerdote y todas las mujeres de ese gran salón cruzaron el vestíbulo y avanzaron por el pasillo hacia la tienda. Los hombres, felices de permitir que sus esposas los representaran, se quedaron en el bar. Las mujeres llenaron el local y permanecieron de pie y en silencio mientras el padre Adolfo se pasaba una estola por el cuello y extraía un aspersorio de su pequeño maletín de viaje. El sacerdote levantó una mano y con voz sonora entonó las antiguas palabras latinas de bendición. Pronto recorrió la habitación mientras sacudía el aspersorio, humedecía a las mujeres con agua bendita y bendecía la mercadería diseminada alrededor de ellas.

Álvaro corrió al cuarto de baño. Encendió la luz y por un momento se sorprendió al ver su imagen en el espejo. Estaba desnudo. Tenía el pene erecto contra el vientre. Abrió el botiquín y muy rápido comenzó a apartar frascos y envases. ¿Dónde estaban los preservativos? Un momento antes estaba sentado en la banqueta del vestidor de Magda cuando ella se le acercó, los ojos bien abiertos y brillantes. La luz del tocador era suave y difusa, pero igual veía que ella tenía el vestido verde levantado y sujeto alrededor de la cintura, sus piernas largas y sedosas que parecían todavía más largas con los tacones altos, la línea del portaligas alrededor de la V oscura y tupida de su entrepierna. Ella estaba a punto de montarlo cuando se detuvo.

—Por Dios, casi me olvido que son mis días fértiles.

Ahora él revolvió el contenido del botiquín y de los cajones. ¡Dónde demonios estaban los malditos preservativos!

—¿Los encontraste?

—Ya voy, ya voy. —Dios mío, eyacularía si no se apuraba. Se eyacularía encima, allí mismo, en el baño.

—Apresúrate, mi amor.

Al pensar en ella, húmeda, caliente y esperándolo, apagó la luz. Sólo esta vez, se dijo. Cuando lo hiciera de nuevo regresaría al baño, se tomaría más tiempo y se pondría un preservativo. Volvió deprisa junto a Magda.

—¿Lo tienes? ¿Lo tienes puesto?

—Sí —dijo él y volvió a sentarse en la banqueta. Como por lo general hacía cuando estaba protegido, se rodeó el pene con la mano y lo sintió latir locamente mientras ella se le acercaba.

Toda la servidumbre estaba en la cocina, apiñada alrededor de la radio. Se transmitía *Las dos* y Bárbara estaba abrazada al marido de su hermana. Segundos antes, para cerrar el episodio, Bárbara había confesado que estaba embarazada.

Tea se puso de pie de un salto.

—¡Lo sabía! ¡Lo sabía! —Una ráfaga de música meliflua llenó la habitación y, a continuación, el jingle alegre del anunciante.

La cocinera, que había escuchado todo el episodio con los ojos entrecerrados, como si ello la hiciera oír mejor, preguntó:

—¿Qué sucedió?

Rosalba se inclinó hacia la cocinera y le respondió a los gritos:

—Bárbara va a tener un niño.

—¿El niño de quién? —preguntó Delfina.

—El niño de Raúl —contestó Jacinta en voz baja. Los dejó a todos en la cocina y fue a su cuarto. Había comido mucho para el almuerzo y algo le había caído mal. Sentía un poco de náuseas y necesitaba recostarse un rato.

Del hall no entraba demasiada luz y en la habitación reinaba una penumbra agradable. Tendida en su catre, Jacinta alcanzaba a ver la hilera de estampitas clavadas en la pared: San Jacinto, la reliquia que Basilio le había regalado hacía tanto tiempo; la Virgen Dolorosa, con su halo de relámpagos. Y allí estaba la lámina grande del Divino Corazón de Jesús que señalaba su corazón expuesto coronado de espinas y goteando sangre. En Izalco tenía una estampa así. El cura se las había dado. Por respeto a él su madre la había sujetado a la pared del rancho. Era una cosa más que terminó en humo.

La lavandera apareció junto a la puerta. Aunque estaba iluminada desde atrás, Jacinta supo que era Juana porque era la única tan alta.

—¿Y a ti qué te pasa? —preguntó Juana. Ella era así, una mujer atenta y considerada de cerca de sesenta años que a Jacinta le recordaba a su madre.

—Algo me cayó mal —contestó Jacinta y se frotó la barriga.

—Mmmm —dijo Juana y fue a sentarse en el catre de Rosalba. Al cabo de un momento, Jacinta dijo:

—¿Qué sucede? —porque la visión de Juana sentada allí muda la perturbaba.

—Yo sé lo que te pasa. Y no es nada que comiste.

—¿Qué querés decir?

—Hace dos meses que no hizo falta ponerle a tu ropa un blanqueador especial.

Jacinta se incorporó.

—¿Y con eso?

—Hace dos meses que no hay manchas de mujer en tu ropa interior.

Jacinta bajó las piernas al piso. ¿Dos meses sin menstruar? ¿Cómo era posible? ¿Como podía ella no haberse dado cuenta de una cosa así?

—Tú y la Bárbara —dijo Juana—. Me parece que las dos se encuentran en el mismo estado.

—Yo no —aseguró Jacinta y sacudió enfáticamente la cabeza—. Yo no puedo tener un niño.

—¿Y por qué no? Para tener un niño lo único que hace falta es estar con un hombre, y a juzgar por tu conducta, para mí es evidente que andas mezclada con alguno.

—¿Cuál conducta? ¿De qué hablas?

—Estás en la luna, niña. Hace meses que estás en la luna.

—No es así. Y no voy a tener un niño. No puedo tener niños.

—¿Qué te hace pensar una cosa así?

—Porque hace años perdí uno.

—¿Y qué? Yo tuve cinco y también perdí dos.

—Pero conmigo es diferente. Antes de perder el mío visité a un curandero. Y él me dijo que nunca más volvería a sucederme.

—¿Él te dijo que qué no volvería a sucederte?

—Que nunca tendría otro niño. —Había dicho eso, ¿verdad que sí? Ella no lo había olvidado; un hombre bondadoso y rechoncho con uñas muy largas y olor a incienso de copal. Ella perdía sangre desde hacía una semana cuando fue a verlo. Permaneció parada en el medio de su choza, y él la rodeó mientras tomaba tragos de una botella de cuello largo y la salpicaba con fuertes bocanadas de agua para apartar de ella lo negativo, según dijo. Después entonó cánticos y oraciones mientras las llamas de las velas titilaban y el humo de copal ascendía en la habitación. Después la hizo recostarse sobre un petate, le alisó el vestido y, metiendo la mano debajo, le pasó una rama de laurel por el cuerpo. Por último, le rompió un huevo en el vientre y le limpió ese embadurno con un hábil movimiento de la mano. "Andáte, mi hija,— dijo después, la ayudó a incorporarse y la acompañó a la puerta—.Tu estado no volverá a suceder." Una semana más tarde ella perdió a su bebé en un chorro de sangre y las palabras del curandero quedaron grabadas para siempre en su corazón.

Juana dijo:

—Tal vez lo que el curandero quiso decir fue que nunca volverías a perder un niño. —Cuando la lavandera se puso de pie, los huesos de la rodilla le crujieron. —Pero no importa lo que él quiso decir, créeme, muchacha, que vas a tener un niño. —Juana se acercó y le palmeó el hombro a Jacinta. —Es la verdad. Y tú no sos la única. Hace treinta años que lavo ropa y conozco la ropa interior. La ropa interior nunca miente.

—Espero que mantengás la boca cerrada —dijo Jacinta y sintió que el cuarto se movía un poco. Sí que había estado en la luna. Dos meses sin sangrar y ni siquiera lo notó.

Juana se echó a reír.

—No te preocupés. Tu secreto está a salvo conmigo.

La luz se encendió y Rosalba entró.

—Por Dios, ustedes dos están a oscuras. —Se acercó a la cómoda y abrió un cajón. —¿Pueden creer lo que pasa? ¿No les da rabia la forma en que siempre nos tienen en suspenso? Ahora tendremos que esperar hasta el lunes para averiguar qué piensa Raúl.

Para Jacinta, el fin de semana fue interminable. Nunca necesitó tanto a su madre. Una noche se despertó temblando, su cabeza llena de la cara de Mercedes. Allí, en la habitación en penumbras, con la mano sobre la boca para reprimir los sollozos, Jacinta evocó la memoria de su madre y extrajo todo el consuelo que pudo de ese recuerdo efímero.

Podía confiar en Pilar, desde luego, y aunque ese hecho era una bendición potencial, ella no tendría permiso de salida pronto, de modo que quedaba descartada una visita inmediata a la casa de su amiga. Juana, ahora su única otra confidente, vivía en su casa y no trabajaba los fines de semana. ¿Y Miguel? ¿Qué le diría ella a Miguel? Mientras pasaban las horas y ella cumplía con sus tareas, Jacinta revivió los detalles de esa tercera vez que hizo el amor con él: la mutua pasión que se apoderó de ellos y cómo la habían satisfecho. Después comenzó a llover, tal como él dijo que sucedería, y los dos se acurrucaron debajo del paraguas, recostados contra una de las grandes piedras del parque. Sumidos en un silencio total por lo profundo de los sentimientos vividos, esperaron a que dejara de llover. Y eso había pasado hacía dos meses. Desde entonces sólo pudieron verse unas pocas veces y en carreras. Y desde entonces no había tenido oportunidad de hablar con Pilar sobre sus sentimientos.

Pero Jacinta tendría que luchar con su noticia durante sólo dos días, porque Pilar llegó a la casa de Magda el lunes para toda una semana de trabajo. A las nueve, la misma Jacinta le abrió la puerta del servicio a su amiga.

—Tenemos que hablar —le dijo mientras acompañaba a Pilar por el hall de servicio y la cocina. Cuando pasaban junto a la cocinera y a Rosalba, Jacinta impartió una serie de órdenes rápidas: —Pilar necesita su café y mucho pan dulce. Café negro y bien caliente. Rosalba, levantáte de esa silla. Llevále el desayuno a Pilar al costurero.

—Hoy estás un poco mandona —dijo Pilar después de que Rosalba depositó con brusquedad la bandeja del desayuno sobre el brazo de la Singer y salió de la habitación—. ¿Qué te pasa? Nunca te vi así. —Pilar se sentó frente a la máquina de coser y utilizó un trozo de tela para secar el café que Rosalba había volcado por el borde de la taza.

—Pasó algo terrible.

—¿Qué? —preguntó Pilar, alarmada.

—Creo que voy a tener un niño. —Era la primera vez que pronunciaba esas palabras en voz alta.

Pilar pegó un gritito e hizo que el café se le volcara un poco de nuevo.

—¡Un niño! —Atravesó la habitación y abrazó a Jacinta. —¿Cuándo lo supiste?

Jacinta sacudió las manos con vehemencia.

—Niña, por favor, no quiero que nadie lo sepa. —Basilio estaba en el jardín. Ella lo veía por la ventana, de pie junto al cobertizo. ¿Y Rosalba? ¿Quién podía saber dónde se escondía esa muchacha?

Pilar puso los ojos en blanco.

—Es un secreto que no vas a poder mantener mucho tiempo. ¿Para cuándo lo esperás?

—No sé.

—¿No viste a un doctor?

—No.

—¿Entonces cómo sabés que estás embarazada?

—Hace dos meses que no sangro. —No podía admitir que la que se lo señaló fue Juana.

—Estás embarazada —dijo Pilar y se sentó una vez más frente a la Singer—. Un niño. Qué cosa tan maravillosa.

Jacinta se dejó caer sobre una silla.

—Yo no creo que sea tan maravillosa. Me parece terrible.

—¿Qué tiene de terrible?

—Por el amor de Dios, Pilar. Miguel Acevedo es un hombre casado.

—¿Y eso qué tiene que ver? ¿Necesito recordarte que yo tengo tres hijos y que sus papás son todos hombres casados? —Pilar arrojó al cesto de papeles el trozo de tela que usó para secar el café derramado.

—¿Ellos sabían que estabas embarazada? ¿Se los dijiste? —Conocía a Pilar desde hacía seis años; Emilio acababa de comenzar a gatear cuando se conocieron. Y durante todo ese tiempo Jacinta no le había hecho esas preguntas delicadas porque las respuestas no tenían nada que ver con ella. Al menos, no hasta hoy.

—Uno de ellos lo supo, el papá de Fernanda. Quería ponerme una casa. —Pilar miró por la ventana y la expresión de su cara se suavizó, como si estuviera espiando en su pasado. —Yo quise a ese hombre... —dijo. Al cabo de un momento, sacudió la cabeza y miró a Jacinta. —Pero a mí no me gustaba ser una mantenida. ¿Los otros dos? Ellos no necesitaban saberlo.

—¿Pero cómo pudiste no decírselo? ¿Qué hiciste, rompiste con ellos? —Era tanto lo que necesitaba saber; jamás soñó que en su vida podía pasar algo que hiciera que esas respuestas fueran tan importantes.

Pilar se inclinó sobre la Singer, de modo que sólo asomaban sobre la máquina de coser su cara y el halo castaño de su pelo.

—Tú sabés cómo son las cosas. Para las personas como tú y como yo, es algo muy sencillo. Un hombre quiere a una mujer. Una mujer quiere a un hombre. Pasan cosas entre ellos y vienen los hijos. Y cuando vienen los hijos, las mujeres se quedan y los hombres se van. Es el precio que pagamos. Los hombres tienen su placer pasajero. Las mujeres tienen recompensas de verdad. —Pilar rió al pronunciar estas últimas palabras.

Jacinta no rió porque nada de lo dicho por Pilar le pareció gracioso. Sólo veía calamidad en lo que le ocurría.

Pilar estaba por continuar hablando acerca de las relaciones hombre-mujer, pero no lo hizo porque vio un temblor en los labios de Jacinta. Vio que ella agachaba los hombros. Y vio que en sus ojos asomaban lágrimas. Pilar se le acercó y la abrazó.

—No llorés, Jacinta. Vamos a ir donde el doctor y nos aseguraremos. No es el fin del mundo. —Pilar le secó las lágrimas. —No te preocupés. Me tenés a mí. Yo te voy a ayudar.

En el rostro de Jacinta se dibujó una débil sonrisa.

—Ay, Pilar, miráme. ¿Qué estaba pensando, en el nombre de Dios?

—No pensabas, mi corazón. Estabas enamorada.

—Sí. Estaba en la luna.

CAPÍTULO TREINTA Y CINCO

—Repítamelo —le dijo Magda a Mario Ruiz. Estaba en la clínica de su médico, de pie frente al escritorio, mientras él estaba cómodamente sentado del otro lado. El médico, un clínico, tenía poco más de cuarenta años.

—De acuerdo. Va a tener un niño. —En el rostro de Mario Ruiz apareció una sonrisa absurda que decía "Felicitaciones" y "Qué afortunada es".

Magda se desplomó sobre la silla que él le había ofrecido apenas un momento antes. De pronto la habitación le pareció inclinada, como le pasaba después de beber demasiado vino con la cena.

—No puedo creerlo.

Mario Ruiz rodeó el escritorio y acercó una silla junto a ella.

—Vaya, esto no puede ser tan sorpresivo. Usted misma comentó que se había salteado dos de sus períodos.

Ella levantó una mano y después la dejó caer sobre la falda.

—Ya lo sé. Pero confiaba, en realidad rezaba por que fuera alguna otra cosa. Cualquier cosa menos esto. —Se inclinó hacia él. —¿Está absolutamente seguro, Mario? A lo mejor es un tumor o algo por el estilo. —Los tumores se pueden extirpar. Los bebés, no.

—¡Dios no lo permita! —exclamó Mario Ruiz—. Por supuesto que es un embarazo. Acabo de revisarla a fondo y no cabe ninguna duda al respecto. Usted me sorprende, Magda. ¿Cómo puede preferir un tumor a un niño? —Se pasó una mano por el pelo y su expresión era de total reprobación.

Magda se echó hacia atrás en la silla.

—Ya lo sé. Lo siento. Tener un bebé es un regalo, pero créame, Mario, este regalo me llega en un momento muy inoportuno.

—Estas cosas no se planean, querida mía. A esta altura usted debería saberlo. Un bebé es la voluntad de Dios, el plan de Dios. —Volvió a instalarse detrás de su escritorio como para poner distancia entre él y esas tonterías.

Magda se puso a observar los diplomas que colgaban de la pared detrás del médico. "Dios no planeó esto", pensó. Y, por cierto, tampoco ella. Ella y Álvaro ya habían completado su familia. Tenían tres varones y estaba sobreentendido que ese capítulo de la vida de ambos quedaba cerrado. También estaba sobreentendido que, días fértiles o no, cuando los dos sentían deseo, cedían a él. Esta pasión entre ellos era lo que más los unía. Después de la llegada de los hijos, hicieron a un lado las reglas de la Iglesia y convinieron en usar preservativos o en tratar de encontrar la manera de hacer el amor sin que su consecuencia fuera el embarazo. Durante ocho años, salvo algunos momentos de preocupación, ese plan había tenido éxito. Hasta ahora. Y Magda sabía exactamente el momento en que había concebido: la noche de la inauguración de Tesoros. Esa noche hicieron el amor dos veces y otra vez a la mañana siguiente. Ella estaba en sus días fértiles pero en cada oportunidad Álvaro usó protección. De eso estaba segura. Por ardientes que fueran sus relaciones sexuales, ella jamás descuidaba ese detalle.

—Cuatro no es un número excesivo de hijos en una familia —decía en ese momento Mario Ruiz—. Mírelo de esta manera: cumplirá treinta años en noviembre. Es una mujer sana y una madre excelente. Otro niño le hará bien.

—Gracias por sacar a relucir mi edad. Durante todo el año he tratado de olvidar ese próximo cumpleaños mío.

Mario Ruiz rió.

—Las mujeres y su vanidad.

—¿Para cuándo espero? —preguntó Magda sin prestar atención a ese comentario.

Mario Ruiz hizo algunos cálculos rápidos en un pequeño bloc de papel.

—Para el diez de febrero de 1947.

Allí estaba. Una proclamación. Estaba embarazada y no había nada que pudiera hacer al respecto. Sintió un deseo abrumador de estar con su madre, pero Elena se encontraba en Santa Ana. Ya eran las últimas horas de la tarde y no quedaba tiempo ese día para viajar hasta allá. Magda se puso de pie y forzó una sonrisa.

—Bueno, Mario. Lo que debe ser, será.

—Ésa es mi niña —dijo Mario Ruiz. Rodeó el escritorio y le pasó un brazo por el hombro. —Recuerde lo que le digo. Dentro de algunos días, cuando se acostumbre al hecho, agradecerá esta nueva bendición.

—Estoy segura de que así será —dijo Magda. Abandonó el consultorio y decidió de pronto visitar a la madre de Álvaro. Ésa era una mujer que entendería la situación.

Media hora después, Magda estaba sentada en la sala de doña Eugenia, una habitación iluminada y acogedora que contenía recuerdos de familia y *objets d'art*. De dos floreros chinos asomaban con elegancia ramos de narcisos y dalias. Los narcisos impartían una sutil fragancia en el aire. Sobre una mesa baja había una encantadora colección de pisapapeles de cristal, por sugerencia de la misma Magda. Sobre una mesa bombé de ébano colgaba un óleo de Chagall de colores vivos. Por toda la habitación había retratos de familia y de acontecimientos especiales en marcos de plata. Sobre una mesa junto a doña Eugenia estaba la fotografía del casamiento de Magda y Álvaro en un enorme marco rococó.

—¿Seguro que no quieres un café? —preguntó doña Eugenia. Tenía un aspecto majestuoso con ese vestido gris de lino con cuello de encaje negro. Su pelo plateado estaba recogido en la nuca con un moño.

—No, gracias, niña Eugenia. Ya tomé suficiente café por hoy. Iba camino a mi casa y pensé en visitarla.

—Me alegra mucho que lo hicieras. Pero como sé lo atareada que estás estos días con Tesoros, te confieso que me sorprende verte aquí. —Levantó una mano. —Me sorprende pero me alegra mucho.

—Tiene razón. Cualquier otro día estaría a esta hora en la tienda. Pero hoy tuve que ir a ver a Mario Ruiz. Vengo de su consultorio.

Doña Eugenia frunció el entrecejo.

—Dios mío, espero que no te pase nada malo.

—Voy a tener otro niño —dijo Magda, yendo directamente al grano.

—¡Vaya! Ésta si que es una noticia. Supongo que no fue algo planeado.

Magda entrelazó las manos.

—No bien salí de la clínica de Mario supe que debía venir aquí. Sabía que usted comprendería. En este momento no necesito felicitaciones ni sentimentalismos. Estoy embarazada y, está en lo cierto, no fue algo planeado. Como se imagina, me siento un poco consternada.

—Por supuesto que sí. Las noticias como ésta caen como una bomba. Con lo cual, desde luego, no quiero faltarle el respeto a la institución de la familia ni a la maternidad. ¿Mi hijo lo sabe? Qué tonta, cómo podría saberlo si acabas de salir de la clínica de Mario. Te lo preguntaré de otra manera. ¿Álvaro lo sospecha?

—No, no lo sospecha, pero puede estar segura de que cuando lo sepa sus gritos de alegría llegarán hasta aquí.

Doña Eugenia hizo suspiró.

—Sí, estoy segura de que es así. De todos mis hijos, Álvaro es el más apegado a la familia, a la tradición, y a la manera convencional de hacer las cosas. Pobre muchacho. Qué prueba para él tenerme de madre. —Rió un momento. —El día que Álvaro me dijo que quería casarse contigo yo encendí una vela de agradecimiento a Nuestra Señora. Sabía que lo harías feliz, mi muchachita. Sabía que lo que él necesitaba era una mujer como tú. Una mujer que sabe lo que quiere y se exige lo mejor de sí. Resulta refrescante ver eso en una mujer. En todo caso yo lo encuentro refrescante. Ni siquiera mis propias hijas poseen las cualidades que veo en ti.

—Usted es demasiado bondadosa, niña Eugenia.

—Bueno, es verdad. También es cierto que mi hijo puede ser muy tonto. Todos los hombres son algo tontos cuando uno se para a pensarlo. Quieren ser hombres, insisten en ser hombres, pero nunca quieren dejar de recibir la protección maternal. Esto hace que se conviertan en criaturas. —Se detuvo de pronto, los ojos brillantes. —Pero volvamos a lo tuyo. Espero que no pienses en renunciar a la tienda debido a tu embarazo.

—Va a ser una verdadera batalla. —Magda miró la fotografía de su casamiento que estaba en la mesita baja, junto al codo de doña Eugenia. Ella y Álvaro estaban allí, del brazo con los mentones altos, los dos felices al avanzar por el pasillo central de la iglesia hacia una vida juntos. Incluso en ese momento existía entre ambos tanta energía; lo que harían cuando estuvieran solos y fuera de noche. Esa vida secreta era el tesoro de Magda. Pero también lo eran su casa, sus hijos y su trabajo.

—Una batalla, quizá, mi niña, pero una que debes librar.

—Por supuesto, lo haré. Tesoros anda muy bien. En los meses desde que abrimos, es impresionante la cantidad de ventas que hicimos. El local siempre está lleno de clientes. Y las mujeres compran. ¡Dios mío, cómo compran! No renunciaré a mi tienda. Niño o no niño, no puedo renunciar a ella.

—Y no debes hacerlo. En este mundo hay tiempo y lugar para que una mujer sea todo lo que anhela ser. Esposa, madre y, también, mujer de negocios. Yo lo hice, aunque me estoy poniendo vieja y mi ritmo ha descendido. Pero tú, *my darling,* estás en tu mejor momento y tienes la vida por delante. Para tener éxito, lo único que necesitás es un buen planeamiento y una buena organización. Alguien a quien puedas confiarle tu hogar y tus hijos. Para eso tienes a Jacinta. Y no necesito decirte que una criada como Jacinta es tan poco frecuente como un elefante blanco.

Magda estaba en su vestidor. Se sentó frente al tocador, con su encantador despliegue de frascos de perfume apilados sobre pequeñas bandejas de cristal tallado, de bols de plata repletos de alhajas, de pequeñas fotografías enmarcadas, cada una un rostro radiante y sonriente.

Magda se esponjó el pelo con los dedos. Ensayaba lo que le diría a Álvaro cuando la imagen de Jacinta llenó el espejo.

—Niña Magda, ¿puedo hablar con usted un momento?

—¿Ya se calmaron los niños? —preguntó Magda. Después de la visita a su suegra, ella había vuelto a su casa en lugar de regresar a la tienda. Esa llegada más temprano de lo habitual fascinó a sus hijos. Estaban en el cuarto de juegos haciendo carreras de autos en miniatura por pistas y rampas. Magda tomó el comando del Alfa Romeo rojo e hizo los ruidos de motor adecuados mientras jugaba con sus hijos.

—Están con Tea.

—¿Qué sucede? —preguntó Magda, porque en el espejo Jacinta tenía las muñecas cruzadas sobre el vientre y tenía la espalda muy derecha, como si luchara por retener algo. Magda no giró la cabeza para escuchar la respuesta de Jacinta. La banqueta del tocador no era giratoria, así que siguió mirando a Jacinta por el espejo.

—De nuevo tengo problemas con Rosalba. —Jacinta se mordió un labio. Había ido decidida a confesar que había estado con el médico de Pilar quien, después de un examen humillante y al parecer interminable, había pronunciado las palabras que cambiarían el curso de su vida. Fue a ver a Magda por esa razón, pese a lo cual algo completamente diferente brotó de su boca.

Magda inclinó el frasco de L'air du Temps contra la punta de un dedo y se puso el perfume detrás de cada oreja, con lo cual el cuarto quedó impregnado de una dulzura floral.

—¿Qué pasa ahora con esa muchacha? —Rosalba era un permanente dolor de cabeza. Demasiado joven, demasiado caprichosa, y muy haragana. Magda suspiró. Los criados podían ser una verdadera lata. Aunque Dios sabía lo necesarios que eran.

—Está molestando a Basilio.

—¿Qué quieres decir con que está molestando a Basilio? —Magda volvió a colocar el perfume sobre el tocador y lo cerró con su tapón de vidrio esmerilado.

—Bueno, siempre lo está observando, lo molesta y le interrumpe el trabajo. —Jacinta apartó la vista de Magda porque lo que acababa de decir era propio de una adolescente. Para compensarlo, agregó: —Yo me siento responsable de Basilio. Sé que ya es un hombre, pero de alguna manera sólo veo el niño que hay en él. Él amaba a mi madre y mi madre lo quería mucho, así que es como un hermano para mí.

—Ya lo sé —dijo Magda—. Pero me da la impresión de que lo que le pasa a Rosalba es que está enamorada de Basilio, y eso no es bueno. Es el comienzo de problemas.

Jacinta asintió y se rascó un codo.

—También está esto otro: Rosalba está demasiado ocupada en coquetear que descuida su trabajo. Yo sólo quería avisarle, niña Magda, porque uno de estos días esa muchacha me va a hacer perder la paciencia. —Mientras estaba en el tema de Rosalba, no sacaría a relucir lo del pañuelo porque seguro que ese hecho arrojaría sombra sobre su propio trabajo, y era lo último que Jacinta necesitaba. Aunque al final, qué más daba. Cuando se supiera la verdad, su trabajo en esa casa terminaría.

—Como sabés, tú eres la que está a cargo de la casa. Lo que creas que debes hacer, hazlo. Yo confío en tu juicio. —Después de decirlo, Magda giró sobre la banqueta porque en el espejo Jacinta había dejado caer los brazos y estaba recostada contra el marco de la puerta. —¿Qué te pasa? —preguntó Magda y enseguida se puso de pie. Con dos pasos estuvo al lado de Jacinta. —¿Estás llorando? Virgen Santa, sí, estás llorando. Ven. Siéntate un momento en el banquito. —Magda ayudó a Jacinta a acercarse al tocador. —¿Qué pasa? ¿Por qué lloras?

Jacinta levantó los hombros al sentir que lo que le pasaba era como una enorme pared de ladrillos que ella no era capaz de escalar ni de rodear. Estaba enamorada de un hombre casado y esperaba un bebé de él. Y sin duda esto pondría fin a esa aventura. La vida protegida que llevaba en casa de Magda también terminaría pronto.

—No sé qué hacer —exclamó con voz lastimera.

—¿De qué hablas?

—Voy a tener un niño. —El secreto de Jacinta finalmente salió a la luz.

—Dios mío, no puedo creerlo —dijo Magda. Si Jacinta le hubiera pegado una trompada en el estómago no se habría sorprendido más.

—Ya lo sé. Yo tampoco puedo creerlo. Discúlpeme, niña Magda. Lo siento tanto. —Jacinta apretó la boca para reprimir el llanto, mientras mentalmente veía cómo las circunstancias afortunadas de su vida lentamente comenzaban a desvanecerse: no más llaves tintineando en su cintura, no más despertarse en esa casa alegre, junto a los que ahora le parecían seres tan queridos.

—¿Cómo sucedió esto?

Jacinta se encogió de hombros. Sobre esto no podía decir la verdad. Si la presionaban, mencionaría a El Congo. Una reunión con un viejo amigo que tenía un puesto de venta de fruta. Pero no daría nombres.

—Olvídalo —dijo Magda—. Sabemos bien cómo pasan estas cosas. ¿Has visto a un médico?

Jacinta asintió.

—¿Qué te dijo?

—Dijo que yo iba a tener un niño.

—Sí, pero ¿cuándo? ¿Cuándo dijo que nacería?

—El año que viene. El doctor dijo que en febrero.

—No puede ser. —¿Sería esto una broma cósmica?

—Por favor, niña Magda, sé lo que está pensando. Pero, por favor, no me despida. Yo haría cualquier cosa por usted. —Y nuevas lágrimas rodaron por las mejillas de Jacinta.

Magda se sentó en la banqueta, rodeó a Jacinta con un brazo y la acercó.

—Escúchame. No pienso dejarte ir. Nada cambiará. Te quedarás aquí con nosotros. —Más tarde, después de darles la noticia a Álvaro, los chicos, su madre y el resto de la familia, le comentaría a Jacinta de la asombrosa coincidencia que las unía.

Jacinta levantó la vista. Con la mano se secó las lágrimas.

—¿En serio? —¿Cómo era posible que le dieran esa nueva oportunidad?

—Sí, en serio. Te necesito aquí, Jacinta. Necesito que lleves esas llaves y que mantengas mi casa en orden. Y necesito que me ayudes con los menús y las compras. Necesito que te ocupes de Delfina, Tea y Rosalba. —Magda sonrió. —¿Y dónde estaría Basilio Fermín sin que Jacinta Prieto lo cuidara?

Jacinta sonrió.

—Pero, ¿y qué pasará con el niño? ¿También podrá quedarse aquí?

Magda asintió.

—Por supuesto que el niño puede quedarse. Tanto tú como el bebé tienen un hogar aquí, con nosotros. —Miró hacia el futuro y vio a dos niñitas que jugaban juntas. Bajo la mirada vigilante de Jacinta, las pequeñas crecerían sanas, fuertes y felices.

—Gracias, niña Magda. Usted es tan buena conmigo.

Magda palmeó con suavidad la espalda de Jacinta.

—Ya lo sé. Ya lo sé.

¿Qué mejor lugar que la cama para decírselo? Sus cuerpos estaban entrelazados y ella se sentía cómoda y satisfecha. Sentía la humedad que él le había dejado entre las piernas y sobre un muslo.

—¿Estás contento? —le preguntó.

—Mmmmm —murmuró él. Ella tenía su cuerpo junto a él, y era todo lo que Álvaro necesitaba del amor. Era todo lo que necesitaba de la alegría.

Magda se incorporó y lo miró. Tenía la cara brillante por la transpiración y un rizo húmedo le caía en el medio de la frente.

—Pareces un muchachito. —Le apartó el rizo con los dedos.

—Entonces soy tu muchachito —murmuró él. Se quedó allí tendido, los ojos cerrados, en ese estado amodorrado en que siempre quedaba después de hacer el amor.

—Ya tengo tres muchachitos. ¿Qué haría con otro?

—No lo sé. Pero una madre nunca puede tener suficientes muchachitos.

—¿Es verdad eso? ¿Y qué me dices de las niñas? ¿Cuántas debería tener una madre?

—Por lo menos una —contestó él—. Una niña rodeada de varones. ¿Qué podría ser mejor? —Como en sueños, pensó en sus propias circunstancias. Cómo en su familia había sido él en medio de mujeres. Espió a Magda por entre los ojos entrecerrados. En la habitación ardían velas y su rostro era una sombra larga. —¿Qué dijiste? —preguntó.

—Yo no dije nada.

Él abrió los ojos de par en par y el rostro de Magda entró en foco. Sus ojos oscuros y radiantes. Su boca generosa. Levantó un dedo y le siguió el contorno de la nariz.

—Qué curioso. Me pareció que habías dicho algo.

Ella sacudió la cabeza.

—A lo mejor me leíste el pensamiento. —Le tomó el dedo con la mano y se lo mordisqueó. Su carne era firme y dulce. Magda amaba esas manos. Esos dedos largos y gruesos. —¿Te crees capaz de leerme el pensamiento?

—Leerte el pensamiento puede ser algo muy peligroso.

—Depende de lo que esté pensando.

—¿Y exactamente qué piensas?

—Pienso en lo que acabas de decir sobre las niñas. Cómo todas las madres deberían tener una hija mujer.

Álvaro se incorporó, de pronto muy alerta.

—¿Y?

—Hoy fui a ver a Mario Ruiz, Álvaro. Me dijo que voy a tener un bebé. Creo que será una niña. —Ignoraba cómo lo sabía, pero igual tenía una certeza total al respecto.

Álvaro se dejó caer en las almohadas. Durante dos meses había estado esperando esta noticia, y ahora que la escuchaba estaba sin habla.

Magda le apoyó la cabeza en el pecho y sintió el roce del vello grueso y duro de su marido en la mejilla. Le alcanzaba a oír los latidos del corazón. Álvaro la rodeó con los brazos. La vio madura y llena de vida. Vio que la normalidad y el orden volvían a reinar en su familia.

—Tú eres mi amor —dijo.

—Ya lo sé —dijo ella. Lo que muy despacio le iba a hacer comprender era la recompensa que obtendría de darle una hija mujer. *Carte blanche* con su tienda le parecía bastante apropiado.

Al fondo del Paseo Independencia, cerca de la estación de ferrocarril y de las oficinas centrales de la Lotería Nacional, estaba La Amapola, el café en el que Jacinta y Miguel habían convenido era un lugar seguro para encontrarse. Hoy estaban allí: Jacinta se las había ingeniado para salir de la casa —aunque sólo por una hora—, y Miguel estaba en su hora libre para almorzar. El café estaba lleno de gente y en el aire sólo parecían oírse comentarios sobre *Las dos*. La novela se había transmitido al mediodía.

—Ese programa —dijo Miguel y sacudió la cabeza—. Cualquiera diría que es lo único que hay en la radio. Cuando yo llego a casa, es de lo único que la Olivia me habla. Bárbara y Raúl. Raúl y Bárbara. —Estaban sentados en el fondo del salón y él había ordenado su almuerzo: arroz, frijoles y carne sancochada. Jacinta bebía una limonada. Ella ya había almorzado y la alegraba que Miguel no presenciara lo poco que podía comer sin descomponerse.

—Ese hombre es una víbora —dijo Jacinta.

Miguel sacudió la cabeza.

—Por lo que oigo decir, víbora o no, un hombre tiene pocas oportunidades con una mujer como Bárbara.

—De todos modos, ¿no crees que Raúl le debe algo a Bárbara?

—No es lo que le debe a ella. Es lo que le debe a su niño. Suponiendo que ese hijo sea suyo.

—¿No crees que lo sea?

—Él asegura que no. —Miguel cortó un trozo de carne y apiló sobre el tenedor un poco de arroz y de frijoles fritos. Ése era su método habitual de comer, algo que antes le parecía encantador a Jacinta, aunque hoy comenzaba a considerarlo un poco irritante.

—Bueno, por supuesto que dice que no es de él. Ese hombre es una víbora. —Jacinta notó el fastidio en su propia voz y bebió un trago de limonada para apagar el fuego que había encendido en su ser. Si le confiaba a Miguel su secreto, ¿negaría también él su participación? Y suponiendo que, si ella lo confesaba, él aceptaba su responsabilidad... ¿entonces, qué? Él tenía esposa e hijos. ¿No estaba obligado para siempre a ellos?

Miguel levantó la vista del plato, su tenedor bien cargado y a mitad de camino de su boca.

—¿Qué pasa? Parecés enojada. ¿Estás?

—¿Qué te hace pensarlo? —Jacinta bebió otro sorbo de limonada y se llevó el dorso de la mano a la boca.

Miguel frunció el entrecejo y bajó el tenedor hacia el plato.

—¿Hay algo que yo debería saber?

Jacinta podía decírselo en ese momento, en La Amapola, a las dos de la tarde, una tarde de julio: Miguel, ¿te acuerdas cuando te dije que yo nunca podría tener hijos? Pues bien, parece que estaba equivocada. Podía decirle eso. Y podía agregar: Voy a tener un hijo tuyo, Miguel.

—¿Por qué tengo la sensación de que me ocultás algo? —continuó Miguel.

En el futuro ella reexaminaría ese momento una y otra vez. Lo miraría desde otro ángulo, para ver qué diferente habría sido su vida si sencillamente hubiera dicho la verdad. Con frecuencia ella rememoraba otros momentos importantes vividos: el instante en que, durante el desayuno, miró a su madre y por la expresión que vio en sus ojos no le habló a su padre del descubrimiento de un guardia sin cabeza; el instante en que arrastró a su madre, el pequeño Tino en brazos, hacia el río y el rancho de Pru; el instante en que les ocultó a los unionistas el paradero de Gaspar Díaz hasta que fue demasiado tarde. Así ocurría en todas las vidas. En un instante, uno elegía una cosa sobre la otra. En un instante, esa elección resultaba decisiva.

—No te estoy ocultando nada —dijo Jacinta, porque de pronto se dio cuenta de que si decía la verdad, no sabía qué esperaba de Miguel cuando él supiera su secreto. Su futuro se abría delante de ella: su propio camino que conducía hasta ella misma. Permanecería junto a Magda quien, en una coincidencia sorprendente, también tendría un hijo en febrero. Dos bebés criados en la casa de Magda, uno su propio hijo. ¿Cómo podía Miguel ofrecerle más?

—¿Estás segura? —preguntó él.

—Por supuesto que estoy segura —contestó ella.

Después, de vuelta en casa, Jacinta buscó la compañía de Juana. La lavandera estaba en el traspatio y en ese momento extendía ropa enjabonada sobre los arbustos que crecían contra la pared del fondo. Juana fue a sentarse en el borde del pasillo, junto a Jacinta. Las dos miraron hacia el patio. Jacinta indicó con el mentón los arbustos cubiertos de ropa lavada.

—Mi madre solía también blanquear la ropa de esa manera —dijo. Al cabo de un momento bajó la cabeza y no pasó mucho tiempo antes de que lágrimas tibias comenzaran a caer sobre su falda. —Me hace mucha falta mi mamá —susurró.

Jacinta empezó a ir a la iglesia. Cada mañana, llegaba mucho antes de la misa, cuando el cielo se teñía de rosado. No estaba allí para la misa; estaba allí para permanecer sentada en un banco de madera lustrada bajo la inmensa bóveda de la nave y aspirar el aroma picante del copal y contemplar el altar presidido por la estatua de Cristo, de tez oscura y expresión compasiva. Una serie de velas estaban encendidas en el altar. Los nichos en la pared exhibían vírgenes y santos con corazones expuestos y heridos. Hacia la izquierda del altar principal, uno más pequeño honraba a la Virgen Dolorosa, y era allí donde Jacinta finalizaba sus visitas matinales. Envuelta en el viejo tapado de Mercedes, colocaba una moneda de un centavo en la ranura de la alcancía y la oía caer antes de encender una alta vela votiva. Cuando el pabilo se encendía ella se ponía a observar los trozos de papel amarillentos, los pedazos de cartón, los cuadrados de latón, todos sujetos como al azar sobre la pared junto al altar, cada uno de los cuales imploraba al cielo con su súplica singular: "Por la intercesión de tu Madre Bendita, sálvame, oh Señor, de esta vergüenza". O, "Que mi hombre viva cien años más que yo". O, "Madre Dolorosa, ¿es preciso que seamos bueyes en esta vida?". Jacinta se arrodillaba frente a ese severo *prie-dieu*, la cabeza inclinada ante Nuestra Señora. Se obligaba a no pensar en nada, lo cual significa que no rezaba. No rezaba por la vida de su hijo. No rezaba por Miguel ni para que ella pudiera encontrar las palabras para decirle que debían romper su relación. Aunque el tiempo se le estaba acabando (en el mejor de los casos tenía un mes por delante antes de que el embarazo se le notara), no pedía más tiempo para decirlo. No pedía fuerza ni paz de espíritu. Simplemente permanecía muy quieta durante cinco o diez minutos, después de lo cual se levantaba y se dirigía al altar principal para hacer la genuflexión delante de Cristo, santiguarse y besarse el pulgar. Después caminaba por el pasillo principal y pasaba junto a Basilio quien, con el sombrero en la mano, siempre la esperaba atrás.

Esa mañana, al llegar de vuelta a la casa, Basilio estaba a punto de apretar el timbre de la entrada de servicio cuando Jacinta dijo:

—Haceme un favor. —Tuvo que hablar por encima de los ladridos de Bruno. El perro estaba en el techo del cobertizo y ladraba como loco.

Basilio le gritó al perro que se callara. Después le dijo a Jacinta:

—¿Qué querés que haga?

—Cuando vayas hoy en la tarde al correo, quiero que te pongas en la fila de la ventanilla de Miguel. Decíle que no puedo reunirme con él. Sólo dile: "Jacinta dice que hoy no puede venir". Se lo vas a decir, ¿verdad que sí?

Basilio asintió y apretó el timbre.

El día se dividió entonces en dos mitades bien claras: la mitad "él todavía no lo sabe" y la mitad "ahora ya lo sabe". Puesto que la mañana y una buena parte de la tarde correspondía a la primera mitad, Jacinta realizó sus tareas mientras estaba pendiente de Basilio en el jardín o en el garaje pasándole una franela al auto de Álvaro, y tuvo que reprimirse para no correr hacia él y decirle: "¿Recordás lo que te pedí hoy? Pues bueno, no lo hagás. Cambié de idea".

Poco después de las tres de la tarde, cuando la primera división del día dio paso inexorablemente a la segunda, Jacinta imaginó a Basilio en la fila de la ventanilla de Miguel y después entregándole la carta de Magda y pronunciando las palabras que ella le había pedido que dijera. Imaginó la cara de Miguel. Veía, como si ella misma estuviera parada delante de la ventanilla, la expresión de sorpresa en su cara y, después, la forma en que fruncía el entrecejo, que era su manera de tratar de buscar una explicación.

Jacinta estaba en el cuarto de la ropa blanca, la que se abría con la llave larga y sencilla, cuando puso punto final a sus imaginaciones. Cerró el cuarto y después fue en busca de Basilio, quien evidentemente había vuelto del correo y de buscar a los niños en el colegio. Oía a los varones jugar en el patio con Tea, así que fue hacia allí y buscó a Basilio. No estaba en el jardín ni en su cuarto. Y tampoco en el garaje. En cambio, barría la vereda del frente de manera que los peatones debían hacer un gran rodeo alrededor de él para seguir su camino.

—¿Qué hacés? —dijo Jacinta—. No hace falta que barras. Luego va a llover. —Señaló el cielo y las nubes negras que se acumulaban allí todos los días a esa hora.

—Ya lo sé —dijo él y siguió barriendo con furia.

Ella fue a pararse junto a él y tuvo que levantar la voz por sobre el estruendo de la escoba para preguntarle:

—¿Fuiste al correo?

Él asintió y continuó con su tarea.

—¿Hiciste lo que te dije?

Basilio volvió a asentir.

—¿Qué dijo él cuando se lo dijiste?

—Preguntó si estabas enferma.

—¿Qué?

—Eso fue lo que dijo. Dijo: "¿Jacinta está enferma?".

—¿Qué le contestaste?

—Que no sabía. Dije: "Ella sólo me dijo que dijera que no podía venir".

Jacinta se acercó a la puerta de calle, con su enorme aro de hierro que servía como llamador. Basilio dejó de barrer y fue a pararse junto a ella.

—Decíme, ¿estás enferma?

—No, no.

—Ah —dijo él—, porque si estás enferma...

No terminó la frase porque Jacinta lo interrumpió:

—No estoy enferma —dijo ella—. Voy a tener un niño y no quiero que Miguel lo sepa. Nunca debe saberlo, ¿me has entendido?

Basilio asintió, mudo por esa revelación.

—Muy pronto todo se va a haber terminado entre nosotros —dijo Jacinta. Miró hacia la oficina de correos, a cuatro cuadras de allí, hacia la fila de Miguel y su ventanilla con la puertita y los barrotes delgados.

Una semana después, a media mañana, cuando todo en la casa marchaba a la perfección, Jacinta salió por la puerta de atrás y tomó el ómnibus a la casa de Pilar. El vehículo estaba repleto y todos los asientos ocupados, de modo que tuvo que hacer ese viaje de diez minutos parada en el pasillo, sostenida del barral del techo. Esa ubicación le venía bien, porque así no podría ver el edificio del correo cuando pasaran frente a él. Hacía dos semanas que no veía a Miguel. Dos veces Basilio le había llevado sus disculpas; la última, apenas el día anterior.

Hoy, ella necesitaba que Pilar la ayudara a serenar su mente por las dudas que tenía entre romper con Miguel y arriesgarse a decirle la verdad y exponerse a las consecuencias. Jacinta se bajó del ómnibus y echó a andar por la calle, y el hecho de ver la casa color turquesa de su amiga ya la hizo sentirse mejor. La puerta estaba entreabierta y Jacinta la empujó.

—Sólo tengo un minuto —dijo en voz alta al avanzar, pero se detuvo en seco porque Pilar estaba en medio de una prueba de un vestido.

La clienta de Pilar era una mujer grandota con caderas anchas y peinado recogido. Estaba frente al espejo de cuerpo entero de Pilar y de espaldas a la puerta. Pero igual Jacinta supo enseguida quién era la persona que estaba allí en combinación, con un brazo rollizo sobre la cabeza.

—Te voy a esperar en la cocina —dijo Jacinta al pasar junto a Pilar, quien abrió los ojos de par en par al ver entrar a su amiga. Jacinta sacó una silla de debajo de la mesa de la cocina, sin hacer ruido para no llamar la atención sobre su persona, y se sentó en ella. Se observó el uniforme, el delantal que por suerte le cubría el vientre que delataba su embarazo. Pilar asomó la cabeza a la cocina.

—Ya casi terminé con la Olivia. Ponéte cómoda —dijo y volvió a desaparecer. Tal vez no fuera así, pero Jacinta estaba segura de que Pilar había puesto un énfasis especial al pronunciar la palabra "Olivia".

Jacinta siguió sentada en la cocina mientras las otras dos seguían conversando en el cuarto del frente.

—Aquí está. Póngaselo —dijo Pilar.

Hubo una pausa, y después Olivia dijo:

—¡Sí, qué bonito va a ser! —Y, luego: —Como le decía, si yo fuera Inocencia jamás, en la vida, aceptaría el niño de la Bárbara. Qué mártir que es. Hacerse cargo del niño de su hermana y su marido.

—Voltee para acá.

—Pobre Inocencia. ¿Quiere que le diga una cosa? Es demasiado buena. ¿Y qué consigue con ser tan buena? Tener un marido mujeriego y una hermana que es una vergüenza. Le digo, no hay justicia. Yo jamás podría sobrevivir a una cosa así.

—Quédese quieta, Olivia. Se está moviendo demasiado.

—Ay, lo siento.

—¿Dónde quiere el ruedo? ¿Así es demasiado corto?

—Justo ahí. Márquelo ahí. —Pausa, y luego: —Sí, justo ahí.

—A mí me parece muy corto.

—Es que estoy demasiado gorda, ¿no es cierto, Pilar?

—Yo no dije eso, Olivia.

—Ya sé que no, pero míreme. Estoy gordísima.

—Usted tuvo tres niños, Olivia; no lo olvide.

—Sí, pero también los tuvo usted, y mírese: no es nada gorda. Miguel detesta que yo sea gorda. No lo dice, pero es así. Sé que es así.

—Estoy segura de que él entiende.

—Miguel es demasiado bueno para mí. Lo es. Es verdad. Voy a ponerme a dieta. Ya suficiente de pupusas y de curtido. Basta de tamales y de queso Petacones. Basta de semita. Ya verá. Puedo hacerlo. Y lo voy a hacer sentirse feliz. ¿Le parece que este vestido lo hará feliz, Pilar? Es su color favorito: el azul.

Jacinta empujó la silla y salió por la puerta de atrás de la cocina. Rodeó la casa y pronto abordó el ómnibus. Cuando se detuvo frente al correo, se apeó y se puso en la fila de Miguel. Cuando llegó a la ventanilla, él la miró y su sonrisa estuvo a punto de hacer flaquear la decisión de Jacinta.

—Mañana. A las tres. En La Amapola —dijo ella, giró sobre sus talones y se dirigió de vuelta a casa antes de que él tuviera tiempo de contestar.

▼ ▼ ▼

En el futuro, cuando Jacinta y Basilio evocaran lo ocurrido —y lo harían—, Basilio diría que ella era un resorte tensado el día antes de su último encuentro con Miguel. No —se corregiría—, eras como un animal enjaulado al que aguijoneaban por entre los barrotes. Desde luego, ésa era su manera de recordarle lo irritable y nerviosa que estaba. Y ella le discutiría que era justo lo que necesitaba. Que necesitaba esa energía apasionada para ayudarla a pasar por lo que tenía que hacer.

Se encontraron, según lo acordado, en La Amapola, a las tres. Ella no se quitó el uniforme porque no quería perder la protección de su delantal, pero, más que eso, porque deseaba presentarse como lo que era: una mujer cuya misión era servir. Y lo decía en el sentido más noble de la palabra, pues servir era ayudar, asistir, cuidar de alguien o de algo. Sabía que también él se enorgullecía de semejante misión porque también él era un hombre de servicio. "Soy un empleado municipal", había dicho en más de una ocasión.

La Amapola se encontraba a pleno cuando ella entró, aunque no tan llena como por lo general estaba a la hora del almuerzo. Igual, había bastante gente. Miguel se encontraba sentado frente a una mesa del fondo, y se puso de pie cuando ella se acercó. Nerviosamente, se pasó la mano por la corbata dos veces antes de que ella terminara de sentarse.

—¿Estuviste enferma? —preguntó él, tan inclinado hacia adelante que la punta de la corbata se le metió en la taza de café—. Miráte. Estás tan flaca.

Ella le sacó la corbata de la taza y usó una servilleta para secársela.

—No, no estuve enferma.

—Ay, mira qué desastre —dijo él, le tomó la corbata y completó la tarea iniciada por Jacinta.

Ella decidió entonces arremeter enseguida, decir lo que tenía que decir, levantarse e irse. Había peligro por todas partes, y amenazaba con arruinarlo todo. Había peligro en el aspecto adolescente de Miguel mientras se limpiaba la corbata. Peligro en sus brazos fuertes. Peligro en sus manos grandes y capaces que ahora encendían un cigarrillo y metían el fósforo entre sus labios.

—No tengo mucho tiempo —dijo ella—. Sólo me puedo quedar un minuto.

Se acercó la mesera y le preguntó qué iba a pedir.

—No, gracias —contestó ella—. No quiero nada.

—Pero deberías comer algo —dijo él cuando la mesera se alejó—. Miráte. Estás demasiado flaca. —Se sacó el fósforo de los labios y, con una sonrisa cómplice, lo empujó por la mesa hacia Jacinta.

Sin prestar atención a su ofrecimiento, ella siguió adelante.

—Miguel, no tengo otra manera de decírtelo. No podemos seguir adelante.

Él se echó hacia atrás en la silla, como empujado por una fuerza invisible.

—¿Qué quieres decir con eso de que no podemos seguir adelante?

—Justo eso. Tú y yo. No podemos seguir.

Él miró en todas direcciones y bajó la voz.

—Pero ¿por qué? ¿Qué hice yo? ¿Hice algo? Decíme qué hice. —Aplastó el cigarrillo.

—No quiero discutirlo. No podemos seguir, eso es todo lo que tengo que decirte. —Esa mirada dolorida que apareció en los ojos de Miguel era una señal de peligro, lo mismo que el leve temblor de su labio. Jacinta respiró hondo para reunir fuerzas, mientras mentalmente veía a una mujer en ropas menores y con un brazo gordezuelo sobre la cabeza. Y vio el cuello largo de la mujer, su pelo brillante y los rizos perezosos que descansaban sobre sus hombros.

Miguel volvió a inclinarse hacia ella y apartó la taza para acercarse incluso más.

—Tú no me querés, ¿de eso se trata?

—Miguel... —comenzó a decir ella.

—Decíme que no me querés —la interrumpió él—. Miráme a los ojos y dime que no me querés.

Para ello, Jacinta necesitaba su medicina más potente. Desde el día anterior, se había aferrado a ella, se la repitió una y otra vez. La mujer semidesnuda: Yo jamás podría sobrevivir a una cosa así.

—Decímelo. Miráme a los ojos y decíme que no me querés.

Ella lo miró. Miguel tenía los ojos húmedos. Eran del color de la miel oscura.

—No te quiero, Miguel.

Él le sostuvo la mirada.

—Decímelo otra vez. No te creo.

—No te quiero, Miguel.

Entonces él se echó hacia atrás y centró su corbata negra contra la blancura de su camisa.

—Está bien —dijo.

Ella se puso de pie, puso un dedo sobre el pequeño fósforo, pero después se alejó de él y de Miguel.

A la mañana siguiente, en la iglesia, los ojos hinchados de tanto llorar y las piernas pesadas después de una noche de insomnio, Jacinta encendió una vela y se arrodilló delante de la Madre Santísima. Inclinó la cabeza. En voz muy baja, dijo:

—Dulce Madre de Dios, como el tuyo, mi corazón sangra. —Se detuvo allí. ¿Qué más podía decir? Podría haber sido consolador pensar en su niño, pero su niño era como la cabeza de un alfiler, demasiado pequeño para verlo, demasiado insustancial hasta para imaginarlo. Así que se quedó allí de rodillas, y pronto las lágrimas brotaron de nuevo y se deslizaron por sus mejillas y fueron a parar a los pliegues del tapado de su madre que llevaba envuelto alrededor de los hombros y la cabeza.

La pena que sentía era como un dolor en los pechos y en el vientre. Era una mariposa negra con las alas extendidas sobre esos lugares blandos y delicados. Lo que la agobiaba era el peso de todos sus tormentos.

—Ay, Madrecita —repetía todo el tiempo en un susurro.

Después de un tiempo se puso de pie y se secó los ojos con una punta del tapado de Mercedes. Se acercó a la pared de las peticiones y puso una. Sobre un trozo de papel blanco y nuevo llevaba escrita la pregunta: "¿Por qué?".

Cuando moverse y revolverse en la cama se convirtió en su descanso nocturno, cuando casi nada de lo que su esposa preparaba lograba abrirle el apetito, cuando el lamento más frecuente de sus hijos era "pobrecito Papá", cuando ningún libro, revista o periódico le interesaba, ninguna conversación lo estimulaba, ningún acontecimiento lo motivaba, cuando por la radio los tangos de Carlos Gardel lo hacían salir a caminar por la vereda, un cigarrillo en los labios, el humo ascendiendo hacia su cara, el humo y los recuerdos haciéndole llorar los ojos, cuando permanecer de pie detrás de la ventanilla del correo era una tortura porque cada cliente que se aproximaba podía ser ella, Miguel Acevedo salió de la oficina del correo un día, después del trabajo, y enfiló hacia la casa de Magda de Tobar en Tercera Avenida Norte y Séptima Calle Poniente. Cuando estaba a sólo dos cuadras, de pronto se sintió con vida después de cuatro meses de vivir entre los muertos.

Cuando llegó a la casa, utilizó el gran llamador de hierro para anunciarse. Esos golpes provocaron los ladridos de un perro en alguna parte del otro lado del portón. Miguel aguardó pacientemente, sorprendido por sentirse tan calmado. Por la calle pasaban automóviles y ómnibus; por la vereda, gente; los pájaros gorjeaban sobre una rama sin hojas que se curvaba sobre la pared de la casa; y el sol, aunque su luz comenzaba a disminuir, todavía le caldeaba la espalda y también calentaba el llamador de hierro del portón. Todo tenía un propósito. Y ahora también él lo tenía.

La amplias puertas del muro de la casa se abrieron. El joven que por lo general iba al correo a buscar la correspondencia estaba allí. Si la memoria no lo engañaba, su nombre era Basilio. Detrás de él había un pequeño sendero empedrado y, más allá, la puerta principal de la casa.

—¿Sí? —dijo el joven.

—¿No me recuerda? —dijo Miguel—. Usted es Basilio, ¿verdad?

Un breve asentimiento con la cabeza que no le movió el sombrero de ala ancha que usaba.

—Quiero hablar con Jacinta. Con Jacinta Prieto. Tengo entendido que vive aquí.

—¿Cómo supo que era aquí?

—Trabajo en el correo, ¿no? Lo mío son las direcciones.

Hubo una pausa y luego Basilio dijo:

—Venga por atrás —y movió un dedo para indicarle qué camino debía tomar—. Por la entrada de servicio. Allí hay un timbre. —Cerró la puerta.

Miguel permaneció allí un momento, con una sensación muy especial en todo el cuerpo, porque todo parecía indicar que muy pronto estaría delante de Jacinta, y de pronto se dio cuenta de lo atolondrado que había sido al ir sin tener pensado lo que le iba a decir y cómo se lo diría. Se apuró en caminar por la vereda y dar vuelta por la esquina —la casa ocupaba la mayor parte de la manzana—, y la entrada de atrás estaba allí, una puerta de tamaño común junto a lo que a todas luces era un garaje. Apretó el timbre y el perro volvió a ladrar. Miguel se metió las manos bien al fondo de los bolsillos como para lograr firmeza.

La puerta de servicio se abrió y Basilio reapareció. Tiró de la puerta para que permaneciera entreabierta detrás de él.

—¿Dónde está Jacinta? —preguntó Miguel.

—No puede venir. —Basilio se echó atrás el sombrero con el pulgar.

—¿Qué quiere decir? Pensé que había ido a buscarla.

—Ella no quiere verlo.

—¿Eso fue lo que dijo? ¿Ella lo dijo?

—Ella no quiere verlo. —Basilio mantuvo la mirada firme e inexpresiva.

—¿Dónde está? Quiero hablar con Jacinta.

—Ella no está aquí.

—Pero me acaba de decir que ella no quería verme. Si no está aquí, ¿cómo pudo decirlo?

—Ella no está aquí. Y no quiere verlo. —Basilio abrió la puerta con un hombro y volvió a meterse en el traspatio. Antes de cerrar la puerta, dijo: —No quiere verlo nunca más.

El timbre sonó de nuevo. Y una y otra vez en estallidos cortos e insistentes. Pero un rato después cesaron.

Basilio entró en la cocina. La cocinera revolvía trozos de cebolla y trozos de tomate en una gran sartén de hierro. Jacinta estaba sentada frente a la mesa de la cocina. Tenía un embarazo de siete meses y como se le solían hinchar las piernas las tenía apoyadas en otra silla.

—Esos tomates sí que huelen bien —le dijo a la cocinera. A Basilio, le preguntó: —¿Quién tocó el timbre?

Basilio colgó el sombrero en el respaldo de la silla.

—Nadie importante —respondió—. Era sólo un mendigo.

CAPÍTULO TREINTA Y OCHO

3 de febrero de 1947

El llamado telefónico para anunciar el nacimiento de la hija de Magda llegó a la casa de Elena cuando ella estaba ausente. La Cuaresma acababa de empezar y a ella le gustaba levantarse temprano y caminar a la catedral para asistir a misa. Esa mañana, el enorme reloj de la alcaldía de Santa Ana daba las ocho cuando Elena dobló en la esquina de su calle y estuvo a punto de chocar con la sirvienta de adentro que corría a su encuentro.

—¡Niña Elenita! —gritó la sirvienta—. ¡Llamaron! ¡Llamaron!

—¿Quién llamó? —preguntó Elena, llena de presentimientos. Era la época de la cosecha del café y Ernesto había salido al amanecer rumbo a la finca. Hoy era día de pago y sólo Dios sabía que en los días de pago siempre podían pasar cosas alarmantes.

—Don Álvaro, de San Salvador —contestó la sirvienta con expresión intensa y efervescente—. Me pidió que le dijera que la niña Magda tuvo una niña.

Elena golpeó las manos.

—¡A Dios gracias! —Tenía otras dos nietas —cada uno de sus hijos tenía una hija—, pero la noticia de que su única hija tenía a su vez una hija colocaba a esta bebita en una categoría especial. —Pero, mi Dios, la tuvo una semana antes de tiempo —dijo Elena y se dirigió a la casa y al teléfono.

Hizo tres llamados. Uno al hospital, donde supo que, a pesar del nacimiento prematuro, su hija y Florencia Elena (habían elegido sólo ese nombre porque en ningún momento hubo dudas en la mente de Magda de que esperaba una hija) estaban sanas y bien. Su segundo llamado fue a la finca, donde Ernesto le prometió irse en cuanto se completaran los pagos. Después, Elena volvió a llamar al hospital para avisarle a Magda que ella y Ernesto llegarían tarde a verla.

Después del desayuno, Elena hizo que la sirvienta sacara las valijas del depósito y las llevara al dormitorio. Las dos comenzaron a empacar. Magda estaría en reposo durante cuarenta días; los primeros en el hospital. Durante la convalescencia de Magda, Elena ocuparía el dormitorio adicional y ayudaría en el manejo de la casa y de los niños. Sería anfitriona de muchos visitantes. Y ayudaría a planear el bautismo de la bebita: la ceremonia en la iglesia y el elegante té que después se ofrecería en la casa. El hecho de que las reuniones se realizarían en la casa le facilitaba las cosas al preparar la valija, ya que sólo tendría que llevar vestidos de día y un único vestido de fiesta, que además usaría por la tarde. Siguiendo las directivas de Elena, la sirvienta de adentro le fue llevando la ropa del vestidor y poniéndola sobre la cama para que ella eligiera.

—Esto estaba en su vestidor, niña Elenita —le dijo y le entregó un sobre mientras trataba de que no se le cayera una pila de ropa interior que llevaba haciendo equilibrio en el brazo.

—Veamos —dijo Elena, tomó el sobre y casi enseguida lo dejó caer al ver que lo que la mucama le había dado era una antigua carta de Cecilia—. Pon la ropa interior allí —continuó y señaló un lugar libre en la cama—. Ahora necesito los zapatos que escogí. —Elena puso el sobre sobre la mesa de noche y enseguida se alejó de la caligrafía azul oscuro de Cecilia. Habían transcurrido catorce años y todavía la carta estaba sin abrir. Durante los primeros meses después de que Ernesto se la trajo de la casa de Cecilia, la carta permaneció en el mismo lugar en que él la había dejado: sobre el tocador apoyada contra un frasco de Lanvin. Durante meses, Elena no tocó el perfume ni la carta. Cuando se sentaba delante del espejo y su mirada recorría la superficie del tocador, entrecerraba los ojos para que la visión de la escritura de Cecilia fuera borrosa y no la afectara. Con el tiempo, enterró la carta en el fondo del vestidor: la deslizó en una de las bolsas de seda que tenía para guardar los pañuelos y las medias. A lo largo de los años fue pasando la carta de un cajón del tocador a otro. Elena ignoraba dónde estaba con exactitud cuando la sirvienta la encontró ese día por casualidad. Ya era suficiente que estuviera ahora sobre la mesa de noche, llenando la habitación con su presencia.

Elena siguió preparando las valijas y, a pesar de sus esfuerzos por no hacerlo, siguió también recordando: Cecilia y ella, dos criaturas que se hamacaban en los columpios que colgaban del enorme amate que había en el patio de la casa de infancia de Elena. Elena sacudió la cabeza para apartar ese recuerdo de su mente. De todas las escenas que podía evocar, ¿por qué precisamente ésa?

—Aquí están los zapatos —dijo la muchacha al regresar al cuarto. Tenía una serie de pares apretados contra el pecho.

Elena le tomó los zapatos; uno de ellos se soltó y cayó al piso. La sirvienta se agachó para recogerlo.

—No, no te preocupes por eso —dijo Elena—. Sólo pon la carta de vuelta donde la encontraste. Yo me ocuparé del resto.

—Muy bien —dijo la muchacha. Hizo lo que Elena le pedía y se fue para seguir con su tarea.

Elena volvió a concentrarse en las valijas. Sus manos alisaron y plegaron vestidos de lino y de shantug, ropa interior de seda, camisones de batista, una bata de tela de algodón. En contraste, su corazón se ocupaba de cuestiones más desagradables: traición, furia, desdicha. Cerró los ojos con fuerza para reprimir las lágrimas. "Tu ausencia, Cecilia —pensó—. Tu ausencia es la gran presencia en mi vida."

Elena y Ernesto viajaban en el nuevo Buick Roadmaster producto del alza de los precios del café. Entre ellos, sobre el amplio asiento de cuero del sedán, estaba el revólver de Ernesto, y su culata opaca sobresalía de la funda gastada. Durante el trayecto hablaron de la pequeña Florencia, se preguntaron a quién se parecería e hicieron listas de lo que harían para malcriarla. Mientras avanzaban, Elena sintió que el hielo volvía a formarse sobre los recuerdos de Cecilia. Había permitido que su decisión flaqueara. En el futuro debía estar en guardia frente a esta posibilidad. Sucumbir a recuerdos sentimentales y sensibleros provocaría nuevamente un remolino en sus vidas. Y tal vez hasta soñaría despierta con dientes desmenuzados.

Entraron en el pequeño pueblo de El Congo. El automóvil pegaba saltos sobre las calles empedradas cuando rodearon la plaza del pueblo, un lugar triste y sin árboles. Doblaron y pasaron por el mesón donde, años antes, se había realizado el velorio de Mercedes. "Qué triste —pensó Elena—, pensar que en cualquier momento Jacinta dará a luz y su madre no estará allí para mimarla."

—Pobrecita la Mercedes —dijo Elena mientras paseaba la vista por la larga línea de las puertas del mesón.

En la esquina opuesta de la calle, un conjunto de hombres, algunos al parecer borrachos, todos con machetes que les colgaban del costado, se agrupaban alrededor de la puerta de la cantina. Un hombre bajó del andén y Ernesto pisó el freno. Puso una mano sobre su revólver sin quitarle los ojos de encima al hombre que pegaba un salto y se salía del camino. Sacudió la cabeza.

—Otro cortador que tira su dinero —comentó—. Pobrecito El Salvador.

Mientras seguían adelante, Elena centró su atención en su marido. Fijó la vista en su perfil, en la curva de su mejilla, en la línea prolongada de su nariz, en su boca plena. Observó sus manos seguras, la forma en que aferraban el volante negro y lustroso, la manera en que él tomaba la perilla redonda de la palanca de cambios. Miró por la ventanilla, segura de una cosa: esa noche amaría a su marido prolongadamente y con intensidad. Siempre era así. Cuando el fantasma de Cecilia aparecía para perturbarla, la arrojaba directamente en brazos de Ernesto.

En el hospital, la celebración estaba en su apogeo. Álvaro Tobar había tomado la habitación contigua a la de Magda para recibir a las visitas, y la proveyó de un bar completo. El cuarto estaba repleto de hombres, tanto familiares como amigos. En el aire flotaban el humo azul de los cigarrillos e historias de tono subido sobre conquistas amorosas y maratónicas copulaciones. En la puerta de al lado, la habitación de Magda, estaban reunidas las mujeres que pertenecían a esos maridos. Se encontraban sentadas contra la pared en sillas de respaldo recto, las piernas cruzadas con recato en los tobillos, sus elegantes carteras sobre las faldas como pequeñas almenas. Cada tanto, una de las mujeres de más edad tomaba su cartera en el brazo y metía la cabeza en el cuarto contiguo en un inútil intento de hacer callar un poco a los hombres. "Muchachos, muchachos, qué bulla", decía, con voz muy alta para que la oyeran por encima del alboroto.

Magda se había resignado hacía rato a esa conmoción. Había dado a luz a sus hijos en su propia cama y en su propia casa y utilizado la misma cama para recuperarse. Pero ahora lo que se usaba era tener los hijos en el hospital. Sin embargo, era evidente que ése no era el mejor lugar para que una mujer pudiera descansar. Esa habitación estaba llena de relatos de partos y toda clase de comparaciones: la duración y la severidad del trabajo de parto, la circunferencia alarmante de la cabeza de ciertos bebés, distintos tipos de partos peligrosos, y siempre la voz de Clara Fermina con su gastado relato de cómo su pequeño Sebastián (que ahora tenía cincuenta y dos años y estaba en la habitación contigua) se había asomado a este mundo con una mano diminuta y un pie diminuto.

Magda se recostó contra las suaves almohadas que su cuñada mullía a cada tanto. La ropa blanca era toda de la casa de Magda: las fundas de las almohadas, las sábanas y las toallas, todas blancas y todas con el monograma personal de Magda. El cobertor que cubría la cama había sido confeccionado a mano para esa ocasión con un lino fino y encaje. Leonor lo alisó. Lo estaba plegando de nuevo sobre las piernas de Magda cuando Elena y Ernesto entraron en la habitación, seguidos por

Álvaro. Esa llegada precipitó un nuevo alboroto de saludos y felicitaciones que se fue desvaneciendo cuando los otros salieron al pasillo para darle privacidad a la familia.

Elena se inclinó sobre la cama y abrazó a Magda. Ernesto hizo otro tanto.

—Estuvimos espiando en la guardería —dijo Elena—. ¡Qué niña tan preciosa es Florencia! Tiene ojos enormes y la cabeza llena de rizos.

—Se parece a su padre —dijo Magda.

Álvaro se paró al pie de la cama.

—Magda hizo un buen trabajo, ¿no les parece?

—No fue solamente obra mía —dijo Magda y le sonrió a su marido.

Álvaro se balanceó en los talones y sonrió. Se sentía en la cima del mundo. Su bella esposa había dado a luz a una hija preciosa. Su familia estaba completa. ¿Podía caber alguna duda con respecto a que ahora Magda se quedaría en casa?

Ernesto Contreras se sentó en una de las sillas y cruzó las piernas. Hizo una seña hacia el cuarto contiguo.

—Vaya fiesta la que hay allí. Supongo que no ves la hora de volver a la tranquilidad de tu casa.

—Tendrá el resto de la vida para pasarlo en la casa —dijo Álvaro.

—Tendrá cuarenta días —agregó Elena y le arregló las almohadas a su hija.

—Así es —dijo Magda, de acuerdo con su madre pero en una forma intencionalmente vaga para con su marido.

CAPÍTULO TREINTA Y NUEVE

5 de febrero de 1947

Jacinta, pasada una semana de la fecha del parto y con el vientre como un globo a punto de explotar, se atareó con el moisés de Florencia, esa cuna de mimbre que siempre había sido el punto focal en las *nurseries* de Magda. Para tres bebés, ese moisés y su dosel se habían forrado con satín azul, pero gracias a la habilidad de Pilar, ahora tenía revuelos plisados color rosa y cantidades de rositas de seda de las que brotaban delgados listones de raso. Jacinta se puso en cuclillas para esponjar las hileras de organdí rosado que oscurecían el pedestal de la cuna. Magda y la bebita estarían de vuelta del hospital dentro de pocos días; Tea y los varones, que estuvieron quedándose en casa de su tía, también regresarían.

Jacinta se tomó del borde de la cuna para levantarse, mientras protestaba un poco por lo bajo porque parecía que su bebé no llegaría nunca y ella se sentía torpe y pesada. Desde el amanecer sentía un dolor sordo en la parte de abajo de la espalda. Y una pesadez entre las piernas. Paseó la vista por la habitación y quedó complacida con lo que vio. Meses antes, siguiendo las instrucciones de Magda, Basilio había decorado la *nursery* en tonos rosado y caqui. Ahora, también bajo la dirección de Magda, le agregó una buena cantidad de lechada a los pigmentos de la pintura de la habitación para darle un esfumado que encantaría y serenaría a la bebita.

Jacinta deslizó una mano por la mesa para cambiarle los pañales a la bebita, con su parte superior acolchada y su hilera de cajones debajo. También esa mesa era obra de Basilio. Para ello usó madera de cedro y con lo que le sobró fabricó una cuna para el bebé de Jacinta. Jacinta rodeó la mecedora y arregló los almohadones del angosto sofá cama que la enfermera diplomada usaría durante su estancia. Dolores había atendido a todos los bebés de Magda durante los primeros tres meses de vida. Era una mujer corpulenta, de edad mediana, con un aspecto serio y profesional que Jacinta apreciaba mucho. Quizá cuando Dolores estuviera allí ella podría hacer entrar en razones a Rosalba quien, desde que Magda se fue al hospital, había sacado ventaja del cambio en los horarios de la casa y de la vulnerabilidad de Jacinta. Apenas el día anterior, se había mandado a mudar en mitad de la tarde sólo Dios sabía adónde. Cuando volvió y se enfrentó al interrogatorio de Jacinta, Rosalba se burló de ella y dijo: "Yo no tengo por qué darte cuenta de nada".

Al pensar en la provocación de la muchacha, Jacinta se erizó. Estaba enojada consigo misma por permitírselo, por estar demasiado cansada para decidirse a despedirla. Jacinta salió de la *nursery* decidida a asegurarse de que Rosalba cumplía con su tarea. Para la llegada de la familia la casa debía estar en un orden perfecto. Jacinta avanzó por el corredor y pasó junto al sofá de mimbre sobre el que el gato se lamía al sol. Miró hacia el patio y después revisó la sala y el comedor. ¿Dónde estaba esa muchacha? Jacinta sintió una oleada de irritación. ¿Se habría vuelto a ir? Jacinta entró en la cocina, pero allí sólo estaba la cocinera. Salió al traspatio y se lo preguntó a Juana, quien lavaba una cantidad interminable de ropa.

—Allá está —respondió Juana e indicó el pasillo con la cabeza. Como tenía las manos enjabonadas, se rascó la nariz con el brazo y después continuó con su fregado.

Cuando Jacinta llegó a su cuarto, Rosalba estaba frente a la cómoda de Jacinta. Había abierto un cajón y extraído la caja de cigarros que contenía sus tesoros.

—¡Qué estás haciendo! —exclamó Jacinta. A pesar de su estado, cruzó la habitación en dos zancadas hacia la caja abierta que estaba sobre la cómoda y el frasco con agua de mar que la muchacha tenía en la mano.

Rosalba pegó un salto y giró para enfrentar a Jacinta, los ojos muy abiertos por la sorpresa.

—¡Dame eso! —gritó Jacinta y la muchacha volvió a sobresaltarse y dejó caer el frasco, que golpeó contra el piso con un crujmandado a mudar y fue a parar debajo de la cómoda. Jacinta se arrodilló, metió una mano debajo de la cómoda y se puso a tantear como un ciego. Muy pronto sintió que el frasco estaba contra la pared y también sintió la humedad que se extendía por las baldosas del piso.

Detrás de ella, Rosalba masculló:

—Disculpáme, lo siento. No quise que se me cayera. Tú gritaste y yo me asusté. Lo dejé caer porque me asustaste.

Jacinta pasó la mano por el agua de mar. Volvió a estirar el brazo hacia el frasco, lo sacó de debajo del mueble y lo miró. Milagrosamente, el frasco no estaba roto, pero adentro no quedaba ni una gota de agua de mar.

Jacinta gimió; se apretó el frasco contra el pecho, se levantó con esfuerzo, las rodillas mojadas y la delantera del ruedo del uniforme también mojada. Sobre el gavetero estaba su caja de tesoros. Pasó un dedo por su contenido hasta que sus ojos cayeron en la caja de fósforos con las palabras "Fósforos La Chispa" en letras rojas y amarillas. Jacinta sacudió la caja y su contenido sonó.

—Allí adentro no hay nada —dijo Rosalba—. Sólo unos fósforos usados.

Basilio barría la vereda cuando oyó el grito de Jacinta. Era un grito que le había oído lanzar una vez antes, muchos años antes, cuando se acercó al cuerpo de Mercedes en el rancho de Chico Portales. Basilio atravesó la entrada de servicio y cerró la puerta con un golpe. Corrió al lugar de donde procedían los gritos. También Juana corría.

Encontraron a Jacinta en su cuarto. Había abierto todos los cajones de la cómoda de Rosalba y en ese momento arrojaba al piso su contenido. Rosalba la miraba acurrucada en silencio contra la pared.

—¡Andáte! —le gritó Jacinta—. ¡Empacá tus cosas y largáte de aquí! —Cuando vio que Basilio y Juana estaban allí, Jacinta también les gritó a ellos: —¡Díganle que se vaya! ¡La voy a matar si no se va!

Juana extendió los dos brazos hacia Jacinta.

—Tranquila. Tranquila, muchacha.

Jacinta permitió que Basilio la acompañara a caminar por el patio. Mientras Juana se ocupaba de asegurarse la partida rápida de Rosalba, Jacinta se apoyó en el brazo de Basilio mientras caminaban en círculos alrededor del cobertizo y debajo de los árboles y, después, alrededor de la fuente.

—No sabía que podía enojarme tanto —dijo Jacinta.

Basilio asintió. Jamás la había visto así. Con la cara tan arrebatada; la voz tan dura y aterradora.

—Dejáme sentarme un momento. —Jacinta se sentó en el borde de la fuente porque el dolor sordo que tenía en la espalda había ido en aumento y ahora tomaba la forma de una fuerte punzada. —Ay —dijo y un largo suspiro escapó de sus labios. Se frotó la espalda con los dedos. Los azulejos de la fuente estaban muy calientes, así que tardó un momento en darse cuenta de que lo que sentía debajo era algo más que el calor del sol. Jacinta se mordió un labio cuando un chorro de líquido tibio le brotó entre las piernas y se deslizó por la pared de la fuente. —¡Dios mío! —exclamó y se puso de pie. En un instante, el dolor hizo que sus piernas se volvieran de hule.

Basilio extendió un brazo para sostenerla.

—Ya viene el niño —dijo Jacinta con voz estrangulada. Se acunó el vientre con las manos abiertas, como si con ellas pudiera detener el parto.

Basilio la condujo al galpón porque allí estaba su catre. La apoyó de espaldas contra la manta gastada y la almohada delgada y dura que eran su único consuelo por las noches.

—Conseguí a Juana —dijo Jacinta, recogió las rodillas y agradeció que esa poca luz la rescatara de exhibiciones indecorosas.

Por un momento fue como si tuviera de vuelta en Izalco, dentro del rancho de su madre: el mismo olor mustio, la misma lobreguez. Y de pronto su madre estuvo junto a ella, encendiendo la lámpara de querosén y bajando la mecha para que su resplandor fuera suave y agradable. Fue su madre la que le sacó la manta de debajo. Su madre la que la reemplazó con sábanas. Su madre la que esponjó las almohadas detrás de ella. En medio de sus dolores, Jacinta oyó la voz de su madre, fuerte y dominante: "No pujés. Todavía no es momento para eso. Respirá hondo. Bien hondo".

Jacinta se aferró a los bordes del catre para reprimir el abrumador deseo que sentía de obligar a su hijo a salir al mundo con un pujido explosivo.

—Muy bien —dijo su madre—. Respirá hondo. Muy bien. —Y por un tiempo todo siguió así.

Un rato después, una mano fría se apoyó en la frente de Jacinta.

—Ahora es el momento. Ahora podés pujar.

Jacinta volvió a aferrarse de los bordes del catre. Se incorporó un poco y empujó hacia abajo con todas sus fuerzas.

—Más fuerte ahora. —Jacinta volvió a respirar hondo y pujó hacia abajo, hacia ese dolor que parecía quebrarle los huesos, hacia el dolor que le desgarraba la piel, hacia ese único momento de rápido alivio que fue como si el mundo se detuviera nada más que para ella. Volvió a derrumbarse sobre las almohadas, empapada y temblorosa. Muy pronto le dijeron:

—Mirá. Tenés una hija. —Y después resonó ese grito agudo y fuerte, el sonido más maravilloso que Jacinta había oído en su vida.

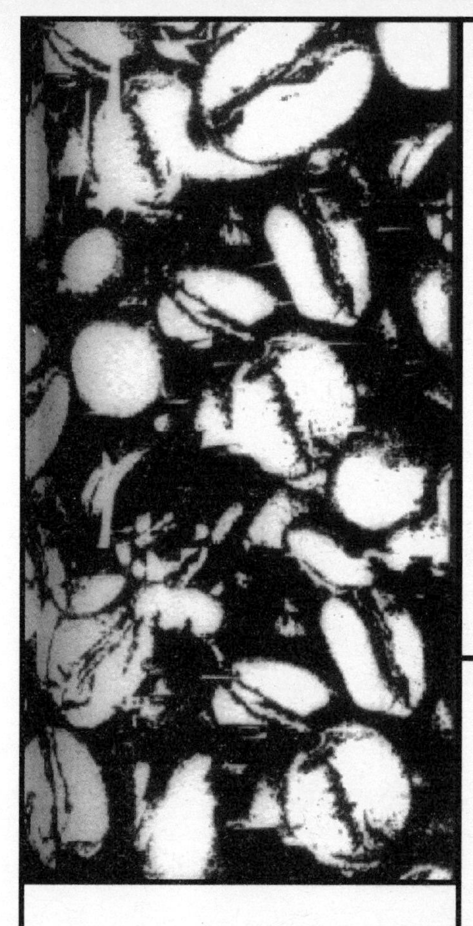

TERCERA PARTE

▼

María Mercedes y Florencia

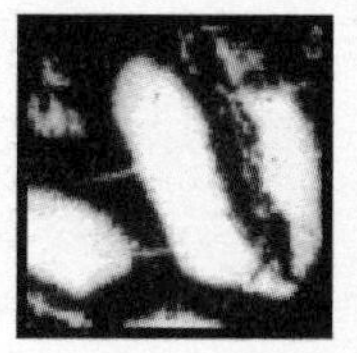

CAPÍTULO CUARENTA

San Salvador
Mayo de 1953

Socorro, la cocinera, preparaba tamales para el día de la Madre, y Florencia y María Mercedes la ayudaban. A diferencia de la vieja cocinera, quien durante su prolongada permanencia en ese cargo consideraba toda ayuda como una interferencia, a Socorro le encantaba que las niñas entraran en la cocina y les asignaba tareas creativas. Era una mujer grandota y alegre, de edad indeterminada, con arrogante rostro indio. Le gustaba andar descalza y usaba trenzas sujetas en las sienes. Ese día Socorro les había atado a las niñas retazos de tela alrededor de la cintura a modo de delantales. Las había puesto frente a la mesa donde el personal comía: Florencia, que todos llamaban Flor, en una punta y María Mercedes en la otra. Las dos rellenaban la masa de maíz que Socorro envolvería en las verdes hojas y cocinaría al vapor. La tarea de Flor era rellenar los tamales de azúcar con pasas y ciruelas y trozos de pollo; la de María Mercedes, rellenar los tamales de sal con aceitunas, alcaparras, trozos de cerdo picado y papas en cubitos. En la cocina flotaba una mezcla de olores: especias dulces y condimentos intensos, y la frescura del maíz recién molido.

—Dejá que te sujete el pelo atrás —dijo Socorro. María Mercedes había metido las manos en un tazón y mezclaba cerdo picado con las manos. Como una cortina oscura, el pelo de la muchacha le caía por los costados de la cara y casi se metía en el bol. Socorro cortó una hoja de plátano en una tira larga y la usó para atarle el pelo a María Mercedes en una cola de caballo.

—Hazme lo mismo a mí —dijo Flor. Eran más las pasas que comía que las que metía en la masa. Tenía pelo rubio y ensortijado; lo primero porque salía a su abuela Elena; lo segundo lo había heredado de su padre.

—El pelo de Flor es demasiado corto para atárselo atrás —dijo María Mercedes.

—Veamos —dijo Socorro mientras ataba dos tiras de mecate y con ellas rodeaba la cabeza de Flor. Hizo un moño con los extremos y terminó su trabajo con una palmadita que hizo temblar sus brazos.

—Gracias, Nana —dijo Flor.

—No digás eso —dijo María Mercedes—. Tea es tu nana, no Socorro. —Flor llamaba "Nana" también a Jacinta, y a María Mercedes no le gustaba, aunque no sabía bien por qué.

Flor se metió una ciruela en la boca; chupó la carne y se escupió la semilla en la mano.

—Todas las sirvientas son mis nanas —dijo y depositó la semilla sobre la mesa.

María Mercedes frunció el entrecejo y pensó en Basilio.

—Basilio no es una nana —dijo. Ella había nacido en su cobertizo, en su catre, y esto lo convertía en su padre, aunque no lo llamaba así porque él no quería. María Mercedes volvió a fruncir el entrecejo. —Flor, ¿tú naciste en la cama de tu papi? —María Mercedes tenía seis años, y en todo ese tiempo no se le había ocurrido hacer esa pregunta.

Flor sacudió la cabeza.

—Yo nací en el hospital.

María Mercedes enterró una aceituna en el centro de un tamal. Vio cómo la masa se la tragaba.

—¿Trasladaron la cama de tu papi al hospital?

—No, tonta —respondió Flor—. ¡A quién se le ocurre una cosa así!

María Mercedes puso los ojos en blanco. Era obvio que Flor no tenía mucha imaginación. María Mercedes decidió continuar con su línea de interrogatorio con la cocinera.

—¿Tú naciste en la cama de tu papi, Socorro? —María Mercedes rió entre dientes porque se imaginó el cuerpo grandote y alegre de la cocinera rodando de un catre.

Por toda respuesta, Socorro refunfuñó. Estaba muy ocupada colocando masa rellena sobre las hojas del plátano, doblándolas y convirtiendo todo en un paquetito. Sobre la cocina, detrás de ella, una olla grande de agua hirviendo entonaba una canción.

—¿Qué es todo esto de los papás y las camas? Mañana es el día de la Madre. Ustedes deberían hablar más bien de sus mamis.

Flor dijo:

—Mañana me prenderé un botón rojo en la blusa. —Lo dijo con el mentón clavado en el pecho y mirando su blusa amarilla. —Me pondré la rosa justo aquí. —Como tenía los dedos pegajosos, se limitó a señalar un ojal.

—Yo también. Sólo que la mía me la voy a poner aquí. —María Mercedes se señaló el pelo con los dedos llenos de masa. Las chicas se referían a la tradición de honrar a sus madres al usar una rosa roja o blanca el día de la Madre.

—¿Tú tienes una mami, Socorro? —preguntó Flor.

—Mi mamá está en el cielo. Me voy a tener que poner una rosa blanca para recordarla.

—Pobrecita —dijo Flor y puso cara triste.

—Los que merecen nuestra lástima no son los muertos —dijo Socorro—, sino los vivos. Nosotros somos los pobres de este mundo.

—Yo no soy pobre —dijo Flor.

—Ya lo creo que no lo es, niña Flor. —Socorro agregó otro tamal listo a la pila que comenzaba a crecer.

María Mercedes dijo:

—Yo tampoco. —Y sacó el último resto de carne picada pegado en el bol.

—Sí que lo eres —dijo Flor—. Todas las sirvientas son pobres.

—Yo no soy una sirvienta, ¿verdad que no, Socorro?

—Niñas, niñas —dijo la cocinera—. Hoy las dos son sirvientas. Son mis sirvientas hoy. —"Dios Santo", pensó.

Basilio entró. Usaba su sombrero nuevo. El viejo ocupaba un lugar permanente colgado de un clavo largo en su galpón.

—Aquí está la correspondencia —dijo y puso una pila de sobres junto a los tamales.

—Mirános, Basilio. Estamos cocinando. —María Mercedes se limpió las manos en el delantal. —Pero yo ya terminé.

—Muy bien —dijo Basilio—. Los tamales de azúcar son mis preferidos.

—¡Eso es lo que yo hice! —exclamó Flor—. Yo también terminé. —Levantó las manos con expresión indefensa hasta que Socorro le limpió los dedos. Después se desplomó en una silla y se llevó el pulgar a la boca. María Mercedes fue a la pileta, se lavó las manos y se las secó. Se acercó, Flor se corrió y las dos se sentaron juntas. Flor pasó un brazo por el cuello de María Mercedes.

Tea se reunió con los demás en la cocina.

—Niña, el dedo —dijo y le sacó a Flor el dedo de la boca—. ¿Se portaron bien con Socorro? ¿Qué es eso que tenés en el pelo? —Le quitó el moño de mecate y lo arrojó sobre la mesa.

—Las dos se portaron muy bien —dijo Socorro—. Mirá los tamales que hicieron. —Se limpió las manos en el delantal y comenzó a despejar la mesa. —Casi es la hora de *Las dos*. Voy a preparar café. Hay pan dulce de ayer.

Algunos años antes, la transmisión de la radionovela había pasado del mediodía a las cuatro de la tarde. Era una hora no tan conveniente para que todas se reunieran a oírla. Sin embargo, Jacinta no dejó que ese cambio les impidiera a todos seguirla; para ello se limitó a adaptar los horarios de trabajo de cada una. A las cuatro, todos se ubicaban en sillas alrededor de la mesa y durante media hora se sumían en una suerte de estado hipnótico. De este modo, como sucedía en todo El Salvador, eran la novela y café y, en el mejor de los casos, algo dulce lo que fortalecía a la gente para el trabajo que les aguardaba hasta la hora de acostarse.

Rocío, la sirvienta de adentro, entró con Juana, quien toda la tarde había estado frente a la tabla de planchar. Como era su costumbre, la lavandera tenía los brazos metidos en el delantal. Lo hacía porque estaba segura de que, después de horas de trabajar entre vapor, si los brazos se le enfriaban de golpe terminaría con reumatismo.

—¿Dónde nos habíamos quedado? —preguntó mientras se desplomaba sobre una silla y recapitulaba el episodio del día anterior. Siempre hacía lo mismo. El hecho de que las demás siguieran instalándose alrededor de la mesa y de que al parecer no le prestaban atención no impedía que ella siguiera con lo suyo. —Veamos. Ayer la Bárbara volvió de su viaje de seis años alrededor del mundo. Nos quedamos cuando finalmente decidió conocer a su hijita.

Jacinta entró en la habitación. Ayudó a Socorro a distribuir entre todas panecillos y café. Por la radio, la melodía alegre del anunciador anunciaba el comienzo del programa.

Durante media hora, el mundo real desapareció. Durante media hora fueron Inocencia en su silla de ruedas (la buena hermana había perdido a su esposo mujeriego y el uso de sus piernas después de una operación de emergencia que duró trece horas por una rara enfermedad de la columna) y Dulce Alegría, la hija de su hermana. Ese día la madre conoció a su hija en una reunión conmovedora y lacrimógena.

Cuando el programa terminó, por un momento reinó un silencio total en la cocina. Después, Juana dijo:

—¿Se imaginan? Justo a tiempo para el día de la Madre. —Se levantó y se dirigió a la tabla de planchar, donde se estaba humedeciendo la última tanda de camisas del día.

Basilio echó hacia atrás su silla. Buscó su sombrero y se lo puso.

—Fui a buscar la correspondencia —le dijo a Jacinta—. Hay una carta para ti.

Jacinta observó los sobres que había sobre la mesa. Hacía más de siete años que no iba a la oficina de correos, pero cada vez que Basilio volvía con la correspondencia, era como si con él trajera algo de Miguel Acevedo. ¿Acaso no habían estado parados sobre el mismo piso de madera, rodeados por las mismas paredes lustradas? Aunque moría por saber algo de él, le había prohibido a Basilio mencionar el nombre de Miguel o traerle noticias suyas. Esto lo había hecho por el bien de su hija y también por el de Miguel. Tampoco Pilar tenía ahora acceso a información que podía sentirse impulsada a pasarle; cinco años antes se había mudado de la colonia que su familia compartía con la de Miguel.

Esta vez fue María Mercedes la que revisó las cartas. Le entregó a su madre un sobre.

—Aquí está la tuya, mamá. —María Mercedes todavía no sabía leer ni escribir, pero sí deletrear los nombres de todas las personas de la casa.

La carta era de El Congo. Cuando Jacinta vio el remitente, suspiró. Por absurdo que fuera, cada vez que recibía una carta estaba segura de que era de Miguel.

—Espera Basilio, no te vayas. Hay noticias de Chenta.

Basilio se quedó junto a la puerta de la cocina. Sabía de quién era la carta. Chenta era la única persona que le escribía a Jacinta, aunque a lo largo de los años Miguel Acevedo había mandado tres cartas; dos, poco después de que Jacinta rompiera con él y la tercera, apenas un año antes. Basilio las había interceptado a todas y, siguiendo las instrucciones decididas de Jacinta, ni siquiera se las mencionó. Tampoco las abrió, desde luego, pero no las tiró. Las sujetó con una banda elástica y las envolvió con papel de empacar para disimularlas. Y después puso el paquete detrás de una lata con clavos, en un estante alto del cobertizo.

Jacinta leyó en voz alta la carta de Chenta. Empezaba de la manera habitual:

—Espero que al recibir ésta tú y Basilio y María Mercedes se encuentren bien de salud y de buen ánimo. —La carta pasaba a describir los pies hinchados de Chenta, las horas interminables que pasaba en su venta de comidas, y los chismes procedentes de ese lugar. Sin embargo, todo estaba bien en El Congo. El clima era bueno y los vecinos, solícitos y, por consiguiente, un consuelo. Pero decía que un consuelo todavía mayor sería verlos frente a su puerta. —¿No crees que tú, Basilio y María Mercedes podrían concederme algunos días? —preguntaba Chenta—. Me sentiría bien feliz de verlos de nuevo.

—Deberíamos ir —dijo Basilio—. Doña Chenta no está precisamente más joven.

—Quizá podríamos —contestó Jacinta—. Pero yo no tengo ningún fin de semana libre hasta fines de junio. A lo mejor si se lo pido con tanta anticipación, la niña Magda nos dará permiso a los dos juntos.

Basilio asintió y salió por la puerta. Desde que se mudaron a San Salvador sólo había estado una vez en El Congo. Sería muy agradable volver allá. Volver esta vez con Jacinta y María Mercedes. Los tres. Como una pequeña familia que vuelve a su hogar.

▼ ▼ ▼

María Mercedes, la cara levantada al sol, estaba junto a la palangana de agua. Jacinta usaba un recipiente para ir recogiendo el agua y enjuagarla. Cuando el líquido fresco se deslizó por su cuerpo delgado y desnudo, María Mercedes entrelazó las manos debajo del mentón y levantó los hombros. Se paró en puntas de pie y pegó un rápido salto.

—Ya está —dijo Jacinta—. Toda limpia. —Envolvió a su hija con una toalla y cruzó con ella el traspatio y el pasillo hacia la habitación de ambas. Las dos tenían ese espacio para ellas. Esto, por cómodo que fuera, no había sido decidido por Jacinta. Desde la ida de Rosalba, Rocío, su reemplazante, compartía con ellas el cuarto. Pero el año anterior Rocío se mudó al cuarto más amplio de al lado, con Tea y Socorro. Rocío, pese a su nombre, era una mujer seca y sin hijos, que trabajaba duro y cuya paciencia con las criaturas se le había acabado después de compartir la habitación con una durante cuatro años. Jacinta, a quien siempre la hacían sentir incómoda los privilegios que tenía en casa de Magda, le rogó a Rocío que volviera, pero ella se negó de plano. Permanecería con Tea y Socorro, quienes preferían vivir tres en un cuarto que compartirlo con Jacinta y María Mercedes. Era una situación desagradable pero no odiosa. Socorro y Tea tenían hijos propios. Hijos que habían dejado en sus aldeas natales al cuidado de parientes. Dijeron que esperaban que Jacinta comprendiera y no se ofendiera, pero que les resultaba difícil compartir la habitación con una criatura que no era de ellas.

Jacinta ayudó a su hija a ponerse un vestido verde con mangas abullonadas y cinturón ancho. Gracias a Pilar, el guardarropa de María Mercedes era surtido.

—Date vuelta. Te voy a hacer un moño. —Jacinta lo hizo y comenzó a cepillar el pelo grueso de María Mercedes con pasadas vigorosas que se lo fueron domando. Eligió una cinta rosada para sujetárselo. —Hoy estás llena de listones —comentó.

En ese momento sonó el timbre de la puerta de servicio y Bruno se puso a ladrar con furia. María Mercedes saltó de la cama.

—¡Nanda está aquí! —La hija de Pilar, que ahora tenía quince años, pasaba por allí todos los domingos y se llevaba a María Mercedes a misa. Jacinta no iba; desde que había renunciado a Miguel sentía que Dios no quería tener nada más que ver con ella.

CAPÍTULO CUARENTA Y UNO

Santa Ana

—¿Y por qué velas de citronela? —le preguntó Ernesto Contreras a Álvaro Tobar, su yerno.

—Porque la citronela repele los insectos y Dios sabe que en el país hay muchos para repeler. Porque las velas que se fabrican en la actualidad son corrientes y con calidad de mercado. En nuestra fábricas produciremos velas más finas para toda clase de usos. Para la casa, el porche, el patio. —Álvaro se echó hacia atrás en la silla. Se sentía satisfecho y agradablemente amodorrado. Acababa de disfrutar de una comida excelente: lomo de cerdo asado con ajo y puré de papas. Se llevó una mano a la boca y eructó con suavidad. Él y Ernesto, así como una serie de otros miembros de la familia, descansaban en el amplio corredor de la casa de Ernesto y Elena. Era un domingo de junio por la tarde. Aunque hacía calor, algunas ráfagas de viento mecían las hojas de los naranjos del patio. Después de almorzar, los hombres se habían congregado en ese extremo del corredor, cerca del comedor, donde dos sirvientas rodeaban la mesa con mantel de hilo y recogían copas, platos, fuentes y cubiertos sucios. Las mujeres de la familia, en cambio, estaban reunidas en la otra punta de la galería. Algunas habían sacado sus bastidores y dedales de bordado, mientras que unas pocas se empeñaban en aumentar la brisa con elegantes abanicos españoles. En contraste con los adultos, los niños —hermanas, hermanos, primos— brincaban alegremente en el patio y correteaban por los cuartos. Era evidente que la comida de su abuela, que incluía un dulce de higos con crema cuajada de postre los había llenado de energías.

Esos almuerzos familiares se habían convertido en un acontecimiento mensual en casa de los Contreras. Ernesto los instituyó el año antes de que naciera Florencia, su última nieta, y justo después de que soñara que los dientes se le habían hecho polvo en la boca. Ésa había sido la pesadilla recurrente de Elena, y cuando él la tuvo esa única vez despertó empapado en sudor, en su mente la imagen de dientes desintegrados y la mano izquierda de un esqueleto en la que un dedo llevaba un anillo de matrimonio deformado. Esa noche, Ernesto se levantó de la cama, avanzó a tientas al baño y encendió la luz para revisarse la mano y la boca en el espejo. Después fue a su vestidor y se quedó mirando la diminuta bandeja de plata que estaba sobre la cómoda y que todavía contenía el anillo de Elena. Tanto el anillo como la bandeja estaban negros por la oxidación. Por la mañana no compartió el sueño con Elena. Convencido de que en realidad estaba dirigido a ella, sintió gratitud por el milagro que le había permitido interceptarlo.

Durante los días que siguieron por su cabeza rondaron pensamientos de muerte. Vio a su padre, un gigante de cera en su féretro, y a don Orlando, el padre de Elena, un hombrecillo encogido en el suyo. Vio a otros parientes y amigos a quienes la muerte se había llevado. Para neutralizar esos pensamientos, Ernesto convocó a su familia a la casa el fin de semana después del sueño. A toda su familia, lo cual abarcaba a sus hijos, las esposas de estos, sus nietos y los parientes políticos de sus hijos. Como si fuera Navidad, hizo abrir del todo la casa y obtuvo tanto consuelo de la presencia de la familia que anunció allí mismo el comienzo de una tradición: una reunión de todos los segundos domingos de cada mes, al mediodía, después de misa.

En el corredor, Neto, el hijo mayor de Ernesto, ahora de cuarenta años, aspiró el humo de su cigarro y lo dejó escapar perezosamente de los labios, con lo cual alrededor de él flotó el olor fuerte del tabaco endulzado con ron.

—¿La citronela no es una clase de hierba de limón?

—Así es —respondió Álvaro—. Las dos poseen aceites aromáticos que se emplean en la fabricación de perfumes y condimentos. Por fortuna, su olor repele a la mayoría de los insectos.

—Si la citronela es un pasto, debe de crecer como la maleza —señaló Alberto, el otro hijo de Ernesto.

—¡Precisamente! —dijo Álvaro—. Una maleza muy valiosa. Yo planeo reservar un buen número de hectáreas sobre la costa, donde la cultivaré junto con mi algodón.

—¡Eso debería ayudarte con el artículo uno-treinta y ocho! —comentó Neto.

Todos los hombres rieron ante esas palabras. El artículo 138 era un punto negativo para los ricos en la nueva constitución de El Salvador promulgada tres años antes. Esa reciente ratificación (desde su independencia de España, El Salvador había ratificado una serie de constituciones) fue realizada por el mayor Oscar Osorio, el presidente en ejercicio. Entre otras reformas, estipulaba un sueldo mínimo (excepto para los trabajadores rurales) y ponía límites a las horas de trabajo. El artículo 138 declaraba que la tierra podía ser expropiada si se comprobaba legalmente que su dueño no había cumplido con su deber cívico de trabajar la tierra, o si carecía de "conciencia social" con respecto a la gente empleada para esa tarea. Si, debido a estas falencias, una propiedad se expropiaba, el gobierno pagaría una indemnización en cuotas durante un período que no excediera los veinte años.

Fidel, que era un amigo tan cercano de la familia que todo el mundo lo llamaba "tío" y que en siete años jamás faltó a ningún almuerzo, preguntó:

—¿Cómo anda tu conciencia social, Álvaro? —El tío usaba un bigote que parecía un cepillo blanco duro. Cuando hizo la pregunta se lo acarició con una mano y después sonrió.

—Está muy bien, gracias —contestó Álvaro—. Y como prueba de ello empleo a miles de campesinos. Les doy alojamiento. Los alimento. Les pago bien. Cuando comience con el cultivo de citronela, ello significará más trabajo y más empleos para la gente.

El tío levantó las dos manos en señal de capitulación.

—Por Dios, muchacho, yo sólo bromeaba. No fue mi intención irritarte.

El cuñado de Álvaro intervino con un comentario que disipó toda tensión.

—Este negocio de las velas debería asegurarte una exención impositiva. —Tenía una plantación de café y era financista. Y confiaba en las ventajas impositivas de que disfrutaban hacía años quienes se dedicaban al cultivo del café.

Álvaro se echó a reír y miró a su madre, sentada con las mujeres.

—Mi madre siempre me regañó por haber elegido el algodón en lugar del café. Ustedes, los que cultivan café, tienen todas las ventajas. Pero ahora parece que finalmente llegó mi turno. La ley de desarrollo industrial de Osorio es mi pasaporte a una exención impositiva y a la obtención de un crédito fácil.

—El presidente ha estado en un sube y baja de concesiones y represión —dijo el cuñado—. Tomen por ejemplo a los revolucionarios. Por un lado él reprime las demostraciones abiertas, lo cual es bueno. Pero después tolera a los que apoyan reformas menos drásticas y los urge a formar partidos de oposición.

—Y permitió también la existencia de los sindicatos —dijo Ernesto.

—Siempre y cuando se porten bien —añadió Alberto—. Siempre y cuando los sindicatos acepten el hecho de que sus actividades están siendo cuidadosamente monitoreadas.

El cuñado sacudió la cabeza.

—Como dije, el gobierno de Osorio es un inmenso sube y baja.

Júnior Tobar dijo:

—Papá, yo me propongo sacar ventaja de las concesiones de Osorio.

—Júnior, recientemente egresado de Rutgers con una licenciatura en administración de empresas, estaba lleno de ideas e impaciente por ponerlas en práctica.

—¿Cómo es eso? —preguntó tío Fidel.

—Fabricaremos aquí para toda América Central —dijo Álvaro, en nombre de su hijo.

Júnior estaba sentado con una pierna cruzada sobre la rodilla, una mano alrededor del tobillo. Usaba pantalones de denim azul, medias deportivas blancas y mocasines, un hábito adquirido en Nueva Jersey pero que no era bien visto por los miembros mayores de su familia.

—Y tomaremos un socio extranjero. —Se bajó el dobladillo del pantalón sobre el calcetín.

Álvaro prosiguió:

—La ley dice que si un inversor extranjero aporta el cincuenta por ciento del capital, la empresa está en condiciones de optar por exenciones impositivas y arancelarias.

—¿Ya encontraron socio? —preguntó Alberto.

—En realidad encontramos dos —contestó Álvaro.

—Abraham Salah es uno —dijo Júnior.

—Y Ramón Salah, el primo de Abraham, el otro —agregó Álvaro.

—¿Abraham Salah? —preguntó el tío Fidel—. Es el hijo de Benjamín. Los Salah están en la industria textil.

—El primo Ramón también está en el campo textil —dijo Júnior—. Pero en los Estados Unidos. Concretamente, en Carolina del Norte. De modo que él es nuestro inversor extranjero. Él puede aprovechar la exención impositiva allí. Y nosotros, la nuestra aquí. Y, ¿hace falta decir que la experiencia de los Salah en la estructuración y el manejo de fábricas nos resultará inestimable?

—Para no mencionar que podremos sacar partido de la cantidad de mercados que tienen —dijo Álvaro.

—Todo muy bien pensado —comentó Alberto.

Ernesto Contreras se movió en su silla. Abraham Salah. O sea, el yerno de Cecilia. Ernesto miró hacia las mujeres que, en el otro extremo de la galería, charlaban animadamente e intercambiaban chismes. Desde donde él estaba veía la espalda de Elena por sobre el respaldo del sofá de mimbre. Podía ver su pelo sujeto en un nudo contra su nuca delgada. ¿Qué diría ella cuando se enterara de que los Tobar y los Salah pronto formarían una sociedad? ¿Debería él, Ernesto, hacer algo al respecto?

Los hombres siguieron hablando, pero Ernesto no siguió el hilo de la conversación. En el patio había siete muchachos; sólo uno era su nieto; los otros eran sobrinas y sobrinos de Álvaro. Estaba resultando difícil reunir a los adolescentes de la familia esos domingos por la tarde: o dormían hasta tarde o salían con sus amigos. Ernesto mantuvo la vista fija en Flor, que estaba acurrucada junto al lugar donde en una época florecieron las rosas de Elena. Flor estaba con su prima. Las dos niñas jugaban con la enorme tortuga de tierra que había hecho su hogar en el patio. Ernesto obtuvo la atención de Flor y le hizo señas de que se acercara. Ella se incorporó y corrió hacia él, dejando atrás a su prima y a la tortuga.

—¿Cómo está mi preciosura? —dijo Ernesto en voz baja para no interrumpir a los hombres que lo rodeaban. Flor permanecía de pie junto a su silla. Se recostó contra él y le echó los brazos al cuello. Usaba un vestido amarillo con lunares en relieve, y su cuerpito era flexible y cálido. —Quiero que le hagas un favor a tu viejo abuelo —le susurró él al oído.

—¿Qué, Tata? —preguntó ella, utilizando el nombre cariñoso en lugar de "abuelo".

—Quiero que te acerques a tu abuela y le des un beso. Bésala y dile: "Esto es de parte de Tata".

Flor apartó la cabeza con expresión de desconcierto.

—¿De verdad?

—Sí, de verdad.

—¿Tengo que besarla en la boca como lo haces tú, Tata?

—No. Bésala en el cachete. Ve. Di: "Este beso es de parte de Tata"–dijo Ernesto y le dio un empujoncito a su nieta.

Flor patinó por la galería hacia su abuela.

—Perdón, perdón —dijo, porque estaba interrumpiendo a las señoras y porque, para llegar a Elena, debía pasar entre la mesa de café y las piernas de las personas sentadas en el sofá. Flor se acercó a Elena y le estampó un beso sonoro en la mejilla. —Tata te manda esto —dijo.

—¿Qué? —dijo Elena y abrazó a Flor.

—Tata. Me dijo: "Dale a tu abuela un beso de mi parte".

—¡Ay, qué lindo! —exclamó doña Lydia, que había venido con doña Eugenia, la madre de Álvaro. Doña Lydia estaba sentada junto a un tazón de geranios carmesí que era exactamente el color de su lápiz de labios.

La prima de Flor corrió hasta el borde del corredor. Sostenía la tortuga con las dos manos y a bastante distancia del cuerpo. La tortuga estaba acostumbrada a que la manosearan. Sus patas viejas y arrugadas asomaban del caparazón, y las movía con desesperación.

—Mira, Flor, la tortuga quiere seguir jugando. —Las dos primas se alejaron juntas.

Elena giró la cabeza para mirar hacia atrás, pero como estaba sentada entre Eugenia y Magda, le resultaba difícil captar la atención de su marido. Así que, en cambio, sacudió la cabeza.

—Los hombres son tan sorprendentes —murmuró, pero Magda la oyó y le guiñó un ojo.

Margarita, la cuñada de Magda, sostenía en la mano un abanico de seda con rosas pintadas. Lo abrió con un gracioso movimiento de la mano y comenzó a abanicarse.

—Creo que deberías pensar mejor tu decisión de enviar a esa niña hija de sirvienta con Flor al colegio.

Margarita se lo decía a Magda y se refería a María Mercedes y al hecho de que Magda quería enviar a Flor y a María Mercedes a La Asunción el año venidero. Ese colegio privado estaba cerca de casa. Lo dirigían las Hermanas de la Asunción, la misma orden que manejaba el colegio de Santa Ana al que tanto Elena como Magda habían asistido.

—Pero las niñas son como hermanas —dijo Magda y le dio otra puntada a su diseño con *petit point.* Aunque pareciera inusitado, hacía poco que había comenzado a bordar. Su vida estaba llena de detalles y había descubierto que coser la tranquilizaba.

—Pero no son hermanas —dijo la madre de Álvaro—. Creo que hiciste bien en permitir que esas dos niñas pasaran tanto tiempo juntas. Pero pronto llegará el momento en que saldrán al mundo...

—Y provienen de mundos muy diferentes —dijo Margarita—. Es mejor separarlas ahora, mientras todavía son jóvenes y maleables.

La hermana de Álvaro, que había permanecido en silencio durante gran parte de la conversación, ahora dijo:

—¿Adónde mandarías a María Mercedes si no la envías a La Asunción?

Magda apoyó en la falda el bastidor con el bordado y pasó los dedos por esas puntadas sedosas.

—Hay una escuela pública cerca. La Escuela Don Alberto Masferrer.

—No me interpretes mal —dijo Margarita—. El hecho de que quieras educar a la muchacha es de admirar. —El viento que creaba con el abanico era suficiente para moverle su grueso pelo negro de aquí para allá.

—Se lo prometí a su madre —dijo Marga—. Le prometí a Jacinta que lo haría, y lo haré.

—Sí. Pero estoy segura de que no le prometiste enviarla a La Asunción. Después de todo, la niña es una sirvienta —dijo Margarita resoplando—. Enviar a una sirvienta a La Asunción sería ridículo.

—María Mercedes no es una sirvienta. —Magda notó el fastidio en su propia voz. Respiró hondo para agregar, con tono más suave: —Es sólo una muchachita.

—Es la niña de una sirvienta, lo cual es más o menos lo mismo —dijo Margarita—. De todos modos, la escuela Masferrer me parece una elección mucho más apropiada. —Y cerró el abanico con un chasquido final.

Laura de Castillo, la mejor amiga de Margarita y su sombra, sonrió e intentó, como siempre lo hacía, calmar las aguas que su amiga había encrespado una vez más.

—Vamos, niñas, hablemos de cosas más agradables. ¿Qué opinan de las últimas novedades en *Las dos*?

Doña Lydia se palmeó con suavidad una mejilla.

—¿Pueden creerlo? ¿Que la Bárbara le robe Dulce Alegría a Inocencia?

Laura dijo:

—Se la robó porque asegura que Inocencia no es una madre adecuada. Sólo porque está en silla de ruedas.

Magda volvió a retomar su bordado y dejó que le resbalaran los comentarios de los demás sobre la radionovela. Un momento antes, Elena le había palmeado la mano, como diciéndole: "No permitas que la altanería de tu cuñada te perturbe. Todos sabemos bien la clase de persona que es Margarita". Como respuesta, Magda le sonrió a su madre, pero en realidad mucho de lo que Margarita había dicho era cierto. Había sido bueno dejar que las chicas crecieran juntas. Para ser honesta consigo misma, debía admitir que todos los privilegios que le había dado a Jacinta y a María Mercedes fueron en su propio interés y, por lo tanto, bastante egoístas.

Magda levantó la vista de su costura. En el patio, Flor y sus primas estaban agachadas sobre la tortuga. Flor le blandía delante una hoja de lechuga, pero el animal prefería su siesta antes que asomar la cabeza para pegarle un mordisco. Los rizos de Flor parecían de oro. Su cara preciosa y alegre estaba radiante de promesas y de inocencia. Magda clavó la aguja en la tela tensa de su bordado. Algunas puntadas más y terminaría la columna de humo que ascendía en espiral de la chimenea de la acogedora cabaña del bosque. Se preguntó: "¿Qué cosa, Dios querido, pusimos Jacinta y yo en movimiento el día que dimos a luz a nuestras hijas?".

CAPÍTULO CUARENTA Y DOS

Pilar Lazos, su hijo menor Emilio y su hija Nanda, viajaban en ómnibus a la Academia Militar por la avenida Roosevelt. También María Mercedes los acompañaba. Era el día anual del Soldado y, como de costumbre, la academia había abierto sus puertas para las excursiones y el desfile. La academia estaba situada en las afueras de San Salvador, cerca de la aldea de La Ceiba, que tomaba su nombre del árbol llamado ceiba de lana o árbol de algodón, que crecía, majestuoso, cerca del centro. Aunque ella había estado allí sólo dos veces antes con su madre, Nanda Lazos podría haber llegado a la escuela con los ojos vendados. Con frecuencia, después de las oraciones y antes de quedarse dormida, imaginaba que subía al ómnibus sola, y después avanzaba por la avenida y pasaba frente al Hospital Bloom, donde ella ayudaba a los muchachos lisiados, frente al Parque Cuscatlán, donde jugaba con los que todavía podían caminar, frente a la iglesia en San José de la Montaña, donde asistía a un curso sobre la Biblia.

Imaginaba que se bajaba del ómnibus con el corazón latiéndole deprisa, transponía los imponentes portones de hierro y se dirigía hacia el cuadrilátero alrededor del cual estaban las barracas de los cadetes. En su imaginación, Nanda Lazos se detenía frente a la barraca número 3 y muy pronto Víctor Morales, espléndido en su uniforme, caminaba hacia ella y la rodeaba con sus fuertes brazos. Ése era el sueño de Nanda, dormida o despierta. Un sueño sencillo e inocente que le aceleraba el pulso pero no contenía ninguna ocasión de pecado. Nanda tenía dieciséis años. Amaba a Víctor Morales, seis años mayor que ella y amigo y compañero cadete de su primo Harold desde el día en que, dos años antes, por un instante fugaz Víctor le había demostrado que, a pesar de su amor por la vida militar y la exigencia de ésta de una actitud combativa, él tenía en su interior una ternura vulnerable que, Nanda estaba segura, sólo ella podría hacer florecer por completo.

El sol de fines de septiembre había entibiado el techo metálico de la plataforma de inspección, y Nanda se despegó la falda de los muslos y se sentó en el banco de madera. María Mercedes se ubicó junto a ella y Pilar, junto a María Mercedes. El hermano de Nanda había encontrado un asiento para él cuatro filas más adelante, en la primera fila, detrás de los oficiales que inspeccionaban la tropa.

—¿El que está allá es Harold? —preguntó María Mercedes y señaló un punto en el campo. Lo preguntó en voz bastante alta porque tenía que superar el estentóreo redoble de los tambores y el fragor de las trompetas y cornetas. Un batallón de cadetes con uniformes planchados a la perfección, botas resplandecientes y rifles sobre los hombros, marchó frente a la plataforma de inspección. Al hacerlo, las cabezas de los hombres giraron a la derecha hacia el inspector de la escuela.

—¿Dónde? —preguntó Nanda, pero sólo para tranquilizarla. Ella buscaba a Víctor entre las filas y filas de hombres que —nunca lo habría creído— se parecían tanto entre sí.

—¡Allí está! —exclamó María Mercedes y se puso de pie de un salto antes de que Pilar la empujara de vuelta en su asiento.

—¡Niña, shhh! —la regañó Pilar y se llevó un dedo enguantado a los labios pero sin apoyárselo, para no mancharse de carmín el guante. Pilar usaba un traje azul muy elegante que, como es natural, se había hecho ella misma. El sombrero que llevaba en la cabeza no era obra suya. Tenía una pluma larga que antes perteneció a un ganso muy grande. Para completar el conjunto, usaba guantes blancos y zapatos de tacón alto del mismo color. Guantes, porque en esa época en todas las revistas las mujeres los usaban, y cuando Pilar lo comentó, fue Magda la que le proporcionó un par.

Aunque esas ocasiones militares eran poco frecuentes, Pilar se las tomaba muy en serio puesto que Harold, el sobrino que en realidad era como un hijo para ella, y su amigo Víctor, formaban parte de ese marco desde el año anterior. Los dos habían hecho lo imposible: terminaron la totalidad de sus estudios, trece años en total, se recibieron de bachilleres, y todo nada más que para tener la posibilidad de entrar en la academia militar.

—¿Dónde está? —preguntó Nanda, ahora en serio, mientras estiraba el cuello para ver al soldado que María Mercedes señalaba.

—Allí —respondió María Mercedes—. Allí está Harold.

—¡Ah! —dijo Nanda—. Sí, sin duda es Harold.

Después del desfile, la academia ofreció una especie de recepción en el comedor de la institución donde, a pesar de tener muchas ventanas abiertas, hacía tanto calor que las bebidas frías —fresco de tamarindo y horchata— se estaban consumiendo con rapidez. En el cuarto flotaba el sonido de ruidosas charlas, palmadas en la espalda y abrazos de felicitación. El olor a desfile se infiltraba en el ambiente, pero de alguna manera no ofendía, ya que hablaba de hombres fuertes que se esforzaban y sudaban de esa manera para defender a un país y a su gente.

Harold y Víctor parecían un par de sujetalibros: cada uno usaba una chaqueta hasta un poco más abajo que la cintura con bolsillos amplios en el pecho y la cadera, ceñida con un cinturón ancho con hebillas de metal; pantalones anchos que desaparecían dentro de botas altas bruñidas y resplandecientes. Sin embargo, lo que llevaban en la cabeza era un poco decepcionante: gorras sencillas con viseras y el escudo de armas salvadoreño —Dios, Unión, Libertad— bordado en medallones de tela.

Emilio, el hermano de Nanda, sacudió la muñeca para que su pulsera —en realidad la pulsera con el nombre de Harold— se moviera un poco, un antiguo hábito de su primo.

—Veo que sigues usando eso —dijo Harold. Le había regalado la pulsera a Emilio dos años antes, el día que supo que lo habían aceptado en la academia gracias al padre de Víctor Morales. Al parecer, Rolando Morales se había distinguido en el golpe liderado por Oscar Osorio en 1948. Se ignoraba qué había hecho exactamente el mayor por el nuevo presidente. Y tampoco Morales lo decía. No era un hombre jactancioso. Pero por lo visto no era tan tímido como para que ello le impidiera pedir un par de nombramientos.

—Desde que le diste esa pulsera, jamás se la saca de la muñeca —dijo Pilar. Se metió un mechón de pelo debajo del sombrero pero sin quitar la vista de María Mercedes, que se encontraba junto a la mesa con los refrescos y se servía bizcochos azucarados con forma de armas de fuego.

—Deberías quitarle mi nombre —dijo Harold señalando la pulsera— y hacer grabar el tuyo.

Emilio se encogió de hombros, porque su madre ya había dicho demasiado. Levantó la muñeca y volvió a sacudir la pulsera.

—¿Y qué fue de tu pulsera, Víctor? —preguntó Nanda—. Acostumbrabas usar una idéntica a la de Harold. —Si ella tuviera la pulsera de Víctor, nunca se la sacaría.

—Está en la casa, Fernanda. Aquí, en la academia, no podemos usar esas cosas.

Sólo Víctor Morales la llamaba por su nombre completo, y a Nanda la emocionaba tanto que sintió que se ponía colorada y deseó que nadie lo notara.

—¿Podés usar tus medallas? —preguntó, refiriéndose a sus medallas religiosas, como la ovalada de la Sagrada Familia que ella le había regalado con una cadena para que le diera fuerza moral y protección. También a Harold le dio una igual.

—Aquí no podemos usar alhajas de ninguna clase —dijo Víctor—. Mi pulsera y mi medalla están en la casa, en una cajita.

Nanda sonrió.

—Entiendo. —Lo que veía mentalmente era una cómoda. Un cajón. Debajo de una pila de ropa, quizá, una caja metálica con llave. Dentro de la caja, recuerdos: la pulsera, su medalla, un collar de fibra de yute con tres ágatas pequeñas como granos de maíz. Nanda no había visto el collar, pero Víctor se lo había descripto y le explicó que su madre lo había confeccionado cuando él era pequeño. Para describir su circunferencia, Victor tomó una mano de Nanda y le rodeó la delgada muñeca con los dedos. Al hablar, los ojos de él brillaron y la mancha que tenía en la oreja se oscureció. ¿Era de extrañar que ella se hubiera enamorado de él?

Junto a la mesa de los refrescos, María Mercedes se llenó un bolsillo con pan dulce y después se reunió con Pilar y a los otros.

—Mirá, Pilar —dijo María Mercedes y se palmeó el bolsillo—. Tengo muchos pancitos. Le voy a llevar unos a la tía Chenta cuando mi mamá y yo vayamos mañana a visitarla.

—Sí, claro —dijo Pilar, puso los ojos en blanco y deseó haber vigilado mejor a María Mercedes. Lo cierto era que se había concentrado más en Víctor y en lo apuesto que quedaba de uniforme: esa nariz afilada, esa boca plena y con un dejo de crueldad. Dios sabía que era una vergüenza que ese muchacho hubiera despertado su interés. ¿Muchacho? ¿Qué edad tenía? ¿Algo más de veinte? ¡Vaya muchacho! Durante años, después de perder a su madre y de comenzar a frecuentar la casa, él solía sostenerle la mirada cuando le hablaba, con fuego en sus ojos oscuros. A Pilar esta atención no sólo le resultaba halagadora sino también seductora. Después de todo, ella ya tenía treinta y ocho años. Igual, ella no iba a prestarle atención porque sería terrible para Nanda. A Pilar la entristecía ver a Nanda tan enamorada de él. Era una pena, porque Víctor habría sido un gran partido. En cambio, se parecía bastante al argumento de una radionovela: Hombre arruina sus posibilidades con la hija por coquetear con la madre.

CAPÍTULO CUARENTA Y TRES

San Salvador
Octubre de 1955

María Mercedes asistía a la Escuela Alberto Masferrer que, con su nombre, honraba a uno de los grandes hombres de la literatura salvadoreña. Esa mañana, en la caminata al colegio, llevaba un bolsón lleno de libros, cuadernos y lápices. En él también había una bolsa de tela que Pilar le había hecho para las bandas elásticas, los clips para papel, las gomas de borrar y el sacapuntas. En la mochila había también un compás y un transportador, así como también la posesión más querida de María Mercedes: una lata chata y brillante de lápices de colores marca Venus, la lata más grande que contenía dieciocho colores cremosos. Flor, en cambio, asistía a La Asunción, y su mochila estaba siempre prácticamente vacía. Cada tarde, durante la hora de la tarea de ambas en la despensa, Flor volcaba el contenido de su mochila y los mismos objetos siempre golpeaban contra la mesa: un cuaderno, un lápiz con una punta eternamente roma, un libro, casi nunca el que necesitaba para su tarea.

María Mercedes llegó a la escuela, que ocupaba casi toda una cuadra en el centro de la ciudad. Estaba frente al correo y era uno de los edificios escolares modernos, gubernamentales y de aspecto severo. A María Mercedes le encantaba su escuela. Le encantaba su maestra, la señora Ardón, quien convertía los números y las palabras en un juego y contaba historias que reverberaban en la cabeza de María Mercedes incluso después de horas de clase. La semana anterior, la maestra había hablado de los cadejos, unas bestias del folclore con largas trompas y ojos rojos que brillaban en la noche. Teresita Novoa, quien se sentaba al lado de María Mercedes, se tapó los oídos con los dedos para no oír el relato de la maestra sobre el cadejo blanco y el malvado cadejo negro. Pero a María Mercedes no la asustó el cadejo malo. Para demostrarlo, compuso allí mismo un verso: "Aunque el cadejo negro es muy furtivo, no le tengo miedo, pues no soy su cautivo". Se lo recitó a la maestra, a quien le pareció un poco extraño, aunque de concepto profundo para una chiquilla de ocho años. María Mercedes estaba feliz por el elogio y nada desalentada por la crítica. En ese mismo momento decidió ser poeta.

Las clases habían comenzado algunas horas antes, cuando de pronto falló la energía eléctrica. María Mercedes estaba frente a su pupitre, la lata de los lápices de colores abierta delante de ella, cuando las luces parpadearon algunas veces, luego su intensidad se redujo y finalmente se apagaron por completo. El ronroneo del enorme ventilador de techo disminuyó y las paletas fueron deteniéndose. Como el aula era una habitación interior y no tenía ventanas, quedaron sumidos en la oscuridad. Teresita Novoa lanzó un pequeño grito asustado y se prendió del brazo de María Mercedes.

—Son sólo las luces —dijo María Mercedes, pero no apartó la mano de Teresita. Se armó un pequeño alboroto, pero la maestra, que no sólo tenía ojos en la nuca sino que podía ver en la oscuridad, enseguida le puso fin.

—Manolo —ordenó—. ¡Siéntate! Arturo, no permitiré que hagas eso. Emilia, ayuda a Leopoldo con sus muletas. Ahora, alumnos, estoy segura de que todo volverá a la normalidad muy pronto. Mientras tanto, les contaré una historia.

La voz de la maestra era grave y tranquilizadora. Teresita aflojó la intensidad con que se aferraba al brazo de María Mercedes, pero no lo soltó. Después de lo que pareció una eternidad, un rayo de luz se filtró desde el pasillo y el director apareció en la puerta con una linterna. Con la ayuda de ese haz de luz, los alumnos buscaron sus pertenencias y después siguieron la luz mientras rebotaba por el pasillo y hacia abajo por la caja de la escalera. En presencia del director, todos los alumnos se portaban bien, incluso Manolo y Arturo, los agitadores, quienes por lo general aprovechaban la menor distracción para hacer honor a su reputación. Gracias a que lo ayudaban, Leopoldo consiguió bajar los escalones con sus muletas. En cuanto a Teresita, no le soltó el brazo a María Mercedes hasta que salieron del edificio a la luz y el aire libre.

Cuando se produjo el corte de electricidad, se apagó la radio que Pilar Lazos tenía en la mesa de noche. Ella y Víctor Morales estaban en la cama y la habitación estaba humeante porque las ventanas y las celosías estaban cerradas y las cortinas, corridas, debido a la privacidad necesaria. Como camuflaje adicional, Pilar había encendido la radio porque Víctor era un amante atlético cuya gimnasia sexual la hacía gemir y gritar de placer. Dios sabía bien que esa frenética actividad sexual de ambos era una desgracia. Ella tenía dieciséis años más que él y era, además, dos veces abuela. Había intentado resistirse por el bien de Nanda y también por el suyo propio, pero, Dios Santo, ella no tenía fuerzas para renunciar a las tentaciones. Sobre todo a las de naturaleza sexual. Durante meses Víctor Morales la había perseguido con palabras no dichas y miradas intensas. Se había graduado en la academia y era ya un seductor teniente con un uniforme que gritaba poder e importancia. Un teniente seductor cuyos labios salvajes y ojos feroces la quemaban. Estaba esa conmovedora marca de nacimiento que tenía en la oreja izquierda. ¿Qué podía hacer una mujer cuando un hombre-muchacho así la seducía? La mujer cedía, pero no por motivos románticos como los que tenía su dulce hija. No. Una mujer como Pilar cedía porque, durante algunas semanas, vivía la excitación de la caza y el deleite de la entrega. No se engañaba. Lo que importaba allí era ese breve lapso de maravillosa gratificación, después de la cual Víctor abandonaría las Oficinas Centrales de la Policía Nacional, donde ahora recibía su formación (y que convenientemente estaba a pocas cuadras de allí) y partiría a hacerse cargo de alguna estación de policía rural, tal como lo estaba haciendo su sobrino Harold. ¿Y ella? Ella continuaría con el resto de su vida, igual que antes.

Cuando la radio se apagó, Pilar enseguida oyó el silencio. Levantó la cabeza y miró hacia la mesa.

—¿Y la música? —preguntó, pero Víctor volvió a atraerla hacia él.

—No importa —dijo.

Los alumnos salieron en masa al frente del edificio de la escuela. Se reunieron en grupos por curso, y los maestros patrullaron alrededor de ellos poniendo orden y advirtiendo a los desobedientes que los esperaba un castigo severo. En la vereda de enfrente, el correo estaba a oscuras. Afuera había también algunos empleados. Esto hizo que entre los alumnos se comentara que el apagón podía ser más que momentáneo. De hecho no pasó mucho tiempo antes de que despacharan a los muchachos a sus casas. Los alumnos aplaudieron la noticia y se dispersaron. Libre, de pronto, María Mercedes paseó la vista en busca de Nanda Lazos, quien asistía también a esa escuela. Cuando la encontró, le preguntó:

—¿Qué hacemos ahora?

—Es temprano —dijo Nanda—. Vení a la casa conmigo. Después del almuerzo te voy a acompañar donde Magda. —Ese día Nanda enseñaba catecismo a las cinco. María Mercedes podía ayudarla a organizar los papeles para la clase que ese día estaría dedicada a la parábola del hijo pródigo. Los volantes que usaría mostraban a un joven que conducía los cerdos al chiquero. Durante la clase emplearía ejemplos de su propia vida: su hermano mayor Eduardo, en Aguilares empleado en un matadero para ayudar a sostener a su pequeña familia. Su hermano menor Emilio, correteando por el campo con un grupo de muchachos salvajes. Sus historias no eran idénticas a las de la Biblia, pero las relataría de modo que resultaran adecuadas.

María Mercedes sonrió ante la perspectiva de una visita inesperada a Pilar. Le preguntó a Nanda:

—¿A qué se debió el corte de luz?

—Hubo un cortocircuito en un transformador —contestó Nanda, repitiendo lo que había oído, sin molestarse en explicar. Tenía muchas cosas en la cabeza. Sólo faltaban unos meses para que se recibiera y le quedaba mucha tarea escolar por hacer. Era miembro de los Catequistas Cristianos. En las reuniones, los alumnos analizaban la Biblia y se les planteaba una tarea semanal. Esa semana, tenía que ver con la primera bienaventuranza: Bienaventurados los pobres de espíritu porque de ellos es el reino de los cielos.

Las muchachas siguieron caminando. Pasaron frente a la catedral (ambas se santiguaron al hacerlo), al Gran Hotel y al mercado central. Pronto llegaron a la Colonia El Paraíso y adelante apareció la casa de Nanda. Años antes, porque el casero había vendido la casa en que vivían, Pilar y su familia no tuvieron más remedio que abandonar la Colonia La Rábida y el único hogar que habían tenido juntas. Pero ahora Nanda estaba contenta. En El Paraíso, como sus hermanos estaban ausentes, ella tenía un cuarto propio, y era acogedor con libros y una mecedora; en él flotaba la atmósfera espiritual que le confería su altar con el Niño Jesús en su pequeña cuna, sus santos especiales y las velas que ella siempre mantenía encendidas.

Nanda dejó a María Mercedes en la vereda acariciando el perro del vecino. Entró en la casa.

—¿Mamá? —llamó, porque estaba acostumbrada a ver enseguida a su madre inclinada sobre la Singer. Nanda frunció el entrecejo y recorrió el cuarto del frente. Giró a la izquierda en el comedor, donde la refrigeradora Kelvinator se alzaba en un rincón para lucir mejor. Entró muy despacio en el pasillo, hacia los desconcertantes sonidos que provenían del otro lado de la puerta del dormitorio de su madre.

—¿Mamá? —volvió a decir antes de acercar la mano a la perilla.

En noviembre, en cuanto se graduó, Nanda se fue de su casa, un lugar donde ya no podía respirar porque el aire estaba cargado de traición. Fue a Aguilares y se mudó con su hermano Eduardo. Hasta que encontró un empleo fijo y, después, un lugar propio, Nanda cuidaba de los hijos de su hermano como manera de pagarle por el catre que tenía en un rincón.

Además de ropa y libros, Nanda se llevó a Aguilares sólo el Niño Jesús en su cuna. Hizo un estante para él y lo sujetó sobre el catre. Mantuvo siempre una vela votiva encendida junto al Niño, en un intento de ayudarla a rezar, de ayudarla a cicatrizar.

Con el tiempo, encontró consuelo en la homilías apasionadas del cura de la parroquia, en unirse a su brigada para trabajar entre los pobres. Con el tiempo, el padre Rutilio Grande ayudó a Nanda a comprender que había en este mundo cosas más importantes que llorar por un hombre despreciable y odiar a su madre.

CAPÍTULO CUARENTA Y CUATRO

San Salvador
Enero de 1962

Los pies de Flor Tobar era tan delicados que hacían que comprar zapatos fuera un verdadero problema. Ella y Magda habían recorrido el centro de la ciudad en busca del par adecuado, tamaño cuatro angosto. Flor necesitaba los zapatos para su fiesta. No era una fiesta cualquiera sino la fiesta de su cumpleaños número quince, la Fiesta Rosa, "el" cumpleaños de su vida.

—¿Sabes qué? —preguntó Magda—. Pediremos en Adoc que te hagan los zapatos a la medida. —Se pasó la bolsa de compras de una mano a la otra. No había planeado esas compras: libros, discos larga duración, un frasco de perfume Ma Griffe. Si hubiera pensado comprar más cosas además de los zapatos le habría pedido a Basilio que las esperara con el auto. En cambio ahora las pasaría a buscar por el Gran Hotel al mediodía.

—¿Qué me dices de la Maison Blanche? —preguntó Flor. Hacía dos horas que entraban y salían de distintas tiendas.

Magda se frenó en seco en mitad de la vereda.

—¿Te has vuelto loca? ¡La Maison Blanche está en Nueva Orleáns!

Flor se encogió de hombros.

—¿Y?

Magda lanzó un refunfuño con exasperación.

—Acabamos de ir a Nueva Orleáns, ¿recuerdas? Y me parece que allí compramos un par.

—Pero ahora necesito otro.

Magda sacudió la cabeza. Echó a andar de nuevo por el andén y con cada paso que daba, más pesada le resultaba esa bolsa con las compras. El hotel quedaba a la vuelta de la esquina. Mientras esperaban que llegara el auto, se desplomarían en un sillón del vestíbulo y pedirían una bebida fría.

Flor siguió a su madre. Recordaba muy bien Nueva Orleáns. No bien empezaron las vacaciones escolares en noviembre, su madre la había convencido de que la acompañara en un rápido viaje de compras para Tesoros. Una vez en Nueva Orleáns, hicieron muchas visitas al Barrio Francés, donde Magda había regateado interminablemente con un anticuario con respecto a su colección de pisapapeles. Y también hubo un frío poco habitual y humedad, una humedad perturbadora que las hizo arroparse y atarse bufandas debajo del mentón como campesinas rusas. No importaba. Ese mal tiempo hacía juego con el estado de ánimo de Flor. En el mes de junio pasado, su madre había puesto en marcha acontecimientos que, al llegar la Navidad, le habían arruinado la vida.

En junio, Magda trasladó Tesoros a la Doble Vía, en la intersección formada por el límite del centro y los nuevos suburbios en expansión, incluyendo los barrios exclusivos de San Benito y la Escalón. En el nuevo Tesoros Magda agregó un café, aprovechando su cercanía con El Caribe, el cine muy frecuentado, y el hecho de que en la vereda de enfrente estuviera El Salvador del mundo, el parque con araucarias y la imponente estatua del Salvador del mundo. Estas dos atracciones, el cine y el parque, le aseguraban una buena cantidad de clientes, y el hecho de que Tesoros ya no estuviera ubicado en el poco elegante centro de la ciudad hacía que para las mujeres fuera un placer entrar y acomodarse frente a un café y un pastel. No cabía ninguna duda: Tesoros, en la Doble Vía, era un lugar elegante y popular, y Flor estaba orgullosa de la dedicación de su madre y feliz con ese éxito tan merecido. Lo que provocaba las protestas de Flor, lo que le parecía absolutamente injusto, era que su madre hubiera obligado a la familia a mudarse de su vieja y amada casa, con su acogedora confusión de paredes gruesas y corredores con pisos de baldosas, a una especie de caja fuerte de vidrio y mármol en San Benito que, supuestamente, era lo máximo en materia de modernismo. Para no mencionar el cambio de colegios que esa mudanza había originado. Ésta era la calamidad más grande que le había sucedido a Florencia Elena Tobar.

En el hotel no había aire acondicionado pero sí grandes ventiladores en funcionamiento, y el vestíbulo estaba fresco en comparación con la temperatura de la calle. Flor y Magda se instalaron a un costado del mostrador de recepción, sobre una rígida banqueta junto a una palmera en maceta. Desde ese lugar podía ver la llegada de Basilio.

—Pidamos algo de beber —dijo Magda. Deseó que las normas sociales le permitieran levantar las piernas y apoyarlas en una silla.

—¿Qué vamos a hacer con respecto a los zapatos? —preguntó Flor.

Un camarero de chaqueta blanca se presentó y las dos pidieron limonada. Magda dijo que la de ella la quería con mucho hielo.

—Compramos zapatos en Nueva Orleáns —respondió Magda—. Si no hubieras cambiado de idea sobre el vestido, ya tendrías los zapatos. Jamás oí nada igual. Es como una novia que se compra un vestido de boda y después se decide por otro. —Magda había encontrado el perfecto vestido para Fiesta Rosa en una pequeña tienda cerca de la Calle Canal. El vestido era color rosado, desde luego. *Cerise peau-de-soie* y encaje de Alençon.

—Ese vestido no me gustó. No tenía cintura.

—Era estilo princesa.

—Ya sé que era estilo princesa. Ese estilo no me gusta.

—¿Por qué no lo dijiste? ¿Por qué dejaste que yo lo comprara si no te gustaba? Dios sabe que costó una fortuna. —Era un tema que ya habían tocado, pero Magda no dejaba pasar ninguna oportunidad para recordarle a Flor que había gastado doscientos cincuenta dólares.

—Porque a ti te gustaba el vestido, mamá. Porque desde que lo viste en la vidriera, no hiciste otra cosa que hablar de él.

Magda sacudió la cabeza.

—Bueno, todavía tenemos que conseguir los zapatos. Aunque no veo por qué no puedes usar los que compramos en Nueva Orleáns.

Flor respiró hondo.

—Porque no hacen juego con mi vestido. —Pilar Lazos le había hecho el vestido que en realidad le gustaba. Era de un color rosa suave, con un ruedo festoneado que imitaba pétalos de tulipán. Con ese vestido ella parecía una flor, algo bien apropiado para una muchacha que se llamaba precisamente así.

El camarero les puso las bebidas sobre una pequeña mesa de caoba. Magda pagó y después bebió varios sorbos rápidos de esa limonada helada. Apoyó el vaso sobre la mesa.

—Camino a casa buscaremos los sobres. —Las hermanas de La Asunción habían escrito a mano los 150 sobres de invitación.

—Cuando lleguemos, entra tú —dijo Flor—. Yo me quedaré en el auto. —No podía soportar entrar en su colegio sabiendo que, cuando se reanudaran las clases, ella ya no sería alumna de esa institución.

Magda bebió otro sorbo y lamentó haber sacado a relucir el tema. Dentro de poco más de un mes Flor ingresaría en la Escuela Americana de San Benito. Reconocía que cambiar de colegio era algo difícil para cualquier jovencita, pero con el tiempo su hija se adaptaría. Magda estaba segura de que llegaría el día en que Flor le agradecería ese cambio.

Camino de regreso a casa, después de parar en La Asunción, Basilio pasó por el correo en busca de correspondencia. En el auto, Magda la revisó. Había una carta de Álvaro, que leería más tarde. Como de costumbre, en el dorso del sobre estaba el número de ambos: "83". Magda rió para sí. Las cartas de Álvaro siempre eran apasionadas y ella prefería darse un tiempo para leerlas. En ese momento Álvaro cosechaba algodón en Usulután. Estaría de regreso a fin de mes, varios días antes de la gran fiesta de Flor. Para Álvaro, el negocio marchaba muy bien. El algodón era productivo, debido en gran parte a la mejora en el control de plagas y al hecho de que el Litoral, el camino pavimentado que bordeaba la costa, le había posibilitado expandir las dimensiones de la plantación. La Luz, la fábrica de velas de Álvaro en Santa Tecla, también andaba muy bien. La creación el año anterior del Mercado Común de América Central había proporcionado una zona de comercio libre e, incluso de igual importancia, la infraestructura política necesaria para una afluencia de capital de los Estados Unidos. Álvaro y su socio, Abraham Salah, aprovecharon a fondo esta oportunidad y abrieron una segunda fábrica sobre el camino a La Libertad.

Había otra carta. Era de Elena y llevaba en la esquina superior izquierda el emblema de L'Hotel Palais, el lugar predilecto de sus padres en París. La carta contenía noticias sorprendentes pero apenas bosquejadas. Y por la forma en que estaba escrita, indicaba que había habido una carta anterior que ella todavía no había recibido. Ésta afirmaba que Ernesto estaba mucho mejor. Según Elena, era gracias a las salsas francesas y los quesos. Sin embargo, como el médico que consultaron les recomendó comida menos pesada y un lugar más tranquilo, cancelaron el viaje al valle del Loira.

La noticia referente a la salud de su padre le resultó inquietante pero no sorpresiva. En los últimos años, Ernesto había padecido una variedad de trastornos gástricos. Tanto era así que Elena se aseguraba siempre de que hubiera sal de frutas en la casa. Y sus padres no viajaban a Europa desde hacía cinco años. En lo relativo a la gastronomía francesa, Magda no tenía dudas de que su padre estaba compensando el tiempo perdido.

—Cuando lleguemos a casa los llamaremos —dijo Magda, aunque llevaría horas conseguir una comunicación a Europa. Si es que llegaban a conseguirla, la comunicación estaría llena de ruido de estática y enojosas interrupciones.

—¿Y si se pierden la fiesta? —preguntó Flor.

—Dios mío —contestó Magda—, jamás harían una cosa así.

Cuando el cumpleaños de Flor se acercaba, un especialista en pirotecnia comenzó a construir, en el fondo del jardín de Magda, una batería de fuegos artificiales que parecía una tela de araña. Los obreros transportaron largos tablones y construyeron dos docenas de mesas que se colocarían debajo de los árboles y se vestirían el día tres de febrero, y una pista de baile junto a la piscina; modelaron una encantadora pasarela que parecía salida de un cuento de hadas, que rodeaba la piscina. Se ordenaron gardenias que flotarían sobre el agua. Quince asistentes, las damas, todas vestidas en tonalidades de rosado, abrirían la fiesta. Saldrían de la casa y avanzarían por el jardín hacia la pasarela, en un desfile ceremonioso antes de que la misma Flor apareciera. A medianoche se lanzarían los fuegos artificiales que, en un final espectacular, escribirían contra las estrellas el nombre "Florencia".

La selección de las damas, sin embargo, estaba resultando complicada. Flor había incluido a María Mercedes en el grupo, pero Jacinta se oponía a ello con firmeza.

—Pero, ¿por qué? —preguntó María Mercedes, su voz un gimoteo, aunque en el fondo tuviera sentimientos encontrados con respecto a ser incluida en ese grupo. Cada vez se sentía menos adecuada para integrarlo.

—Porque no está bien, eso es todo —contestó Jacinta. Estaban en la cocina y Tea acababa de apagar *Las dos*.

—Ésa no es una buena razón —dijo María Mercedes.

—Sí que lo es —dijo Tea—. No es tu lugar ser una dama.

—¿Qué pensás tú, Basilio? —preguntó María Mercedes. Basilio también estaba en la cocina y, como de costumbre, permanecía en silencio.

—Tu lugar es aquí, con nosotros —respondió.

En definitiva, si hubiera sido posible espiar hacia el futuro, se podrían haber evitado esas discusiones. De tener una bola de cristal, esto es lo que habrían visto: Una semana después de zarpar de Le Havre, una noche despejada y estrellada y después de una comilona en la mesa del capitán, los trastornos gástricos de Ernesto Contreras tomaron un rumbo drástico. Antes de que el barco llegara a puerto, el abuelo de Flor fallecía.

CAPÍTULO CUARENTA Y CINCO

Durante todo el día previo a su funeral, los restos de Ernesto Contreras se velaron de cuerpo presente. Descansaba en un ataúd lustroso de caoba ubicado en la sala de la casa de Elena, una habitación con muebles rígidos, por lo general desechados en favor de los más cómodos de mimbre del porche. Caballeros y damas en telas al óleo que decoraban las paredes lo observaban con expresión benévola. Justo enfrente, cruzando la calle, la casa que había pertenecido a Cecilia de Aragón estaba cerrada y en silencio.

Ernesto Contreras tenía setenta y cuatro años cuando murió, y estaban los que decían que esa cantidad de años era más que suficiente para cualquier hombre. De haber estado con vida, el difunto sin duda habría disentido con vehemencia. Si hubiera podido incorporarse en el ataúd, levantar su torso con traje oscuro de la mortaja de satín que lo rodeaba y estaba debajo de él, Ernesto Contreras habría dicho: "Cualquiera sea la cantidad de años que se nos da, nunca es suficiente". Lo que jamás había mencionado era su miedo a la muerte, aunque cada mañana se daba ánimos leyendo las noticias necrológicas antes de planear el día.

Por fortuna, el infarto coronario que lo mató fue tan rápido que sólo le dio tiempo para mover un poco la cabeza en su lado de la inmensa cama matrimonial. Como un barco sobre aguas calmas, su paso a la otra vida fue silencioso y suave. Sin embargo, si hubiera podido, habría confesado que había tenido un instante de claridad antes de que la oscuridad se apoderara de él. Y en ese instante entendió que, en sí misma, la muerte no era algo que diera miedo; lo que resultaba abrumador era su carácter irrevocable. Al entenderlo de manera cabal, trató de tocar a Elena para decirle una vez más que se sentía arrepentido.

▼ ▼ ▼

En su homenaje, la familia y los amigos, los empleados y sirvientes, se encontraban reunidos en el Cementerio Santa Isabel, en las afueras de Santa Ana. Neto y Alberto Contreras flanqueaban a su madre, a quien tenían que sostener para que no se cayera. Elena lo observaba todo por entre la bruma de su dolor y del velo negro que le caía de su pelo todavía dorado. Magda, también de negro, estaba apoyada contra Álvaro, quien con un brazo rodeaba los hombros estrechos de Flor. Júnior, Carlos y Orlando, los hermanos de Flor, permanecían muy tiesos de pie detrás de su madre. Todas las miradas estaban centradas en el albañil que trabajaba, hundido hasta la cintura, en la fosa que el sepulturero había cavado antes. El trabajo del albañil consistía en cerrar la tumba de mármol custodiada por un arcángel de piedra a cuyos pies de alabastro había una cinta de granito en la que estaban grabadas las palabras: "FAMILIA CONTRERAS RIVAS, NI EL TIEMPO NI LA DISTANCIA PODRÁN SEPARARNOS".

El albañil colocó la mezcla contra los ladrillos que había apilado para sellar la bóveda. Mientras lo hacía, su pala golpeaba y raspaba, y ese sonido era todavía más triste en contraste con el cielo despejado y luminoso, el gorjeo de los pájaros y la fragancia de los árboles cercanos.

Isabel y Abraham Salah estaban más atrás, del brazo. Los acompañaba su hijo Enrique, un jovencito apuesto y alto. Isabel, corpulenta incluso de negro, asistía por afecto a Magda y Elena y no tanto por Ernesto, quien en un tiempo había sido como un padre para ella. Unos días antes, cuando al abrir el periódico Isabel vio el titular "Ilustre hacendado muere sobre el mar", tuvo que serenarse antes de mostrárselo a su madre. Después de leer la noticia, Cecilia miró hacia lo lejos un momento y después dijo: "Pobre Nena".

En el fondo del cementerio los criados, todos los de Elena y algunos de Magda, estaban reunidos con actitud solidaria, los brazos cruzados sobre la cintura. Jacinta, María Mercedes y Basilio habían venido en el auto de Magda, algo nada frecuente y que se debía a que los Tobar necesitaban dos autos para transportar a todos al funeral. Los tres estaban uno contra el otro y todos usaban su ropa buena de salir. Escucharon al padre Adolfo, que había venido de San Salvador para oficiar el servicio fúnebre. Cuando la bóveda estuvo cerrada, el sacerdote exhortó a los presentes a ser valientes y aceptar lo sucedido.

—La muerte es el comienzo de la verdadera vida —dijo el padre, y sus palabras fueron tan duras como el sonido de la pala.

▼ ▼ ▼

Mientras la familia Contreras se reunía para almorzar en casa de Elena, con el permiso de Magda, la pequeña familia de Jacinta se trasladaba a Izalco para presentar sus respetos a sus propios muertos. El viaje desde Santa Ana, de treinta kilómetros en un buen camino, era corto y rápido cuando se hacía en auto. Años atrás, cuando vivían en otro mundo, Jacinta y Basilio habían cubierto esa distancia a pie en un viaje muy diferente. Hoy, en el calor seco de la tarde, él, Jacinta y María Mercedes entraron en un cementerio que carecía de estatuas y de una belleza armónica. Él y Jacinta apartaron ramas, hojas, guijarros y trozos pequeños de cemento de esa tumba sin césped. Basilio no usaba sombrero, algo relativamente nuevo. Cada tanto sacaba un pañuelo del bolsillo de atrás del pantalón y se secaba la frente con él. A pesar de volverlo más reticente, los años habían sido bondadosos con él: le habían suavizado los planos cortantes de su rostro y redondeado un poco los hombros, pero seguía siendo el mismo hombre, inmutable y convencido de que, para estar en paz, era preciso aceptar lo que no podía cambiarse. Sus muertos no descansaban allí, desde luego (sólo Dios sabía qué había sido de ellos), pero ese día él podía hacer de cuenta que así era.

María Mercedes, que no había estado allí antes, permaneció un tiempo a un costado antes de reunirse con los otros. Juntos, los tres, inclinados hacia adelante, la cabeza gacha y en silencio, fueron rozando las cruces de madera en cada una de las cuales había un nombre tallado: Apolonia Sandoval, la abuela de Jacinta; Cirilo Prieto, su hermano; Segunda, Grata, Úrsula y Digna Prieto, sus hermanas.

Una gran cruz de piedra donada por Elena marcaba la tumba de Mercedes, en la que estaba grabado: "MERCEDES PRIETO SANDOVAL, HIJA, MADRE, MÁRTIR".

Satisfecha de haber hecho lo que podían para ordenar todo, Jacinta se sacó los zapatos y se agachó, arreglando su vestido negro cuidadosamente sobre y debajo de las rodillas. Palmeó la tierra de la tumba de su madre y en las manos le quedó un poco de polvo café.

—Vení —dijo y Basilio se acurrucó junto a ella, las piernas dobladas y abiertas, sus brazos color chocolate colgando entre ellas. Jacinta miró a su hija, que también se puso de rodillas.

—Escucháme, María Mercedes. Hasta ahora no has tenido que pensar en nada sino en tu propia buena vida. Yo me preocupé de que así fuera. Tal vez me equivoqué. Mirá a tu alrededor. Los muertos hablan. Dicen: "Somos los huesos de tus huesos".

"Tu abuela murió con una hoja filosa clavada en el cuello, pero no fue ninguna mártir, aunque la niña Elena lo haya hecho grabar en la lápida como si fuera la verdad. Tú sos joven, hija mía. Sólo estás en el principio de tu vida. Pero oíme: debes comenzar a vivir tu vida a la luz de lo que a ti te gustaría que estuviera grabado en tu lápida.

Jacinta buscó en su bolsillo y se echó un poco hacia atrás para que le resultara más fácil. Sacó un paquete pequeño, un cuadrado de papel tisú color rosado fuerte.

—Tomá, quiero que tengas esto.

María Mercedes abrió el papel y encontró adentro un objeto enrollado que no reconoció: un trozo de cuerda de cuero, anudada en los extremos y dura por los años; tres pepitas, chiquitas como las uñas de un bebé, estaban enhebradas en la cuerda y sujetas en su lugar.

—¿Qué es esto?

—Es un amuleto. Tu abuela lo hizo. Don Feliciano, el cacique de la tribu, bendijo las piedras. Son ágatas rojas para salud y larga vida. —Jacinta se puso una mano en la garganta. —Yo lo usé cuando era bebé.

María Mercedes levantó la cuerda.

—¿Lo usaste alrededor del cuello?

Jacinta asintió.

—Lo usé hasta que me quedó demasiado pequeño.

—¿Y lo guardaste todos estos años? —María Mercedes estaba segura de que había tocado todas las pertenencias de su madre, pero jamás había visto ésta.

—Cuando eras una niñita, tú también lo usaste. Pero después lo guardé. —Lo guardó en su caja de tesoros que estaba ahora en el armario personal de Magda para que estuviera seguro. Su caja de tesoros con los fósforos usados, con el pequeño frasco vacío de agua de mar y algunas otras cosas valiosas para ella.

Jacinta señaló las cruces que punteaban el terreno.

—Mi mamá hizo un amuleto para cada uno de sus niñitos. Cada uno de ellos fue enterrado con el suyo. —Los tres quedaron en silencio en reconocimiento de esos cinco collares diminutos que yacían, apenas metros más abajo, entre los huesos.

—¿Y Tino, mamá? ¿Tu hermanito también tenía uno?

—Sí, tenía uno. Rezamos que quienquiera lo sepultara lo haya hecho con su collar de amuleto.

María Mercedes volvió a envolver el regalo con reverencia y se puso el paquete rosado contra el corazón.

—Gracias, mamá.

Jacinta sonrió y se puso de pie. Se sacudió la tierra de los pies y se puso los zapatos. Señaló por encima del cementerio, hacia la ciudad y más allá de ella, en dirección a Izalco, el volcán, que se erguía y dormía a lo lejos.

—Vení, Basilio —dijo—. Tratemos de demostrarle a esta niña quién es.

Los tres se dirigieron al sendero que conducía a una pared de piedra y un laurel que crecía junto al lugar donde en una época había un rancho. Era el día en que María Mercedes cumplía quince años. Ella escribiría un poema para marcar la ocasión. Años después, cuando su madre le revisara los papeles, encontraría el poema. Llevaría el título "Empezando a comprender" , y en él aparecería la fecha de ese día: 2-5-62.

CAPÍTULO CUARENTA Y SEIS

Después de la muerte de su abuelo, Flor parecía marchita, y nada de lo que hacía su familia ayudaba a revivirla. Álvaro planeó salidas a la playa y las montañas llenas del frescor de los pinos. Magda, que luchaba por controlar su propia pena profunda por la pérdida de su padre y el alarmante deterioro de su madre, llevó a la casa chucherías para su hija y también para ella: pilas de revistas, los últimos registros fonográficos, álbumes de fotos y de recuerdos que podrían llenar juntas. Socorro, la cocinera, preparaba platos apetitosos conocidos por su poder para calmar la pena: pollo relleno con hierbas, espárragos gratinados, budín de chocolate amargo con forma de estrellas. María Mercedes se ofreció a ayudar a Flor con su tarea o a leerle en voz alta los cuentos de Corín Tellado que aparecían en la revista *Vanidades*. Pero distraer a Flor ahora le costaba más a María Mercedes, puesto que algunos meses antes, para estar más cerca de la escuela, se había mudado con Pilar.

Jacinta convirtió en obligación suya adivinar la mente colectiva de la casa y, por consiguiente, intentaba satisfacer cada capricho de los Contreras. Basilio, en contraste con su naturaleza, tocaba melodías alegres en su flauta triste. Y, porque había fijado en su mente a Flor y María Mercedes como las pequeñas que una vez habían sido en lugar de las jóvenes señoritas en que se habían convertido, talló un corral de caballos para Flor y le hizo a cada animal una montura de cuero en miniatura y riendas tan delgadas como hilo de zurcir.

No era que Flor no sintiera gratitud por la actitud solícita de su familia. Sonreía para demostrar que apreciaba tanto esmero y lo agradecía mucho, pero sus pálidos ojos celestes no se encendieron durante mucho tiempo. Ni siquiera el nuevo televisor Zenith le infundió nueva vida, aunque cada tanto reía al mirar *Yo quiero a Lucy* y *Hechizada*.

De modo que, durante todo un año después de la muerte de Ernesto Contreras y a pesar de todas las atenciones, la felicidad de Flor era esquiva. Cada mañana despertaba con un sobresalto y seguía con lo suyo durante todo el día, mientras el recuerdo de su Tata, un maniquí en su ataúd, era un ancla que la sostenía.

Pero, desde luego, había algo más. Verdad, su amado Tata estaba muerto, pero también era verdad que estaba furiosa con él por morirse. Por morirse cuando lo hizo y frustrarle su Fiesta Rosa.

Flor sabía que ese sentimiento equivalía a un pecado. Igual, no se animaba a susurrarlo por la reja del confesionario. No podía revelarle al padre Adolfo lo mala que era. En cambio, esa verdad le enturbiaba el corazón, era un tormento silencioso que le opacaba la luz de los ojos. Al ver su cara triste, la gente sacudía la cabeza y murmuraba: "Pobre Flor. Mira cómo extraña a su Tata". Y Flor sí extrañaba a su abuelo. Lo extrañaba terriblemente. Pero también extrañaba no haber usado el vestido con el ruedo en forma de pétalos que Pilar le había hecho. Extrañaba caminar con elegancia por la pasarela que rodeaba la piscina. Extrañaba ver su nombre dibujado en la noche por los fuegos artificiales.

Fue Enrique Salah el que hizo que Flor fuera la de antes. Enrique, con su pelo grueso y ensortijado y con ese lunar en la comisura de los labios. Enrique, el nieto de Cecilia de Aragón.

Flor lo había visto en el colegio y en la fábrica de velas en las raras ocasiones en que acompañaba a su padre. La primera vez que realmente se fijó en él, Enrique estaba en la sala donde se fundía el sebo hasta convertirlo en una masa elástica antes de ponerlo en las máquinas moldeadoras.

—¿Quién es ése? —le preguntó Flor a su padre, mientras notaba cómo ese ambiente humeante y pegajoso había convertido el pelo de Enrique en rizos.

—Enrique Salah, el hijo de Abraham. Enrique está aprendiendo el negocio. Es un buen chico. ¿Por qué me lo preguntas? —Álvaro entrecerró los ojos como si de pronto comprendiera la naturaleza de la pregunta de su hija.

Flor se encogió de hombros.

—Por curiosidad. No lo había visto antes.

—El muchacho es un Salah, ya sabes.

Flor apartó la vista de su padre. Sí, sabía lo que significaba ser un Salah. Enrique era un turco. La palabra le resultaba inquietante; le advertía "Cuando de turcos se trata, a menos que sean negocios, mantente alejada".

Ese día, mientras volvían a casa en el auto, Flor volvió a sacar el tema de Enrique. Le recordaba a alguien y, en el auto, comprendió a quién.

Enrique se parecía a Warren Beaty, el novio de Natalie Wood en *Esplendor en la hierba*, que junto a *West Side Story* era su película favorita.

—¿No hubo alguna clase de desacuerdo entre los Salah y la abuela Elena, papá? —A lo largo de los años Flor había alcanzado a oír que los adultos hablaban sobre el tema en voz muy baja. Y cada vez que detectaban su presencia, enseguida callaban o cambiaban de tema. —Recuerdo que a mi abuela no le hizo mucha gracia que tú y don Abraham se asociaran en el negocio de las velas.

Álvaro se encogió de hombros, como si alejara un recuerdo de su mente.

—Tu abuela y la de él tuvieron un desacuerdo y se distanciaron, pero eso ocurrió hace mucho tiempo.

—¿Cuál fue el motivo?

Álvaro sacudió la cabeza y contestó con una observación:

—Las mujeres son animales raros. Tienen su propia manera de quejarse.

Fue en la Escuela Americana, en uno de esos días poco frecuentes en que ella se había llevado el almuerzo, cuando Flor y Enrique conversaron por primera vez. En la Escuela Americana los alumnos se sentaban directamente en el corredor embaldosado para almorzar, un lugar amplio y aireado junto al patio con césped, donde un ala de la escuela se cruzaba con la otra. Flor estaba con Gladis Díaz, quien también cursaba el décimo grado.

—Mira —dijo Flor mientras abría su lunchera e inspeccionaba lo que había adentro—. Es un sándwich de tomate. Detesto los sándwiches de tomate.

—A mí me encantan —dijo alguien.

Flor giró la cabeza y vio que el que lo dijo era Enrique Salah. Estaba sentado a pocos metros, con las piernas recogidas y la espalda apoyada contra la pared.

—¿Tiene mayonesa? —preguntó él.

Flor separó las rebanadas de pan como si abriera un libro. Espió las rodajas rojas cubiertas de un condimento blanco.

—Sí, tiene suficiente mayonesa.

—Te lo cambio por mi pechuga de pollo —dijo Enrique y señaló el sándwich que sostenía dentro de un cuadrado de papel encerado.

Flor levantó las cejas y observó el pecho ancho de Enrique. Se echó a reír y él se dio cuenta de lo que había dicho y también comenzó a reír. Este intercambio marcó el comienzo de la relación entre ambos.

El progreso de dicha relación fue gradual. Porque él cursaba el duodécimo grado y era dos años mayor, no compartían los cursos, pero se miraban bastante cuando todas las mañanas alumnos y profesores se reunían antes de empezar las clases. Cada tanto tenían ocasión de conversar si Flor se quedaba para almorzar, algo que empezó a hacer cada vez más seguido. Gladis Díaz, con la manera que tienen las chicas de ayudarse y encubrirse mutuamente, y para quien una relación con un turco era algo irremediablemente romántico, ofreció sus servicios de intermediaria, si tales servicios resultaban necesarios.

En casa, el cambio en el estado de ánimo de Flor no despertó sospechas. "¿Ves? El tiempo siempre cura las heridas", comentaban los miembros de su familia y volvían a sumirse en sus asuntos, aliviados y agradecidos de que la depresión de Flor por fin comenzaba a ceder. Pero ello no significaba que cada tanto no estuviera malhumorada; eran tantas las cosas en que tenía que pensar. Su amistad con Enrique había hecho que Flor pasara de la furia hacia su Tata a pensar en su abuela Elena y Cecilia, la abuela de Enrique. ¿Qué había pasado hacía tanto tiempo entre las dos? Ese secreto le resultaba misteriosamente atractivo.

Algún día, cuando Enrique y ella se conocieran mejor, le preguntaría qué sabía él sobre la desavenencia de ambas. Pero en octubre, después de la finalización de las clases y con un intervalo de apenas una semana, Enrique Salah se fue a Nueva Orleáns a estudiar en Tulane.

Durante las vacaciones de Navidad, Flor y Gladis estaban en Tazas, la cafetería de Tesoros, tomando una Coca-Cola. Acababan de ver a la actriz favorita de Flor, Natalie Wood, en su última película. Era sobre una muchacha que trabaja en una tienda departamental de Nueva York y queda embarazada por un músico interpretado por Steve McQueen. La pareja se pasa la mitad de la película en busca de un médico que les resuelva el problema. Por lo general, Flor y Gladis iban al cine y se quedaban a ver la segunda función, sobre todo si se trataba de una película de Natalie Wood, pero ese día no lo hicieron. Esa película era inquietante.

—¿Puedes creer que el médico que encontraron resultó ser una mujer? —dijo Flor mientras bebía la Coca-Cola por una pajita.

—Ella no era doctora —dijo Gladis—. Y el departamento al que fueron daba miedo. —Gladis levantó los hombros y se estremeció.

También Flor se estremeció. No quería ni pensar en la situación de Natalie.

—Dios mío. Mira quién está aquí —dijo Gladis y puso su vaso sobre la pequeña mesa de vidrio—. Es Enrique Salah.

—¿Dónde? —preguntó Flor con indiferencia. Con los dedos se apartó el flequillo y deseó haberse cepillado mejor el pelo esa mañana. Desde que vio *Esplendor en la hierba* decidió peinarse como Natalie Wood: el pelo largo hasta los hombros y flequillo un poco apartado de la frente.

—Está entrando al banco —dijo Gladis—. Vayamos a hablar con él.

—Decididamente no —dijo Flor y metió una pajita en su vaso—. ¿Para qué haríamos una cosa así? —Levantó un poco la cabeza con la esperanza de que ese ángulo le permitiera una mirada subrepticia hacia el banco.

Gladis se inclinó sobre la mesa y le susurró:

—Mírate. Te pusiste colorada.

—No es así —dijo Flor, pero se sentía acalorada. Meses atrás, Enrique Salah había comenzado a derretir su corazón como si fuera de cera. Y durante las semanas que estuvo ausente, el solo hecho de pensar en él y en el lunar que tenía junto a la boca la conmovía.

Flor y Gladis terminaban sus gaseosas cuando Enrique entró. Gladis lo saludó con la mano.

—Hola, Pollo —dijo Flor, utilizando el apodo que él le había puesto después del intercambio de sándwiches aquel primer día a la hora del almuerzo.

—Hola, Repollo —dijo él, con la forma en que él la había bautizado.

—¿Cómo estuvo la universidad? —Flor echó una rápida mirada por sobre el hombro de Enrique hacia el salón principal de Tesoros, donde su madre trabajaba. Después lo miró. Enrique usaba una camisa deportiva con el cuello abierto. Una mata de vello oscuro le asomaba por el hueco del cuello.

—Todo bien, pero Nueva Orleáns no me gusta.

—Estuve allí con mi mamá —dijo Flor—. Cuando fuimos hacía frío y llovía.

—Desde que mataron a Kennedy, en todo el mundo hace frío y llueve —dijo Enrique.

—Pobrecito el Presidente —dijo Gladis—. Siéntate aquí, Enrique —dijo y señaló la silla que tenía al lado.

—Qué cosa tan terrible —dijo Flor. Aunque ya habían pasado algunas semanas, la imagen del pequeño John-John haciéndole la venia al féretro de su padre todavía estaba fresca en su mente.

—¿Van al cine? —preguntó Enrique.

—Ya vimos esa película —contestó Gladis.

Enrique dijo:

—Estaba pensando en ir. Tal vez lo haga una de estas noches.

—¿Estás trabajando en la fábrica? —preguntó Flor para cambiar de tema. No quería hablar de la película ni del desagradable tema que trataba. Al menos no con Enrique.

—¿Sabes una cosa? —le dijo Enrique a Flor—. Te encuentro parecida a Natalie Wood.

Flor bajó la vista y rápidamente la levantó. Siempre había tenido la esperanza secreta de parecerse a Natalie Wood. Frente al espejo, con frecuencia entrecerraba los ojos y se imaginaba morena y seductora como Natalie.

—Pues yo no me veo nada parecida a ella —dijo Flor.

Gladis dijo:

—Flor tiene razón, no se le parece. Natalie Wood es morena y Flor, no. Flor es una chele, igual a su padre. —"Chele" era un término que significaba "de piel clara".

—Te pareces a Natalie en los ojos —dijo Enrique—. Tus ojos son como dos lunas grandes contra nubes blancas.

Dos lunas grandes contra nubes blancas. Flor no sabía con exactitud qué quería decir, pero estaba segura de que era el piropo más dulce y encantador que había recibido en su vida.

CAPÍTULO CUARENTA Y SIETE

María Mercedes y Pilar estaban frente a la mesa de la cocina de Pilar y escuchaban *Las dos*. En el episodio que acababa de finalizar, Dulce Alegría había tenido suficiente. Ese día ella había declarado su futura independencia de Bárbara, su verdadera madre. Dulce Alegría dijo que el año siguiente, en que cumpliría dieciocho y sería mayor de edad, volvería a la casa de Inocencia. Al oír la noticia, la Bárbara se desvaneció, dejó caer la taza de café y terminó ella misma en el suelo, de donde milagrosamente emergió sin un rasguño.

—¡Por fin! —exclamó María Mercedes.

—Era hora de que esa muchacha se parara sobre sus propios pies —dijo Pilar y empujó su silla hacia atrás. Se metió un dedo en el pelo y se rascó la cabeza. —Bueno, de vuelta al trabajo. Antes de mañana tengo que terminar dos vestidos. —Y transpuso la puerta de la cocina.

María Mercedes entró en el cuarto de Nanda, que estaba al lado del de Pilar. Nanda no había vuelto desde que se fue de la casa nueve años antes. Aunque la relación con su madre había mejorado con el tiempo, Nanda se quedó en Aguilares y se dedicó por completo a la iglesia y al trabajo del padre Rutilio Grande. Recorría el campo llevándole a la gente la palabra del padre: la iglesia es algo viviente —decía, como un eco de Grande— y ustedes, queridas personas, son el corazón y el cuerpo de la Iglesia.

Desde que se mudó allí, María Mercedes no había cambiado absolutamente nada en el cuarto. La cama seguía en el rincón. El escritorio, debajo de la ventana. La cómoda, contra la pared. Sobre ésta había un estante con imágenes sagradas, cuadrados y rectángulos que se amarilleaban contra la pared. Estaban la mecedora y los libros que María

Mercedes había leído una o incluso dos veces: Las vidas de los santos, Nuestra Señora de Fátima, El padre Pío y los estigmas.

Ahora se instaló frente al escritorio para hacer sus tareas. En historia habían estado estudiando la expansión de los árabes después de Mahoma, el profeta del Islam. Parte de la tarea consistía en memorizar los nombres de las trece esposas de Mahoma.

A María Mercedes el tema la fascinaba y, dada la relación entre Flor y Enrique Salah, estudiar a los árabes era oportuno y hasta estimulante. Enrique era un "turco", lo cual implicaba que su familia provenía de Turquía, un país musulmán. Pero no era así. Si bien sus antepasados eran palestinos, su padre y su abuelo habían nacido en El Salvador. La familia no era musulmana sino católica. Todo esto ella lo supo por Flor. Para una mayor aclaración, María Mercedes le había preguntado a su maestra acerca de la inexplicable discriminación contra los "turcos". La maestra le explicó que cuando los árabes llegaron por primera vez a El Salvador habían luchado mucho y, decían algunos, incluso habían jugado sucio, para forjarse un lugar en la sociedad. A lo largo de los años, algunas familias, entre las cuales sobresalía la de los Salah, fueron admitidas en el mundo de los negocios, pero en el nivel social los de su clase seguían siendo parias.

¿Resultaba, entonces, sorprendente que Enrique Salah fuera el gran secreto de Flor? María Mercedes, desde luego, conocía ese secreto, así como también Pilar, Basilio y Jacinta; los cuatro debido a las circunstancias y no por elección. Era a la casa de Pilar donde llegaban las cartas de Enrique, quien era un corresponsal fiel y le escribía a Flor de Nueva Orleáns tres, cuatro y a veces cinco veces por semana.

No era de extrañar que la carta de hoy descansara sobre otras dos que habían llegado esa semana. Todas estaban dirigidas a la señorita Florencia Elena Tobar, a/c María Mercedes Prieto, Colonia El Paraíso, N° 56, San Salvador, El Salvador. En la solapa del dorso, dentro de un círculo estaba escrito el número 83. Era el código de Flor y Enrique, que tomaron prestados de los padres de Flor quienes, no hace falta decir, no sabían nada de esa correspondencia.

María Mercedes cuadró los sobres, los sujetó con una banda elástica y los apoyó sobre la mesa. En cualquier momento empezaría el ritual. Flor pasaría por allí. Lo hacía dos veces por semana. Irrumpía en la casa y antes de decir nada pedía las cartas.

Y ahora la puerta se abrió de par en par. Pero la que entró no fue Flor sino Pilar.

—¡El edificio del correo se está incendiando! ¡Dieron la noticia por la radio!

Las dos salieron corriendo de la casa en el momento en que Basilio y Flor llegaban en el auto.

—¿Qué sucede? —preguntó Flor. Otros vecinos habían salido corriendo de sus casas y señalaban hacia la columna de humo que se elevaba en el horizonte.

—Es el correo. Se está incendiando. —Pilar se puso a caminar de aquí para allá en la vereda porque el cemento estaba caliente y ella estaba descalza.

—Voy a buscar mis zapatos e iremos a ver.

—¡Mis cartas! —gritó Flor y echó a correr.

—¡No! Regresá —le gritó María Mercedes—. Tus cartas están sobre el escritorio.

Flor se frenó en seco y regresó.

—¡Ay! Gracias a Dios. —Entró en la casa como una exhalación, seguida por María Mercedes.

Basilio y Pilar sólo llegaron a una cuadra del edificio del correo porque el calor de las llamas y la conmoción que reinaba en la escena los hicieron detenerse. Habían corrido seis cuadras, algo nada recomendable cuando se usan sandalias. En dos oportunidades las suelas de goma de las sandalias de Pilar se doblaron y estuvieron a punto de hacerla caer. Ahora ella estaba parada en medio de ese gentío, jadeando y dándose golpecitos en el pecho. Parecía que todo el mundo hubiera corrido hasta allí para ver el espectáculo. La gente permanecía allí de pie, en silencio e inmóvil, la barbilla levantada, la boca abierta. Todas las miradas se enfocaban en el círculo cerrado de patrulleros policiales y carros de bomberos y terminaban fijas en la visión de su oficina de correos en llamas. Lenguas amarillas de fuego brotaban de las puertas y las ventanas. Columnas de humo se elevaban y se iban oscureciendo en su ascenso. El ruido era ensordecedor. El fuego tenía un sonido propio: un murmullo grave y, después, fuertes crujidos y estallidos y, cada tanto, algo parecido a un gemido profundo y prolongado. Y también estaba el silbido del fuego al toparse con el agua que caía en arcos de las mangueras. A lo lejos, el ulular de las ambulancias que se acercaban gritaba advertencias y lamentos.

—Dios mío —dijo Pilar y tomó la mano de Basilio. La sintió áspera, curtida, fuerte y consoladora. Después de un momento, la soltó. Por mutuo acuerdo tácito, se volvieron. No tenía sentido presenciar esa destrucción.

Esta vez caminaron con lentitud, rodeados por el olor a madera chamuscada. Por el aire flotaban cenizas.

—¿Crees que otros edificios también se incendiarán? —preguntó Pilar. Pensaba en la escuela de María Mercedes, que quedaba justo en la vereda de enfrente. La imagen de su ahijada, de Nanda, que también había asistido, de las dos atrapadas en un edificio en llamas la asustó tanto que quedó en silencio. El miedo hizo que deseara volver a tomar la mano de Basilio, pero lo resistió.

Basilio sacudió la cabeza y no dijo nada. Pensaba en Jacinta. ¿Qué opinaría Jacinta de todo eso?

María Mercedes había abierto la puerta de la cocina y cuando entraron en la casa vieron a Florencia sentada frente a la mesa, la cabeza inclinada sobre las cartas. María Mercedes estaba en el cuarto del frente hablando por teléfono.

—¿De veras se está incendiando? —preguntó Flor y levantó la vista.

—Sí, de veras se está incendiando —respondió Pilar.

—Tengo cartas para Enrique. ¿Cómo haré para despachárselas? —preguntó Flor.

María Mercedes llamó a Pilar, la mano sobre el tubo.

—Es mi mamá. Llamó porque supo de la noticia por la radio. —María Mercedes le pasó el teléfono a Pilar. —Toma, hablále tú. Está muy trastornada.

Pilar tomó el teléfono.

—¿Jacinta? —dijo, pero lo único que oyó del otro lado de la línea fue un suave gemido parecido al que había provenido del incendio—. ¿Jacinta? —repitió Pilar.

Sollozos reprimidos en el otro extremo.

—Ay, Pilar. Mi Miguel. Mi Miguel, Pilar.

Pilar bajó un momento el audífono. Miguel Acevedo. No había pensado en él. Volvió a llevarse el teléfono a la oreja.

—Pilar, escucháme —dijo Jacinta—. Tú fuiste hasta allá. María Mercedes dijo que tú y Basilio fueron. Dime que el incendio no es grave, Pilar.

—No puedo decirte eso.

La voz de Jacinta adoptó tono autoritario.

—Pasáme a Basilio. Quiero hablar con él.

Pilar le entregó el teléfono.

—Pilar no quiere contestarme. ¿El incendio es grave?

—Sí, es grave.

Una pausa. Después:

—Escucháme, te voy a pedir un favor. Tenés que hacer lo que te digo. ¿Me oís, Basilio?

—Te estoy escuchando.

—Quiero que vayas a La Rábida. A la casa de él. Ya sabés a quién me refiero. Y sabés dónde vive. Dejá a Flor y a Pilar y vete ya mismo en el auto. Averiguá si está bien. ¿Me has entendido, Basilio?

—Sí.

—¿Lo harás? Decíme que lo vas a hacer.

—Sí —contestó Basilio y le pasó el teléfono a María Mercedes.

—¿Mamá? No te preocupes, mamá. Estoy bien. ¿No te das cuenta por mi voz? Te estoy hablando, ¿no es así?

Basilio se detuvo en la puerta de calle. Comenzaba a oscurecer, pero también podían ser las llamas las que hacían que el cielo tuviera tantos colores. Un grupo de chiltotas anaranjadas afirmaban ruidosamente su presencia en un árbol cercano. Pilar fue a pararse junto a Basilio.

—Está desesperada por Miguel —dijo Pilar en voz baja.

—Ya lo sé.

—Ruego a Dios que él no haya estado allí —dijo Pilar. Hizo un rápido repaso de su propia lista de amantes. El último, ese tal Víctor Morales, podía arder en el infierno por todo el lío que le había causado.

—Decíle a la muchacha que tenemos que irnos —dijo Basilio y movió el pulgar en dirección a Flor, en la cocina—. Si esperamos más no podremos pasar. —Bajó al sendero y aguardó junto al auto. Muy pronto María Mercedes salió y le dio un rápido abrazo.

—Mi mamá está bien. Sólo estaba preocupada por mí.

Flor subió al auto y partieron. En la esquina, Basilio no dobló para ir a La Rábida. No tenía sentido. Miguel Acevedo ya no vivía allí. Un año antes había llegado otra carta suya a Jacinta y fue a reunirse con las otras tres cartas sin abrir escondidas en el galpón de Basilio. La última no estaba despachada en San Salvador. Por la dirección del remitente, Miguel Acevedo vivía ahora en San Vicente.

CAPÍTULO CUARENTA Y OCHO

El Congo
Noviembre de 1964

—Me alegra tanto que estés aquí —le dijo Chenta a María Mercedes, quien de pie detrás de ella le cepillaba el pelo.

—A mí también me alegra, tía. —María Mercedes había llegado a El Congo varios días antes, una vez terminado el período escolar y para escapar a otra de las exuberantes fiestas planeadas por Magda, esta vez en honor a Flor y a su graduación. Liberarse de la fiesta no le resultó fácil: enojó a su madre y decepcionó a Magda. En cuanto a Flor, que sabía lo que María Mercedes realmente sentía, esos días no pensaba más que en Enrique. ¿Por qué esa huida rápida? A María Mercedes le costaba explicarlo, incluso para sí. Reconocía que era una joven dichosa. Gracias a Magda tenía una educación, un bachillerato, y aunque Flor le restara importancia a ese hecho, María Mercedes no pensaba lo mismo. En otras palabras, tener un diploma demostraba que ella se había elevado por sobre las limitaciones innatas a su condición y ése era precisamente el problema. Ahora que se había superado a sí misma, ¿por qué esa profunda insatisfacción con su propia vida? Ahora que había logrado esos objetivos, ¿a qué podía aspirar? No a la vida que llevaban Magda y Flor, desde luego. Y tampoco a la vida de servicio de su madre y Basilio, aunque su lealtad a los Tobar había sido admirable. Lo primero quedaba demasiado alto; lo segundo, demasiado... No pudo completar el pensamiento. Hacerlo le parecía una traición. Mejor buscar un término medio. Una vida como la de Pilar, quizá.

Era obvio que estaba en una encrucijada. Ésa era la razón por la que había evitado asistir a una fiesta en la que seguro surgirían preguntas comprometidas: “Dinos, ¿qué harás ahora? Dinos, ¿exactamente qué planes tienes?”. Porque estaba en una encrucijada abandonó la ciudad y prefirió estar un tiempo lejos, en compañía de una mujer de edad que podía ayudarla con su problema.

—Noventa y ocho, noventa y nueve, cien —dijo María Mercedes, contando las pasadas del cepillo mientras sostenía la horquilla grande entre los dientes—. Ya está, cien, como en las películas. —Y puso el cepillo sobre el tocador de Chenta.

—Ya sabés que en El Congo no hay cines. —A Chenta le hormigueaba el cuero cabelludo. Estaba sentada en su pequeña habitación, la puerta abierta a la luz del sol y el sonido de los vecinos que se iban al trabajo. Usaba un vestido suelto recién lavado y tenía las piernas desnudas y al aire las lastimaduras de los tobillos que tanto le dolían.

María Mercedes peinó el pelo entrecano de Chenta en un moño y se lo sujetó con horquillas.

—¿Alguna vez fuiste al cine?

—Hace mucho tiempo, la Gorda Pérez y yo tomamos el ómnibus a Coatepeque. Vimos *Nosotros los pobres, ustedes los ricos.* —Palmeó el rodete que tenía en la nuca.

Era una película terrible. Terrible. Había un niño con las piernas tan deformadas que para moverse usaba una pequeña plataforma con ruedas. Un día, al cruzar la calle, un vehículo lo atropelló y lo aplastó.

—Por Dios. Atropellado por un auto.

—No. No era un auto sino una de esas máquinas enormes que se usan para alisar el pavimento.

—Dios mío. Una aplanadora. ¿Eso estaba en la película?

—Sí. Y también otras cosas parecidas. Fue la única película que vi en la vida. Pero ese pobre niño aplastado no hizo mella en la Gorda. —Chenta echó la cabeza hacia atrás y se puso a reír. —Es la que quiere comprarme el puesto de comida.

—¿Se lo vas a vender?

—A lo mejor. Durante veinte años la Gorda me ha estado gritando desde el otro lado del pasillo del mercado.

—Y tú siempre le gritabas de vuelta. Antes, cada vez que yo venía de visita y las oía a las dos, creía que se estaban peleando.

—No la Gorda y yo. Lo pasamos bien. Si yo fuera a vender mi puesto, se lo vendería a ella.

—Si lo haces vas a tener tiempo para ir al cine.

—No necesito el cine. Tengo mis historias de la radio. Están *Las dos*, *El derecho de nacer* y *Las mujeres de Tiburcio.* —Y fue marcando con los dedos el nombre de sus tres novelas favoritas.

La radio estaba sobre el tocador, junto a un ventilador con paletas que hacían clic-clic al girar y empujar el calor por toda la habitación. En ese momento, porque las radionovelas empezaban por la tarde, la radio estaba sintonizada en una emisora que tocaba rancheras. A Chenta le gustaban las rancheras porque cada canción contaba una historia. La que tocaban ahora era *La cama de piedra.*

—Escucha lo que tocan —dijo Chenta—. Ahora, gracias a ti, hija, de nuevo duermo bien. —Cuando María Mercedes llegó de San Salvador, fue como si pasara un huracán. Ventiló el cuarto, lavó las paredes y el piso, ordenó todo y se ocupó del lavado. Sorprendentemente, hasta convenció a Chenta de que comprara una cama en lugar del lamentable petate sobre el que había estado durmiendo, directamente sobre el piso.

—Te mereces esa comodidad, tía. No sé cómo pudiste dormir todos estos años sobre ese viejo petate finito. Pobres huesos.

—Ay, la vida es dura. ¿Qué más da? —Chenta se puso de pie de la silla. —Bueno, me voy. Antes de que nos demos cuenta será mediodía. Las muchachas necesitan ayuda para el gentío de la hora de almuerzo. —Tres mujeres trabajaban en La Cucharona: la Tulia, la Amanda y la Beva. En la actualidad eran ellas las que abrían el puesto, encendían el fuego y comenzaban a preparar las comidas. Por la tarde, eran ellas las que limpiaban todo y cerraban el local.

—Sentáte, tía. Ni siquiera son las nueve. Las muchachas saben bien qué hacer. Además, no podés ir antes de que te cambie las vendas de los tobillos.

—Ay, estas viejas piernas estúpidas —gruñó Chenta y volvió a instalarse en la silla. Mientras María Mercedes se ocupaba de las vendas, Chenta observaba el estante que había sobre el tocador, donde esa querida criatura había creado un altar. Contra la pared estaban apoyadas láminas de los santos. Junto a ellas, una vela ardía dentro de un alto candelero de vidrio. Un trozo de copal eliminaba los olores de la noche. Era como los viejos tiempos, cuando Mercedes estaba viva y tanto ella como Jacinta vivían allí. Chenta se hizo tres veces la señal de la cruz: una vez sobre la frente, otra sobre los labios y la tercera sobre el corazón en afectuosa memoria de Mercedes, que en paz descanse.

Un enorme perro rojizo asomó en la habitación.

María Mercedes se había sentado en el piso junto a la silla, y el animal se quedó mirándola un momento.

—¡Afuera! —gritó ella y golpeó las manos, pero sus intentos de alejar el perro fueron inútiles. El animal entró en el cuarto y se puso a olisquear.

—Ese perro es bastante desvergonzado —comentó Chenta mientras levantaba las piernas para sacarlas del camino del animal.

—Debe de pertenecer a alguien del mesón.

—No creo haberlo visto antes —dijo Chenta.

Se oyó una voz que llamaba desde la galería:

—¡Colorado!

El perro levantó las orejas y trotó hacia la puerta.

Cuando llegaba, junto a la puerta apareció un joven de poco más de veinte años. Estatura mediana, musculoso, pelo oscuro bien corto. La sombra de una barba le destacaba las mejillas y contrastaba con sus ojos. Usaba una camisa estampada de mangas largas cuidadosamente dobladas hasta el codo, pantalones color caqui y botas con cordones.

—Dispensen lo del perro. Me acabo de trasladar y el animal está un poco confundido. —El hombre señaló hacia el otro lado del patio. —Soy Fernando Lira. Voy a estar en la número diez. —El perro —flaco, fuerte, de pelambre gruesa y brillosa— se sentó obedientemente junto a él. De alguna manera, el hombre y la bestia parecían complementarse mutuamente. —Éste es Colorado. Pero, bueno, ustedes ya lo conocen.

—Tiene usted un perro que no le tiene miedo a nada —dijo Chenta y se puso de pie—. Yo soy Chenta y ésta es María Mercedes. Yo soy la dueña de una venta de comidas en el mercado. La Cucharona de Chenta. En este momento salía para allá. Si usted es nuevo en El Congo, le aviso que es el único lugar donde se come decentemente.

—Gracias, señora. Lo recordaré. Una persona siempre necesita comer. —Inclinó la cabeza hacia ambas. —Encantado de conocerlas a las dos. —Y con la misma rapidez con que se había materializado, desapareció.

Chenta se acercó a la puerta y lo observó irse.

—¿Le viste las botas? ¿Para qué necesita un hombre botas? Es verano. Hace calor.

—Yo también me lo pregunté.

Esa noche, muy tarde, María Mercedes sacó una silla a la galería para disfrutar de la brisa. Permaneció sentada en la oscuridad, escuchando el suave sonido de los ronquidos de Chenta, viendo cómo las luces se iban apagando, una después de la otra, en los cuartos y en el patio. Fumó un cigarrillo, un hábito que había adquirido para gran consternación de Pilar. Aunque Pilar no tenía derecho de quejarse; cada noche, sacaba una botella y bebía uno o dos tragos antes de dormirse. ¿Y su madre? Jacinta ignoraba esos dos hábitos, pues ni María Mercedes ni Pilar había delatado a la otra.

Hacía mucho, mucho tiempo, las dos mujeres que le dieron el ser se habían sentado en ese mismo lugar. Chenta le hablaba con frecuencia del pasado. "Sos igual a tu mamá y a tu abuela. Ellas acostumbraban sentarse afuera como tú. A contemplar la noche y enfrascarse en sus pensamientos." ¿Se habrían hecho ellas las mismas preguntas que ahora le rondaban en la cabeza?: "¿Qué propósito tengo en la vida, Dios querido? ¿Dónde encajaré en esa vida?". María Mercedes le dio una última pitada al cigarrillo y lo arrojó al patio. Se frotó los ojos con el dorso de la mano. Últimamente, esos interrogantes siempre hacían que en sus ojos se asomaran las lágrimas. Del otro lado del patio, en el corredor de enfrente, un punto de luz le llamó la atención. Lo observó un momento pensando que era una luciérnaga, pero después se dio cuenta de que era la punta de un cigarrillo encendido. Otra persona se encontraba allí afuera en medio de la noche. Alguien que fumaba y la miraba. ¿Sería Fernando Lira, de la habitación número 10?

Cierto día, cuando Chenta estaba en el mercado, María Mercedes decidió encalar el cuarto. Es verdad, ya había lavado las paredes, pero eso fue el principio. Años de vivir allí y del hollín que producía la estufa de querosén las había teñido de un indeleble y sucio gris. Además, María Mercedes se sentía inquieta y realizar una tarea física le resultaba agradable y, curiosamente, también la descansaba. Chenta aprobó de buen grado y le dio los colones necesarios para pagar lo que María Mercedes necesitaba para la tarea. Hoy le tocaría al encalado de las paredes. Mañana compraría tela, quizá con un alegre estampado amarillo, y cosería a mano cortinas para decorar la única ventana del cuarto.

Antes de ponerse a pintar, María Mercedes sacó los muebles del cuarto. Arrastró afuera una mesa, tres sillas, un catre, la cama nueva, el tocador y el ropero. El ropero era el único mueble difícil de manejar, y hubo un momento en que estuvo por derribarlo cuando trató de pasarlo por la puerta hacia el corredor. Para proteger el piso lo había cubierto con diarios que consiguió en la tiendita de la vereda de enfrente. Cuando abrió de par en par la puerta y la ventana para que entraran aire y luz, colocó la única lámpara de Chenta en el medio del cuarto para que estuviera mejor iluminado. Encendió la radio y se puso a cantar mientras trabajaba: "Por vivir en Quinto Patio, desprecias mis besos". Metió uno de los trapos que usaba en el balde con la cal. Ya su mano parecía cubierta de un guante color tiza. Y la piel le picaba por la cal. Transpiraba mucho; sentía las gotas de sudor sobre el labio y la humedad que se le deslizaba entre los pechos. Pero no prestó atención a nada de eso. Tampoco prestó atención al calor y a lo poco atractiva que debía de parecer con el pelo tirado hacia atrás y sujeto sobre la cabeza, la camisa afuera con los faldones atados en la cintura, la falda que le rozaba las rodillas, las piernas desnudas y los pies moteados con gotas de cal. El cuarto de Chenta comenzaba a cobrar vida, y eso era lo único que importaba. Tenía el olor fresco de la cal viva y muy pronto, cuando sacara la lámpara, la habitación resplandecería con luz propia.

Subida a un banquito que le había pedido prestado al vecino, pintaba un rincón, lo último que le quedaba para terminar.

—¡Vaya! —exclamó por sobre la música de la radio—. Listo, terminé.

—Bajó del banquito y casi tropezó con el perro colorado. —¡Ay, chucho! —dijo, sobresaltada por ese animal, sentado muy cómodo sobre sus patas traseras. —¿Qué demonios hacés aquí? —La cola del perro trazó amplios arcos sobre el piso. María Mercedes dejó caer el trapo en el balde y fue a bajar el volumen de la radio porque, puesto que un intruso había entrado en el cuarto, era evidente que la música estaba muy fuerte.

—Nada como un encalado para mejorar el aspecto de las cosas.

María Mercedes levantó la vista de la radio y allí, junto a la puerta, vio al dueño del perro, tal como había estado la semana anterior.

—Esto se está convirtiendo en una costumbre —dijo, con un dejo de irritación en la voz porque estaba hecha un desastre y detestaba que él la hubiera pescado con ese aspecto.

—Usted era todo un espectáculo —dijo él. El perro corrió a su encuentro.

—¿Y? ¿Qué esperaba? He estado muy atareada. —Apagó del todo la radio.

—No fue mi intención ofenderla —dijo él—. Lo que quise decir era que usted era un bello espectáculo para un par de ojos cansados.

—No le creo. —Se echó hacia atrás un mechón de pelo.

—No, de veras. Tuve una semana terrible. Estuve ausente. Acabo de volver.

—¿Ah, sí? No me di cuenta. —Por un momento María Mercedes se quedó parada en el medio del cuarto y después salió con paso resuelto porque el calor parecía haber aumentado y, además, ¿qué otra cosa podía hacer? En el corredor, junto al tocador, había dejado una Coca-Cola. Levantó la botella y bebió un trago. Estaba tibia y sin gas.

—Voy a la tiendita y traeré dos botellas. Le caería bien algo bien frío.

Ella se encogió de hombros y le dio la espalda. Cruzó al patio hacia la pila de agua. Se frotó las manos con el pan de jabón amarillo que estaba en el borde. Se pasó una uña limpia debajo de las otras cubiertas de limo. En la galería, las pertenencias de Chenta seguían apiladas junto a la puerta. ¿El hombre y el perro realmente habían estado allí?

María Mercedes agachó la cabeza y se salpicó agua sobre la cara. Se humedeció la nuca y metió los brazos en el agua; no estaba fría pero resultaba refrescante.

—Aquí tiene su Coca. —Las palabras flotaron por el patio.

Ella se desató los faldones y los usó para secarse la cara y los brazos. Pensó en metérselos en la cintura, pero decidió no hacerlo y en cambio dejarlos colgando sobre la falda. Caminó de vuelta adonde Chenta y tomó la gaseosa que él le ofrecía.

—Le debo veinte centavos.

Él sacudió la cabeza.

—Usted compre las próximas.

Ella fue a sentarse al borde del corredor. Estaba en la sombra, pero los dedos de sus pies y la mitad de sus pies estaban al sol. Bebió un sorbo grande y él se sentó junto a ella con la parte superior de sus botas polvorientas también al sol. María Mercedes reprimió un pequeño eructo y se puso una mano sobre la boca por si se le escapaba.

—¿Por qué las botas?

—Es mi trabajo.

—Es verano. Hace demasiado calor para usar botas.

—Ya lo sé, pero me resultan útiles para trabajar. —El perro se había echado y él inclinó la botella y le vertió un poco de líquido en la boca. El animal comenzó a lamerlo ruidosamente. —A Colorado le gusta la Coca.

—Qué perro. —María Mercedes no pudo evitar sonreír. Nunca antes había visto a un perro beber una gaseosa. —¿A qué se dedica, entonces?

Él apoyó la botella, que hizo un ruido hueco contra la baldosa.

—¿Alguna vez oyó hablar de la Acción Católica Universitaria?

Ella sacudió la cabeza, aunque le sonaba vagamente familiar. Cuando Nanda vivía en casa, ella pertenecía a la Juventud de Estudiantes Cristianos. —¿Es como la JEC?

—Algo similar. Hacemos servicios sociales. Trabajamos en las zonas rurales.

En Aguilares, Nanda hacía lo mismo.

—¿Qué tiene que ver la universidad con eso? —preguntó María Mercedes.

—Yo voy a la universidad. Es la universidad la que me manda afuera.

Por primera vez, lo que él acababa de decir la intrigó.

—¿Usted está en la universidad? ¿En San Salvador?

Él asintió.

—En la Universidad Nacional. Comenzaré mi segundo año de estudios.

—Yo acabo de recibirme de bachiller. El mes pasado, en San Salvador. Fui a la Masferrer y creo que quiero ir a la universidad.

—Debería hacerlo. Y debería entrar en la ACUS. Sería perfecta, puedo verlo. Lo que estaba haciendo aquí es la clase de trabajo que hacemos nosotros. Limpiar todo, arreglar lo que no funciona. Hacer las cosas que la gente no sabe hacer. O no tiene tiempo de hacer porque siempre se están rompiendo la espalda para tratar de ganarse la vida.

—Tengo una prima. Bueno, es como una prima. Su nombre es Nanda. Ella trabaja en Aguilares con el padre Rutilio Grande. Hacen cosas como las de ustedes.

—He oído hablar de Grande. Es un buen sacerdote. Su prima tiene suerte de trabajar con él.

—¿Qué hizo usted esta semana? Mencionó que fue difícil.

—Estuve en Coatepeque. Limpié una barranca. No era muy profunda, pero igual era una barranca. Estaba llena de basura, de toda clase de porquerías. Había ratas, y las ratas traen enfermedades.

—Nunca oí una cosa así.

—¿De las ratas y las enfermedades? Todo el mundo lo sabe.

—No, no me refería a eso. Nunca oí que una persona limpiara una barranca.

—Pues bien, está mirando a uno que lo hizo.

—¿Cómo se hace?

—Se rastrilla todo. Se saca lo que no se va a quemar. Por suerte no hay demasiadas de esas cosas. Y al resto se le prende fuego. —Movió la barbilla para señalar sus botas. —Por eso uso botas. Y también mangas largas. —Como la vez anterior, tenía las mangas cuidadosamente dobladas.

—Por su aspecto, nadie diría que pasó una semana en una barranca.

—Supongo que lo que quiere decir es que no huelo como alguien que pasó una semana en una barranca.

Ella se echó a reír porque eso era exactamente lo que ella había pensado.

—¿Sabe?, en Coatepeque hay también lavaderos. Y agua corriente. De hecho, allí cerca hay un lago. Es del color azul más intenso que ha visto jamás.

—También hay un cine. Mi tía fue allí una vez.

—Creí que era su abuela.

—No. Es mi tía. Bueno, no es en realidad mi tía. Es como una tía, pero mejor.

—Hablando de eso, ¿puedo ayudarla con los muebles de su tía? No sé si sabe que mi especialidad es ser servicial.

—Yo seré quien lo dirá. —Mercedes Prieto extendió una mano. —A propósito, soy María Mercedes Prieto.

Él le estrechó la mano con firmeza.

—Y yo soy Fernando Lira.

—¿Te gusta que te llamen Nando?

—No. Prefiero Fernando.

—Entonces será Fernando —dijo ella, le soltó la mano y se puso de pie de un salto—. Vamos. Comenzaremos con el ropero de la tía.

Una semana antes de Navidad, María Mercedes y Fernando hicieron una pausa del trabajo en un pequeño bosque en las afueras del pueblo. A instigación de María Mercedes habían desenterrado una conífera pequeña —posiblemente un pino, de la mitad de la altura de ellos— para llevarla al mesón y plantarla en el patio.

—Es una suerte que el mesón está cerrado —dijo Fernando—. Haremos falta los dos para arrastrar esto hasta allá. —Se secó la frente con una mano y levantó la pala con la otra.

—¿Querés un trago? —María Mercedes levantó la cantimplora —la de él— llena de agua fresca. Ella la había llevado colgada del hombro.

—Tomá. Sentémonos un momento. Colorado tuvo una buena idea. —El perro se había echado debajo de un conacaste, mientras que ellos habían estado trabajando en un claro, al sol. Cuando se sentaron a la sombra, Colorado levantó su cabezota a manera de saludo. Los dos bebieron largos sorbos de la cantimplora. El perro se incorporó para recibir su parte.

—Estos insectos están bravos. —María Mercedes cacheteó un mosquito que tenía en el brazo húmedo por la transpiración. Y abrió bien un ojo para librarse de un insecto diminuto que se le había metido debajo del párpado. —Mañana, ¿adónde irás?

—A Cantarrana. Está al oeste, no muy lejos de aquí.

—Canta rana. Qué bonito.

—No, no es canta rana, aunque suene así. Cantarrana tiene dos "r". Él se echó a reír.

—Estamos reconstruyendo el mercado.

—¿Qué le pasa al mercado que hay que reconstruirlo?

—Se está cayendo en pedazos. De hecho una parte se desmoronó. El año pasado, durante una de las grandes lluvias. El techo se hundió y algunas personas murieron.

—Dios mío. A lo mejor deberían haberlo cerrado.

—No se puede cerrar un mercado. La gente no lo permitiría. Después de la iglesia, el mercado le proporciona a una ciudad su único otro lugar de reunión. —En El Congo, los trabajadores, los del campo como los urbanos, los dueños y los empleados de tiendas, los sirvientes domésticos y los empleados públicos caminaban una o dos veces por día por las calles atestadas y empedradas con adoquines antiquísimos hacia el mercado y sus pasillos y coloridos montones de productos y de carne. La gente se reunía bajo las láminas de metal corrugado para recorrer el lugar en busca de los ingredientes de una comida, para sentarse en los bancos del comedor y comer algo, beber un trago, intercambiar chismes y los detalles y particulares de sus vidas. —En realidad, un mercado es como un país —añadió Fernando—. Tiene una población y una topografía. Su propia economía. Hasta su propia política. Todo está allí, en el mercado.

—¿Política? ¿Cómo puede tener eso?

—Tiene que ver con el poder. Con quién tiene el poder en el mercado. ¿Adivinás de quién se trata?

Ella pensó enseguida en Chenta.

—Los dueños de los puestos. Ellos tienen el poder.

—No. Lo que ellos tienen es un lugar —dijo Fernando—. Como sabés, los dueños de los puestos en realidad no son dueños de los puestos sino sólo los arrendatarios de los puestos. Ellos arriendan un lugar. Y algunos subalquilan parte del espacio que arriendan.

—No lo sabía. Chenta siempre se denominó dueña de un puesto. En realidad, está pensando en vender el suyo algún día.

—Lo que hará será vender sus derechos al espacio que alquila.

—¿Entonces por qué se llama dueña del puesto si no lo es? —María Mercedes se mató otro mosquito.

—Es propio de la naturaleza humana considerar propias las cosas en las que se han volcado años de trabajo, sudor y sólo Dios sabe cuántos colones. Un campesino sigue hablando de "su" milpa, de "su" parcela de tierra, cuando en realidad las tierras comunales del pueblo se abolieron hace casi cien años.

—Yo siempre pensé que cuando alguien decía que era dueño de algo, lo era y punto.

—Ah, no. No en este país. En este país son pocos los verdaderos dueños de las cosas. El pueblo no lo es. Para la gente, siempre hay alguna condición.

—¿Entonces quién tiene poder en el mercado?

—Los dueños del mercado. Ellos son los dueños del terreno. Los dueños de los puestos que alquilan. Y si los que los trabajan subalquilan su lugar, los dueños del mercado reciben una tajada.

—¿Quiere decir que cobran dos veces por el mismo espacio?

—Así es. Eso es el poder. Y ésa es la política.

—Mi Dios. Lo que decís es que cuando Chenta venda su puesto tendrá que darle parte de ese dinero a los dueños del mercado.

—Correcto.

—Pero no es justo. Está mal.

Fernando asintió.

—Me pregunto si Chenta lo sabe.

—Tu tía Chenta no sólo lo sabe sino que lo está viviendo. —Fernando hizo una pausa. —Bueno, basta ya de discursos. Yo podría seguir interminablemente si me lo permitieras. —Se puso de pie y se sacudió la parte de atrás de los pantalones.

María Mercedes estaba sorprendida. En apenas minutos él le había dado una educación. Ese hombre la intrigaba cada vez más.

—¿Creés que terminarás en Cantarrana antes de Navidad? —Pero antes de que él tuviera tiempo de contestar, ella agregó: —Pero, bueno, lo más probable es que te vayas a tu casa para Navidad. A San Salvador, quiero decir. —En las pocas semanas desde que lo conocía, él no le había dado demasiada información personal y ella no quiso sonsacársela.

—No. Trabajaré en Navidad —respondió él misteriosamente.

Fue como si una nube los hubiera cubierto. María Mercedes se puso de pie para tratar de disiparla.

—Bueno, llevemos este árbol al mesón.

Mientras lo hacían, se turnaban en cargar la parte superior y la inferior del árbol; esta última era más pesada por la tierra que estaba adherida a las raíces. También tenían que llevar la pala, lo cual hacía que caminar resultara dificultoso. Colorado trotaba adelante de ellos, el capitán del desfile. A lo largo del camino, la gente asomaba la cabeza por la ventana y salía a la puerta para expresar su admiración, pero nadie se ofrecía a dar una mano. Igual, María Mercedes les fue haciendo invitaciones: "Vengan al mesón y ayúdennos a decorar el árbol. En Nochebuena haremos una reunión: fuegos artificiales, música, una verdadera fiesta".

La mitad del pueblo parecía haber asistido al mesón para la fiesta. Sujetas al borde de la galería había hileras de luces y coloridas guirnaldas de papel. Los vecinos habían abierto las puertas de sus cuartos y sacado sillas y mesas en las que ponían sus contribuciones a la fiesta: tamalitos, pupusas, curtido, frijolitos, plátanos rellenos, tortas y dulces. Cervezas y Coca-Colas flotaban en baldes con hielo picado. Un recipiente de veinte litros de agua de canela estaba directamente sobre el piso de la galería, con un cucharón sujeto al borde.

Las radios estaban sincronizadas a la misma emisora —YSU, "La más popular"— y a volumen tan alto que Lucho Gatica, el cantante que en ese momento interpretaba *El reloj*, parecía estar tocando en mitad del patio donde el pequeño árbol iluminado exhibía sus decoraciones hechas a mano: trenzas y guirnaldas de papel, estrellas de latón pintadas, cintas, moños y figuritas de tuza de maíz.

Para la fiesta, María Mercedes se puso su vestido verde con ese escote tan sentador y las sandalias que le había mandado su madre como regalo de Navidad. En la carta que acompañaba el paquete venían estas noticias: Basilio y ella estaban tristes porque una hija no volvía su casa; Pilar se había ido a Aguilares a visitar a Nanda y Eduardo y la familia de él; la casa de Magda estaba en pleno esplendor de las fiestas y Florencia padecía de mal de amores y casi no salía de su cuarto.

El paquete enviado por María Mercedes a su casa contenía una bolsa de compras para Jacinta y un sombrero de paja para Basilio. Además, una carta con sus propias novedades: Se sentía feliz en El Congo. Este pequeño pueblo le estaba abriendo los ojos.

—¿Te mencioné que una vez hicimos una fiesta para tu madre en este mismo patio? —le dijo a Mercedes Joaquín Maldonado. Estaban de pie junto al árbol y el firmamento mostraba sus propias luces bonitas. El calor del día había desaparecido y el aire era un placer contra la piel.

—Bueno, sí, creo que ya me lo mencionó, don Joaquín.

—Si mal no recuerdo, era el día de su santo. Usaba un vestido color lila y una cinta en el pelo. —Con la punta de los dedos se alisó el delgado bigote que le rodeaba el labio superior. —Recuerdo detalles así. Me jacto de tener buena memoria.

—Me parece un talento extraordinario, don Joaquín.

—Sobre todo a mi edad. ¿Te dije que acabo de cumplir setenta y cinco?

Él ya se lo había comentado, pero ella dijo:

—¿Setenta y cinco? Dios mío. Nunca me lo hubiera imaginado.

—Ya lo sé —dijo él con expresión intensa—. Soy un prodigio. Lo recuerdo todo. Si tenés alguna pregunta, vení a hacérmela. Estoy en el mercado. Puesto número trece. Yo y mi máquina. Escribimos cartas para la gente.

—Lo sabía. Durante años usted le escribió las cartas a la tía Chenta.

—Cuando uno escribe cartas para la gente se entera de muchas cosas.

Un grupo de niños jugaba y se divertía en el corredor y en el patio alrededor del árbol. La pequeña del cuarto número 8 le preguntó a Mercedes:

—¿Cuándo son los "cuetes"?

—¿Te gustan los fuegos artificiales?

La chiquilla negó con la cabeza y se tapó los oídos con las manos.

—¿Y las estrellitas? Las estrellitas no hacen ruido.

—Veamos.

María Mercedes se disculpó con don Joaquín y condujo a la pequeña junto al Chato Arenas, quien tenía la cara tan chata como un bulldog y estaba a cargo de los fuegos artificiales.

—Encendéle una estrellita, Chato. Mostrále que no hacen ruido.

Chato, orgulloso de que en esa noche tan significativa le hubieran confiado una tarea tan importante, acercó un fósforo encendido al palillo y lo levantó y muy pronto de él comenzaron a brotar estrellitas.

—¿Ves? —dijo María Mercedes cuando las lucecitas cesaron. Buscó a la chiquita con la vista, pero al parecer se había ido. Donde ella había estado se encontraba sentado ahora Colorado. María Mercedes se dio media vuelta y Fernando Lira apareció detrás de ella.

—Volvimos —fue lo único que él dijo.

CAPÍTULO CUARENTA Y NUEVE

Magda estaba en la sala de estar del piso superior, un cuarto con una hilera de ventanas que daban al jardín y a la piscina. Se encontraba sentada a su escritorio, una mesa de campo de madera, laqueada del color de las caléndulas. Se había levantado temprano, desayunado, vestido con una túnica suelta de diseños geométricos e instalado allí para ocuparse del papeleo en la alegre serenidad de su cuarto favorito con esa vista espléndida, sus paredes color melocotón, el sofá color crema y las sillas mullidas. Todo alarmantemente moderno, solían decir sus amigas, con lo cual querían decir que los muebles carecían de brazos y que cuando alguien se sentaba en ellos tenía la impresión de que se lo tragarían.

La casa estaba en silencio gracias a lo temprano de la hora y a la ausencia de Álvaro y de Flor. Álvaro cosechaba algodón; ahora tenía tres plantaciones en diversos puntos de la costa. Volvería a casa a tiempo para las vacaciones. Flor, en cambio, se había ido apenas una semana antes al lago de Ilopango con Gladis Díaz, su mejor amiga. Las muchachas regresarían más tarde ese mismo día. Desde que se graduaron el mes anterior, las dos eran inseparables.

La conversión de Flor en lo relativo a los estudios fue un milagro. Siempre había sido una alumna floja, apenas término medio. Si logró completar sus estudios fue gracias a los estímulos y suaves amenazas que recibió. Pocos meses antes a la graduación surgió el tema de la universidad. Gladis Díaz iría a Maryknoll, y de pronto Flor estaba también ansiosa por estudiar allí. Ese cambio de actitud maravilló y sorprendió a Magda. Haciendo un repaso retrospectivo, la apenó un poco haberse contentado con terminar el bachillerato. Pero aquellas épocas eran diferentes: el amor, el matrimonio y la familia eran el único futuro imaginable para una muchacha. Ese pesar con respecto a lo incompleto de sus estudios no se extendía a su vida con Álvaro Tobar, muy por el contrario. Él y los hijos, y ahora los nietos, eran la gloria de su vida. Pero no lo eran todo. Esto era algo que sólo reconocía frente a unos pocos: para ella, lo más importante eran su familia y su hogar y, además, su carrera.

Por esa razón, cuando Flor le confesó su ferviente deseo de saltearse el planeado baile de debutante y, en cambio, irse a la universidad, la decepción de Magda fue bastante leve. Una vez tomada la decisión, se abocó a la tarea de conseguir que aceptaran a Flor en Maryknoll, la universidad católica para las jóvenes, y lo hizo con la vehemencia y la intensidad que eran la señal distintiva de todos los proyectos que emprendía. Escribió cartas, hizo llamados telefónicos, confeccionó interminables listas de las cosas que debía hacer y con gran satisfacción fue tachando cada paso que completaba en esa cruzada planeada con tanto cuidado. Sus esfuerzos se vieron coronados por el éxito. Aunque la apenaría un poco ver alejarse a su hija, en enero próximo Flor y Gladis viajarían a Nueva Orleáns para ser recibidas en la comunidad severa pero afectuosa de las hermanas Maryknoll.

Magda volvió a concentrarse en el trabajo que tenía sobre su escritorio. Faltaban diez días para Navidad y su cabeza estaba llena de las cosas que debía hacer: planear menús y decoraciones, escribir listas de regalos y tarjetas. Este año había decidido que hubiera árboles de Navidad por todos lados, en cada habitación de la casa, profusamente decorados e iluminados. Incluso en el jardín, Basilio pondría luces en los naranjos. También los regalos estarían en los árboles y todos serían de madera.

Elena entró y se dejó caer pesadamente en el sofá. Había venido de Santa Ana de visita y su presencia en la casa era una bendición. Era servicial y en ningún momento representaba una molestia. Pero no era así esa mañana. Esa mañana estaba pálida y tenía la cara hinchada.

—Mira esto —dijo Elena y le entregó a Magda un paquete de sobres atados con una cinta.

—¿Qué es? —preguntó Magda.

—Cartas. Estaban en el tocador de Flor. Entré para ventilar el cuarto y ver qué hacía falta hacer.

Magda desató la cinta y desplegó los sobres en abanico. Eran diez. En cada uno estaba escrito el nombre "Salah" en el extremo superior izquierdo. Cada sobre estaba dirigido a la Srta. Florencia Elena Tobar. Giró los sobres. En las solapas de atrás estaba escrito el número 83. Magda miró a su madre.

—¿Qué crees que...? —No terminó la frase porque no cabía duda de lo que significaba.

—Flor está recibiendo cartas de un Salah de Nueva Orleáns. —Le costaba pronunciar ese apellido porque hacerlo la llevaba a pensar en Isabel, y pensar en Isabel la conducía directamente a Cecilia. Y "Cecilia" era un nombre que jamás saldría de su boca. Habían pasado más de treinta años y ella no había vuelto a pronunciarlo.

—Son de Enrique Salah —dijo Magda—. Tenemos que leerlas, mamá. No nos queda más remedio. —Magda separó cinco cartas. —Toma. Tú lee éstas y yo leeré el resto.

Las dos se sentaron juntas en el sofá. Y hombro contra hombro, las cabezas inclinadas, fueron descubriendo una vida oculta.

Flor y Gladis volvieron del Lago Ilopango a última hora de la tarde. Lo hicieron en "la lancha", el Oldsmobile color marrón rojizo y tan amplio como un bote que pertenecía al padre de Gladis y era conducido por Mauricio, el de los brazos musculosos y el bigote que parecía el trazo rápido de un dedo pulgar sucio. Mientras viajaban en el asiento posterior, Flor y Gladis charlaban en voz baja. El tema de conversación era el mismo que les había ocupado la mayor parte de las horas de vigilia en el lago: el Verdadero Amor. Concretamente, el verdadero amor frente a graves objeciones de la familia y la sociedad. Flor analizaba el asunto con avidez porque ella era la que estaba enamorada y Gladis era su única confidente. Gladis lo analizaba porque no tenía ningún verdadero amor que le perteneciera y porque el hecho de estar cerca de la pasión que ardía en el corazón de Flor le proporcionaba una chispa con la que caldearía el suyo. Aparte de ese tema, las amigas habían hablado sobre los muchos planes que tenían para Maryknoll, entre los cuales figuraban el cuarto que compartirían y el sendero que Flor abriría entre esa habitación y la de Enrique Salah en Tulane.

El Oldsmobile giró hacia el largo sendero de grava que conducía a la casa de Flor. Anticipándose a su llegada, Basilio había abierto los portones de hierro y encerrado los tres pastores alemanes de Álvaro en sus perreras. Basilio permaneció en lo alto del sendero viendo cómo el auto se aproximaba. Miró hacia más allá del vehículo, más allá de los altos muros que rodeaban el lugar, más allá de los pilares de piedra que presidían el sendero. La penumbra que se filtraba por las copas de las locarias llamas del bosque y los almendros de río en la avenida La Capilla lo desanimó. En la casa de Magda, todo el día había reinado la desarmonía. Todo el día acusaciones y reproches. Y ahora llegaba la causa de todo ello.

En la puerta del frente, Flor se apeó del auto. Tenía la piel dorada por el sol y su pelo rubio todavía más rubio. Basilio tomó la valija y el neceser de Flor y los puso sobre las baldosas brillantes del pórtico.

—Llámame —dijo Gladis, la cabeza asomada por la ventanilla, antes de que Mauricio arrancara el auto.

Flor la despidió con la mano. Levantó el neceser mientras Basilio tomaba la valija.

—¿Cómo están las cosas, Basilio? —preguntó. Entonces giró hacia la puerta abierta y hacia Jacinta, de pie allí con su uniforme color gris y su llavero colgando de la cintura.

"¿Qué ocurre? —preguntó Flor, y sintió que las piernas le cedían al ver la expresión de la cara de Jacinta. Flor entró en el vestíbulo.

—Su abuela encontró sus cartas —contestó Jacinta.

—¿De qué hablas? —Instintivamente, Flor levantó el neceser. Contenía sus maquillajes y artículos de tocador. Y también el paquete de las últimas cartas de Enrique.

—Las cartas del muchacho. La niña Elena las encontró en su tocador. —No le dijo que Magda la había enfrentado. Que Magda había expresado su profunda decepción por no haber sido informada desde el principio de esas las cartas para Flor dirigidas a casa de Pilar. "Me decepcionas, Jacinta", le había dicho Magda, y la acusación le dolió porque todo el tiempo ella había estado involucrada en el asunto. No sólo ella sino todos: ella, Pilar, Basilio y María Mercedes.

—¿Me estás diciendo que mi abuela le mostró las cartas a mi mamá? —preguntó Flor.

Jacinta asintió.

Flor se tomó de Jacinta para no caerse. Cuando preparaba la valija para ir al lago, había sacado algunas cartas del escondite y las había revisado antes de volver a guardarlas. Inadvertidamente, debió de haber dejado un paquete afuera. ¿Cómo pudo hacer algo tan estúpido?

—¿Dónde está mamá?

—Arriba. En la sala familiar. Ella y su abuela.

—Muy bien —dijo Flor. Cuadró los hombros, cruzó el vestíbulo y subió al primer piso por la amplia escalinata curva. El neceser le golpeaba contra el muslo mientras ascendía, y esa pequeña valija y su contenido le recordó todo el tiempo que lo único que importaba en este mundo era el verdadero amor.

Cuando Flor entró en la sala familiar, su madre y su abuela giraron la cabeza y las palabras que pronunciaban quedaron suspendidas en el aire. Flor las descifró: eran "mentirosa", "traidora", "decepción", "desgracia". Las palabras parecían elevarse desde el sofá. Flor las vio chocar unas con otras, las vio rebotar sobre la mesa de café, una puerta sólida cubierta con vidrio. Sobre la mesa estaban el servicio de café de plata, las tacitas, las cucharitas de plata con diminutos granos de café en la punta. De la elegante curva del pico de la cafetera, una espiral de humo escribía su propia acusación: "perfidia".

Las cartas de Enrique estaban diseminadas sobre la mesa. La cinta utilizada para atarlas yacía, sin finalidad, sobre el vidrio. Flor se agachó para besar a su madre y también besó a su abuela. Se sentó después en un sillón lleno de almohadones. Para reunir fuerzas, se puso el neceser sobre las rodillas.

—No sé qué decir —dijo por último.

—Yo sí sé qué decir —le rebatió Magda—. No irás a Nueva Orleáns.

Flor levantó el mentón como para desafiar esa decisión, para desafiar el frío que se le deslizaba por la espalda. Miró por el enorme ventanal. En el tiempo que le había llevado subir al primer piso, la oscuridad de afuera se había hecho más densa. Las luces del interior de la piscina se habían encendido. En la habitación, la luz suave que iluminaba las vitrinas que tapizaban una pared flotó frente a sus ojos como un espejismo. Las vitrinas contenían antiguos santos de madera, algunos con la mano en alto y tres dedos levantados en una bendición. Esa visión no le proporcionó ningún solaz. Flor giró la cabeza para mirar a su madre.

—Es porque es un turco —dijo.

—Nos mentiste —dijo Magda, desviando el comentario de Flor.

—Yo jamás mentí, mamá.

—Nos engañaste, que es lo mismo.

Elena no dijo nada. Seguía sentada en el sofá, el rostro pétreo.

Por las mejillas de Flor rodaron lágrimas que le cayeron sobre las manos que sostenían la manija del neceser.

—Enrique y yo no hicimos nada malo. Nos queremos, eso es todo.

"Qué sabes tú de amor —pensó Elena—. Eres una criatura: no sabes nada del amor."

—¿Cuánto hace que sucede esto? —preguntó Magda.

Flor levantó los hombros y luego los dejó caer.

—¿Te das cuenta de lo que estás haciendo? —preguntó Magda.

—Es obvio que tú crees que no. Así que, ¿por qué no me lo dices tú, mamá?

—No te pongas insolente conmigo —dijo Magda, la voz ahogada por la furia.

—Perdóname, mamá.

Hubo un momento de incómodo silencio. Después, Magda dijo:

—Tienes que terminar con esto. Cortar. Yo no tengo nada contra los Salah. Dios sabe que Isabel es una buena amiga mía. Y Abraham Salah es socio de tu padre. Pero la vida con un Salah, bueno, sería muy diferente de la que conoces.

—¿En qué sentido sería diferente? Dímelo. ¿Cómo?

—Mira lo que le pasó a Isabel. Ella era una de las nuestras. Y después se casó con un Salah...

—... Y se convirtió en uno de ellos —completó la frase Flor, sin apartar la vista de su madre.

—Sí. Se convirtió en una Salah, lo cual significó quedar marginada. ¿Sabes lo que eso significa? Significa que tus amistades se apartarán de ti, algunas como si tuvieras la peste, otras con más disimulo. Significa puertas que se te cerrarán en la cara. En las caras de tus hijos. En las caras de los hijos de tus hijos. Piénsalo.

—No me importa.

Magda se puso de pie y comenzó a pasearse por la habitación.

—Pues a mí sí me importa. Y, créeme, no pienso permitir que suceda. No a mi hija, juro que no.

—Ya dejaste que sucediera —dijo Flor—. Isabel era tu amiga y tú te alejaste de ella.

—¡Niña insolente! —exclamó Elena, quien finalmente había decidido hablar—. No sabes de lo que hablas.

Flor aferró con más fuerza la manija del neceser.

—Sí lo sé, abuela. Tú y mamá y la madre de Enrique y su abuela. Durante años y años han alimentado una enemistad encarnizada por algún motivo. Ignoro exactamente cuál y tampoco me interesa saberlo. Tampoco a Enrique. Enrique y yo nos amamos, es lo único que nos importa.

Elena se derrumbó contra los blandos almohadones del sofá.

—Le estás rompiendo el corazón a mi madre —dijo Magda.

—Ustedes dos están rompiendo el mío —contestó Flor.

Antes de que el enfrentamiento concluyera, se hicieron advertencias y se establecieron reglas. Todo se resumía en una sola cosa: no debía haber más contacto entre Flor Tobar y Enrique Salah.

Fue Gladis Díaz la que actuó en nombre de Flor. Cuando Enrique volvió a casa para las vacaciones, a ella la enviaron para darle la noticia.

CAPÍTULO CINCUENTA

En toda la vida de Flor, ninguna Navidad había sido tan espantosa. Tampoco se había sentido tan deprimida desde la muerte de su abuelo. Durante virtualmente todas las vacaciones languideció en su cuarto, tendida de espaldas en la cama. Había puesto las cartas de Enrique entre el colchón y el somier, y el afecto expresado en ellas era como una balsa salvavidas que la mantenía a flote. Como se las sabía casi todas de memoria se acostó sobre ellas, los ojos irritados de poco dormir y mucho llorar, mientras mentalmente repasaba cada una de sus palabras: "Nada de lo que hago, nada de lo que veo tiene sentido si no estás junto a mí", o "¿Cómo puede un hombre concentrarse en los estudios cuando lo único que le llena la cabeza es Florencia Elena Tobar?", o "Tú eres mi reina y todo mi cielo. En resumen, eres mi destino". Porque la comunicación entre ambos estaba prohibida y cualquier intento por desbaratar esa prohibición resultaba imposible, Flor comenzó a enviarle cortos mensajes telepáticos: "Te amo, mi amor", " No fue idea mía", y "No es mi culpa".

Todos los que vivían en la casa estaban conmovidos por la tristeza de Flor. Jacinta y Basilio (dejando de lado su incidente con Magda) y Socorro, la cocinera, apelaron a su propia experiencia y elevaron oraciones para que el tiempo restañara las heridas de Flor. Tea, aunque sensible a la situación de Flor, sin embargo estaba resentida porque no la habían incluido en la artimaña de las cartas. El hecho de que tanto a Jacinta como a Basilio los habían amonestado por hacerlo le restó gravedad a ese desaire.

Magda y Elena mostraron una actitud práctica con respecto al estado de Flor; los corazones rotos siempre se reparan, decían a modo de consuelo. Era preciso soportar esa situación penosa en aras de un bien mayor.

Álvaro, en cambio, no le prestó atención a la crisis o decidió actuar de manera que lo pareciera. De todos modos, en la casa todo era una gran actividad en preparación para las festividades de Navidad y Año Nuevo. Casi no quedaba tiempo para el consuelo. Sumidos en el remolino de las fiestas, todos hicieron a un lado el asunto y pensaron que, con el tiempo, el enamoramiento de Flor pasaría.

Por desgracia, todos se equivocaron.

Pero no le sucedió lo mismo a Gladis Díaz. Gladis, que miraba la vida a través del cristal rosado del romance. Gladis, que devoraba las novelas de amor de Corín Tellado. Gladis, que adoraba las películas que hacían llorar y quien todas las semanas, a las cuatro, sintonizaba por la radio *Las dos*.

Algunos días después de Año Nuevo, Gladis y Flor asistían a una matiné en el cine que estaba junto a Tesoros. Se proyectaba *Doctor Zhivago*, protagonizada por Omar Sharif. Gladis la había visto dos veces durante las vacaciones y en su opinión Enrique se parecía a Yuri Zhivago, y Flor, a Lara. La alegraba que Magda finalmente hubiera aflojado un poco el control de los movimientos de su amiga para que Flor pudiera comprobar por sí misma esas similitudes.

Gladis aguardó a que la película comenzara antes de revelar la sorpresa que tenía reservada. Después de que aparecieron los créditos y esas letras del alfabeto cirílico se deslizaban sobre imágenes de Moscú y de la zona rural de Rusia, ella codeó a Flor.

—Te tengo una sorpresa —le susurró y se le acercó más—. Enrique está aquí.

—¡Qué! —exclamó Flor con voz un poco demasiado fuerte, así que bajó la voz y también la cabeza—. ¿Enrique? —Sintió que se le iba la sangre de la cabeza.

—Yo lo llamé para decirle que vendríamos. —Estaba muy oscuro, pero aun así la cara de Gladis resplandecía.

Flor estiró el cuello y miró en todas direcciones. Era un día de semana por la tarde. A pesar de las buenas críticas, no había mucha gente en el cine. Los espectadores eran meras formas en la penumbra. Gladis tironeó de la manga de Flor.

—No, niña. No aquí abajo. Le dije que te encontrarías con él arriba, en la galería.

La galería. El lugar donde se reunían los enamorados.

—Quieres verlo, ¿no? —susurró Gladis.

Flor le murmuró:

—Qué pregunta.

—Vamos, entonces —dijo Gladis, se puso de pie de un salto y abrió la marcha. Ambas subieron por la escalera a la galería.

—¡Ta-da! —dijo Gladis mientras con un floreo señalaba hacia la figura solitaria sentada en la última fila a un costado.

Flor fue a sentarse junto a Enrique.

—Hola, Pollo.

—Hola, Repollo —dijo él, completando así el habitual saludo de ambos.

Durante un buen rato estuvieron mirándose, los dos bañados con la luz suave y graneada que salía de la cabina de proyección.

Él la tomó de la mano y la atrajo hacia sí, y el brazo de la butaca era la única barrera que los separaba.

—Te extrañé tanto.

—Gracias a Dios por Gladis —exclamó Flor casi sin aliento. Y siguió hablando, mientras el fluir de palabras murmuradas seguía el ritmo rápido de su pulso. —Mi madre y mi abuela. Es imposible hacerlas cambiar de idea. Durante las vacaciones creí que moriría. No quise salir a ninguna parte. Lo único que hice fue pensar en ti y volverme loca imaginando lo que sería de nosotros por culpa de ellas.

—Ya lo sé, ya lo sé. —Él le acercó la cara y apoyó los labios en los suyos. Le besó los ojos, las mejillas y de nuevo la boca. —Te quiero, Repollo —murmuró.

—Y yo te quiero a ti. —Flor se le colgó, incluso por encima del apoyabrazos.

Después de un momento, él inclinó la cabeza y la miró a los ojos.

—Tengo que volver dentro de cinco días.

—A mí me mandan a Boston. A las Maryknolls de allá.

—¿A Boston?

—En abril. Es demasiado tarde para ingresar ahora.

—Yo tengo que quedarme en Tulane. Durante dos años y medio.

—Ya lo sé.

La realidad de la situación los abrumó. Por un momento, giraron sus caras hacia la pantalla, hacia la historia que se desenvolvía igual que la de ellos. En la pantalla. Yuri corrió detrás de Lara cuando ella huyó del baile, la siguió a su casa y encontró al casero de Lara inconsciente sobre la cama. "Por favor, haz algo", le dijo Lara a Yuri con el entrecejo fruncido.

Lo que sucedía en la pantalla originó más susurros entre ambos.

—Tenemos que hacer algo, Enrique. Mamá me vigila menos. Cree que volviste a la universidad.

—Encontrémonos mañana. En la Escuela Americana. Allí podemos hablar con libertad; todavía no empezaron las clases.

—Me escaparé en cuanto termine de almorzar.

—¿Me lo prometes? —preguntó él y se llevó las manos de Flor a los labios.

—Te lo prometo —dijo ella.

Al día siguiente él la vio acercarse por la amplia abertura del muro que había en el fondo de la escuela. Ella atravesó deprisa el campo de deportes; sus piernas bronceadas brillaban, su pelo dorado se mecía al sol. Él corrió a su encuentro y la abrazó en el medio campo. De la mano caminaron hacia las gradas de madera y subieron algunas filas para sentarse a la sombra. Enrique le pasó un brazo por los hombros y pensó que era un milagro que estuvieran por fin juntos y solos. En este momento, sólo los dos existían en el mundo debajo de ese cielo enorme y luminoso.

—¿Te costó mucho escaparte?

Ella sacudió la cabeza.

—En mi casa, todos están medio adormilados después de almorzar. Además, creen que tú ya te fuiste. No prestan demasiada atención. —Durante el almuerzo ella había comido muy poco porque su apetito disminuyó con la idea de que lo vería unos minutos después. En la mesa, conversó con su madre y con su abuela y mantuvo sus emociones controladas para que nadie entrara en sospechas. Por suerte no tuvo que someterse al escrutinio de su padre: él estaba de nuevo en la costa y fuera del camino.

—Yo me voy el domingo. —Le apretó el hombro para tranquilizarla. Después, como si ese dato pudiera ayudarla, agregó: —El avión sale a las dos.

—Tenemos cuatro días. Cuatro y medio si contamos parte del domingo. —Flor le apoyó la cabeza en el hombro.

—¿Qué podemos hacer? —Él le besó la parte superior de la cabeza. Su pelo olía a sol y a algo parecido a la lavanda.

—Mamá dice que yo debo hacer mi presentación en sociedad. En marzo, después de la cosecha de algodón y antes de que me envíen a la universidad. —Qué ironía. Tres años antes, tantas lágrimas cuando su Fiesta Rosa se canceló. Y ahora la esperaba una celebración mucho más significativa y ella no podía desearla menos.

—Será en el Campestre, ¿no?

—Ay, Dios mío —dijo ella. Levantó la cabeza y lo miró a los ojos. Vio sus pestañas largas y ojos oscuros llenos de resignación. Él era un Salah. Y a los Salah no se les permitía pertenecer al club. Por primera vez ella cayó en la cuenta de la enormidad de la carga que Enrique llevaba. Le echó los brazos al cuello estampó la boca con fuerza contra la suya y lo apretó fuerte como si un abrazo ferviente pudiera terminar con la injusticia y el pasado. —No es justo —dijo ella contra la boca de Enrique. Él se apartó pero sin dejar de abrazarla con ternura.

—Olvídate de mí, Repollo. La vida es demasiado complicada con una persona como yo.

—No, no. —Flor enterró la cara en su pecho. Olía a cuero y a sal y a la fragancia del talco. Debajo de la camisa, el vello del pecho le hacía cosquillas en la mejilla. El cuerpo de Enrique, fuerte y seguro, la llenó de tanta ternura que los ojos se le llenaron de lágrimas. No podría vivir sin él. No debía dejarlo ir nunca.

—Tú y yo —dijo él— somos como Romeo y Julieta.

—No —dijo ella—. Mira lo que tuvieron que hacer para estar juntos.

—Se casaron —dijo él.

—No, no fue así; murieron.

—Nosotros podríamos casarnos —dijo él, apurado. Una afirmación tan simple y un desafío tan tremendo.

—Mis padres nunca lo permitirían. Y tus padres, tampoco. —Ella no tenía mucha experiencia con don Abraham y la niña Isabel, los padres de Enrique. A lo largo de los años había visto a don Abraham en varias ocasiones en la fábrica de velas, cuando ella acompañaba a su padre. Estuvo sólo dos veces con Isabel: una vez en Tesoros y otra cuando Basilio le entregó algunos regalos en su casa. Y en sólo una oportunidad vio a la pareja junta: en el funeral de su abuelo en Santa Ana. Pero nunca conoció a doña Cecilia; la abuela de Enrique era un misterio intrigante, un espectro en la imaginación de Flor.

—¿Lo harías? —preguntó Enrique con expresión de solemne expectación—. ¿Te casarías conmigo?

—¿Me lo preguntas en serio, Enrique?

Él asintió.

—¿Te casarás conmigo, Flor?

Ella comenzó a llorar. Todo el dolor de las últimas semanas se le agolpó detrás de los ojos y se derramó.

—Ay, sí, mi Pollo. Me casaré contigo. —Bajó la cabeza y se cubrió la boca con las manos como para contener el llanto.

—No llores —dijo él y la tomó en sus brazos.

—No puedo evitarlo. —Dentro de ella se había desatado una tormenta y no le quedaba más remedio que dejarla salir.

Él la mantuvo abrazada y lentamente le fue deslizando una mano por la espalda hasta que ella se serenó.

—Toma —le dijo después de sacar un pañuelo del bolsillo.

—Pero, ¿cómo podemos hacerlo? —preguntó Flor, todavía entre sollozos. Se sonó la nariz y después se secó los ojos. El pañuelo tenía la misma fragancia fresca que había percibido en la camisa de Enrique. Era la fragancia que quería tener junto a ella el resto de su vida. El olor a Enrique en los dedos, en la piel, justo debajo de la nariz.

—Como Romeo y Julieta, tendremos que fugarnos.

Flor volvió a secarse los ojos y en un instante la solución al problema de ellos se le hizo tan clara como el cristal pero igualmente frágil y vulnerable. Respiró hondo antes de continuar.

—No tendremos que fugarnos para casarnos. Conozco una manera mejor.

—¿Cuál? —preguntó él.

—Si yo estuviera por tener un bebé, ellos nos obligarían a casarnos.

Fue como si Flor le hubiera pegado un puñetazo en el estómago.

—Bromeas —dijo.

—No.

—¿No bromeas?

—No. Hablo en serio.

—Pero para tener un bebé tendríamos que...

Ella le puso una mano en la boca.

—Ya lo sé —dijo.

Él le besó los dedos.

—¿Podrías hacerlo? ¿Lo harías?

—Sí —contestó ella.

—Pero, ¿por qué? —preguntó Enrique, porque casi no podía creer lo que Flor decía, no podía creer que lo dijera en serio.

Ella lo miró a los ojos.

—Porque lo deseo —respondió—. Porque te quiero. Porque es la única manera.

Dos meses después, Flor estaba en el consultorio de Mario Ruiz, sentada en el mismo lugar que su madre había ocupado cuando estaba embarazada de ella. Flor había acudido sola. Basilio la llevó en el auto. Ella no concertó una cita antes; sencillamente entró y le pidió a la enfermera que anunciara su presencia.

—Es una emergencia —dijo Flor.

—Es una tragedia —dijo ahora Mario Ruiz, con una cara que parecía más larga que de costumbre—. Eres una criatura. Sólo tienes... ¿cuánto? ¿Diecisiete?

—Dieciocho. Los cumplí hace dos semanas. Y no es una tragedia, doctor.

—Por favor dime quién te hizo esto, hija mía. Dime la verdad. Permíteme que lleve a la justicia al animal que abusó de ti.

—Créame, doctor, lo que sucedió no fue ningún abuso. —Pensó que esos últimos tres días antes de que Enrique se fuera habían sido un paraíso. Esas horas robadas que estuvieron juntos, su encuentro en la escuela, el viaje en el auto de él al lago Ilopango. Flor se puso de pie y le agradeció al médico que la hubiera atendido con tanta rapidez.

—Y, por favor, no se lo informe a mi madre —dijo Flor—. Yo misma quiero decírselo.

De vuelta en el automóvil, le pidió a Basilio que la llevara a la casa de Enrique. Cuando una criada abrió la puerta, ella dijo:

—Soy Florencia Tobar. Quiero ver a la niña Isabel.

—Pase adelante —dijo la criada y condujo a Flor a la galería que daba a un jardín frondoso y colorido—. Le avisaré a la señora que usted está aquí. —La criada se dio media vuelta y desapareció.

Un juego de muebles de hierro forjado estaba en la galería, pero Flor no prestó atención a las sillas y aguardó de pie. Se sentía un poco aturdida pero, al mismo tiempo, fortalecida por saber que lo planeado por Enrique y ella había tenido éxito.

—¡Chula! —dijo Isabel—. ¡Mi querida Flor! —Salió de la casa, pura alegría y vigor. Prácticamente levantó en vilo a Flor con un abrazo enérgico. —¡Qué sorpresa maravillosa! Ven, siéntate. —Isabel corrió una silla y las dos se sentaron. —Dime, ¿qué te trae a mi casa? —Una pausa, y luego cara de gran preocupación. —¿Qué ocurre? ¿Pasa algo malo?

—Voy a tener un bebé.

—¿Tú vas a tener un bebé? —repitió Isabel con el entrecejo fruncido por la intriga. Podría haber dicho en cambio: ¿Por qué me lo dices a mí?

—En realidad, Enrique y yo vamos a tener un bebé.

En un instante, una variedad de expresiones cruzaron por el rostro de Isabel: perplejidad, disgusto, incredulidad.

—¿Mi Enrique? —dijo por último,

—Sí, Enrique.

—¿Él está enterado? Como sabés, no está aquí sino en la universidad.

Flor asintió.

—Lo llamé anoche y le dije que hoy vería al médico. Vengo de allí.

—¿Qué dijo?

—Que estoy embarazada de dos meses.

—No, no el médico. Enrique. ¿Qué dijo Enrique?

—Dijo que me amaba.

Una mujer muy delgada salió de la casa, atravesó la galería y se acercó a la mesa. Su pelo era como un gorro de lanilla blanca. Tenía la cara muy bronceada y cruzada por arrugas.

—Ésta es mi madre —dijo Isabel.

Flor se puso de pie.

—Buenas, doña Cecilia.

—Ésta es la amiga de Enrique, mamá.

—Soy Florencia Tobar —dijo Flor e inclinó un poco la cabeza.

—Flor es la hija de Magda y Álvaro —dijo Isabel y acercó una silla para su madre.

Cecilia se dejó caer en ella y por un momento respiró con dificultad.

—Son mis pulmones —dijo, casi como una disculpa, mientras se señalaba el pecho. Después entrelazó las manos sobre la falda. Cuando pareció recuperar su fuerza, dijo: —De modo que ésta es Florencia.

—Discúlpenme un minuto —dijo Isabel—. Iré a ordenar algunos refrescos. —Y se alejó.

Cecilia y Flor permanecieron un momento en silencio, cada una muy pendiente de la otra. Entonces Cecilia dijo:

—Veo que eres rubia como tu padre, pero decidida como tu madre.

Flor se echó a reír.

—Tiene razón. Mi madre es una mujer muy decidida.

—La firmeza es algo propio de tu familia —dijo Cecilia.

—Sí. —¿Qué mayor firmeza que la de su abuela Elena y su silencio imperial durante más de treinta años?

—Enrique me habló mucho de ti, Flor —dijo Cecilia.

—¿Lo hizo? —Oyó que la voz le temblaba, el primer resquicio en la armadura con que se había rodeado.

—Así es. Lo sé todo sobre tú y Enrique.

Flor se echó hacia atrás en la silla y observó el rostro arrugado y abierto de Cecilia. Su mirada penetrante y oscura. Su boca bondadosa. Ésa era una mujer que no había sido derrotada por el aislamiento sino que lo había convertido en algo en qué apoyarse. Era una mujer en la que ella podía confiar. Flor tomó de la presencia de Cecilia lo que necesitaba y dijo:

—Vengo de lo del médico.

—Estás aquí, así que debes de tener buenas noticias.

—Sí. Fueron buenas noticias.

—Me alegra tanto, mi muchachita. —Cecilia apoyó una mano venosa sobre el brazo de Flor y ésta se la cubrió con la suya.

Isabel volvió a salir de la casa.

—Llamé a Enrique. Está en el teléfono y quiere hablar contigo, Flor.

Flor se tensó y se apretó la nuca. La tarde estaba cálida y húmeda, y sin embargo ella casi no podía respirar.

—Ven. El teléfono está en mi dormitorio.

Flor siguió a Isabel por la casa; por las baldosas moteadas de la sala, por el comedor y el pasillo. El dormitorio estaba fresco y cubierto con una gruesa alfombra. Un acondicionador de aire zumbaba en la pared. Las persianas estaban cerradas y la luz era leve. El teléfono estaba sobre una mesa de noche junto a una cama matrimonial cubierta con una colcha de satín celeste. Flor levantó el tubo.

—¿Pollo? —dijo.

—Vuelvo a casa —dijo él.

—¿Cuándo?

—Mañana.

Ella se desplomó sobre la cama. El pulso le golpeaba como un tambor en las sienes y en el pecho.

—Estaba tan asustada —dijo.

—No llores, Repollo —dijo él—. Yo voy para allá. Nos casaremos y después regresarás aquí conmigo. Todo saldrá tal como lo planeamos.

—Ay, sí. —Ella se secó las lágrimas con una mano. Sobre el tocador había fotografías familiares en marcos de plata. Entre ellas, Enrique con un brazo regordete alrededor del cuello de un venado manchado. Enrique, con una amplia sonrisa, los ojos entrecerrados mientras un perro salchicha le lamía la cara con torpeza.

La cama se movió cuando Cecilia se sentó en ella. Puso en la mano de Flor un pañuelo de lino.

—Todo está bien —dijo Cecilia y rodeó con un brazo la esbelta cintura de Flor.

A Flor y Enrique los casó el padre Adolfo en la pequeña capilla de la cripta de la iglesia de Guadalupe. Dadas las circunstancias, un vestido blanco no era apropiado, así que Flor usó el vestido rosado que Pilar le había hecho para su Fiesta Rosa. Le quedaba un poco ajustado, pero todavía lo podía usar. Durante toda la ceremonia Enrique, muy apuesto con su traje oscuro de tres piezas, se mostró solícito y cariñoso con ella. Durante todo el tiempo la pareja se mantuvo muy unida. Asistieron familiares, abuelos, hermanos, primos, tíos y tías. Algunos criados leales también presenciaron la unión: Jacinta y Basilio, Tea y Pilar. María Mercedes viajó desde El Congo. Gladis Díaz, la única compañera de colegio representada, voló desde Nueva Orleáns apenas semanas después de ingresar en Maryknoll.

El estado de ánimo reinante era bastante tranquilo, pues toda la rabia y las acusaciones se habían ventilado algunos días antes. Flor saludó a los invitados con sus padres y después con Elena, mientras Enrique estaba con Álvaro. De modo que, cuando llegó el momento de la boda, los asistentes se mostraron corteses y tolerantes. El daño estaba hecho. Flor estaba embarazada. Flor se había casado con un turco que era, además, el nieto de Cecilia de Aragón. Frente a una calamidad tan inmutable, ¿qué sentido tenían los reclamos y las protestas?

Después de la ceremonia, Magda ofrecía una recepción en su casa. Cecilia de Aragón se excusó de asistir. En la iglesia había tenido que soportar la helada desatención de Elena. Era la primera vez que se encontraban, pero fue suficiente. Cecilia se volvió a su casa.

En términos generales, para Flor de Salah fue el día más feliz de su vida.

CAPÍTULO CINCUENTA Y UNO

El Congo
Junio de 1965

Lo que le abrió los ojos a María Mercedes fue la creciente conciencia de las desigualdades que existían. La casa de Magda, la habitación de Chenta. Tesoros por un lado, La Cucharona por el otro. La naturaleza frívola y abstraída de Flor y su propia visión terca y ponderable de las cosas. Fernando Lira, lo que él hacía y las largas conversaciones que mantenían cuando el trabajo terminaba, también la ayudaron a quitarse las vendas de los ojos. En una oportunidad él había comentado que, en definitiva, los que tienen son pocos y los que no tienen, la mayoría. Y que entre los dos extremos existe un abismo y ningún puente para atravesarlo. A la luz de esa realidad, María Mercedes vio El Congo como realmente era: no un pueblo sencillo y polvoriento, encantador y provinciano, sino un lugar de desolación sumido en la pobreza y la ignorancia. El mercado ya no era un lugar pintoresco y alegre sino una ciénaga sucia y atestada en la que manos ocultas y poderosas se hundían siempre para arrancar recompensas de quienes se las habían ganado en buena ley.

A pesar de todos sus esfuerzos por mejorar esa imagen, hasta el mesón había perdido su aspecto hogareño y se había convertido en una colección de cuartos apiñados y sofocantes dispuestos alrededor de un deprimente patio sin pasto con su hedionda letrina, todo despiadadamente expuesto al sol. Al comprender la dura realidad de la vida de su gente, María Mercedes los fusionó en un grupo lastimero y oprimido. Y, como tal, comenzó a amarlos. Porque las personas eran víctimas de las circunstancias, se convirtieron para ella en más merecedoras. Y porque eran meritorias, ella resolvió hacer todo lo posible por ayudarlas. Y así fue cómo, a los dieciocho años, María Mercedes Prieto encontró lo que tanto había rogado se le concediera: su propio lugar en el mundo.

Ese descubrimiento la liberó. Fortalecida por la decisión tomada, escribió a su casa para avisar que se quedaría un tiempo en El Congo. Había trabajo que hacer en la iglesia, el mercado, el mesón y la escuela. Dijo que no se preocuparan; le quedaba suficiente dinero de la cantidad recibida para su graduación. En cuanto a comenzar a estudiar en la universidad, eso tendría que esperar. No mencionó la existencia de Fernando Lira, pero, de hacerlo, habría dicho: Tengo un nuevo amigo. Es como Nanda, sólo diferente.

Curiosamente, justo ese día recibió una carta de Nanda Lazos, quien le escribía sobre el padre Grande y el mandato del recientemente concluido Concilio Vaticano II: "Durante años el padre Rutilio nos aseguró que la Iglesia está en el mundo y para el mundo y no es algo ajeno a nuestros problemas terrenales. Ahora que el trabajo del concilio terminó, el mensaje del padre está confirmado. El concilio nos exhorta a atender las necesidades terrenales de las personas y no sólo el estado de sus almas. Qué bendición trabajar junto a un hombre santo y con la abrumadora tarea de ayudar a las personas a modificar el curso de sus vidas".

La noticia era providencial. Dirigía un haz de luz sobre el camino a seguir. María Mercedes no perdió tiempo. Se dirigió a la iglesia, una estructura sencilla frente a la plaza, con dos campanarios que, durante la última década, no tenían ninguna campana. Buscó al padre Hortensio y lo encontró frente a un escritorio repleto de cosas en una oficina diminuta junto a la sacristía.

—Padre —declaró sin bombos ni platillos—, este Concilio Vaticano Segundo. ¿Qué sabe usted de él?

—El Vaticano está en Roma —dijo el padre, sorprendido. Era un hombre delgado con barbita y un aspecto similar a los dibujos que María Mercedes había visto de don Quijote.

—Sí, lo sé. Pero, ¿sabe acerca del concilio? El concilio dice que la Iglesia debe ir más allá de ocuparse del alma de la gente. Que debe ofrecer consuelo y esperanza a las personas en este mundo tanto como encomendarlas al otro. —Las palabras le brotaron a borbotones. Para tratar de ser mas clara, agregó: —Tengo una carta que explica lo que quiero decir. Debería haberla traído.

—Mi niña, las almas de las personas son su esperanza —dijo el padre.

—Bueno, sí, eso es verdad hasta cierto punto. Pero sin duda somos más que nuestras almas, padre. Debemos tomar también en cuenta nuestra mente y nuestra carne. —Virgen Santa, ¿de dónde le salía eso?

Él frunció los labios.

—No es decoroso hablar sobre la carne, niña.

—Por Dios, padre Hortensio. No lo dije como usted piensa. Yo hablaba de…

—¿Sabes qué te sugiero? Te sugiero que vengas a nuestro círculo bíblico. Nos reunimos una vez por semana en la sacristía. Si hace demasiado calor vamos a la iglesia, que siempre está fresca. Desde luego, cuando estamos en la iglesia debemos hablar en voz baja. —Y para enfatizarlo, se llevó un dedo a los labios.

—En realidad, yo conduzco mi propio círculo en San Salvador. —No era así. La que lo hacía era Nanda, pero ella la había ayudado tantas veces que era como si dirigiera el grupo ella misma. —Pero volviendo al concilio, el padre Rutilio Grande de Aguilares dice que…

—Espera un momento. Ese hombre es un agitador.

—¿Qué?

—Rutilio Grande. En Aguilares. Es un jesuita, y los jesuitas le meten ideas a la gente.

—Pero todo parece indicar que el Concilio Vaticano y el padre Grande llegaron a la misma conclusión.

El padre Hortensio llegó al colmo de la indignación.

—Por favor. No menciones juntos al Santo Padre y a ese librepensador.

—Pero yo no hablaba del Papa sino del concilio.

—Es lo mismo. —La campanilla del teléfono negro que había sobre el escritorio comenzó a sonar. El sacerdote levantó el auricular. —¿Sí? —Escuchó un momento, la cabeza inclinada, y después levantó la vista, cubrió el micrófono con una mano y dijo: —Un momentito. —Y lo marcó extendiendo dos dedos.

María Mercedes se despidió de él por señas y salió de la iglesia hacia el resplandor del sol de la tarde. Respiró hondo varias veces para controlar el enojo que sentía. No debía permitir que un absurdo intercambio de palabras la hiciera flaquear en su decisión. Cruzó la plaza y, caminando debajo de los árboles, enfiló hacia el mercado porque pensó que un refresco adonde Chenta le despejaría la cabeza. Pero no llegó tan lejos. Joaquín Maldonado estaba en su puesto de escribiente y ella se detuvo a saludarlo.

—Sentáte, sentáte. Como ves, estoy entre clientes. —Al saludarla, Joaquín se incorporó un poco de la mesa que servía de mostrador y escritorio. Usaba una camisa blanca que estaba en las últimas y una corbata de moñito a cuadros. Señaló la silla de madera que estaba al lado de la suya, sacó un pañuelo del bolsillo y con él hizo grandes movimientos como para quitarle el polvo. —Ya está. Sentáte.

María Mercedes se instaló junto a él detrás de la mesa, que era amplia, sin pintar, y de madera oscurecida y alisada por el tiempo. La máquina de escribir, la piedra angular de su empresa, era un armatoste cubierto por una toalla color verde lima, y ocupaba todo un lado de la mesa. Junto a ella había un tintero, algunas bolígrafos, numerosos lápices, un sacapuntas manual atornillado a la mesa pero al que le faltaba el receptáculo para la viruta, una pila de papel y otra de sobres y una carpeta de tapas graneadas que contenía listas con direcciones. Un secante de escritorio, verde, velloso y cubierto de manchas de tinta definía el espacio donde él escribía cosas a mano.

—¿Cómo anda eso de escribir cartas, don Joaquín? —preguntó María Mercedes; su pregunta habitual cada vez que lo visitaba.

—Agradezco a Dios el analfabetismo de la gente.

Ella había oído antes esa respuesta, pero era la primera vez que le provocaba fastidio. Para ocultar su irritación enderezó el borde de una bandeja que contenía bandas elásticas, clips para papel, una goma de borrar y estampillas.

—Pues a mí me parece una tragedia que la gente no sepa escribir.

—Tampoco saben leer.

—Eso también me parece una tragedia.

—Tal vez sea una tragedia, pero así son las cosas. La carencia de una persona es la ganancia de otra. Para sobrevivir en este mundo hay que enfrentarse a la realidad.

—No está bien. —El siguiente puesto ofrecía flores cortadas: claveles rojos y blancos, margaritas amarillas y blancas, varas de gladiolos multicolores, manojos de flores azules cuyo nombre ella ignoraba. Ni el olor fresco de las flores sumergidas en recipientes con agua ni su belleza mejoraron el tono de la discusión.

Joaquín Maldonado frunció el entrecejo y su aire juguetón desapareció.

—¿Qué te pasa, niña?

—¿Que qué me pasa? Todo en el mundo está mal.

Él sacudió la cabeza como para confirmarlo.

—Yo sé lo que te pasa. Es ese jovencito tuyo. Te llenó la cabeza de tonteras.

—¿Cuál jovencito?

—Fernando Lira, ¿quién otro?

—Él no es nada mío. Es sólo un amigo, eso es todo.

—Como sea. Igual te llenó la cabeza.

—No sé qué quiere decir.

Con aire de complicidad, él le acercó la cara.

—Ese muchacho es un agitador. Le gusta armar líos.

—¿Por qué dice una cosa así?

—Él estudia en la universidad, ¿no es así? Y la universidad es el lugar donde se enseñan la agitación y la rebelión. —Y para enfatizar sus palabras, golpeó la mesa con una regla.

—Pero usted se equivoca con respecto a Fernando, don Joaquín. Fernando trabaja con la Acción Católica Universitaria. Los miembros de la ACUS construyen cosas. Reparan cosas. Le enseñan a la gente lo que necesita saber.

Joaquín Maldonado puso los ojos en blanco.

—Eso es lo que él dice. Pero recuerda lo que te digo: lo que en realidad él hace podría ser una cosa bien diferente.

María Mercedes tuvo que esperar una semana antes de averiguarlo por sí misma. Ella y Fernando estaban una vez más sentados afuera, junto a la puerta del cuarto de Chenta, y mantenían una de sus conversaciones de bien entrada la noche. La luna, a la que sólo le faltaba un día para ser llena, proyectaba una luz azulada sobre el patio y el borde de la galería. Disfrutaban un par de cigarrillos Viceroy. Colorado estaba echado a los pies de Fernando. El perro soñaba; se notaba por la forma en que sacudía las patas, movía los párpados y crispaba la trompa. Fernando le dio un golpecito en el lomo.

—Ey, muchacho, tranquilo.

—Parece que tiene una pesadilla —dijo María Mercedes.

—Podría ser. Hemos andado mucho los últimos diez días. Y algunos fueron auténticas pesadillas.

—¿Por qué es eso?

Fernando saboreó su Viceroy y dejó que el humo le saliera con lentitud por la boca y la nariz.

—No es fácil estar allá afuera. A veces es peligroso.

La oportunidad de María Mercedes había llegado. Él acababa de abrir una puerta y ella decidió entrar.

—El otro día estuve conversando con don Joaquín en el mercado. Ya sabés, el escribiente. Y él dice que eres un agitador.

Fernando Lira se echó a reír, a María Mercedes le pareció que con cierto pesar.

—Supongo que se me podría llamar así.

—Don Joaquín dijo: "A Fernando Lira le gusta armar líos".

—No puedo negarlo.

La respuesta de él la tomó desprevenida.

—Yo creí que tú construías cosas y arreglabas cosas. Creí que ayudabas a la gente, Fernando. —Arrojó su cigarrillo apagado hacia el patio. —Eso fue lo que le dije a don Joaquín.

Fernando tiró su propia colilla al piso de la galería y la aplastó con el pie. Se paró.

—Caminemos un rato.

El Congo era un pueblo muy pequeño. Si se ingresaba en él por el lado sur era posible salir por el extremo norte no más de quince minutos más tarde. Lo mismo ocurría si se avanzaba de este a oeste. Tarde por la noche, el pueblo era todas las cosas que no podía ser durante el día. Bajo los rayos del sol, sus edificios, la mayoría de una sola planta, se unían unos con otros sin orden ni concierto y en ángulos duros. Pero a la luz de la luna, las curvas y esquinas se suavizaban y los edificios se fusionaban entre sí con armonía. Y las paredes, cubiertas de hollín y sucias al sol, iluminadas por la luna parecían limpias y blancas.

Echaron a andar por la calle y Colorado los siguió con resignación. Era pasada la medianoche. Como es natural, las puertas estaban con llave, las persianas cerradas y por ellas no se oía ningún sonido. Pasaron frente a pequeñas tiendas: la panadería, el local del afilador de cuchillos, el depósito de botellas, una tienda de tamaño no mayor que un ropero y repleta de estampas e imágenes religiosas. Sólo la cantina El Brunswick Anniversary, nombre tomado de la placa metálica de su mesa de billar y escrita con letras desparejas en un arco sobre la puerta, mostraba señales de vida. María Mercedes y Fernando cruzaron la calle para evitar pasar por un lugar donde algunos ahogaban sus penas. Cuando llegaron al parque se sentaron en uno de los dos bancos de hierro que el gobierno había instalado en su afán de embellecer el lugar. Treinta y dos años antes, cuando Jacinta y Mercedes vivían allí, en la plaza no había árboles y apenas algunos manchones de pasto. Pero el viejo sacerdote, el que había tomado a Basilio cuando éste tenía doce años, plantó algunos mangos y los cuidó con cariño hasta que florecieron. Ahora los troncos de los árboles tenían una circunferencia parecida a la de los tambores metálicos. Esta noche, María Mercedes y Fernando se sentaron debajo de uno de ellos.

—Cuando mi mamá y Basilio vivían aquí, él trabajaba en la iglesia y hacía sonar las campanas para llamar a misa. Ahora ya no hay campanas.

—¿Basilio? ¿Él es tu padre?

—No, pero es como un padre para mí. Él y mi madre trabajaron para la familia Tobar durante casi treinta años. Basilio sabe hacer de todo: cuidar del jardín, manejar un auto, reparar cualquier cosa, construir. Lo que se te ocurra, Basilio lo puede hacer. —Hizo una pausa, de pronto consciente de lo mucho que lo extrañaba. —Yo acostumbraba creer que Basilio era mi padre. Vivía en el cobertizo del jardín que había en el fondo del patio. Yo nací en ese cobertizo. En su catre. Por alguna razón creí que eso lo convertía en mi padre. —Lanzó una carcajada porque sintió que se le quebraba la voz. —Las cosas que uno piensa cuando uno es una criatura.

—¿Y tú conocés a tu padre? —preguntó Fernando y no bien lo dijo se golpeó la cabeza con una mano—. Lo siento. Es un asunto personal. No tenía derecho de preguntártelo.

Ella hizo un gesto vago para restarle importancia.

—No te disculpés. No me importa hablar del tema. No tengo idea de quién es mi padre, aunque Dios sabe cuánto lo pregunté. Hubo una época, cuando tenía ocho o nueve años, en que lo único que hacía era preguntárselo a mi mamá una y otra vez. Ella me contestó una vez. Me dijo que mi padre estaba muerto y que había sido un empleado público.

—Lo siento.

—Durante mucho tiempo, el hecho de que estuviera muerto se vio eclipsado por el hecho de que hubiera sido un empleado público. Yo no sabía lo que ese término significaba, pero imaginé que era algo importante. —El dolor de la pérdida le humedeció los ojos. María Mercedes pestañeó para reprimir las lágrimas, cruzó los brazos y se abrazó porque la emocionó la manera en que todo lo que la rodeaba esa noche parecía tan hermoso y, a la vez, tan triste.

—En el mesón habíamos empezado a hablar de algo —dijo Fernando cuando por fin quebró el silencio respetuoso que se había interpuesto entre ambos—. Quiero contarte lo que yo hago.

María Mercedes no dijo nada. Fue como si él hubiera arrojado una piedra desde muy alto. Contuvo la respiración y esperó a que aterrizara.

—Lo cierto es que trabajo para la ACUS. Como sabés, limpié basurales, reparé techos y construí cosas que era preciso levantar. No lo hice solo, desde luego. Somos un grupo que hacemos esa clase de trabajos. Reclutamos mano de obra de las ciudades para que nos ayuden a hacerlo.

—¿De qué tamaño es tu grupo?

—Somos seis. Yo y Olga, Diego, Elías, Berta y Felipe.

—Entiendo. —Olga y Berta. ¿Quiénes eran esas mujeres?

—El trabajo que hacemos es muy visible. Atrae la atención. A veces atrae atención que no necesitamos.

—¿Cómo es eso?

—A veces nuestros lugares de trabajo son observados por la guardia o la policía. Los manda el mayor o un oficial a cargo del puesto militar para vigilarnos. Esa autoridades no pueden objetar el trabajo físico que realizamos. Después de todo, es un trabajo necesario. Lo que les preocupa es lo que hablamos mientras lo hacemos. —Fernando hizo una pausa y metió la mano en el bolsillo en busca de su paquete de Viceroy. Sacó un cigarrillo y le ofreció el paquete a María Mercedes, pero ella no aceptó. Él encendió uno antes de continuar. —Como es natural, somos muy cuidadosos con lo que decimos y cómo lo decimos. Como comprenderás, hablamos de la verdad. Con la excusa de la actividad que estamos realizando, les señalamos a las personas de qué manera podrían mejorar sus vidas. Les decimos que hace falta una educación, tres buenas comidas al día, un buen trabajo y sueldos adecuados. Tu amigo, el viejo don Joaquín, me llamó agitador. Es verdad. Soy agitador porque me preocupa la situación de nuestra gente.

La piedra que él había arrojado llegó a tierra. María Mercedes lo miró pero no pudo advertir su expresión porque estaba a oscuras.

—Mi amiga Nanda hace en Aguilares el mismo trabajo que tú.

—Ese trabajo hace falta en todas partes. No sólo aquí sino en todos los departamentos del país.

—Es un trabajo duro —dijo ella.

—Es peligroso, para nosotros y para la gente.

—No importa. Es necesario hacerlo —dijo María Mercedes.

Él le puso una mano en el hombro. Era la primera vez que la tocaba.

—¿No querés unirte a nosotros? —preguntó él.

Fernando le dio una semana para que lo pensara. Una semana mientras él y el perro se iban a atender a sus asuntos. Antes de partir, él se aseguró de que María Mercedes entendiera bien cuál era el camino que tenía por delante. Tendría que viajar de ciudad en ciudad con el grupo. A veces, grandes distancias, a pie. La remuneración sería mínima. El grupo dependía de las contribuciones privadas, de las colectas de las iglesias, de los fondos comunales. Dependía de los voluntarios que lograran reclutar. De elementos donados o descartados. Y siempre habría conciencias que despertar. Y siempre existía el peligro que ello implicaba. Cada tanto ella podría regresar a El Congo, pero la mayor parte del tiempo dependería de la bondad de las personas: tendría que compartir la comida que le ofrecían y dormir sobre un petate donde pudiera.

Fernando volvería al día siguiente. Esta noche, acostada en su catre, el sueño era algo tan lejano como la existencia vivida por ella en casa de Magda. En el estante, titiló la llama de una vela. Las sombras bailaron sobre la pared que meses antes ella había blanqueado. En el otro extremo del cuarto, Chenta también estaba acostada, pero desde ese lado no se oía ningún ronquido.

—¿Estás despierta, tía? —preguntó María Mercedes.

—Yo iba a preguntártelo.

—Estoy despierta.

Larga pausa. Después, Chenta dijo:

—Te vas a ir, ¿no es así?

—¿Cómo lo supiste?

—No es tan difícil de adivinar, mi niña. Durante meses te he visto luchar contra alguna gigantesca tormenta interior. Por momentos estuve tentada de hablar, pero después pensé que era mejor callarme. A los jóvenes les hace muchísimo bien domar solos sus tormentas.

—Es una mujer sabia, tía.

—Ay, no sé. Soy una mujer vieja; de eso sí estoy bien segura. Recuerdo cuando tu mamá se fue después de la muerte de tu abuela. Tu madre actuó de la misma manera que tú. Como un caballo al que han tenido encerrado demasiado tiempo en el corral. Pero ella tenía razones diferentes para irse.

—A veces imagino a mi mamá aquí, en este mismo cuarto, cuando era joven. Y también a mi abuela.

—Yo la veo con total claridad en mi mente. Era una niñita flaca con trenzas gordas. También Mercedes era flaca, pero muy fuerte. Tu abuela tenía fortaleza.

"Cuando vino por primera vez, después de la época terrible de la matanza, se echó sobre un petate, más o menos donde tú estás ahora. Basilio también. Se acurrucó junto a ella como un cachorro recién nacido.

La matanza. María Mercedes conocía sus realidades porque tanto su madre como Basilio había hablado de ella. Esa destrucción trágica y sin sentido. Cuando ella estudiaba historia en la escuela, buscó una explicación en los libros, pero lo único que halló fueron descripciones crípticas como "En enero de 1932 tuvo lugar el primer levantamiento comunista de América en la región suroeste del país, donde los campesinos se rebelaron con violencia contra sus patrones. En tres días, la sublevación fue completamente aplastada". En ningún libro encontró el término "la matanza" o "la masacre".

—A veces pienso en el niñito que se nos perdió —dijo María Mercedes. Apoyó una mano en el amuleto con tres piedras rojas que, con cordón y todo, había enhebrado en una cadena que ahora usaba alrededor del cuello. —Se llamaba Justino y habría sido tío mío.

—Pobrecito —dijo Chenta—. Lo arrebataron del rancho de Pru. Pru era mi hermana. —Del otro lado del cuarto brotó un suspiro. —Recuerdo cuando me fui de Izalco y dejé a mi hermana. Yo tenía catorce años.

—¿Por qué te fuiste?

—Mi corazón me llevó allá. Mi corazón encontró a alguien. Él se fue de Izalco y se mudó aquí. Y yo lo seguí.

—¿Quién era esa persona?

—Se llamaba Macario.

—¿Qué dijo tu familia cuando te fuiste?

—Mi padre no quiso volver a dirigirme la palabra. Dijo que yo no era su hija. Que ninguna hija suya tendría el descaro de alejarse de su casa y de su gente. Que ninguna hija suya seguiría a un muchacho que no tenía la decencia suficiente para casarse con ella.

—¿Por qué no se casó contigo Macario?

—Porque él no sabía que yo existía. Ni siquiera sabía que yo lo había seguido.

—¿Seguiste a alguien que ni siquiera conocías?

—Así es. Y jamás lo lamenté.

—¿Qué fue de Macario?

—Lo olvidé. Hace tanto tiempo. Pero de una cosa sí estoy segura: a veces una joven tiene que saltar sin saber dónde va a aterrizar.

—Ya lo sé, tía. Ya lo sé.

CAPÍTULO CINCUENTA Y DOS

Cuando María Mercedes se unió al grupo de Fernando, fue como si se zambullera en el mundo en que habían vivido su abuela y su madre. Un mundo lejos de los caminos principales, donde la gente avanzaba por senderos serpenteantes que conducían a miserables milpas de tamaño tan reducido que el maíz y los frijoles debían ser sembrados uno al lado del otro. Un mundo de ranchos con techo de paja con olor a polvo antiguo y maíz apilado, de tierra tan apisonada que era posible resbalarse sobre ella. En treinta y tres años las cosas no habían cambiado demasiado. Es verdad, a los indios ya no se los llamaba indios salvo para insultarlos; con excepción de los muy viejos, la mayoría ni siquiera conocía su lengua materna, el nahuatl, el lenguaje que deleita el oído con sus sonidos cha, che, chi, cho, chu. Pero, igual, mucho seguía igual: bolsillos vacíos, estómagos vacíos, sueños vacíos.

A mediados de octubre los cielos se habían secado, pero los días seguían siendo sofocantes. Más temprano esa semana, el grupo de Fernando se había reunido en Coatepeque. Allí formaron nuevas parejas, sortearon nuevas tareas y volvieron a partir. Esta vez el compañero de María Mercedes era Elías, a quien algunos llamaban descaradamente Manco porque había perdido medio brazo de chico cuando un mortero, el más potente de los fuegos artificiales, explotó antes de que él pudiera arrojarlo lejos. Como consecuencia, Elías también quedó sordo, pero su madre, que creía que un impedimento era más que suficiente para cualquiera, le vertió aceite caliente de romero en los oídos durante diez días hasta que su hijo pudo oír de nuevo. Elías, siempre con la manga izquierda plegada y sujeta con un alfiler, era un muchacho muy moreno. Tenía pómulos afilados debajo de ojos de mirada inquieta.

María Mercedes y Elías recorrieron la zona entre Las Cruces y Cantarrana, pasando de un rancho y un campo a otro y alentando a la gente a reunirse con ellos, una tarea difícil puesto que faltaba menos de un mes para la cosecha de café y porque la guardia había triplicado su presencia en el campo. Con paciencia y una actitud confiada, convencieron a Juan Hernández (Juan tenía una esposa, Otilia, y cinco hijos, de los cuales el pequeño era el varón que tanto necesitaban) de que permitiera a la gente congregarse en su casa, ubicada en un punto central y conveniente para todos. El perro de Elías, un animal de raza indefinida que cuando se le ordenaba hacerlo perseguía su propia cola, tuvo mucho que ver con el hecho de que Juan aceptara. Elías había llamado al perro y Juan lo observó un momento y después sonrió al pensar en la apuesta que podría hacerle a Santiago Peña, su vecino, un individuo siempre dispuesto a aceptar cualquier clase de apuestas.

Elías y los hombres (eran ocho e igual número de perros) salieron al campo de Juan y se pusieron en cuclillas debajo de un pepeto, a pocos metros de las hileras de los tallos de maíz color caramelo, doblados a mano para permitir que las mazorcas se secaran mejor, y de las hojas de los frijoles, anchas como la palma de la mano y asombrosas como estrellas verdes, que crecían enroscadas en el maíz. La perspectiva de una recompensa, por pequeña que fuera, ablandaba a los hombres; les abría los oídos a un sermón suave sobre los peligros de las cantinas, de los tragos de un aguardiente que servía para avivar la furia y apurar las manos hacia la empuñadura de los machetes.

Mientras los hombres se reunían, las mujeres se congregaron debajo del enorme amate que había en el patio de Otilia. Había más mujeres en el grupo de María Mercedes que hombres en el de Elías. La mayoría de las mujeres eran jóvenes, pero también había algunas de edad avanzada, incluyendo la madre de Otilia, doña Pura. La anciana llevaba el tapado alrededor de la cabeza y los hombros, como si pudiera refrescar, algo prácticamente imposible. Una docena de niños potreaban por allí, y otros estaban colgados de sus madres. El resto arrojaba guijarros a las gallinas de Otilia y las hacía huir espantadas para después volver y ponerse estúpidamente a picotear lo que para ellas era maíz pelado. Los niños tenían vientres hinchados, caras sucias y narices llenas de mocos. María Mercedes inició la reunión con una oración en la que le pedía a Dios bendición y protección. Le gustaba hacer esto, aunque a Elías le resultaba embarazoso hacer lo mismo con los hombres. Después ella habló de la limpieza y les recomendó a las mujeres que se lavasen las manos antes de manipular comida y les aconsejó que mantuvieran bien limpias las caras de sus hijos.

—No es más trabajo —dijo— sino sólo cuestión de tener siempre un balde lleno de agua. —Más temprano, como preparación para esa demostración, María Mercedes había recorrido el sendero hasta el río y llenado un balde con agua, que ahora tenía junto a la silla. —Permítanme que se los muestre. —Había llevado retazos de manta de algodón para las mujeres; sumergió en el balde un cazo, mojó uno de los paños y lo exprimió. —¿Puede prestarme a su niño? —le preguntó a Otilia y extendió los brazos hacia esa criatura que acababa de mamar y dormía en brazos de su madre.

Otilia le entregó el bebé y María Mercedes lo acunó un momento contra su cuerpo.

—Chichí —dijo, empleando la palabra nahuatl que quería decir bebé. Lo meció con suavidad en sus brazos y lo recostó contra su falda. Le limpió la cara y con la punta del trapo hizo otro tanto con las ventanas de su nariz. Tendido en su falda, el chiquito la miró con expresión de intriga y después su pene, del tamaño de medio dedo pulgar, se sacudió y el pequeño comenzó a orinar. Un chorro de orina se proyectó hacia arriba y María Mercedes pegó un salto. Dejó caer el trapo, levantó al bebé y lo alejó, sosteniéndolo de las axilas. Las mujeres se echaron a reír y por un momento María Mercedes no entendió el motivo de semejante alboroto, hasta que vio lo que sucedía: mientras ella sostenía al bebé, él enviaba un arco de orina directamente hacia el balde con agua. Otilia tomó a su hijo, su orina ya apenas un goteo que dejó pequeñas manchas oscuras sobre la tierra del patio, que enseguida se desdibujaron.

María Mercedes rió y le dio al balde un puntapié juguetón.

—Bueno, se terminó el agua —dijo—. Pensaba hablarles sobre hábitos higiénicos y me parece que el niño de Otilia acaba de facilitarnos la introducción a ese tema. Lo que quiero preguntarles es: ¿Cuando sienten el llamado de la naturaleza, ¿adónde van?

—No lo hacemos en baldes con agua —dijo una de las mujeres mientras reía con disimulo detrás de la mano con que se tapaba la boca. Ella también amamantaba a un bebé. Tenía los pechos dilatados de tanto uso.

Doña Pura desplegó su tapado y habló por primera vez.

—Los que hacen eso son los hombres. Para desaguar, los hombres van a cualquier parte. Lo hacen contra un árbol, en el patio, en el campo. Algunos desaguan contra las paredes de sus ranchos.

—No en el mío —dijo Otilia y fulminó a su madre con la mirada.

—Sólo era un ejemplo —respondió doña Pura, tensó la mandíbula y levantó una mano.

—¿Y qué me dicen de nosotras, las mujeres?

—Las mujeres somos más penosas. Hacemos pipí en los arbustos —dijo Blanca Peña. Era joven y grandota. Cuando dijo la palabra "pipí", el resto rió por lo bajo.

—Bueno, es verdad —dijo Blanca Peña.

—¿Y cuando se trata de lo otro, dónde lo hacemos? —preguntó María Mercedes.

Casi al unísono, todos contestaron:

—En el río. Eso se hace en el río.

—¿Por qué en el río?

—Porque el agua se lleva la caca lejos —respondió Blanca Peña y puso los ojos en blanco como si María Mercedes fuera una boba. Frente a la palabra "caca" hubo todavía más risas.

María Mercedes tomó un palo y dibujó una línea ondulada sobre la tierra.

—Miren —dijo, y las mujeres la rodearon en círculo. Hasta doña Pura se puso de pie para ver mejor.

"Digamos que esta línea es el río. Si la gente hace sus cosas en un lugar, termina en otro. De esta manera. —Marcó una X grande en la línea y después otra X un poco más lejos.

Blanca Peña, que se había autotitulado vocera del grupo, dijo:

—La caca no es una piedra ni es sólida. No va de un lugar a otro. La caca se deshace; todo el mundo lo sabe.

—Tiene razón, la caca se desintegra, pero arrastra con ella parásitos y microbios. Estas cosas son demasiado pequeñas para que las veamos, pero los parásitos y los microbios no se desintegran. Lo cierto es, señoras, que si usamos el río para beber y para hacer nuestras cosas, entonces habrá parásitos y microbios en el agua que bebemos. —María Mercedes dejó que esa idea se les quedara bien grabada antes de continuar. —Parásitos. Por eso nuestros hijos tienen todos el estómago tan hinchado. Por eso todos sufrimos trastornos estomacales.

Ella prosiguió de esa manera, proponiendo remedios para el problema: hervir el agua antes de beberla, cavar un hoyo como letrina, arrojar un poco de tierra sobre lo que se ha depositado en el hoyo. Habría dicho más, pero la mujer que amamantaba a su bebé se lo apartó del pecho y enseguida se cubrió.

—La guardia —dijo y señaló más allá del patio, hacia el sendero que conducía al camino.

Todas las cabezas giraron hacia el par de individuos en uniforme color caqui verdoso que se acercaban con decisión hacia ellos. El miedo, eléctrico y tangible, les tensó la columna y les aguzó la mirada. Por un momento, los niños que jugaban quedaron inmóviles; después corrieron a reunirse con sus hermanos al lado de sus madres.

—Yo me ocuparé de esto —dijo María Mercedes. Virgen Santa, pensó cuando los dos entraron en el patio, los rifles colgados de correas en los hombros. Ella se acercó para interceptarlos.

—Buenas tardes, mis comandantes —dijo, ascendiéndolos de grado—. ¿Qué se les ofrece?

Los guardias no respondieron. Pasearon la mirada por el lugar y lo observaron todo: las mujeres, los niños, el rancho, la hilera de calabazas al sol. Un momento después, un guardia preguntó:

—¿Dónde están sus hombres?

—Los hombres están trabajando —contestó María Mercedes y se encogió de hombros—. Ya saben cómo es.

—¿Qué es esto? —preguntó el otro guardia y con la punta de la bota señaló la línea ondeada trazada sobre la tierra.

—Lo hice con un palo —dijo María Mercedes. Levantó el palo que todavía tenía en la mano y se le secó la boca al pensar que lo que había dibujado podía ser mal interpretado. El trazado parecía una especie de mapa: la línea, las x. Si les dijera la verdad, que habían estado hablando de hacer caca en el río, jamás le creerían. El peor de sus temores era que, de alguna manera, la verdad sirviera para perderla.

—De manera que hiciste eso con un palo —dijo el guardia con la punta de la bota todavía junto a la línea—. ¿Qué es?

—Se supone que es el río. —Esa parte de la verdad podía decirla. Puso su propia bota sobre la línea. —Antes de que ustedes aparecieran yo estaba hablando del río.

—¿Y quién sos tú? —preguntó el primer guardia.

Una de las primeras directivas que había recibido al unirse al grupo de Fernando era que nunca debía dar su nombre a las autoridades a menos que resultara absolutamente necesario. Para distraer a los hombres de esa pregunta, inventó enseguida una historia.

—¿Conocen a don Neto Contreras? Es el dueño de La Abundancia. La finca está por el camino, a pocos kilómetros de aquí. Todas estas mujeres van a cortar allá. La esposa de don Neto, la niña Margarita, me mandó a que les hablara a las mujeres. Mientras ellas cortan café, la niña Margarita quiere que sus hijos vayan a su escuela.

Los guardias no dijeron nada, pero los ojos de los dos se entrecerraron debajo de las viseras rígidas de sus gorras.

María Mercedes continuó porque otra regla del grupo era: Cuando te enfrentes a las autoridades, trata de confundirlas con información.

—La Abundancia tiene una escuela. Está muy cerca del beneficio. Por el sendero que sale de la casona. ¿Ustedes conocen el lugar?

—Sé muy bien dónde está la escuela —dijo un guardia—. Pero, ¿qué tiene que ver el río con que esos mocosos lleguen a la escuela?

—Tiene todo que ver. Dibujé el río para mostrarles a los niños hasta dónde tienen que ir. Esta x es donde estamos hoy. —María Mercedes señaló la primera x y después la segunda. —Esta otra marca el lugar donde estarán en la escuela. En realidad es bien sencillo. Cuando uno les dibuja cosas a los niños, los ayuda mucho a entender lo que uno trata de explicarles. —Sonrió y contuvo la respiración, agradecida de que su vida con los Tobar le hubiera proporcionado información que ella podía usar en su provecho.

El guardia se levantó la gorra y se secó la frente con un brazo antes de volver a ponérsela.

—¿Les gustaría tomar algo, mis comandantes? —preguntó María Mercedes—. Acabamos de traer un balde de agua fresca del río.

Blanca Peña corrió hacia el balde y hundió el huacal en el agua.

—Permítanme que les sirva —dijo, y les extendió el calabacín. Los hombres bebieron con avidez, primero uno y después el otro, la mirada fija en el pecho generoso de Blanca. El último en beber le devolvió el huacal. Blanca lo dejó caer en el balde, con lo cual salpicó un poco de agua. —¿Desean alguna otra cosa, mis comandantes?

El primer guardia se enderezó el rifle contra la espalda.

El segundo hizo otro tanto. El primero se acercó a la línea trazada por María Mercedes y la borró con la bota. Para ello tuvo que dar dos pasos.

—Ya suficiente de dibujos en la tierra —dijo.

—Como usted diga, mi comandante —dijo María Mercedes y tuvo que resistir el impulso de hacerle la venia a modo de saludo.

Los guardias giraron sobre sus talones. María Mercedes y Blanca Peña los observaron irse. Durante un rato todo quedó en silencio, quebrado sólo por el ruido de las pisadas de los guardias. Cuando llegaron al fondo del camino, giraron y de pronto desparecieron de la vista de todos. María Mercedes pasó un brazo por el hombro de Blanca Peña, pero ésta permaneció inmóvil y tiesa. María Mercedes apartó el brazo. Enfrentó al resto de las mujeres, quienes estaban mudas. No había alivio en sus expresiones, sólo aprensión resignada en sus ojos.

Blanca Peña escupió en la tierra.

—Hijos de la gran puta —dijo. Un poco más allá del rancho, en este lado del campo, un grupo de perros apareció en la cima de un montecillo. Pronto Elías y los hombres los siguieron, y sus sombreros de paja eran blancos fáciles a los que se podía apuntar. Cuando los hombres entraron en el patio, ninguna de las mujeres dijo una palabra de lo que acababa de suceder.

Fernando Lira y el grupo —María Mercedes y Elías, Olga, Diego, Felipe y Berta— acampaban en las márgenes del lago de Coatepeque, un plácido espejo de agua color azul zafiro coronado al oeste por las laderas con plantaciones de café del volcán Santa Ana. Con sus poco más de dos mil metros, era el pico más alto del país.

El grupo había encendido una fogata, en la que cocinaron pescado fresco ensartado en palillos. En el mercado, Berta había encontrado tomates jugosos, gruesas tortillas y guineos manzano, bananas tan cortas como el dedo índice y dulce de manzana. Como es natural, los animales participaron también de la comida, después de lo cual dormitaron junto al fuego.

El humo de la madera perfumaba la noche; el resplandor del fuego oscilaba sobre los petates enrollados y atados, sobre las botas, las mochilas y los sombreros. Terminada la cena, los integrantes del grupo, sentados en círculo, iniciaron una charla en la que cada uno hablaba cuando le llegaba el turno. Habían realizado viajes en el Departamento de Santa Ana: Flor Amarilla, Cutumay Camones, El Porvenir, San Sebastián Salitrillo, Las Cruces, Cantarrana, Potrero Grande y Ochupse Arriba.

—La cosecha de café empieza mañana —dijo Fernando. Estaba sentado al lado de Olga. —Hay guardias por todas partes. Hoy, Olga y yo tuvimos que rodear Las Cruces para evitarlos.

—Los pies me duelen muchísimo —comentó Olga mientras se masajeaba la planta de un pie.

Diego, que en general era muy callado, dijo:

—La guardia se está convirtiendo en un problema.

—Ellos nos consideran un puñado de comunistas —dijo Berta.

María Mercedes contó lo que había ocurrido en la milpa de Juan Hernández. Todos se echaron a reír cuando ella les describió a Blanca Peña en el momento de ofrecerle al guardia esa agua contaminada. La felicitaron por la astuta historia que había inventado sobre la escuela en La Abundancia. En realidad la historia era tan buena que todos decidieron utilizarla si llegaban a surgir emergencias en la zona. Con esta finalidad, María Mercedes les dio detalles de la finca y de los nombres del personal. Lo hizo sin ningún escrúpulo. Todos eran maestros, ¿no? Estuvieran en la finca o en la zona rural.

—No sé —dijo Olga al cabo de un momento—. A veces me pregunto si lo que hacemos sirve para algo.

—Por supuesto que sirve —dijo Berta, su cara redonda brillando con la luz del fuego—. Le enseñamos a la gente a escribir su nombre. Les hablamos a las mujeres sobre los días fértiles y el sexo. Estas cosas solas marcan una diferencia. Si los campesinos supieran leer y escribir, si la tasa de nacimientos disminuyera, entonces quizá podrían empezar a salvarse a sí mismos.

Felipe arrojó su colilla al fuego.

—Cuidado con lo que dices, muchacha. "Que la gente se salve a sí misma" es el idioma de la insurrección.

—Ah, sí. Lo olvidé —dijo Berta—. Es solamente la Iglesia la que salva a las personas. —Era de estatura pequeña, pero se puso de pie y adoptó una pose sacerdotal. —Venid a mí, hijos míos —declaró—. Es verdad, vuestra vida está llena de penurias y privaciones, pero, ¡oh! en el cielo tendrán vuestra recompensa.

Olga se apretó las piernas contra el pecho.

—Qué disparate. Pensar que durante siglos la Iglesia lo ha estado diciendo.

—Y durante siglos la gente se lo tragó —replicó Diego.

—La Iglesia dice: ¡Rechacen el materialismo! ¡Concéntrense en cambio en los valores espirituales! —Elías levantó su medio brazo para enfatizar sus palabras y su manga prendida con alfileres flameó un poco.

—Hablas como un demócrata cristiano —dijo Felipe.

—Lo que ellos persiguen es un nuevo orden social —comentó Berta—. ¿Cómo era que lo decían? "Un nuevo orden, construido no sobre valores materialistas sino en la solidaridad entre los seres humanos."

—Así habla Napoleón Duarte —dijo Fernando.

—Así es —le retrucó Berta—, siempre y cuando yo no tenga su aspecto. Puede que Duarte sea alcalde, pero no es precisamente lindo.

—Deberíamos hablarles de eso a los campesinos —dijo María Mercedes.

—¿De que Duarte no es lindo? —preguntó Olga.

—No, niña. De un nuevo orden social. Deberíamos hacer lo que hace el padre Grande en Aguilares. Él habla de la lucha de clases, de la explotación capitalista, de los sindicatos y la reforma agraria. —En la mochila tenía una carta de Nanda con todos los detalles.

—Estoy de acuerdo —dijo Fernando—. Durante meses he estado diciendo que si queremos una auténtica reforma debemos ser radicales.

—Y durante meses yo dije que eso significa un mar de problemas —le retrucó Olga.

—Por supuesto que sí —dijo Fernando—. La reforma y los problemas van de la mano. La pregunta es: si queremos la reforma, ¿estamos dispuestos a aceptar los problemas?

Felipe asintió.

—Para nosotros es fácil estar dispuestos. Lo que debemos hacer es ayudar a la gente a decidir en ese punto.

Olga sacudió la cabeza.

—No estoy muy segura de eso.

Elías dijo:

—Hay algo que yo sí sé: que estoy cansado. Planeemos nuestro trabajo y vayámonos a descansar.

Sortearon los nuevos equipos y decidieron dónde operaría cada equipo durante los siguientes dos días. Hecho esto, se fueron preparando para dormir. Esto despabiló a los perros, que se levantaron y comenzaron a olisquear petates, mochilas y botas. María Mercedes desenrolló su colcha al resplandor de la fogata, ahora convertida en brasas. Se sentó y se sacó las botas. Una media se le había corrido debajo del talón y le había lastimado la piel. Buscó entonces una lata de ungüento de su mochila y se lo aplicó a la herida. Colorado se le acercó y la miró a la cara. Aunque la luz era escasa, ella sacó el anotador de la mochila y se puso a trabajar en el poema que Blanca Peña le había inspirado. Su título era: "Permítame que yo le sirva". Cuando la luz de las brasas se fue apagando, María Mercedes volvió a guardar la mochila, sacó una manta delgada, se tapó y se movió un poco para encontrar una posición cómoda. La noche era agradable y dulce, y allí donde el cuerpo de Colorado la tocaba había un calorcito tranquilizador.

Pensó en la carta de Nanda. Comenzó a escribirle mentalmente una respuesta: le describió sus viajes, lo que había ido descubriendo a lo largo del camino. Con Nanda ella podía volcar su corazón en el papel. Le confesaría su disgusto por la persona que era antes: una muchacha tonta, entrampada en un bienestar inútil. Sí. Intercambiar cartas con Nanda era uno de sus placeres, mucho menos lo era escribir a su casa. A diferencia del candor que expresaba con Nanda, se mostraba circunspecta con su madre y con Basilio. ¿De qué otro modo podía ser? Los amaba y le resultaba impensable herirlos con la realidad de su nueva vida.

De hecho, ya le debía una carta a su madre. Jacinta le había escrito semanas antes con noticias generales sobre ella y Basilio. En cuanto a la familia Tobar, una noticia eclipsaba a todas las demás: Flor había tenido una bebita sana, a la que llamó Iris. Con Flor y Enrique como padres, la pequeña Iris no podía ser otra cosa que una belleza. María Mercedes se alegró por Flor y la enorgulleció la manera en que había derrotado los convencionalismos para conseguir lo que más quería.

María Mercedes se subió la manta hasta el mentón. Observó el cielo. Tanto el firmamento como las estrellas parecían un trozo de latón con agujeritos. Flor y ella. De niñas, las dos eran como hermanas. Aunque cada una era obstinada a su manera, qué diferentes de las desconocidas que parecían ahora. María Mercedes sintió una oleada de melancolía cuando su mente se llenó de recuerdos: La Abundancia. Las estadías en la finca con Flor. Evocó las horas tempranas de la mañana, cuando caminaban por los senderos que llevaban de la casa grande al beneficio. Cuando, aburridas por la tarde, se desplomaban en el sofá con almohadones de chintz del corredor del costado. Y cuando, entre risas, se quedaban dormidas la una junto a la otra en la alta cama de hierro de la ventilada habitación de Flor.

Colorado levantó la cabeza y comenzó a incorporarse, pero María Mercedes le apoyó una mano y se lo impidió.

—Quédate aquí, muchacho —le susurró. Observó a Fernando y a Olga caminar de la mano hacia el lago y desaparecer más allá del borde del resplandor del sol poniente.

Colorado gimió porque quería seguirlos, pero María Mercedes no se lo permitió.

—Tú te quedas aquí —le dijo, y el animal la obedeció. Al día siguiente de nuevo ella trabajaría con Fernando, algo que había hecho sólo dos veces desde que se unió al grupo. La alegró haber sacado su nombre esta noche en el sorteo. Tenía muchas ganas de esclarecer con él el futuro borroso del grupo. Sería un corto tiempo juntos y después Olga podría tenerlo de nuevo.

Durante tres días, bandas de campesinos abandonaron sus milpas y dejaron sus pocos animales al cuidado de tíos o abuelos demasiado viejos para encargarse del corte, y viajaron en oleadas a las fincas que se levantaban en las laderas del volcán. La mayoría de los cortadores viajaban a pie, porque las fincas se encontraban a menos de un día de trayecto. Otros, no sobrecargados por familias numerosas y lo suficientemente afortunados para hacerlo en vehículos, se conseguían a codazos un lugar en los camiones enviados por las fincas. En general, esa migración era una época de camaradería y de estrepitosa celebración del nuevo trabajo. De muy buen humor, la gente deambulaba por los caminos con sus pertenencias en la espalda o balanceadas sobre la cabeza. Contaban chistes y bromeaban y se apartaban del camino cuando por allí pasaban camiones que levantaban lo que parecía todo el polvo de El Salvador. Los que iban a pie se detenían cada tanto en los arroyos para refrescarse o se acurrucaban debajo de los árboles para descansar un momento a la sombra o para compartir con sus camaradas algún alimento de sus alforjas.

Durante dos días, Fernando y María Mercedes trabajaron en los cinco kilómetros que separaban San Juan y La Majada. Lo hacían en forma separada durante el día, moviéndose de un grupo a otro e informando a los campesinos de reuniones a las que podían asistir una vez que comenzara el corte. Se reunían al atardecer, bien lejos del camino y bajo un dosel de árboles, en el lugar más seguro que encontraban.

En esta segunda tarde, María Mercedes fue la primera en llegar al punto de reunión. No había mucho que hacer: no encenderían una fogata porque podría delatarlos y no había comida que cocinar. La cena era fría: una pila de tortillas, un trozo de queso, algunas bananas, todo comprado a una vendedora que se había instalado estratégicamente en el camino durante todo el tiempo que durara la migración. Fernando había prometido ir, como lo hizo el día anterior, a La Majada a comprar bebida.

María Mercedes consultó su reloj: eran más de las seis y, puesto que estaba al abrigo de los árboles, la luz del día se desvanecía con rapidez. Se recostó contra el tronco del conacaste que tenía detrás. Qué agradable le resultaba no tener que estar de pie. El día anterior, en La Majada, Fernando había encontrado una pequeña farmacia y comprado algunos apósitos para la lastimadura que ella tenía en el talón. Después de la cena se cambiaría el ungüento y se pondría otro apósito. Por el momento, encendió un cigarrillo para que la ayudara a pasar el tiempo. Disfrutaba de la calma y el silencio después de un largo día de explicaciones y persuasiones, después de un día de estar alerta a la guardia. Disfrutaba de ese ocaso. Percibió el sonido de ardillas que correteaban por el monte bajo y por las ramas de los árboles. Se sentía cansada, exhausta. Tenía ganas de comer, de desplegar su petate, envolverse en la manta y echarse a dormir. Esa noche no vislumbraba una repetición de lo ocurrido la noche anterior, cuando ella y Fernando estuvieron hablando hasta la mañana.

En apenas pocos minutos había oscurecido tanto que ya no veía su reloj. Lentamente sus ojos se adaptaron y alcanzó a distinguir la silueta de su mochila y de su petate enrollado. Estiró las piernas. Tanteó en busca de un sector de terreno liso y aplastó allí su cigarrillo. A medida que transcurrían los minutos, trató de calmar la irritación que le producía la tardanza de Fernando repasando mentalmente las líneas de su poema sobre Blanca Peña. Pensó que cuando estuviera terminado y la cosecha concluyera, regresaría, buscaría a Blanca y le leería el poema.

María Mercedes encendió otro fósforo para ver la hora. Eran casi las siete menos cuarto. Su irritación se trocó en alarma. Se puso de pie y extendió el brazo en que tenía el fósforo y miró en todas direcciones, pero casi no iluminaba nada. Cuando la llama se le acercó demasiado a los dedos, apagó el fósforo y lo arrojó al suelo. No había nada allí afuera sino oscuridad. La misma oscuridad de la noche anterior, pero ahora, porque estaba sola, esa oscuridad le parecía amenazadora. Volvió a sentarse. Abrió la cajita de fósforos y con la yema de los dedos contó cuántos le quedaban. Diez. Si resultaba necesario, arrancaría una hoja de su cuaderno, encendería el papel y lo usaría como una antorcha. Se puso los fósforos en el bolsillo. Debía resistir el impulso de dirigirse al camino. Era más seguro permanecer allí, debajo de los árboles, protegida por la oscuridad.

Se obligó a tener paciencia y a quedarse inmóvil. No quería imaginar lo que podía haberle pasado a Fernando. Pero igual se le ocurrió una historia: Fernando se había encontrado con Olga durante el día y se había ido con ella por la noche. La alarma de María Mercedes volvió a transformarse en irritación. La soportó un rato y después encendió otro fósforo y consultó su reloj: eran las 7:22. Decidió comer. Para hacerlo, revisó a ciegas su mochila y comió lo que su mano encontraba. Por suerte no fueron las bananas al principio. Cuando quedó satisfecha sintió sed, pero a menos que Fernando llegara con las Cocas, no habría posibilidad de beber nada esa noche.

Decidió no extender su petate. Buscó su colcha liviana en la mochila y, porque los insectos habían comenzado a molestarla, se envolvió en ella y también se cubrió la cabeza. Se recostó contra el conacaste. Pasó la noche así, con un árbol en la espalda y la noche que la aplastaba contra el suelo.

Al amanecer, tiesa y adormilada, María Mercedes tomó su mochila y su petate y salió de debajo de los árboles. Al espiar por entre ese claro brumoso la sorprendió descubrir que seguía sola. En realidad estaba convencida de que en algún momento de la noche Fernando y Colorado llegarían de alguna manera; que cuando fuera de mañana lo encontraría allí, milagrosamente a apenas metros de ella, extendido sobre su petate, con Colorado acurrucado junto a él. Ése era el sueño bueno. La pesadilla era que no había vuelto. Avanzó deprisa por el sendero hacia el camino. El cielo estaba rosado y ya los campesinos estaban camino a las fincas de café. Sintió mucha sed. Decidió visitar a la vendedora instalada un poco más allá en el camino. La mujer tenía un brasero para preparar café y tortillas. Después de tomar un café para reavivarse, saldría en busca de Fernando.

El sol ya estaba alto cuando María Mercedes llegó adonde estaba la vendedora. Esperó un rato en una fila corta, mientras aspiraba el humo producido por el brasero, el olor a tortillas que se asaban sobre la lata, el fuerte aroma a café que hervía en el jarro de boca ancha colocado directamente sobre las brasas. Compró café servido en una lata y dos tortillas. Se sentó debajo de un árbol y sostuvo la lata con cuidado para no quemarse. Eran poco más de las seis. El sol brillaba ahora con fuerza y ya hacía calor. Los árboles y la maleza brillaban con un rocío que desaparecía con rapidez. "Igual que Fernando", pensó. Bebió muy despacio el café, soplándolo cada tanto para enfriarlo. Buscó lo que quedaba de queso en su mochila y lo saboreó con las tortillas. Observó pasar por allí a los campesinos. Campesinos solos, campesinos de a pares, familias enteras de campesinos. Y, siempre, perros que trotaban junto a ellos. Perros altos y perros bajos. Todos, perros flacuchos y nerviosos. Perros tan diferentes de Colorado. De pronto se le ocurrió que la vendedora podía haber visto a Fernando y a Colorado. Se apuró en terminar de comer, se le acercó y preguntó:

—Perdone, señora —dijo María Mercedes cuando se produjo un claro en la fila frente al puesto de la mujer. Le describió a Fernando y al perro. —¿Los ha visto?

—Hoy no —respondió la mujer.

—¿Los vio ayer?

—En la tarde.

—En la tarde —repitió María Mercedes—. ¿En qué momento de la tarde?

—A última hora. —La mujer comía una tortilla. Era relativamente joven. Tal vez de poco más de cuarenta años, pero no tenía dientes. Se metía pequeños trozos de tortilla en el fondo de la boca, más allá de las encías que parecían duras y brillantes.

—¿Qué tan tarde?

La mujer se encogió de hombros y apretó los labios.

—¿Todavía había luz cuando los vio?

—Desde luego —saltó la mujer—. Yo no veo en la oscuridad.

—Bueno, eso es cierto —dijo María Mercedes y respiró hondo antes de tomársela con la mujer—. Debe de haber habido luz si los vio.

—Al muchacho se lo llevaron.

La pesadilla. La estaba teniendo de nuevo.

—¿Qué quiere decir?

—La guardia se lo llevó.

—¿La guardia se lo llevó? —María Mercedes se apretó la nuca porque de pronto sintió allí un escalofrío.

La mujer asintió.

—Dejaron el perro allá —dijo y señaló el camino con un dedo.

—Espere un minuto. ¿Qué quiere decir con eso de que dejaron al perro allá?

—Sí, allá. —El mismo dedo señaló en la misma dirección de antes.

Ahora había una fila. Gente que empujaba hacia adelante. Un hombre detrás de María Mercedes dijo:

—Allá hay un perro muerto.

María Mercedes salió de la cola. Paseó la vista por el camino en busca de pruebas y por último se fue, la boca seca, la sangre latiéndole en las sienes. Se abrió paso entre los campesinos y echó a correr a toda velocidad hasta llegar al perro.

—Ay, Colorado —dijo y se llevó una mano a la boca. Parecía un pedazo de alfombra roja y peluda arrojada desde algún vehículo en movimiento. Los campesinos que pasaban formaban un sendero amplio alrededor de él. María Mercedes se puso en cuclillas junto al perro y le puso una mano encima. Su cuerpo estaba pétreo. En el lomo, el pelo estaba pegoteado con sangre seca. El resto del cuerpo estaba muy sucio, como si nadie lo hubiera amado nunca. Sus labios, dos delicadas líneas negras, estaban recogidos hacia atrás sobre los dientes en una mueca macabra. Sus ojos seguían abiertos y miraban fijo.

Ella lo tomó de las patas y lo sacó del camino. La gente se detuvo para mirar cuando ella lo arrastró sobre la maleza. Lo apoyó en una depresión con pasto, lejos del tráfico de los pies. Le acarició la cabeza.

—Fuiste un buen perro —le susurró y los ojos se le llenaron de lágrimas. Antes de alejarse le desprendió el collar, escondido entre su pelo grueso, y lo puso en la mochila.

Volvió deprisa al camino. Dirigiéndose a un grupo que se encontraba allí parado, preguntó:

—Díganme, si la guardia se lleva a alguien, ¿adónde se lo llevan?

La respuesta fue inmediata y sin vacilación:

—A Santa Ana. Al cuartel. —De nuevo dedos que señalaban hacia el norte.

CAPÍTULO CINCUENTA Y TRES

Era poco después del mediodía cuando María Mercedes llegó al departamento de policía de Santa Ana. Se quedó un momento parada delante del edificio, una estructura colonial color ocre con barrotes en las ventanas, y contuvo el aliento para tratar de sacarse de encima la aprensión que sentía. El edificio estaba muy protegido: policías y guardias, uniformados y armados, se encontraban apostados a lo largo de la vereda y a cada lado de las imponentes puertas dobles que estaban abiertas y revelaban una entrada amplia con pisos de baldosa del color de la sangre vieja.

María Mercedes entró en esas sombras frescas y esa quietud fantasmal y pasó por bancos vacíos apoyados contra las paredes. La entrada se convertía en un corredor que trazaba un arco en herradura alrededor de un patio empedrado iluminado por el sol. Parches de césped asomaban por entre las piedras. El corredor y el patio estaban vacíos. En el medio del patio había una jaula alta adornada con volutas de hierro, pero Mercedes no alcanzó a ver qué contenía. Un balcón con balaustrada colgaba sobre el patio. Los centinelas montaban guardia a lo largo de la barandilla.

María Mercedes transpuso la primera puerta abierta que encontró y entró en un cuarto repleto de escritorios, sólo uno de los cuales estaba ocupado.

—¿Dónde están todos? —le preguntó a un señor de mediana edad con camisa blanca bien planchada que estaba del otro lado del escritorio. En ese momento él hojeaba una pila de papeles y como no levantó la vista hacia ella cuando le hizo la pregunta, María Mercedes se la repitió.

—Es la hora del almuerzo —dijo por fin el hombre, pero sin mirarla.

Así era. Ella llevaba puesta la mochila, que se había vuelto más pesada. Para alivianarla, le había dado su petate a una mujer que viajaba en el ómnibus.

—Perdóneme, pero necesito saber si tienen a una persona detenida aquí.

—Vuelva después del almuerzo.

—¿No puede decirme ahora si esa persona está aquí?

El individuo finalmente levantó la vista y la escrutó.

—Vuelva a las dos de la tarde —dijo y volvió a concentrarse en sus papeles.

María Mercedes regresó al patio y miró hacia el balcón. ¿Esos centinelas estarían vigilando las celdas? Había una entrada a pocos metros, más allá de la cual parecía haber una escalera. Vaciló un momento y después caminó hacia ella.

Estaba a mitad de camino de la escalera cuando un guardia se materializó en la parte superior.

—¡Alto! —le ordenó, y empuñó el rifle que llevaba colgado del hombro.

Ella se frenó en seco, hizo lo que le ordenaba y se puso una mano sobre el corazón.

—Me asustó, mi teniente —dijo.

—Yo no soy teniente. Soy un cabo y aquí está prohibida la entrada.

—Lo entiendo, pero ¿podría decirme si alguien que conozco está detenido aquí?

—Para eso tiene que ver al comandante.

—¿Dónde está el comandante?

—Está almorzando.

Ella sacudió la cabeza con exasperación y salió del edificio. Cruzó la calle y se sentó en un banco del parque, debajo de los almendros. Se sacó la mochila y la puso junto a ella. Durante una hora y media mantuvo la vista fija en la puerta del edificio de la policía.

Después de la hora del almuerzo abandonó el banco cuando la gente comenzó a caminar por las veredas y la plaza. En la oficina del departamento de policía había alguien detrás de cada escritorio. Esta vez María Mercedes se aproximó a otro policía, confiando en que fuera más comunicativo que el primero.

—Quisiera ver al comandante.

—Es la oficina de al lado. —De nuevo, ningún contacto visual, sólo un dedo que señalaba hacia la izquierda.

En la segunda oficina había un solo escritorio. En él se atareaba una mujer que usaba un lápiz de labios color rosado lechoso. Justo detrás de ella había una puerta cerrada.

—Qué bonito su lápiz de labios —dijo María Mercedes, decidida a congraciarse con ella.

—Se llama Cerezas y Crema —dijo la mujer—. Mi prima me lo trajo de los Estados Unidos.

—Pues le queda muy bien. Oígame, ¿podría decirme si ésta es la oficina del comandante?

Un asentimiento y una ancha sonrisa en esos labios carnosos y empastados.

—Necesito hablar con él, por favor.

—El capitán Morales no va a estar de vuelta hasta las tres. Las tres y media como mucho.

—Entiendo. —María Mercedes suspiró. —Entonces voy a tener que volver. —Ya casi había salido del cuarto, cuando se detuvo y se dio media vuelta. —¿Dijo usted el comandante Morales?

—Sí.

—¿Por casualidad el nombre del capitán es Víctor Morales?

—Sí. ¿Lo conoce?

—Lo conozco —contestó María Mercedes—. Voy a regresar a las tres.

Volvió al banco del parque, impresionada por la revelación. Habían pasado muchos años desde la última vez que vio a Víctor Morales. Desde que ella tenía ocho años, cuando Víctor tuvo esa aventura con Pilar. Él era amigo de Harold. Habían cursado la academia militar juntos. María Mercedes recordaba el día de graduación de los dos. Recordaba el desfile y la recepción posterior, con los panes dulces con forma de cañones. Su reloj marcaba las dos y cuarto. Tenía tiempo de sobra para comer algo. Encontró un comedor a pocas cuadras de allí. Tomó un tazón de sopa de pollo, una pupusa de queso y una Coca-Cola que ella misma sacó de la refrigeradora. Después de almorzar, como todavía tenía tiempo, pasó por la catedral que estaba justo frente al edificio de policía. Avanzó por el pasillo central y sus botas resonaron con cada paso que daba. Al igual que el departamento de policía, la iglesia estaba fresca y silenciosa. Junto al primer banco hizo una genuflexión, se santiguó y después se deslizó y se arrodilló. Se sacó la mochila y la dejó caer sobre el piso de baldosas. Era la única persona en la iglesia. No. Una mujer, envuelta en un tapado negro, se encontraba de rodillas junto a una capilla lateral iluminada con hileras de velas. María Mercedes se llevó una mano al pelo. No se había puesto una mantilla, lo cual era un pecado venial. Buscó en su mochila, la encontró —era una de las nuevas, pequeñas y redondas— y se la puso en la cabeza.

En la iglesia había un olor a cera de velas y cera de pisos, a incienso y a esperanzas y oraciones que se elevaban. Magda y don Álvaro se habían casado allí. Su madre y su abuela habían inclinado la cabeza frente a esas imágenes sagradas. María Mercedes acarició el amuleto de ágata que usaba atado al tirante del corpiño. Fuerza, fuerza, rezó. Dame fuerzas. Al cabo de un rato encendió una vela en el nicho que contenía la figura tamaño natural de la Santísima Señora Santa Ana. Cuando su reloj marcaba las tres, se sacó la mantilla y salió de la iglesia.

—¿Ahora puedo ver al comandante Morales? —le preguntó a la mujer que todavía se encontraba sentada detrás del escritorio. Si resultaba imposible reunirse con Víctor, se pararía en el medio del patio y se pondría a gritar el nombre de Fernando hacia el balcón donde suponía estaban las celdas.

—¿Quién le digo que quiere verlo? —preguntó la mujer.

María Mercedes quedó un momento sorprendida por el hecho de que por fin el comandante parecía estar disponible.

—Dígale que Pilar Lazos —respondió. Cuando estaba en la iglesia había decidido seguir esa táctica.

La mujer se puso de pie y desapareció detrás de la puerta. Muy pronto volvió a salir.

—El comandante dice que pase.

María Mercedes cerró la puerta detrás de ella. Él estaba de pie, alerta y ansioso, junto a su escritorio. Al principio ella no lo reconoció; después de todo, habían pasado diez años. Usaba un uniforme marrón de soldado, limpio y planchado. Le pareció mucho más alto y relleno de lo que lo recordaba. Su rostro era oscuro y en él predominaba su mandíbula. Tenía un bigote negro y lanudo sobre el labio.

—¿Pilar? —dijo.

—No, mi comandante —dijo mientras avanzaba por el cuarto—. Pilar Lazos es mi madrina. Yo soy María Mercedes Prieto, la hija de Jacinta Prieto. ¿No me recuerda? ¿Recuerda a Nanda? Ella y yo somos como hermanas.

—Así que no sos Pilar. —Las puntas de los bigotes descendieron un poco.

—No, no lo soy. Yo fui a su graduación en la academia militar. Usted se graduó con Harold Parada, mi primo.

Él rodeó el escritorio y se dejó caer en la silla. Por su aspecto, estaba muy decepcionado.

—Sé que usted vivió un tiempo con Harold en la casa de Pilar —dijo María Mercedes. —Como sabe, Harold está en La Unión. Y también es capitán.

—En realidad no he tenido noticias de Harold —dijo Víctor.

—Yo también viví con Pilar. Durante tres años, mientras iba a la Escuela Alberto Masferrer. Mi madrina es una mujer muy generosa.

Él se echó hacia atrás y en sus ojos brilló una sonrisa.

—Decíme, ¿qué te trae por aquí?

—Un favor, mi comandante. Confiaba en que usted podría ayudarme.

—¿Y cómo es eso?

—¿Ustedes tienen aquí a un hombre que se llama Fernando Lira? Pueden haberlo traído anoche.

—¿Tú conocés a Fernando Lira?

—Él y yo trabajamos juntos, mi comandante.

—¿Y qué clase de trabajo hacen?

—Somos maestros. —La misma historia de la finca. Había llegado el momento de emplearla de nuevo.

—Mmmm. ¿Qué es lo que enseñan?

—Trabajamos en La Abundancia. Con la niña Margarita de Contreras. Ella instaló la escuela de la finca. Estamos tratando de que todos los niños que no van a cortar asistan a ella. Como usted bien sabe, la escuela es una cosa buena, mi comandante.

—Este tal Fernando Lira. ¿Qué aspecto tiene?

María Mercedes describió a Fernando. Después, preguntó:

—¿Lo tienen detenido?

—Está aquí.

María Mercedes reprimió el impulso de mostrar un gran alivio.

—Estoy segura de que está de acuerdo conmigo en que ha habido algún error. Y confiaba en que usted tendría la amabilidad de procurar su libertad. Don Neto Contreras y la niña Margarita necesitan a Fernando y también mi ayuda en La Abundancia. La cosecha está por empezar y tenemos que entrevistar a muchos niños.

Sobre el escritorio había un teléfono. Lo único que él tendría que hacer para verificar su historia era levantar el tubo y marcar el número del beneficio. ¿Lo haría? En caso afirmativo, ella tendría que pensar algo rápido.

El comandante Víctor Morales se puso de pie y rodeó el escritorio.

—Vení —dijo.

Ella lo siguió por el corredor y hacia la puerta que daba a la escalera. A mitad de camino, él miró hacia el patio.

—En esa jaula tenemos un micoleón —dijo. Se acercó, tomó un palo y lo metió por entre las rejas. En un rincón de la jaula había una caja con una abertura. Él golpeó repetidamente la parte superior de la caja con el palo. El sonido que produjo era fuerte y alarmante. Muy pronto por la abertura apareció un kinkajou. El animal tenía una cara dulce y enormes ojos negros en los que brillaba el miedo. Volvió a meterse en la caja y no volvió a aparecer.

—Ésa es nuestra pequeña mascota —dijo el comandante—. Ahora vení.

Subieron por la escalera. El guardia que había interceptado a María Mercedes algunas horas antes chocó los talones y saludó al comandante. Al dirigirse al balcón pasaron frente a otros guardias que también lo saludaron. Una serie de cuartos con barrotes se alineaban junto al balcón. El capitán se detuvo en el tercero.

—¿Éste es tu hombre? —le preguntó a María Mercedes.

Ella se acercó a los barrotes y espió hacia adentro. En el cuarto había muy poca luz. Salvo por la figura acurrucada en un rincón, la habitación estaba vacía.

—¿Fernando —dijo y tragó fuerte—, sos tú?

La figura se movió y miró hacia arriba. Ella dijo:

—Fernando, soy yo, María Mercedes.

Él se incorporó y caminó con dificultad hacia los barrotes. Los pantalones y la camisa estaban inmundos; la barba le asomaba en las mejillas, tenía un lado de la cara hinchado y un ojo amoratado.

—Ése es Fernando Lira, mi comandante —dijo María Mercedes.

Víctor Morales todavía tenía en la mano el palo que había usado en la jaula del kinkajou. Lo metió entre los barrotes y tocó el hombro de Fernando.

—¿Es verdad lo que dice esta muchacha? ¿Ella es tu compañera? —El comandante señaló a Mercedes con el palo.

Fernando asintió.

—Ahora dime qué es lo que hacen tú y ella —dijo el capitán.

Fernando miró a María Mercedes y luego respondió:

—Enseñamos a los chicos en la finca.

—¿Cuál finca?

—La Abundancia.

—¿Ve? Es lo que yo le dije.

—Así es —dijo el comandante—. Abra la celda —le ordenó al cabo, quien se acercó enseguida e hizo lo que le ordenaban.

Fernando salió. Levantó una mano para proteger su ojo sano del resplandor.

—¿Ahora podemos irnos? —preguntó María Mercedes.

El comandante Víctor Morales acercó su cara a la de María Mercedes. En su aliento, olor a cebollas fritas. En su oreja, una marca de nacimiento parecida a la mancha que queda cuando se aplasta un insecto.

—Podés agradecer a tu madrina Pilar por esto —dijo.

—Nosotros también le agradecemos, capitán —dijo ella. "Sos un reverendo hijo de puta", pensó.

—Les voy a dar un consejo a los dos. Si yo fuera ustedes, olvidaría todo ese trabajo del ACUS. Créanme, sólo les traerá problemas. —Y arrojó el palo antes de escoltarlos a la salida.

Estaban demasiado exhaustos, demasiado alterados emocionalmente como para abandonar la ciudad ese día, así que se refugiaron en la casa de Elena, cerrada desde su mudanza a la de Magda después de la muerte de Ernesto. Asunta y su marido Gilberto, que habían trabajado para Elena durante veinte años, seguían viviendo en la casa que, salvo por el patio y la cocina, era un depósito desolado de muebles antiguos cubiertos con sábanas. La misma Asunta abrió la puerta e hizo un gran alboroto al verlos: María Mercedes, porque era la hija de Jacinta, y Fernando, sencillamente porque era amigo de María Mercedes. Ni Asunta ni Gilberto hicieron preguntas indiscretas.

Porque se sentía segura en casa de Elena, María Mercedes tomó el teléfono y, después de una serie de llamadas sin éxito, consiguió hablar con Felipe y le contó las novedades. Después centró su atención en las heridas de Fernando: empleó paños tibios para quitarle la sangre seca; compresas frías contra la hinchazón. Frente a frente, los dos hablaron poco. Antes de ayudarlo a acostarse en uno de los cuartos de servicio del traspatio, María Mercedes puso en una mano de Fernando el collar de Colorado. Los dos se abrazaron, sumidos en los recuerdos.

Durante un rato permanecieron así. Pronto, la cercanía de ambos llevó a que hicieran el amor con ternura y lentitud. La clase de relación sexual con que sueñan las mujeres cuando piensan en la primera vez.

Por la mañana, después de una ducha vigorizante y una comida caliente, abordaron el ómnibus a San Salvador donde, por seguridad y el bien de la causa, se perderían durante algunos años en el anonimato en la Universidad Nacional.

CAPÍTULO CINCUENTA Y CUATRO

San Salvador
Julio de 1969

La pequeña de cuatro años Iris Salah se acercó a su bisabuela, que estaba acurrucada en el piso, junto a su cama. Iris se arrodilló, una rodilla lisa y regordeta a cada lado de su bisabuela. Tocó a Cecilia en el hombro.

—Te encontré, mamá Ceci —exclamó la criatura, fascinada porque todo parecía indicar que el juego entre ellas sería ese día el escondite. A mamá Ceci y a Iris les gustaban los juegos. Cuando Iris y su niñera Lety pasaban por la verja que conectaba el jardín de Flor con el de Isabel, a veces Cecilia aparecía de detrás de un árbol con su cómico sombrero de paja que parecía el de un charro. A veces Cecilia se llevaba a Iris para hacer un recorrido del jardín. Mamá Ceci había plantado flores con nombres de niña: rosa, margarita, violeta y camelia. Y en el lugar más soleado, junto a la pared del fondo, un amplio macizo de iris.

—¿Qué te pasa, mamá Ceci? —preguntó Iris y volvió a tocar a su bisabuela, pero esta vez con más suavidad, alarmada por los ruidos extraños que le brotaban de la garganta. Por la puerta apareció Lety.

—Aquí estabas, muchachita mala —dijo. Cuando vio a doña Cecilia acurrucada en el piso, corrió hacia ella. —Dios Santo —dijo.

—Mamá Ceci hizo ¡pum! —explicó Iris y el labio de abajo le tembló. Para consolarse, se acercó al tocador donde había fotografías enmarcadas. —Ésa soy yo —dijo Iris y señaló una foto de Papá en Nueva Orleáns, con un brazo alrededor de Mamá, y Mamá con una bebita que miraba a la cámara con expresión ceñuda.

Magda desempacaba un nuevo embarque de estatuillas de barro de Ilobasco. Por lo general Tesoros no vendía muchas artesanías indígenas, pero éstas representaban un campo de fútbol. Puesto que El Salvador y Honduras habían batallado recientemente en un campo de fútbol, las estatuillas de arcilla se vendían como pan caliente. Se habían jugado tres encuentros de la Copa del Mundo. Cada equipo ganó el partido al jugar de local, pero El Salvador se adjudicó el título en el desempate en Ciudad de México. La rivalidad había llevado a un punto crítico las graves tensiones ya existentes entre ambos países. La prensa y las radioemisoras hondureñas habían inflamado la situación al censurar a los salvadoreños por entrar en su país y robarles el empleo a los locales que los merecían más. Por la época del primer encuentro en Tegucigalpa, sesenta y tres salvadoreños desposeídos habían cruzado la frontera. Apenas una semana después, fecha en que se disputaba el segundo partido, se decía que el número de los brutalmente expulsados por el gobierno hondureño llegaba a más de diez mil. Los titulares de los periódicos y las radios exigían que los salvadoreños se volvieran a su patria y solucionaran allí sus problemas. Los medios afirmaban que la primera prioridad era derrocar la oligarquía salvadoreña. Además, por las emisoras radiales hondureñas se urgía a los ciudadanos de esta manera: "Hondureño, coge un leño y mata a un salvadoreño".

En El Salvador, los diarios y las radios estaban llenos de relatos de las atrocidades cometidas en Tegucigalpa contra los salvadoreños por la Mancha Brava, una organización hondureña de matones políticos y extremistas anti-salvadoreños. En la Universidad Nacional de El Salvador, los izquierdistas aprovecharon esa magnífica oportunidad que se les brindaba. Los revolucionarios que operaban en la clandestinidad, tanto en la Facultad de Medicina como en la de Derecho, se ocuparon de repartir propaganda astutamente preparada. Capitalizando el estado de ánimo exaltado de la gente, los insurgentes instigaban a las mujeres del mercado a reunirse y marchar hacia los portones del palacio presidencial. "¡Injusticia! ¡Violación! ¡Genocidio!" gritaban en su protesta las mujeres, la mayoría de las cuales agitaba calzones sobre las cabezas como si fueran banderas sucias. Los calzones sirvieron para avergonzar al presidente. "¡Vaya a pelear por su país o póngase estos!", era el mensaje que transmitían.

Sonó la campanilla del teléfono. Era Flor y estaba casi sin aliento.

—Ay, gracias a Dios que estás allí. Mamá Ceci tuvo un derrame cerebral y va camino a la Policlínica. ¿Puedo mandarte a Iris y a la Lety a tu casa por un rato?

—Virgen Santa. ¿Qué tan grave es?

—No puede moverse y tampoco hablar. Pero está consciente. Iris la encontró.

—Ya mismo voy para allá —dijo Magda—. Tú vete. Yo voy a recoger a la niña.

La casa de Flor y Enrique estaba justo al lado de la de los padres de él. Cuando el BMW de Magda se detuvo en el sendero de acceso de la casa de su hija, Flor corrió a su encuentro. Tenía un embarazo de siete meses y su vientre ya era enorme.

—Es terrible. Terrible. —Abrazó con fuerza a su madre. —Enrique y don Abraham ya van camino a Santa Tecla. Es un milagro que los dos estuvieran hoy en la fábrica. —Desde su graduación en Tulane, Enrique había pasado a ocupar el lugar de Júnior Tobar como gerente de la fábrica de velas del padre de Enrique y Álvaro Tobar. La empresa tenía tanto éxito que estaban construyendo una segunda fábrica en el camino a La Libertad. En esos días, Enrique pasaba casi todo el tiempo supervisando esta operación.

Iris y Lety salieron de la casa. Lety llevaba dos pequeños bolsos con lo suficiente para pasar la noche.

—¡Abuela! —exclamó Iris. Corrió hacia ella y le echó los brazos al cuello. —Mamá Ceci hizo pum. —Para mostrarle exactamente cómo, Iris se arrojó sobre el sendero y comenzó a estirarse, pero Lety la alzó.

—Niña, te vas a ensuciar.

Magda se agachó y sacudió el vestido de Iris, un jumper color apio sobre una blusa de tono ocre que Pilar Lazos había confeccionado siguiendo las instrucciones de Magda. Esos colores realzaban la belleza latente de Iris: piel aceitunada, ojos redondos y oscuros, pestañas compactas como pequeños cepillos y pelo tan grueso como la crin de un caballo. Con frecuencia la gente comentaba lo mucho que se parecía a su padre, pero Magda sabía la verdad: Iris se parecía a una Cecilia de Aragón joven.

Cuando Magda le contó a su madre la noticia del derrame cerebral de Cecilia, de la boca de Elena (que dos años antes se había mudado a casa de los Tobar) brotó como un suspiro, como si se negara a creer lo que acababa de oír.

—Según me dijo Flor, tía Ceci está paralizada y no puede hablar —dijo Magda, perc en voz muy baja porque Iris estaba cerca y lo único que había hecho la pequeña durante el trayecto era hablar de cómo mamá Ceci había hecho ¡pum! sobre el suelo. —Tía Ceci está en la Policlínica —dijo Magda.

Elena volvió a resoplar. Le molestaba que desde que Flor estaba con los Salah, Magda empleara el término "tía" al referirse a Cecilia. "Por mucho que uno lo intente, no se puede mantener vigente el pasado", pensó Elena.

▼ ▼ ▼

Por el desolado pasillo del hospital, en una habitación de la esquina, la familia Salah mantenía una silenciosa vigilia junto a la cama de Cecilia. En el exterior, la ciudad contenía el aliento frente a los rumores de guerra. En los cuarteles y guarniciones, los ojos de los militares brillaban frente a esa perspectiva.

Al día siguiente, después de inútiles intentos diplomáticos de obtener salvoconductos para que sus conciudadanos salieran de Honduras, un exasperado ejército salvadoreño invadió a su vecino. El primer ataque destruyó la mayor parte de la Fuerza Aérea Hondureña en tierra. El siguiente blanco de los hondureños era la refinería de petróleo de Acajutla y, después, las carreteras que conducían a Guatemala y Nicaragua. En El Salvador, el apoyo popular a la guerra era abrumador. El país entero se unió: la gente formó brigadas para envolver vendas y empaquetar algodón; se hicieron colectas de alimentos enlatados para enviar a la frontera, el punto focal del combate. En el primer lugar de la lista de alimentos figuraban siempre frascos de Café Listo, el café salvadoreño en su forma seca e instantánea.

En represalia, Honduras movilizó sus fuerzas ya reducidas. Pequeños aviones privados bombardearon el aeropuerto salvadoreño en Ilopango. En la frontera, los hondureños hicieron lo que pudieron. Lanzaron bombas desde las plataformas de camiones.

La guerra distraía a Elena. Leía cada palabra de cada edición de los periódicos. Alertaba el oído a las novedades propaladas por la radio. Extendió un cheque de diez mil colones para ayudar a pagar el esfuerzo bélico. El sonido de la guerra —bombas y fuego de ametralladoras lejano— era como truenos distantes y peligrosos.

Elena despertó de golpe. Había estado dormitando en el sillón junto a la ventana, con un periódico en la falda. La lámpara de pie que había junto a ella proyectaba una luz suave. Era muy tarde. El cuarto estaba en penumbras. En la casa reinaba el silencio. Por su cabeza desfilaron recuerdos hacía mucho tiempo olvidados: ella y Cecila en la roca chata de la finca con forma de mesa. Cecilia y ella conversando al sol.

—Dime qué sentirás cuando yo me muera, Nena.

—Estaré triste.

—¿Triste? Eso no es nada.

—Está bien. Cuando te mueras lloraré.

—¿Llorarás mucho, Nena? ¿Te vas a tirar al piso? ¿Cuántos pañuelos necesitarás cuando me muera?

—Lloraré tan fuerte que todo el mundo me oirá. Si tú te mueres, yo nunca dejaré de llorar.

A pesar de lo mucho que trataba de evitarlo, los ojos se le llenaron de lágrimas. ¿Cecilia se estaba muriendo en ese momento? A Elena se le formó un nudo en la garganta y comenzó a llorar. Primero muy despacio, pero cuando todos esos años de soledad cayeron sobre ella, abrió la boca y dejó escapar un grito de angustia. Ese sonido, intenso, desolado y desgarrador, la sobresaltó y la hizo sumirse en el silencio. Paseó la vista por la habitación, una mano sobre la boca para reprimir su dolor.

En un rincón, algo en la cómoda de caoba parecía llamarla.

Elena se puso de pie y cruzó la habitación: se arrodilló frente a la cómoda que era suya desde el día de su boda. Abrió el cajón inferior y del fondo sacó una bolsa de seda para pañuelos. Volvió al sillón y se sentó de nuevo en el círculo de luz proyectado por la lámpara.

Se quedó allí sentada, en esa habitación silenciosa de la casa silenciosa, la mano sobre esa bolsa de seda que contenía la carta sin abrir de Cecilia.

Sobre el corazón de Elena, el hielo comenzó a resquebrajarse. En sus sienes comenzaron a pulsar recuerdos mágicos.

Después de un rato, Elena extrajo la carta de Cecilia de esa frágil bolsa. La escritura color azul oscuro sobre el papel celeste saltó hacia ella.

Por primera vez, deslizó una uña debajo de la solapa del sobre. Extrajo de él tres hojas. En un interminable momento de revelación, carne, hueso y médula revelaron una historia que tenía treinta y seis años de antigüedad.

Nena, empezaba la carta. ¿Quién la había llamado así desde entonces? ¿Quién volvería a hacerlo?

Nena de mi alma. ¿Recuerdas cuando teníamos cinco años? ¿Recuerdas cuando nos sentábamos en el corredor de atrás y comíamos duraznos? Dos duraznos gordos con hojas verdes y brillantes. ¿Recuerdas cómo tomábamos la fruta de sus nidos de papel de China? ¿Cómo los acercábamos a la nariz para aspirar su perfume y sentir su suave vello? Era un papel de China dorado. Y una fragancia dorada y embriagadora.

¿Recuerdas a tu perro, Pirata? ¿Cómo me arrancó el durazno y se fue corriendo? ¿Recuerdas cómo lloré? ¿Cómo tú me abrazaste, me pasaste el brazo por los hombros, mientras las dos estábamos sentadas en el corredor de la entrada de servicio cuando teníamos cinco años? En aquel momento había sonado la voz de la madre de ella: "¿Dónde estás, criatura? Ven aquí?". Y ella había ido en busca de su madre, y dejado el durazno en el corredor. Y cuando volvió, alguien se lo había comido.

¿Recuerdas que me preguntaste por qué? Y yo te contesté: Porque no pude evitarlo. Porque yo quería tu durazno. Tu durazno. Sólo por ese momento, nada más que eso. ¿Recuerdas cómo te enojaste? ¿Cómo me diste dos semanas? Ella había dicho: "Te doy dos semanas, Cecilia Muñoz. Como castigo, no

hablaré contigo durante dos semanas. Dos semanas. Después volveremos a ser amigas íntimas".

Nena, por lo que hice hoy, castígame durante tres años. Prende fuego a mis notas. Quema mis fotografías. Escupe mi recuerdo. No me dirijas la palabra por tres años. Pero después de eso, permíteme volver. Con el corazón en la mano, y de rodillas, suplicaré tu perdón. Como hago ahora en esta carta. Como lo seguiré haciendo hasta que muera. La carta estaba firmada "Tu Frijol", con lo cual quería decir "Tu Ser Humano", la vieja broma entre ellas. En la carta figuraba un lugar de encuentro, una hora, una fecha: Debajo del árbol de cacao, a las tres de la tarde, el 26 de noviembre de 1936.

En la cocina, cuando las hornallas se enfriaron, cuando las cacerolas y sartenes y los platos de la cena estaban lavados, secados y guardados, cuando la puerta que daba a la parte principal de la casa había sido cerrada por don Álvaro, los sirvientes —Jacinta; Tea; Rocío, la mucama de adentro y Socorro, la cocinera— bebían la última taza de café antes de acostarse. Lety, la niñera de Iris, se había unido al grupo, y también Basilio, algo nada frecuente. Él prefería mil veces recibir la noche tocando la flauta debajo de los naranjos, junto a su cobertizo. El sueño llegaba con mayor facilidad después de una serenata a la luz de la luna. Pero esa noche era diferente: reinaba el caos y él necesitaba compañía. La radio estaba encendida, como lo había estado todo el día. Por el momento, en el boletín de la medianoche no se propalaban noticias nuevas, sólo la voz monótona del comentarista que recapitulaba los acontecimientos del día.

Lety, que pronto se retiraría al dormitorio de huéspedes con Iris, estaba preocupada por su padre. Hacía seis meses que trabajaba en Honduras y dos semanas que Lety no tenía noticias suyas.

—Pienso que está muerto —les dijo a los otros. Durante días, en las primeras páginas de los periódicos aparecían fotos de un cadáver arrojado en un camino; un cadáver que flotaba en el río; buitres que volaban en círculos.

—No deberías pensar lo peor —dijo Socorro—. A veces la falta de noticias es algo bueno.

—Es más fácil pensar lo peor —dijo Lety—. Así me voy acostumbrando a la idea.

—¿Cómo se llama tu padre? —preguntó Basilio.

—Celestino.

Basilio asintió pero no dijo nada.

Lety, que tenía diecinueve años y se había ido de su casa apenas tres años antes, dijo:

—Nosotros somos de Dulce Nombre de María. Queda a sólo diez kilómetros de Sumpul, que es el río que está en la frontera con Honduras. —Lety usaba una delantal blanco sobre su uniforme azul. Enrolló el extremo del delantal hacia arriba y después hacia abajo.

—Dulce Nombre de María —dijo Rocío—. Qué nombre tan bonito para una ciudad.

—En nuestro pueblo hay una iglesia pequeña. Y, en ella, está la más linda de las imágenes de la Virgen. Tiene piel de cáscara de huevo y ojos de aguamarinas. Usa una túnica azul con estrellas pequeñas diseminadas. Y es sólo de esta altura. —Lety extendió una mano al costado, con la palma hacia abajo, que era la manera habitual de indicar la estatura de una persona.

—La Virgen va a proteger a tu papá —dijo Socorro. Sus trenzas bien ajustadas se le habían aflojado un poco en las sienes, lo cual le permitió relajar la vista.

—Ojalá —dijo Lety—. Cuando mi mamá agonizaba, me dijo que tuviera fe en la Virgen. Dijo que la Virgen era mi segunda madre.

—Ay, pobrecita —dijo Socorro—. Ya ves. Debés hacer lo que tu madre dijo: tener fe en la Virgen.

—Y fe en Dios —agregó Tea.

Del otro lado de la mesa, Jacinta casi no podía tener fe en nada. Al igual que Lety, estaba llena de temores. Desde el regreso de María Mercedes de El Congo, había visto muy poco a su hija. Desde luego, Jacinta sabía que María Mercedes había ingresado en la facultad de derecho de la universidad y que vivía con Fernando Lira, también estudiante de leyes y un agitador. Justo antes de la marcha de las mujeres del mercado al palacio, Jacinta había ido a verlos. Ambos compartían una atiborrada habitación del mesón con un perro llamado Amarillo. Cuando ella llegó, María Mercedes recitaba en voz alta un poema que había escrito y pronto leería en una reunión en la universidad. El título del poema era "Cambiavidas". María Mercedes se consideraba una poeta revoltosa, un término que los hacía reír a ella y a Fernando. Cuando María Mercedes hablaba así, Jacinta casi no la reconocía.

En la cocina de Magda se oyó un sonido procedente de la puerta que conducía al sector principal de la casa. El sonido de alguien que trataba de entrar en la cocina. Jacinta buscó entre las llaves que llevaba colgadas del cinturón y abrió la puerta.

La que estaba allí era doña Elena. Tenía la cara empapada en lágrimas. En su mano, lo que parecía ser una carta.

—¿Basilio está aquí? —preguntó—. Dile que saque el auto. Tiene que llevarme al hospital.

CAPÍTULO CINCUENTA Y CINCO

Elena se dejó caer sobre una silla de respaldo recto junto a la cama de hospital, semiacurrucada contra el colchón, la mano sobre la de Cecilia. Una almohada sostenía la cabeza de Cecilia. Una frazada de algodón, doblada sobre su pecho y sujeta debajo de sus brazos, le cubría el cuerpo. Los pies, las rodillas y los pechos formaban pequeñas elevaciones debajo de la colcha. Las primeras luces de la mañana despertaron a Cecilia. Movió la cabeza, es decir, movió los ojos: primero hacia arriba, después hacia abajo. Y finalmente de un lado al otro. Por entre la gasa de su visión logró identificar el techo, el rincón de la pared, el borde de la ventana, la curva de una persona inclinada junto a ella. En el aire, fragancia de rosas, lirios, jazmines. ¿Estaría en su propio jardín? Cecilia movió los dedos de una mano porque, además de mover los ojos, era lo único que podía hacer.

Elena despertó con un sobresalto y miró en todas direcciones, desorientada.

Cecilia volvió a mover los dedos.

Elena se puso de pie de un salto y la silla osciló detrás de ella. Extendió un brazo para impedir que cayera y después miró a Cecilia, quien la sujetó con su mirada intensa.

—Ceci —dijo Elena, su voz apenas un susurro—. Soy yo. Vine anoche. Has estado durmiendo.

En un catre plegable, Isabel de Salah se movió debajo de una manta delgada. Había rechazado la idea de tomar una enfermera privada por la noche. Quería respetar el deseo que su madre tuvo siempre: Cuando la muerte esté cerca, no me retengas. Isabel levantó la cabeza hacia Cecilia.

—¿Está despierta? —le preguntó a Elena.

Elena asintió y se alejó de la cama para permitirle a Isabel que ocupara el lugar que le correspondía junto a su madre.

Elena salió al pasillo y se sentó en un banco justo al lado de la puerta de la habitación de Cecilia. Había ido sin su cartera, o sea que no tenía peine ni lápiz de labios ni dinero. Llegó allí con lo que tenía puesto cuando abrió la carta de Cecilia: los zapatos bajos, la túnica de lino con bolsillos laterales y el cárdigan de cachemira para protegerse del fresco de la noche.

Se alisó el pelo y se frotó los ojos, irritados por las lágrimas y el cansancio. Vio cómo el hospital nacía a la vida. Con el amanecer, la luz natural comenzó a filtrarse y los olores a medicinas comenzaron a invadir el aire. Las enfermeras, con tocados almidonados como diminutas velas de galeón sujetas a la cabeza, caminaban deprisa por el pasillo. Las puertas se abrían y se cerraban. Apareció un médico que ella no conocía. La saludó con una inclinación de cabeza y entró en el cuarto.

Elena sacó del bolsillo la carta de Cecilia, apoyó las hojas celestes sobre la falda y les pasó con ternura una mano por encima, como haría con una criatura dolorida. Se echó hacia atrás y apoyó la cabeza contra la pared. Porque era posible, porque las moléculas de su cuerpo habían consignado cada palabra a la memoria, permitió que su mano leyera la carta una vez más.

La puerta de la habitación de Cecilia se abrió y por ella salieron el médico e Isabel. Elena se puso de pie y enseguida volvió a sentarse. Se puso la carta en el bolsillo y apartó la vista de esas dos cabezas que se acercaron para mantener una consulta privada. Sin embargo, no pudo evitar oír trozos sueltos de esa conversación.

—Podemos mantenerla cómoda —dijo el médico.

—Sí podemos hacer eso.

—¿Y qué hay de una operación? Usted ayer dijo que quizá podrían operarla… —la voz de Isabel se perdió.

De nuevo el médico:

—Sé que es muy triste pero mírelo del lado positivo. Su madre tiene setenta y ocho años y ha llevado una vida plena.

La pena abrumó a Elena, quien comenzó a sollozar en silencio contra un pañuelo. Setenta y ocho años. Esas palabras cayeron sobre ella como un chaparrón que borró todo lo que ella había sido: dura, intratable, implacable.

Sintió un brazo sobre su hombro. Isabel, la del pelo indómito y los vestidos estilo carpa y el corazón amplio.

Elena se secó los ojos.

—Tu madre me escribió una carta. Yo no la abrí durante treinta y seis años. Si lo hubiera hecho... —Elena se encogió de hombros y dejó inconclusa la frase. Lo cierto era que ella era una vieja que no había aprendido nada de la vida. ¿Qué podía decir ahora sobre lo que habría hecho entonces?

—Entra de nuevo —dijo Isabel—. Todavía es temprano. La familia vendrá pronto. Habrá gente aquí todo el día.

Como para demostrarlo, Magda avanzó apurada por el pasillo.

—¡Por Dios, mamá! Me levanté y no estabas en la casa. Basilio me dijo que te había traído aquí. —Magda besó a Elena y le dio un abrazo prolongado a Isabel.

Las tres entraron en una habitación bañada en luz amarilla y llena de la fragancia de flores frescas que caían en cascada de floreros y cestas. Salvo por las flores, el cuarto era sobrio y despejado: el reloj de pared que marcaba las siete de la mañana; algunas sillas; un catre; la cama alta de hierro; la ventana con barrotes que daba hacia el lugar donde se estaba librando una guerra.

Elena se inclinó sobre Cecilia. Le acarició la frente, arrugada y bronceada por el sol. Le acarició el pelo sobre la almohada. La miró a los ojos. Le besó una mejilla y después la otra. Al cabo de un momento, Elena sacó la carta. La levantó frente a Cecilia y puso las tres hojas en abanico.

—Mira, Ceci. Es tu vieja carta. Durante todo este tiempo jamás la abrí. Hasta anoche. —A Elena se le escapó un gemido al pensar en tantos años desperdiciados. Se dejó caer en su silla y apoyó la cabeza junto a la de Cecilia, como si de nuevo fueran niñas y compartieran la cama. Acercó los labios a la oreja de Cecilia.

—No te mueras, mi Frijol. —Por sus mejillas corrían lágrimas que terminaron en la cama. — Perdóname, Frijol. Perdóname mi despiadado empecinamiento. Ojalá Dios pudiera hacer andar los relojes hacia atrás. Si así fuera, sería mil novecientos treinta y seis. Serían las tres de la tarde y estaríamos debajo del árbol de cacao. —La voz de Elena se tornó en una tos. Sus hombros se sacudieron. Extendió un brazo alrededor de Cecilia, como para impedir que ella flotara y desapareciera.

Cecilia sonrió, aunque no podía demostrarlo. Cerró los ojos. Movió un dedo y después otro. "No te apures, Nena —pensó—. En la eternidad también crecen cacaos."

CAPÍTULO CINCUENTA Y SEIS

Aguilares
Noviembre de 1971

María Mercedes y Fernando, junto con Diego, Felipe y Berta de la época de El Congo, se unieron a las Fuerzas Populares de Liberación y formaron un nuevo grupo. Se llamaron la Banda. Eligieron ese nombre porque marchaban al son del mismo tambor, un tambor que con sus toques gritaba: Sacrificio. Lucha. Liberación. Mantuvieron para ellos el nombre del grupo, realizaron su tarea en forma clandestina y se ocultaron detrás de sus nombres revolucionarios. María Mercedes se convirtió en Alma; Fernando, en Martín, por Martín de Porres; Diego, Felipe y Berta se transformaron en Pedro, Pablo y Judit.

Después de años de asistir a la universidad (donde, en definitiva, no obtuvieron ningún título), después de participar en grupos estudiantiles como la JEC, la ACUS y el Movimiento Socialista Universitario, después de incontables manifestaciones, marchas y demostraciones, con la mayoría de las cuales sólo consiguieron golpes en la cabeza, la Banda abandonó el mundo idealista de las discusiones y debates —un mundo de noches largas, infinidad de cigarrillos e inacabables tazas de café— y volvieron a mezclarse con la gente del pueblo.

Entre la gente, comenzaban por el principio. Entre la gente, decían: Vivimos en un país de cuatro millones de almas. Imagínense eso. Trazaban un dibujo del país lo mejor que podían: en la tierra con un palo, en un pizarrón con tiza (si tenían la suerte de contar con un pizarrón), o a veces en el aire con un dedo extendido. Bosquejaban el país, una figura algo parecida a un frijol inclinado en un extremo. Decían: "Nuestro país es muy pequeño. En este lugar viven ustedes en nuestro país pequeño", y marcaban una X grande en el frijol para que la gente la viera. Decían: "Miren, aquí somos veinte (a veces eran sólo cinco o dieciocho o diez, y pronunciaban ese número), pero hay muchos, muchos más de nosotros en nuestro pequeño país, a tal punto que es un milagro que no nos tropecemos unos con otros todo el tiempo".

Para oír a la Banda, la gente se reunía debajo de un árbol junto a un maizal, en el patio de un rancho a la sombra o en una iglesia después de misa. Era esencial moverse con mucha cautela. Sus enemigos eran numerosos, bien armados y de gatillo fácil: la Policía Nacional, la Policía de Hacienda, la Guardia Nacional, el Ejército y, desde 1968, ORDEN, una unidad paramilitar creada para mantener el orden en las zonas rurales.

"En nuestro país, nadie trabaja más duro que ustedes —informaba la Banda a la gente—: Ustedes trabajan todo el año o se esfuerzan por conseguir trabajo." Dejaban que esa idea se les grabara y después decían: "Y por todo el trabajo que hacen, ¿cuánto les pagan?".

La gente se movía con incomodidad cuando ellos hacían esa pregunta. El movimiento era sutil: la vista baja, la boca más apretada, una cadera echada hacia adelante. "¿Cuánto ganan al año? —Entonces la Banda respondía su propia pregunta, porque la gente, avergonzada, jamás lo haría—: ¿Ochocientos colones?" Una pausa. Después. "Más o menos, ¿no?" Y, por lo general, lo que aparecía en los ojos de la gente era la palabra "menos".

"Hay cuatro millones de almas en nuestro pequeño país. ¿Cuánto es eso?" Para aclararlo, decían: "Si cada uno de ustedes ganara mil colones por día durante doce años, eso sumaría cuatro millones". Era necesario presentarlo así, lo concreto mezclado con lo abstracto, para que la gente realmente entendiera.

Decían: "Piensen en esto —y extendían las dos manos hacia la gente—. Estos diez dedos representan a toda la gente de nuestro país. Ustedes los campesinos, constituyen siete de los diez ". Y curvaban tres dedos para enseñarles la lección en una forma gráfica.

Alma había iniciado la reunión de esa noche —doce hombres y mujeres, muchos niños y algunos perros— en un aula vacía de la iglesia de Aguilares. Bosquejó el país (esta vez en un pizarrón), explicó lo de los cuatro millones de personas y terminó su introducción con los siete dedos apuntando hacia arriba. Mientras trabajaba, tenía dolor y retortijones en el vientre. Había pasado una mala noche. Le había venido el período y casi no había dormido, aunque ella y Martín se alojaban con Nanda Lazos y ésta les había cedido su única cama. La hija de Pilar vivía a la vuelta de la esquina de su aula en la iglesia.

—La cosecha del café va a comenzar pronto —dijo Alma. ¿Cuántas veces lo había dicho? —Y también la cosecha del algodón. ¿Cuántos de ustedes tienen trabajo?

Sólo algunos contestaron que lo tenían. No resultaba sorprendente. Desde la guerra con Honduras y la disolución del Mercado Común Centroamericano, la posibilidad de industrialización y de más empleos se había esfumado. Desde la guerra, el café, la caña de azúcar y el algodón habían vuelto a ser las piedras angulares de la economía. Buena noticia para los dueños de las plantaciones. Mala noticia para los trabajadores que debían competir con tantos otros por ese trabajo agotador.

—¿Y el resto de ustedes? ¿Qué?

Ninguna respuesta a esa pregunta. Algunos apartaron la vista. La mayoría la bajaron.

—Permítanme decirles qué —dijo Alma—. El resto se quedará en la casa. Ustedes se quedarán en su casa para sufrir por el presente. Para preocuparse por el futuro. Se quedarán en su casa sin trabajo y con poca comida. Y menos dinero todavía que comida. Es una desgracia. —Alma sacudió la cabeza. —Óiganme. ¿Es demasiado pedir que Dios nos conceda una larga vida? ¿Es demasiado pedir que veamos crecer a nuestros hijos? ¿Que vivamos lo suficiente para conocer a los hijos de nuestros hijos? ¿Eso es pedir demasiado? —Alma miró hacia el cielo. —Por favor, Dios querido, perdona el odio que siento. Odio hacia un gobierno que acorta la vida al permitir que la gente carezca de comida, de salud, de trabajo, que no tenga educación ni autoestima. Siento rechazo contra la clase de personas que permiten esta injusticia. Que la toleran. Que la alientan. Yo les digo, algo debe hacerse al respecto. —Asqueada, Alma se dejó caer en una silla. Amarillo, el perro de Martín, se acercó a olisquear alrededor de ella. Describió un círculo y después se echó a sus pies.

Martín tomó la palabra.

—¿Qué creen que deberíamos hacer sobre todo esto? —Hizo la pregunta sabiendo que al final tendría que contestarla él mismo. Cuando lo hizo, optó por la sencillez: —Lo que hacemos son tres cosas. —Las fue marcando con los dedos. —Una, nos organizamos. Dos, nos hacemos fuertes. Tres, triunfamos.

Después de esa afirmación, nadie dijo nada. Siempre ocurría lo mismo. A la larga, un hombre que estaba en el fondo dijo:

—Es ilegal organizarse. —Hizo girar lentamente el ala de su sombrero en la mano. —Yo vine esta noche sólo porque estamos en una iglesia.

Una mujer dijo:

—Mi prima se unió a un grupo. Al FECCAS. Y ahora ella desapareció. —Un bebé dormía en la falda de la mujer. Como tenía la nariz tapada y sucia, respiraba con la boca abierta.

—Mi hermano fue asesinado —dijo otra mujer—. Encontramos su cuerpo en una zanja.

Martín asintió. Como siempre, el miedo surgía y tomaba el comando de las cosas. Para mitigarlo, había que aceptarlo.

—Escúchenme. Nuestro miedo es real. El enemigo lo usa como arma. Al enemigo le encanta nuestro miedo porque sabe que nos paraliza. Pero debemos actuar a pesar de nuestro miedo. Debemos actuar a pesar del enemigo. Nos lo debemos a nosotros mismos. Se lo debemos a nuestros hijos.

Alma volvió a ponerse de pie.

—Sus hijos. Ustedes les deben un futuro. Un futuro lleno de trabajo. Con dinero a mano. Un futuro sin diarrea, sin parásitos, sin narices llenas de mocos. Un futuro en el que los niños no lloran hasta quedarse dormidos. En el que no gimen por un pedazo de tortilla o por un plato de frijoles salados. Por café frío, pozol amargo.

Silencio. Salvo por el bebé con asma que resollaba y respiraba con dificultad. Entonces un hombre del sector de adelante dijo:

—¿Cómo empezamos?

—Tres cosas —dijo Martín—. Número uno: aprender a leer y escribir. Pueden hacerlo. Aquí mismo, en esta aula.

Alma dijo:

—Número dos: el año que viene, cuando lleguen las elecciones, vayan y depositen su voto.

—Y número tres —dijo Martín—, únanse a nuestra causa.

La casa de Nanda Lazos era acogedora. Tenía una habitación color azul cobalto llena de imágenes de santos. Había estrellas plateadas pintadas en el cielo raso. La salita color verde botella, repleta de libros y macetas con plantas, contenía un sofá y dos sillones de mimbre cubiertos con colchas guatemaltecas. A pesar de ser viejos, los muebles eran sorprendentemente cómodos. Parte del cuarto, junto a la cocina diminuta, hacía las veces de comedor. Esa noche, Nanda había preparado una carne guisada con verduras, arroz con achiote y frijoles negros. Tenía treinta y cuatro años y estaba en el apogeo de su belleza: una piel impecable color aceituna, rostro alargado y labios sensuales, ojos grandes y rasgados. Sólo el pelo de Nanda era diferente de lo que María Mercedes recordaba: lo llevaba muy corto y le daba un aspecto triste y desprotegido. Nanda no hacía más que entrar y salir de la cocina; no permitía que sus huéspedes movieran siquiera un dedo.

—Por favor, dejáme ayudarte —dijo María Mercedes. Ella y Fernando ya estaban sentados a la mesa.

—Ustedes quédense sentados —dijo Nanda—. No todos los días tengo el gusto de ver a mi María Mercedes. —Por último se sentó, satisfecha al sentir que todo estaba listo. El guiso. La cesta con tortillas humeantes. Las cervezas frías que Fernando había llevado. Las veladoras color añil.

María Mercedes se echó a reír.

—Tu casa me hace sentir tan a gusto. Igual que la casa de tu madre y la de la tía Chenta.

—¿Cómo está la niña Chenta? —preguntó Nanda, mientras pasaba la cesta con las tortillas, que tenía una tapa que parecía un sombrero.

—Viejita, pero siempre luchando —contestó María Mercedes. Se sirvió una tortilla y le pasó la cesta a Fernando. —El año pasado, Chenta reunió a las vendedoras del mercado, fueron a ver a los dueños y les presentaron sus demandas.

—Tengo la impresión de que alguien que yo conozco debe de haberla ayudado a ver la luz —dijo Nanda.

—Ya sabés cómo es —dijo María Mercedes. Comió un poco de guiso. Estaba caliente y sabroso. —Qué bueno está esto. No es muy frecuente que Fernando y yo probemos una comida tan rica. Siempre comemos a la carrera.

—Una pupusa aquí y otra por allá. Un sandwichito si tenemos suerte. —Fernando bajó una bocanada de guiso con un trago largo de cerveza. —Mmmm. Esto está muy bueno. —Cortó su tortilla por la mitad, inclinó la cabeza y comió con gusto.

—Yo no cocino mucho así que esto también es una fiesta para mí. Si no estoy en la iglesia enseñando mañana, tarde y noche, estoy en el campo tratando de atraer gente a la iglesia.

—Sos una santa —dijo María Mercedes.

—A mí no me lo parece —dijo Nanda.

—Sí que lo sos.

—El padre Rutilio es un santo. O, dicho de otra manera, lo que él enseña es santo.

—Después de Medellín, todo cambió, ¿no es así, Nanda? —dijo María Mercedes. En la Conferencia Episcopal realizada en Colombia en 1968, los obispos proclamaron una nueva Teología de la Liberación que urgía a los pobres a tomar la delantera en conseguir su libertad temporal tanto como la espiritual.

—Incluso antes de Medellín, el padre Rutilio predicaba lo que los obispos finalmente dijeron. Él siempre denunció la injusticia y la opresión y siempre alentó a los pobres a buscar justicia por sí mismos.

—Tenía razón. —María Mercedes no dijo más. Ella y Nanda tenían filosofías diferentes con respecto a la acción que debería tomar la gente para que se operara un cambio. Mientras Nanda creía que la liberación se obtendría por medio de métodos legales como las elecciones y las huelgas y manifestaciones pacíficas, María Mercedes se había convencido de que con ello se conseguía muy poco. El progreso se lograba gracias a la acción colectiva. La acción de los oprimidos contra los opresores era el único camino que desembocaba en el cambio.

Después de la cena, los tres se sentaron en la salita iluminados con velas encendidas en los estantes de la librera, las mesas y los aleros de las ventanas. Hablaron hasta tarde por la noche. Sobre los viejos días cuando Pilar vivía en La Rábida. Sobre la escuela Masferrer. Hablaron del futuro. Cómo si uno se sacrificaba y luchaba podía alcanzar el éxito. Sentada en su sala, con las piernas recogidas debajo del cuerpo, las pequeñas velas iluminando su cara larga y triste, para María Mercedes Nanda parecía un ángel. Así la recordaría: Nanda sobre el sofá, iluminada por velas como en la iglesia.

Al día siguiente, Nanda Lazos volvió a salir al campo a enseñar. Y jamás regresó. Durante días, semanas y meses la gente la buscó. María Mercedes. Los hermanos de Nanda. Las esposas e hijos de éstos. Jacinta y Basilio. El mismísimo padre Rutilio. Todas las personas tocadas por Nanda.

Pilar Lazos fue la que más la buscó. Siguió buscándola incluso mucho después de que los demás dijeron que no tenía sentido y se dieron por vencidos.

CAPÍTULO CINCUENTA Y SIETE

San Salvador
Mayo de 1975

A los cuarenta y cuatro años, Víctor Morales disfrutaba de los privilegios de un mayor retirado del ejército. Cuando la gente se dirigía a él, algunos le decían "Sí, mi mayor" y chocaban los talones. A Víctor Morales le gustaba ese sonido. Algunos años antes, justo después de su retiro, abandonó Santa Ana, volvió a San Salvador y se mudó a una casa color turquesa en la Colonia Flor Blanca. Vivió allí con tres muchachas de nombres náuticos; su esposa Marina y sus hijas Marisa (estrella de mar), de diez años, y Conchita, de ocho. Si hubiera tenido un hijo lo habría bautizado Mario, un nombre con un prefijo que denotaba tanto el mar como la fuerza guerrera de Marte.

El ejército había bendecido con generosidad a Víctor Morales. En él había hecho realidad el sueño de su padre: grado, promoción, uniformes engalardonados. Paga segura, poder, prestigio. Y, más importante todavía, recibía ciertos bonos que son el resultado de los hombres astutos y emprendedores, rasgos que a su padre le faltaban. Evidente capacidad mental. La claridad necesaria para saber cuándo se ha llegado al límite de su capacidad. El valor de aceptar la ambigüedad y de adaptarse a ella. La visión necesaria para asumir la lucha del país como una causa propia.

Víctor Morales, rápido e ingenioso, capitalizó en su provecho la guerra de oposiciones que se libraba alrededor de él (la izquierda contra la derecha, ricos contra pobres, pobres contra ricos y, en los últimos tiempos, la izquierda contra la izquierda). Creó una empresa que ofrecía seguridad a las tiendas, las fábricas y los bancos. Los empleados de Víctor, dos docenas de hombres entusiastas e inflexibles, eran ex guardias o ex policías. Sus oficinas estaban en el segundo piso del muy respetable edificio La Fuente. El cartel de la puerta rezaba: "Seguridad Mayor".

No era sorprendente que el negocio fuera un éxito. La semana anterior él había conseguido una nueva cuenta: Fábrica La Luz, una fábrica de velas ubicada en Santa Tecla y de propiedad de un miembro de los Catorce Grandes, el nombre que la revista Time le había dado a la oligarquía, que vivía en San Benito, y de un turco de la Escalón.

Desde la sala, Víctor Morales observó a sus hijas que en ese momento ponían los toques finales a las decoraciones para la cruz de madera que habían puesto en el patio. Cruces de fabricación casera como ésas se ponían habitualmente en los jardines para el día de la Cruz. Años antes, Víctor les había fabricado la cruz con dos partes de un madero toscamente desbastado, cada uno de la mitad de su propia estatura. Este año, las niñas lo habían cubierto con cadenas de papel de China color pastel y guirnaldas de flor de muerto. Alrededor apilaron frutas frescas de la estación: anonas, jocotes, paternas e icacos, arrayanes, nísperos mangos, y caimitos.

—Mirá qué linda está, papá —dijo Conchita cuando él se acercó a observar—. Ya casi terminamos. Ahora es el momento de que pongamos nuestras cruces. —Conchita le dio la espalda a su padre. —Toma, papá. Ayudáme con mi cadena. —La madre de Conchita había iniciado esa tradición familiar. Para el día de la Cruz, cada uno colgaba sus alhajas en forma de cruz de la cruz familiar más grande.

Víctor rozó el pelo de la nuca de Conchita. Pescó la cadena de debajo del cuello de su blusa, un regalo que le había hecho para celebrar su ascenso a mayor. Cada una de las niñas había recibido una: gruesas cadenas de oro de las que colgaban pesadas cruces latinas. Víctor trató de abrir el cierre, aunque algunas hebras del pelo de Conchita le dificultaban la tarea. Al cabo de un momento, dijo:

—Niña, hacé algo con tu pelo. No puedo ver lo que estoy haciendo.

Conchita llevó las manos atrás para envolverse el pelo en un rodete, que mantuvo en alto.

—Así está mejor —dijo él. El cuello de su hija era del color de la leche achocolatada. Su piel era tersa, impecable y hermosa. Víctor consideró un milagro que sus dos hijas hubieran escapado a la maldición de una marca de nacimiento como la que lo afligía. Abrió el cierre y levantó la cadena. —Aquí está.

—Ahora dame la tuya —dijo Marisa. Al igual que su hermana, ella tenía la cara regordeta, facciones suaves y ojos oscuros, redondos e inocentes.

—Sí, pero tenés que prometerme...

—... que las vamos a vigilar bien —terminó la frase Conchita—. Son de oro...

—...y me costaron mucho dinero. —Víctor Morales se echó a reír porque todos los años decían lo mismo. Se quitó su propia cadena ancha que, además de la cruz, llevaba el trozo corto de pita con que estaban sujetas tres ágatas rojas. La cuerda y las piedras eran lo que quedaba de su amuleto natal. Víctor le entregó la cadena a su hija menor. —Podés tenerla, pero sólo por una hora. —Lo cierto era que se sentía desnudo sin sus ágatas. Desde que se le ocurrió sujetárselas a su cadena años antes, las había usado todos los días para tener protección cósmica. Su familia ya estaba acostumbrada a esa peculiaridad.

—¿Dónde está tu mamá? Debemos conseguir su cruz.

—Será mejor que esperes, papá —dijo Marisa. Ella se había sacado su cadena, que colgó en la cruz grande. —Mamá está escuchando *Las dos*. Ya sabes cómo es con respecto a ese programa.

Víctor volvió a la casa y entró en el cuarto donde sus hijas hacían sus tareas escolares. Su esposa Marina estaba junto a la radio, con expresión de incredulidad y de furia.

—¡Escucha eso! —exclamó y levantó las manos cuando Víctor entraba—. Interrumpieron mi novela justo en el momento en que Dulce Alegría se entera de la verdad sobre su amante. —Marina apagó la radio. —Comunistas estúpidos —dijo—. Ahora tendremos que esperar hasta el lunes para saber todo lo referente a Julián.

—¿Qué pasa con los comunistas? —preguntó Víctor.

—Ellos interrumpieron mi novela —dijo Marina, los ojos muy abiertos, como si estuviera hablando con un bobo. Metió la mano en su pelo castaño y se lo peinó hacia atrás. —¿Las niñas terminaron la cruz?

—Están esperando tu cadena —respondió Víctor. Se sentó y volvió a encender la radio.

—Comunistas estúpidos —repitió Marina, giró sobre sus talones y salió de la habitación.

Víctor Morales escuchó el noticiero. Al poeta rojo, Roque Dalton, lo habían puesto contra el paredón y lo habían ejecutado de un tiro. Su propio partido maoísta, el ERP, el Ejército Revolucionario del Pueblo, había ordenado su ejecución. El caos producido por criterios militares antagónicos dentro de distintas facciones del partido había tenido como resultado esa muerte. Víctor sacudió la cabeza. El ERP, el FPL, el PRS, el PDC, el PCS. Los comunistas eran como un platón con espaguetis rojos. "Espero que esos hijos de puta se maten entre sí", pensó Víctor Morales. Escuchó la radio un momento más y luego fue a reunirse con su familia para venerar la cruz.

Esa noche, del otro lado de la ciudad, María Mercedes Prieto escribía un poema en memoria de un poeta y camarada caído. Lo tituló "Aroma de café amargo" y estaba firmado Alma del Pueblo.

CAPÍTULO CINCUENTA Y OCHO

La Abundancia
Santa Ana
Agosto de 1976

La orden llegó por decreto del ejecutivo. Una concesión gubernamental hacia la reforma agraria, tendiente a mitigar las crecientes tensiones que desde todas direcciones apuntaban al estallido de una guerra civil. El decreto ordenaba la expropiación de las propiedades que superaran las quinientas hectáreas y la entrega de la tierra al pueblo.

El destino quiso que La Abundancia fuera la primera propiedad elegida para la redestribución. "Una finca modelo para modelar la transformación." Después de la muerte de Ernesto Contreras, La Abundancia había pasado a manos de su hijo mayor, Ernesto "Neto" Contreras Navarro. Porque la expropiación no tuvo lugar hasta bien pasada la cosecha, por suerte en ese momento el patrón se encontraba ausente. Quienes quedaban atrás eran don Gabriel, el administrador, sus cinco capataces y sus seis empleados, que se pasaban el día golpeteando con dedos rápidos las teclas de la máquina de sumar. Había otros en la finca cuando se produjo el traspaso; los que trabajaban al sol podando árboles de sombra o transplantado flor de izote para impedir la erosión del suelo, los que estaban en los viveros para cuidar de las plantitas nacidas de semillas de café. Y había mujeres en las cocinas y el lavadero; mujeres que se ocupaban de la casona, aunque después de la época de la cosecha, la casa dormitaba como un oso en plena hibernación.

Contra esta formidable fuerza de defensores, el ejército, actuando por órdenes del ministro de defensa, lanzó un asalto en gran escala. Al amanecer dos compañías de soldados brotaron de una caravana de camiones y se formaron en masa en un campo a un kilómetro de las tranqueras de La Abundancia. Muy armados e impacientes por actuar, los hombres se dividieron en pelotones, cada uno al mando de un teniente, y con dos capitanes para revisar la estrategia. La perspectiva de un ascenso brillaba en los ojos de los oficiales.

Para comenzar, bloquearon todos los caminos que conducían a la finca y establecieron puestos de control en todas las entradas. Después, cercaron el perímetro de la propiedad, una operación que exigió muchos hombres porque la finca se extendía a ambos lados del volcán. Cuando todo estuvo preparado, un teniente coronel dio la orden de entrar.

A media mañana, cien soldados tomaron La Abundancia por asalto. Rompieron las tranqueras, cargaron por los caminos interiores, alrededor de los cafetales y debajo de los madrecacaos que les brindaban sombra. El polvo se elevó por el aire cuando ellos irrumpieron en la propiedad. Las botas golpetearon por encima de las suaves explosiones de la respiración de los hombres. Los perros de la finca gruñeron y aullaron, primero uno, después otro; al final todos en coro.

Los soldados irrumpieron en la casa, embistieron contra los cobertizos de cocina y los viveros. Invadieron el beneficio y la oficina donde doce empleados trabajaban en sus escritorios.

Fue una operación maestra.

Los soldados habían llegado con tanta rapidez que don Gabriel pegó un salto y tiró la silla; por un instante, el ruido que hizo al golpear contra el suelo lo sobresaltó más que ese enjambre de gente.

—¡Afuera! —gritaron los soldados. Usaron los cañones de sus rifles para señalar el camino.

Don Gabriel. Sirvientes, peones, capataces, empleados. Treinta peones abandonaron sus plazas fuertes violadas como murciélagos que huyen de sus cuevas. Dos capitanes los llevaron debajo de la enorme ceiba que había en el patio.

El teniente coronel señaló a los doce hombres que estaban en la administración.

—¡Fuera! —gritó y señaló hacia el camino.

—¿Fuera? —preguntó don Gabriel, entrecerró los ojos al sol y levantó las manos porque no entendía.

—¡Fuera! —repitió el teniente coronel—. ¡Fuera de la finca!

Don Gabriel fue el primero en irse. Los otros lo siguieron. Escoltados por los soldados, los doce avanzaron, aunque cada tanto giraban la cabeza para mirar hacia atrás. Cruzaron el patio, pasaron frente a la casona y se dirigieron al camino que conducía a las tranqueras. Después, porque no era cuestión de confiar en la buena fortuna, se echaron a correr agolpados.

Gerónima, que durante diez años había trabajado la masa en ese mismo lugar debajo del techo de chapa del cobertizo de la cocina, observó con expectativa y alarma el alejamiento de los jefes. Se preparó a oír la andanada de disparos de los rifles. Cuando ello no sucedió, oyó con incredulidad las noticias transmitidas por el teniente coronel:

—Todos los demás, no teman. Por decreto presidencial ahora esta finca les pertenece.

Todos abrieron los ojos, pero ninguno se movió. Entonces uno de los capitanes dijo:

—Vuelvan al trabajo. Sólo porque ahora son los propietarios no significa que puedan aflojar el paso. —El capitán lanzó una risotada que sonó como un ladrido. Señaló hacia las tranqueras por las que los jefes habían desaparecido. —No se preocupen por ellos. Mañana el gobierno nombrará a otros en su lugar.

Y así fue cómo las tierras de la familia Contreras fueron entregadas al pueblo por la fuerza. A última hora de la tarde, cuando el coronel Manda Todo, el coronel a cargo de todo, llegó para la inspección, asintió en señal de aprobación ante el espléndido despliegue militar de soldados apostados a lo largo del camino, alrededor de la casa y por toda la propiedad. Se maravilló de lo sencillo que había sido el traspaso.

Un llamado telefónico de Gabriel le dio la noticia a Neto Contreras, su hermano Alberto y Álvaro Tobar. Ellos enseguida subieron a un auto y se dirigieron a toda velocidad a La Abundancia, y fueron repelidos por los soldados en los portones. A esa altura ya eran más de las cinco y todos los caminos para la protesta estaban cerrados por el día. El único recurso que tenían, por el momento, era ir a la su casa de su madre. Allí reflexionarían con cuidado sobre cuál sería su respuesta al despojo de su posesión más preciada: la tierra.

Elena, que se había mudado de vuelta a casa después de la muerte de Cecilia, estaba sentada en silencio en la terraza. Un torbellino de voces furiosas revoloteaba alrededor de ella: sus hijos, sus esposas. Magda y Álvaro. Los nietos. Todos hombres y mujeres fuertes, todos personas de acción.

—Es contra la ley.

—No pueden hacernos esto.

—¿Cómo pueden hacer esto?

—¿Por qué a nosotros?

—Gracias a Dios que papá no vive para presenciar esta injusticia.

—Si papá estuviera vivo, este ultraje lo mataría.

La mente de Elena se alejó de los estallidos, las protestas, los gritos, el estrépito. Siguió los caprichos de su mente y se centró en detalles de la casa de la finca: el imponente aparador del comedor, la mesa amplia, la docena de sillas haciendo juego. Todo regalo de su madre, que los había traído de España en la bodega del barco. En la cocina, las cacerolas y sartenes, las fuentes y bandejas. El sillón verde de mimbre en la terraza. El tocador de caoba en el dormitorio. La alta mesa de hierro donde por primera vez ella y Ernesto hicieron el amor. Elena interrumpió su inventario. La imagen de sus cosas y de desconocidos que las mancillaban era como una hoja filosa que le cortaba bien hondo.

Desde la galería, Orlando —el hijo menor de Magda y de Álvaro y abogado desde hacía quince años— dijo:

—Lo cierto es que no es mucho lo que podemos hacer contra un decreto del ejecutivo.

—¿No puede alguien hablar con Molina? —preguntó Magda. Molina era el presidente, el que había firmado la orden. —Yo hablaré con él. Ese hombre no me asusta.

—¿Qué es lo que hay que hablar, mamá? —preguntó Orlando—. Nos hemos convertido en un ejemplo. El presidente no puede volverse atrás con respecto a lo que decretó.

—Pero lo que hizo es ilegal —dijo Margarita, la mujer de Neto—. Molina se llevó propiedad que nos pertenece por derecho divino.

—¿Desde cuando la ilegalidad le impidió a la gente hacer lo que debe hacer? —preguntó Neto.

Álvaro Tobar pensó en sus propiedades: el algodón que había cuidado y producido con sudor y sangre. Todas sus haciendas tenían dimensiones mayores que las hectáreas proscriptas por decreto. Y las plantaciones estaban apartadas unas de otras. La más grande se encontraba en Usulután. Otras dos estaban cerca de Jiquilisco. Todas separadas por otras tierras y, por lo tanto, imposibles de volver a parcelar. Todas fuera de los límites del decreto. Si su madre estuviera viva (doña Eugenia había muerto pacíficamente tres años antes mientras dormía), y también su padre, ¿qué habrían hecho para proteger esas tierras de la familia?

—Bueno, al margen de eso —dijo Margarita—, tenemos que hacer algo. No podemos quedarnos aquí sentados y resignarnos a esta injusticia.

—Apoyo tu moción —dijo Magda, aunque por lo general no coincidía con lo que Margarita decía.

De la discusión, poco a poco surgió una lista de acción: Favores que pedir. Exigencias que hacer. Dinero que ofrecer. Durante el intercambio de ideas, de los labios de ninguno brotaron las palabras violencia y venganza.

Cuando ya no hubo más que decir, Álvaro Tobar salió al patio. Era una noche sin luna y las lámparas encendidas del interior de la casa no compensaban esa ausencia. Álvaro se sentó en el borde de la pila, vacía de agua desde hacía muchos años. Muy pronto Neto y Alberto Contreras se le unieron. La noche negra les prestaba anonimia. Eran sólo tres hombres, hombres cualesquiera, que conversaban en la oscuridad.

—Todas esas cosas que debemos hacer —dijo Neto— no servirán para nada. —Él era el que tenía más que perder. Desde la muerte de su padre, La Abundancia le pertenecía.

—Yo conozco a alguien que podría darnos una mano —dijo Álvaro, porque desde el principio una idea le martillaba en la cabeza.

—¿Quién? —preguntó Neto.

—Un ex mayor del ejército. Un hombre muy bien relacionado.

—Justo lo que necesitamos es un hombre con las conexiones adecuadas.

—Él las tiene —dijo Álvaro—. Pero esas conexiones no son precisamente baratas.

—Si él puede ayudarnos, el costo no es importante —dijo Alberto.

—Hablaré con él mañana —dijo Álvaro—. Por ahora, mantengamos esto entre nosotros.

Los tres volvieron a la galería. Porque Elena parecía tan chiquita y triste sentada en su silla, Alberto se agachó para besar a su madre.

—No te preocupes, mamá. Nosotros nos ocuparemos de todo.

—¿Qué sentido tiene? —dijo Elena—. Ya no pueden pasar más cosas malas.

Se equivocaba.

Dos semanas más tarde, con cincuenta mil colones de adelanto pagados en efectivo, Víctor Morales envió a diez de sus hombres más talentosos en una misión que tenía como finalidad demostrar algo, enseñar una lección, enviar una advertencia o, dicho de una manera que sus empleados no se animarían a admitir, una misión para conseguir venganza. Ayudados por la luna, un plano pormenorizado de la finca y un detalle al día de las rutinas proporcionado por un informante, los hombres superaron el portón principal de La Abundancia. Uno de ellos, con un movimiento veloz y silencioso, le cortó el cuello al único guardia apostado allí. Armados con Uzis y vestidos de negro, los hombres de Víctor se movieron hacia sus blancos: las barracas con el techo de metal corrugado donde dormían los burócratas, la habitación del frente de la administración, en la que desde la toma de posesión había catres para los nuevos empleados.

Desde el principio al fin, la misión de Víctor se cumplió en menos de seis minutos. Cuando las andanadas de armas automáticas dejaron de resonar, cuando el polvo se asentó y los perros callaron, dieciséis hombres yacían mutilados y despedazados, rodeados de charcos de sangre.

Los periódicos de la mañana exhibían enormes titulares: MASACRE EN FINCA y ASESINOS ANÓNIMOS ACRIBILLAN A DIECISÉIS y REFORMA AGRARIA: ¿A PROPÓSITO DE QUIÉN? En su casa, Álvaro Tobar bebía su café de la mañana.

No se detuvo en los dos primeros titulares, pero el tercero relativo a la reforma agraria sí le resultó interesante, así que leyó el artículo en su totalidad. Cuando terminó, dobló con cuidado el diario y lo puso sobre la mesa junto al plato. ¿A quién beneficia la reforma? La respuesta aparecida en el periódico era más bien un tratado filosófico. No hacía falta nada así. Si la pregunta se la hicieran a él, la respuesta sería simple: a nosotros. Y ésa era la verdad.

Álvaro empujó la silla hacia atrás. Bebió lo que quedaba de café, que ahora estaba frío y amargo. Consultó su reloj. Tenía una reunión bien temprano. Debía hacer una entrega. La última cuota de cincuenta mil colones. Esa clase de guerra era costosa. Pero la guerra posibilitaba las cosas más difíciles.

CAPÍTULO CINCUENTA Y NUEVE

Izquierda, derecha. Izquierda, derecha. Uno, dos. Uno, dos. El Salvador marchaba por el camino de la guerra civil. Sabotaje, anarquía. Los grupos marxistas-leninistas y las células maoístas crecen y se multiplican. Secuestros para obtener dinero, para comprar armas, para crear miedo, para subvertir a la prensa. Otra elección fraudulenta. El general Carlos Humberto Romero le arranca el poder a Molina. Cincuenta mil manifestantes llenan la Plaza Libertad. Las fuerzas de seguridad que rodean la plaza abaten a cien manifestantes. Miembros de la extrema derecha se alían con la Unión Guerrera Blanca, la UGB, o la Mano Blanca. En el tope de su larga lista de maneras de eliminar a la izquierda figura la de los molestos jesuitas.

Izquierda, derecha. Izquierda, derecha. Los actos inhumanos exigen un costo humano: El sol se eleva sobre cuerpos mutilados arrojados a las calles durante la noche. El sol se pone sobre cables eléctricos y tuberías de agua bombardeados. El hedor. La sed. La suciedad. En los mesones, los niños gritan, piden comida, mueren de muertes lentas. En San Benito, los niños viajan a los colegios privados en automóviles blindados. Sus padres se dirigen al trabajo en convoyes de tres vehículos. Martín arrastra a Alma a casa. Le cura la pierna herida con metralla en la Plaza Libertad. Ese día ella cumple treinta años, pero en esta ocasión ni lo recuerda. El gobierno decreta una moratoria en las expropiaciones. Al grito de “ojo por ojo, diente por diente”, la UGB exige que el gobierno no ceda a las demandas de los terroristas. El 12 de marzo de 1977, mientras se dirigía a celebrar misa en el pueblo donde había nacido, el padre Rutilio Grande y todo su grupo son asesinados por desconocidos.

CAPÍTULO SESENTA

San Salvador
Octubre de 1977

Algunas veces a María Mercedes le dolía la pierna. Toda la pierna y no sólo el lugar donde la metralla le había desgarrado la piel. Esa noche la parte de atrás del muslo le pulsaba, así que se acostó, boca abajo, sobre la cama,mientras él la masajeaba y le quitaba el dolor con un poco de bálsamo mentolado.

—Ay —dijo ella. Amarillo, al que le encantaba el gusto picante del mentol, saltó junto a ella y trató de lamerla. Fernando apartó el perro con el codo. —Salí de aquí. Ve a echarte. —Amarillo se escabulló hacia la puerta. Estaba cerrada con llave y cadena. Cuando el perro se echó, la rendija de debajo de la puerta quedó oculta del otro lado de su cuerpo.

María Mercedes levantó la cabeza.

—Buen perro —dijo.

Amarillo bostezó y terminó el bostezo con un gruñido.

—Ya está —dijo Fernando y le dio una palmadita a la pierna de Mercedes. —Listo. Es tarde. Acostémonos.

Apagaron la luz. Apartaron las cobijas, se desvistieron y se acostaron. Una vez en la cama, hablaron bien bajito, sin pronunciar nombres. En esos días, hasta las paredes tenían oídos.

—Lo hacemos por el poeta, por el cura —dijo, porque sabía que ella necesitaba que la tranquilizaran—. Lo hacemos por todos los que cayeron.

—Ya lo sé. —Hizo sus propios agregados mentales a la lista de Fernando: Por su abuela Mercedes. Por aquellos cuyos nombres estaban garabateados en las cruces que punteaban la parcela familiar. Por Justino, el pequeño perdido, que habría sido su tío.

—Y por Nanda —dijo él—. Dondequiera que esté.

—Por Nanda. —Cuando pensó en su amiga, la mente de María Mercedes se llenó con la visión de cadáveres destrozados, quemados, desmembrados, cadáveres esparcidos y apilados en El Playón. Se vio a sí misma, vio a su madre y a Pilar, mitades de limón apretadas contra la nariz, revisando cuerpos en una búsqueda angustiosa e inútil. Dijo: —Recuerda. No debe haber muertes. Sólo secuestro, cobro de dinero y liberación.

Él asintió y el colchón delgado se sacudió.

—Nada de muertes —dijo, pero no podía garantizar cómo terminarían las cosas. Hasta el momento no había habido muertes en las operaciones de la Banda. Él. Alma. Pedro. Pablo. Judit. Juntos habían desfilado, habían integrado manifestaciones. Pusieron bombas en ómnibus y negocios vacíos. Incendiaron neumáticos sólo por el efecto dramático. Tres días antes, por entre la nube corrosiva de la goma en llamas, armados sólo con revólveres que se atascaban, Pedro y Judit milagrosamente se habían apoderado de un automóvil policial y logrado un botín sorprendente de armas: cuatro Colt m19, dos Browning High Power, una Heckler & Koch P9S. Con armas así en su poder, estaban casi listos para su misión más audaz.

María Mercedes giró y fijó la vista en el vacío negro del cielo raso. Seis años antes, mientras caminaba con precaución sobre los cadáveres en El Playón, algo adentro de ella comenzó a cambiar. Después de El Playón, la imagen de esos cadáveres le llenaba la cabeza durante el día e inundaba sus sueños por las noches. Algo enorme, callado y oscuro se expandió dentro de ella, algo que fue poniendo en sordina su sensibilidad. Lentamente se alejó de su madre y de Basilio, de Pilar y de Chenta. Los amaba; eso no cambiaría nunca, pero ya no era la persona que ellos habían amado. Era alguien completamente distinta, lo cual no quería decir que cada tanto no se sintiera tironeada por la que había sido antes. Eso le estaba pasando ahora. Tembló al pensar en lo que le debía a su familia. En lo que les debía a los Tobar.

Volvió a girar en la cama para quedar frente a Fernando, aunque en la oscuridad sólo alcanzaba a distinguir su sombra.

—Recuerda lo que me prometiste. Recuerda que no se debe tocar a ese hombre.

—¿Cómo podrían tocarlo si está lejos, ocupándose de su algodón? Tú misma dijiste que durante la cosecha está en Usulután.

—Es verdad. Yo sólo quiero que quede bien claro. —Se estaba arriesgando mucho. Se había opuesto al grupo cuando tomaron a Álvaro Tobar como blanco. El hecho de que hubieran elegido en cambio a su socio Abraham Salah era algo que ella no podía evitar.

—No te preocupes. Sé lo que tú quieres. Secuestro. Recibir el dinero. Liberar al tipo. —Le tomó la cara entre las manos. —Mi Alma —le susurró—. Mi valiente Alma.

—Mi guapo Martín.

CAPÍTULO SESENTA UNO

La Banda se reunió en un lugar descubierto por Pablo: un rancho abandonado con una milpa echada a perder, cerca del camino a Santa Tecla. El grupo se había estado reuniendo allí desde hacía un mes y utilizaba el terreno como práctica de tiro. Igual que en la época del ACUS, encendieron una fogata; era muy pequeña y daba apenas suficiente luz para que se distinguieran las caras. El tema en discusión era la Operación Absa, nombre en clave para el secuestro de Abraham Salah.

Judit, que desde que había abandonado el nombre de Berta bromeaba menos, ofreció un resumen detallado del blanco, aprendido de memoria:

—El sujeto es un turco de sesenta y ocho años que vive cerca de San José de la Montaña con esposa y sirvientes; en la casa habitan un total de seis personas. Es miembro de la ANEP, la Asociación Nacional de Empresas Privadas. Su familia es dueña de Textilos S.A., la mayor fábrica de textiles del país. Es dueño en parte de La Luz, una fábrica de velas con central aquí, en Santa Tecla. Como saben, pasamos frente a ella al venir aquí. Hay una segunda fábrica en Quezaltepeque, a veinte kilómetros al nordeste. El sujeto tiene tres hijos, el varón menor de algo más de treinta años dirige las dos fábricas y se traslada con frecuencia de una a otra. El sujeto posee tierras, que en su mayor parte tiene arrendadas. Integra la directiva de dos bancos: el Banco Salvadoreño y el Banco Agrícola. Esto en cuanto a los antecedentes del sujeto.

Pablo, quien cuando no trabajaba para la Banda era Felipe, tomó la palabra:

—El sujeto conduce un automóvil de cuatro puertas, un BMW 1975 color azul oscuro, patente P-tres-uno-dos-nueve-siete. El vehículo no está blindado a prueba de balas. El sujeto no tiene guardaespaldas, aunque parece estar armado. Es un hombre de hábitos regulares. Cada martes y jueves, después de almorzar, sale del sendero de su casa a la una y media y llega a La Luz en Santa Tecla a aproximadamente las dos de la tarde.

—Nuestro hombre es un sujeto muy valioso, ¿no lo creen? —dijo Judit—. Es rico. Es viejo. Es un hombre de hábitos arraigados que prefiere viajar solo.

Pedro, conocido también como Diego, dijo:

—Si sale de su casa a la una y media, eso lo coloca en el punto de la emboscada a alrededor de las dos menos cuarto.

—Exactamente —dijo Pablo.

—Repasemos los detalles —dijo Pedro—. El lugar de la emboscada está en la ruta de San Salvador a Santa Tecla, donde el camino se abre hacia la izquierda y desciende hacia La Libertad. Como sabemos, hay allí una bifurcación en forma de Y. —Levantó las manos, la derecha más alta que la izquierda. —Para ir a Santa Tecla hay que seguir derecho y seguir el camino ascendente. —Pedro hizo un movimiento hacia arriba con la mano derecha. —Para ir a La Libertad, hay que detenerse antes de doblar a la izquierda. —Hizo otro movimiento hacia abajo con la mano izquierda. —El automóvil del sujeto será interceptado cuando empiece a subir hacia Santa Tecla. En ese punto de la bifurcación hay una loma cubierta con hierba. Lo llevaremos allí. Obligaremos a su auto a chocar contra la loma.

—Para ello necesitaremos dos vehículos —dijo Martín—. Uno para seguirlo y otro para interceptarlo. Llevaremos los autos la noche anterior y cambiaremos las placas antes de usarlos.

Alma dijo:

—Es imprescindible que uno sea una camioneta de transporte y el otro podría ser un pickup. No podemos depender del auto del sujeto.

—Tienes razón —dijo Martín—. La camioneta seguirá al sujeto de la ciudad. El pickup lo interceptará en la encrucijada. Un vehículo al frente y otro atrás. Después de la emboscada, sólo la camioneta continuará.

—Digamos que ya capturamos al sujeto —dijo Alma—. Repasemos lo que ocurre después.

—Lo llevamos a la cárcel —dijo Judit—. A la cárcel del Pueblo, por supuesto.

—Hay un lugar en la Colonia Utila —dijo Pablo—. Encontré allí una casa pequeña con garaje. Dos nos mudaremos allí antes de la operación. Mantendremos un perfil bajo y estableceremos nuestra presencia antes de comenzar.

—Colonia Utila —dijo Pedro—. Es un barrio tranquilo y familiar. Y queda a no más de cinco minutos de la bifurcación. Me parece perfecto. ¿Quién podría adivinar que escondemos el blanco tan cerca de la escena de la emboscada?

—No la policía —dijo Judit—. Son demasiado estúpidos.

—¿Y qué me dices de Morales y la gente de seguridad de La Luz? —preguntó Alma.

—No hay ningún motivo para que se involucren los agentes de seguridad de la fábrica —dijo Pablo—. Nosotros nos apoderaremos del sujeto antes de que llegue a la fábrica, no cuando él esté en ella. Cuando la noticia del secuestro llegue a la fábrica, todos estaremos sanos y salvos en la cárcel del Pueblo. —Le sonrió a Judit para demostrarle que él también podía bromear.

—Entonces —dijo Martín—. Tenemos las armas. Tenemos el método. Tenemos el lugar. Ahora fijemos la fecha.

—Un momento —dijo Judit—. Primero pongámonos de acuerdo en cuanto al rescate que pediremos.

CAPÍTULO SESENTA Y DOS

Noviembre 17 de 1977

Socorro estaba frente a la cocina friendo cebollas y tomates para acompañar el filet que prepararía a la parrilla para el almuerzo de Magda. Sacudió la sartén de fondo negro en uno y otro sentido sobre la hornalla y produjo una serie de sonidos ásperos que le resultaban satisfactorios porque hacían juego con su estado de ánimo. La noche anterior un grupo de guerrilleros habían tomado por asalto la radioemisora YSU. El ataque había sacado del aire todos los programas habituales, incluyendo *Las dos*.

—Son unas bestias —dijo Socorro—. Ahora esos animales nos han dejado entre capítulos.

—No es el fin del mundo —dijo Basilio. Estaba sentado a la mesa de la servidumbre y esperaba que el almuerzo estuviera listo.

—Sí que lo es. —Socorro apagó el fuego debajo de la sartén y la apoyó con un golpe sobre una hornalla de atrás. Revolvió con exasperación la sopa de la olla grande. —Hoy es martes, ¿no? Pues bien, hoy era el día en que Julián y Dulce Alegría se iban a fugar.

—Me pareció que me dijiste que no podían casarse porque estaban emparentados —dijo Basilio. ¿Quién entendía esa historias retorcidas y descabelladas?

Socorro puso los ojos en blanco y después los entrecerró por lo ajustadas que llevaba las trenzas.

—¡No, hombre! Eso fue lo que Bárbara dijo. Dijo que Julián era un hijo suyo perdido hacía mucho tiempo. Pero lo dijo porque Julián creía que era huérfano. Lo dijo porque es egoísta y quiere a Dulce Alegría toda para ella. Pero Julián lo solucionó todo. Se hizo hacer un análisis de sangre que demostró que la Bárbara estaba equivocada.

—Eso es ridículo. ¿Por qué alguien diría una cosa así? Y aunque lo dijera, ¿quién podría creerlo?

—La Bárbara lo dijo porque es mala y cruel. Dulce Alegría lo creyó porque es un ángel y tan buena como lo fue Inocencia. Pobre Inocencia, muerta antes de que le llegara la hora.

—¿No era que Inocencia estaba en silla de ruedas?

—Bueno, lo estaba, pero ahora está muerta. Tenía un soplo al corazón, ¿te acordás?

Jacinta entró.

—El señor acaba de llegar de Usulután. Tendrás que preparar almuerzo también para él.

Socorro se apoyó los puños en la cintura.

—¿Por qué nadie me dijo que vendría?

—Porque no lo sabíamos —respondió Jacinta y se sentó junto a Basilio.

—¿Qué es un soplo al corazón? —le preguntó Basilio.

Antes de que Jacinta tuviera tiempo de responder, Magda asomó la cabeza en la cocina.

—Socorro, abre una lata de champiñones para el filet de don Álvaro. —Magda regresó al interior de la casa y se dirigió al dormitorio. Su marido estaba de pie frente al gabinete abierto donde guardaba las armas. Magda se le acercó por atrás y lo rodeó con los brazos.

—Mmmm. Qué sorpresa. Me alegra tanto que estés aquí. —Le apoyó la cabeza en la espalda, que estaba tibia y olía a una loción con fragancia a almizcle.

—Espera. Deja que me saque esto. —Álvaro se sacó la funda con el revólver que llevaba colgando del hombro y los puso junto a las otras armas en el gabinete. Lo cerró y colgó la llave en el clavo que estaba en la parte de atrás del estante donde guardaba sus camisas planchadas. Giró hacia Magda.

—Ahora —dijo—. ¿Dónde estábamos?

—Aquí mismo. —Ella volvió a abrazarlo, pero esta vez alrededor del pecho. Lo miró. —Te estaba diciendo lo mucho que me alegraba verte. Mi llamada de esta mañana debe de haber sido muy persuasiva. —Se echó a reír al recordar cómo le había descripto lo mucho que lo extrañaba. Y cómo le dijo, con voz tierna y casi en un susurro, lo que haría si él volvía a casa.

—¿Quién puede negarse al deseo de una mujer?

Magda apretó sus labios contra los de Álvaro. Los abrió. Deslizó la punta de la lengua sobre la suya, que él mordisqueó con actitud juguetona. Le pegó una palmadita en el trasero.

Ella se apartó.

—¿Qué sucede?

—No pasa nada. Tengo hambre.

—Bueno, también yo.

—Pero en este momento lo que quiero es comida. Después dormiremos una siestita. —Levantó las cejas y con un movimiento indicó la cama.

—¿Me lo prometes?

—Prometido.

Estaban en la mitad del almuerzo —en esos días, cuando él estaba en casa eran sólo ellos dos a la mesa—, cuando sonó la campanilla del teléfono. Jacinta contestó.

—Un momentito, señor —dijo y apoyó el tubo en la mesita del hall. Fue al comedor. —Don Álvaro, don Abraham quiere hablar con usted.

Álvaro se limpió la boca con la servilleta y fue a atender el teléfono. Pronto estaba de nuevo en la silla y de nuevo se concentraba en su almuerzo.

—¿Cómo supo Abraham que estabas en casa? —preguntó Magda. Usó el cuchillo para apilar cebollas y tomates sobre una tajada de filet.

—Llamó a El Porvenir.

—¿Qué quiere?

—Quiere que yo vaya con él a Santa Tecla. Parece que de pronto la propiedad de Zaragoza que queremos está disponible. Tenemos que movernos rápido si nos proponemos conseguirla.

—¿Cuándo te vas?

—Él me viene a buscar dentro de quince minutos. Enrique ya está en la fábrica. Nos reuniremos allí con él a las dos.

Magda dejó el cuchillo y el tenedor sobre el plato.

—¿Y nuestra siestecita? —Extendió hacia abajo el labio y parpadeó para completar el efecto de tristeza.

—Regresaré pronto. —Se inclinó hacia adelante y le sopló un beso. —De todos modos, una pequeña espera aumenta la pasión. ¿No es lo que siempre me dices?

—Bueno, está bien. Pero no me hagas esperar demasiado.

El BMW había comenzado a ascender por el camino a Santa Tecla cuando Álvaro vio el pickup Toyota gris que aparecía adelante.

—Abraham —dijo, interrumpiendo la conversación sobre la nueva propiedad, y apoyó una mano sobre el brazo de su socio—. Mira ese pickup... —Las siguientes palabras de Álvaro quedaron eclipsadas por el chirriar de neumáticos al frenar cuando el pickup se clavó delante de ellos.

Abraham giró el volante hacia la izquierda. Álvaro se preparó para el impacto. Fue arrojado contra el marco de la puerta cuando el BMW golpeó contra el borde del camino. Álvaro golpeó contra el panel de instrumentos y rebotó contra el asiento cuando el auto se sacudió y el motor se apagó.

Álvaro hizo una mueca por el dolor que sentía en el cuello y los hombros. El pickup se había detenido en forma perpendicular con respecto a ellos. Se abrieron las puertas y un hombre y una mujer se bajaron, con revólveres en las manos y listos para disparar.

—¡Enciende el motor! —gritó Álvaro—. ¡Retrocede! —Se metió una mano en el bolsillo, buscó el arma y para su espanto descubrió que la había dejado en casa.

Dos guerrilleros abrieron la puerta de atrás y entraron. Otros dos se ubicaron delante del auto. Todos usaban máscaras sobre las caras.

—¡Afuera! ¡Afuera! ¡Afuera! —Llovían órdenes de todas direcciones.

Abraham Salah empujó un hombro contra la puerta y saltó del vehículo, mientras al mismo tiempo buscaba su pistola. Cuando sus pies tocaron tierra, se tambaleó un poco y giró, con el arma en la mano. Una mujer corrió hacia él, sus grandes ojos enmarcados por la abertura de la máscara. La mujer disparó. Él apretó el gatillo y sintió el sacudón de retroceso del arma.

Un guerrillero aferró a Álvaro del brazo y lo bajó del auto. En us oídos resonaron disparos de armas de fuego. El olor a azufre se le metió en la nariz. Saltó un poco en un pie al perder el equilibrio porque un hombre le había metido una mano en el cuello y trataba de arrojarlo al suelo. Para equilibrarse, Álvaro se puso en cuclillas. Después se levantó como movido por un resorte y derribó al hombre de un puñetazo. Otro disparo. Un golpe que le dobló las rodillas.

—¡Vamos! ¡Vamos! ¡Vamos!

Manos ásperas y rudas que lo arrastraban sosteniéndolo por las axilas.

—Ella está muerta. Pónganla en la camioneta. Pero el viejo sigue vivo.

¡Pum! ¡Pum! Otros dos disparos.

El pasto se borroneó debajo de él. Un empujón sobre el borde acerado de algo. Su mejilla que golpeaba con fuerza contra un ruido sordo.

—¡Vámonos! ¡Vámonos!

Ruido de una puerta que se cerraba. Un motor que comenzaba a funcionar. Un sacudón hacia adelante.

Sonido de dos pares de pies junto a él.

Ruedas que chirriaban.

Y algo húmedo, como sangre, que goteaba.

CAPÍTULO SESENTA Y TRES

Para el hombre de la Vespa fue como ver una película. Vio la camioneta Volkswagen gris pasar a toda velocidad por la calle. Adentro, tres guerrilleros enmascarados. También en la camioneta, pero fuera de la vista, una guerrillera que parecía muerta. Más importante aún, un hombre que luchó con vehemencia cuando lo metieron en el vehículo. El hombre de la Vespa observó bien la camioneta en busca de las placas, pero no vio ninguna antes de que doblara por una esquina. Veinte metros más allá, el pickup Toyota estaba detenido con el motor en marcha. El BMW estaba justo detrás, con las puertas abiertas de par en par. Don Abraham, el patrón de la fábrica, yacía boca arriba sobre el pasto, la parte superior de la cabeza destrozada.

Desde ninguna y de todas partes, se materializaron de golpe lo que parecían ser todas las personas del mundo. Vinieron corriendo por la bifurcación y por la calle. Los autos frenaban de golpe. Con un largo silbido de frenos, también se detuvo un ómnibus.

El hombre de la Vespa apretó el acelerador y navegó por entre el gentío azorado. Dobló en la esquina donde la camioneta lo había hecho y avanzó por una calle flanqueada por pequeñas casas de una planta y techos planos. Subió por una calle y después por otra. Ninguna camioneta a la vista, ni en la calle ni en ningún sendero de acceso para vehículos. Se detuvo para tomar un respiro y para digerir lo que había visto y lo que no había visto. Después enfiló hacia La Luz, donde trabajaba. Corrió a la oficina y sorprendió a don Enrique que estaba frente a su escritorio.

—Balearon al señor —farfulló el hombre.

—¿A cuál señor?

—Al patrón, el patrón. Don Abraham. Su papá.

Enrique se atragantó y por último pudo pronunciar una palabra.

—¿Dónde?

—En la encrucijada. Sobre el zacate, al lado de su auto.

Enrique rodeó el escritorio.

—Busque al mayor Morales. Está en algún lugar de la planta. Reúnanse aquí los dos conmigo.

Eran las dos y veinte.

En la casa pintada de rosado, algunos barrios más lejos, Alma espiaba por debajo de la puerta del garaje que había levantado apenas lo suficiente para estar alerta a la llegada de la camioneta. Cuando entró en el sendero, ella levantó la puerta del todo. Y la cerró muy rápido cuando la camioneta entró. El garaje se llenó del rugido del motor, del olor caliente del escape, del vehículo mismo.

Alma se bajó la máscara y rodeó la camioneta cuando el motor se apagó. La puerta del conductor se abrió con un crujido. Martín se apeó. Tenía la máscara puesta y el arma metida en el cinturón. Tomó a Alma y se la llevó a la cocina diminuta de la casa por la puerta del costado.

—Las cosas no salieron bien. Judit está muerta. Su cuerpo está en la camioneta.

—¿Y don Abraham? —Por los agujeros de la máscara, los ojos oscuros de Martín eran como dos blancos.

—Muerto también. Lo dejamos atrás.

—¿Y ahora, qué? Ahora no tenemos a nadie.

—Sí que tenemos. El viejo llevaba un pasajero en el auto. Lo trajimos.

En el garaje, la puerta del costado de la camioneta se deslizó con un sonido metálico. Muy pronto, Pedro y Pablo arrastraron al prisionero hacia la casa. Estaba inerte entre ellos, los brazos colgados del cuello de los dos hombres. Al avanzar, las puntas de sus zapatos raspaban contra el piso.

Al verlo, Alma se sintió desfallecer. Tuvo que sostenerse de la pared y se puso una mano sobre la máscara para asegurarse de que la tenía puesta.

—¿Qué le pasa? —les preguntó Martín a los otros mientras arrastraban al prisionero.

—Dice que está herido —respondió Pablo.

Martín dijo:

—Llévenlo al dormitorio.

Alma se fue deslizando lentamente por la pared de la cocina. El prisionero era don Álvaro. Observó a todos desaparecer en la habitación.

El cuarto tenía sólo una ventana que daba a un pasillo interior. Un cuadrado de madera terciada sellaba la abertura. Una bombilla eléctrica de cien vatios, conectada al interruptor para que permaneciera encendida, colgaba en lo alto del cielo raso y proporcionaba la única luz. Había allí un catre con una almohada y una colcha. Y una única silla de madera.

Lo dejaron caer sobre el catre y él lanzó un grito. Por la frente le caía tanto sudor que lo cegaba.

—¡Cállese! Recuerde al turco. Lo que le pasó a él puede pasarle a usted.

—Consigan un médico. —Álvaro se frotó los ojos pero la habitación parecía moverse y la veía en forma borrosa. Le dolía terriblemente el vientre. Tragó fuerte para no vomitar. Rodó hasta quedar de costado y volvió a gritar por la intensidad del dolor que sentía en una nalga. Se incorporó con cuidado y llevó la mano hacia atrás para tocarse. —Miren —dijo y les mostró la palma teñida de rojo para demostrarles que estaba herido.

—Puta. Sangre —dijo Pedro. Lo ayudó a ponerse de costado y vio la mancha que se extendía en la parte de atrás de los pantalones. —Lo recibió en el trasero.

—Necesito un médico —dijo Álvaro.

—Tráiganle agua —dijo Martín.

Alma se levantó. Se acercó a la pileta y abrió el grifo. Dejó que el agua corriera y estuviera bien fría antes de llenar un vaso. La habitación se inclinaba. El refrigerador zumbaba. Alguien le susurraba al oído: "¿Qué hiciste?".

Eran las dos y media.

La policía de Santa Tecla —tres automóviles, seis agentes— trató de dispersar la multitud, pero sin éxito. Las personas permanecían allí de pie y en silencio, observando azoradas esos dos vehículos absurdamente yuxtapuestos y el cadáver, cubierto ahora respetuosamente con una sábana.

Aunque la policía no le había permitido tocar nada, un agente levantó el borde de la sábana para que Enrique pudiera identificar el cuerpo.

—Es él. Baje la sábana —dijo él y se alejó de esos huesos destrozados y de lo que quedaba de la cara amada de su padre.

Víctor Morales sostuvo a Enrique por el codo y lo condujo a algunos metros de distancia.

—¿Qué será de él ahora? —preguntó Enrique.

—Lo van a llevar a la morgue.

—¿En San Salvador?

Víctor sacudió la cabeza.

—No. En Santa Tecla.

—¿No puede hacer nada al respecto? Quiero que lo trasladen a la capital.

—Yo me ocuparé —dijo Víctor.

Se acercaron al hombre de la Vespa, que en ese momento hablaba con un agente que tomaba notas: Una camioneta Volkswagen. Gris. Sin placa restrada. Tres hombres. Todos enmascarados. Otras dos personas adentro. Una, una mujer sin duda herida, también enmascarada, lo cual significaba que era guerrillera. La otra, un hombre que luchaba por su vida.

La noticia fue una verdadero explosión:

—¿Qué dice? —preguntó Enrique—. ¿Dice que iba otra persona en el auto de mi padre?

El hombre de la Vespa asintió.

—Sí. Un señor bien vestido. Y así de alto como usted.

Otra persona en el auto. Alguien bien vestido y de su misma estatura. Enrique fue recorriendo una lista mental de las personas que conocía y que podían responder a esa descripción.

—La camioneta dobló en esa esquina —prosiguió el hombre y señaló el lugar—. Yo traté de seguirla con la Vespa, pero se interpuso tanta gente. Y después ya era demasiado tarde.

—Tengo que ir a mi casa —le dijo Enrique al policía—. Lo que necesiten de mí pueden pedírselo al mayor Morales que está aquí.

Víctor Morales apretó el hombro de Enrique.

—Déjelo todo por mi cuenta —dijo.

Eran las tres menos cuarto.

Cuando él entró, Flor supo enseguida que algo estaba terriblemente mal. En primer lugar, él estaba de vuelta en casa apenas después de las tres. Además, tenía la cara gris.

—¿Qué ocurre?

Sus hijas Iris, Jasmín y Lili estaban en casa por las vacaciones de la escuela. Saltaron de alegría cuando él apareció en el porche.

—¡Papi!

Él las besó. Cuánto las amaba. Amaba sus cuerpos tiernos, sus ojos grandes y con pestañas espesas, como los ojos del Bambi que había tenido alguna vez como mascota.

—Mamá y yo nos tenemos que ir a la casa de Abuela —dijo—. Por el momento, ustedes quédense aquí con la nana.

Flor llamó a Lety y después tomó la mano de su marido. Caminó con él sobre el césped y con él transpuso el portón interior abierto que daba al jardín de Isabel. Mientras caminaban debajo de los árboles y pasaban frente a los hermosos macizos de flores, le apretó más la mano y todavía más cuando siguieron avanzando.

Isabel estaba en la casa. Enrique la llamó y ella salió hacia la mesa de vidrio con las sillas de hierro forjado, y en su cara se dibujó una expresión de agradable sorpresa.

—¿Qué? —dijo, y esa expresión se borró al verlos parados tan juntos, conteniendo la respiración como si no hubiera aire.

—Es mi papá —contestó Enrique.

Isabel se dejó caer pesadamente en la silla más cercana. Se puso una mano sobre el corazón, como para mantenerlo en su lugar.

—¿Está muerto?

—Sí —respondió él.

—¿Qué pasó? —preguntó Flor, su voz un mero suspiro.

—La guerrilla.

—No —dijo Flor, se desplomó junto a la silla de Isabel y le echó los brazos al cuello.

Isabel sintió la ferocidad del abrazo de Flor. De alguna manera, eso la fortaleció.

—¿Dónde? ¿Cuándo?

—Hace alrededor de una hora. En la encrucijada de Santa Tecla. La policía dice que en el auto iba otra persona con papá. Alguien que la guerrilla se llevó.

—¡Santo Dios Omnipotente! —dijo Isabel y apoyó una mejilla contra la cabeza de Flor.

CAPÍTULO SESENTA Y CUATRO

Alma y los otros, con los pasamontañas enrollados alrededor de la cabeza, estaban en cuclillas en el medio de la sala como si estuvieran reunidos alrededor de una fogata. La casa estaba cerrada a piedra y lodo: ventanas aseguradas y cortinas corridas. En el aire flotaba el hedor del nerviosismo. El prisionero yacía en su celda. Antes de que Martín girara la llave de la puerta, había bebido dos vasos de agua, tragado tres aspirinas y apretado un fajo de papel higiénico contra la herida.

—No me gusta nada cómo están las cosas con el prisionero —dijo Alma—. El problema es más serio de lo que parece.

—Estará bien —dijo Pedro—. Sólo recibió un disparo en la nalga. Sucedió cuando forcejeábamos. Es sólo una herida superficial.

—Es una herida de guerra, eso es lo que es —dijo Pedro y rió con disimulo.

—Ya basta —dijo Alma y le pegó a su camarada en el brazo. Ella no había visto al prisionero. No quería verlo. Con una sola mirada estaría perdida. Ya bastante malo era que tuviera delante, en el piso, su billetera, arqueada en dos de sus puntas, su anillo de matrimonio, su grueso reloj pulsera de oro. Objetos inanimados que gritaban acusaciones.

—¿Qué vamos a hacer con la Judit? —preguntó Pedro—. En la camioneta hace mucho calor.

El sólo pensar en el efecto que el calor podía tener sobre la carne muerta los silenció a todos por un momento. Semanas y semanas de preparación, pese a lo cual en ningún momento imaginaron una catástrofe como ésa. Martín dijo:

—Atrás hay un cobertizo. Cuando oscurezca la pondremos allí. Más tarde tendremos que cavar una fosa para ella en el jardín. —La casa tenía un pequeño jardín posterior bordeado en sus tres lados con cercos altos de ficus. —Por ahora, nuestra principal preocupación es el prisionero. No es quien planeábamos secuestrar. Necesitamos un nuevo plan.

—No importa lo que decidamos, debemos apurarnos —dijo Alma—. El prisionero está herido. Eso lo cambia todo.

—No es como si se estuviera muriendo —dijo Pablo.

—Oíganme —dijo Alma—. No demos nada por sentado. Miren cómo cambiaron las cosas con respecto a lo que planeábamos. Debemos ponernos en contacto con la familia. Plantearle nuestras exigencias. Cuanto antes cobremos, cuanto antes lo liberaremos. —Tocó su reloj. —Ya son las cuatro y media.

—Esto puede estar terminado para mañana al mediodía —dijo Pablo.

—La idea sigue siendo pedir cuatro millones, ¿de acuerdo? —preguntó Pedro.

—No —contestó Alma—. De este prisionero jamás conseguiremos esa suma.

—¿Entonces cuánto pedimos?

—Cuando mucho, un millón. —(Él jamás sabría cuánto dinero les había ahorrado ella.)

—¡No! —gruñó Pablo—. No es suficiente.

El tema originó una discusión. Habían esperado tanto. ¿Cómo se las arreglarían con tanto menos?

Alma se puso de pie de un salto y dijo:

—Oíganme, cabrones. Tienen que entender que estamos jugando con fuego. Si pedimos un millón, lo obtendremos. Si pedimos más, no. Es así de simple.

Los hombres no dijeron nada. Siempre en cuclillas, uno se balanceó en los talones; otro se secó el sudor que tenía sobre el labio; un tercero bajó la mano de la culata de su arma.

—¿Con quién nos ponemos en contacto? —preguntó Pedro.

—¿Con quién te parece? —le preguntó Martín a Alma.

Ella volvió a dejarse caer junto a ellos y movió la cabeza en dirección a la puerta del prisionero.

—Entren y pregúntenselo a él.

Martín entró, con la cara cubierta con la máscara.

El prisionero estaba acurrucado sobre el catre. Se había tapado con la colcha.

—Tengo frío —dijo al oír que alguien abría la puerta.

En el cuarto hacía un calor insoportable.

—Consigan un médico. No estoy bien. —El corazón le galopaba en el pecho.

—Luego le conseguiremos uno. —Martín acercó la única silla que había y se sentó. —Pero primero está el asunto del impuesto de guerra. Cuanto antes lo cobremos, más rápido quedará en libertad.

—Llamen a mi familia. Ellos les darán lo que ustedes quieran. —Trató de enderezar las piernas, pero no pudo. La luz se volvió brumosa, como cuando salía de un sueño profundo.

—¿A quién llamamos?

—Llamen a mi hijo Álvaro. Lleva mi mismo nombre pero nosotros lo llamamos Júnior. Júnior Tobar. Vive en San Benito, calle La Revolución. —Cuando nació, su hijo era delgado y resbaloso como un pescado. A Álvaro le parecía verlo dormido en la curva del brazo de Magda. —No, espere. No llamen a la casa de Júnior. Llamen a la mía. Seguro que Júnior está allí con su madre. —El pelo negro de Magda. La fragancia que tenía cuando él enterraba allí la cara.

—Júnior Tobar. En su casa.

—Voy a vomitar.

—Le voy a traer agua en un minuto. Mejor aún, una Coca-Cola. Es buena para el estómago.

—Por favor, tráiganme un médico.

—Le voy a traer una Coca-Cola.

Pedro salió por la parte de atrás de la casa y dio la vuelta hacia la vereda. Como si saliera para una caminata habitual, enfiló hacia la esquina con paso lento y casual. Las manos en los bolsillos, respiraba profundamente y aspiraba la dulzura del aire del atardecer. La frescura de mediados de noviembre, el verdor de los pepetos plantados a lo largo de la vereda, con sus ramas ahora repletas de guardabarrancos y dichosofuís instalados allí para pasar la noche. Pedro siguió caminando por esa calle tranquila, pasó frente a casas y a los cuadrados color ámbar que eran sus ventanas. En la esquina cruzó a la vereda de enfrente. Dos cuadras más allá, la estación de servicio Esso brillaba como un barco de neón en la noche.

Pasó por las bombas de gasolina y siguió dos cuadras más. Cortó camino por el área de estacionamiento del Hospital San Rafael. Allí había media docena de automóviles. Los fue rodeando y se dirigió a la entrada con el rótulo iluminado de la sala de emergencias. Entró en el vestíbulo lleno de sillas, sólo dos ocupadas: por una mujer de edad que tenía en sus brazos a un niño que lloriqueaba, y por una mujer joven que se sostenía el vientre. En el fondo del cuarto, dos enfermeras conversaban del otro lado de un largo mostrador. Pedro se acercó al teléfono público que había en un rincón. Puso una moneda en la ranura. Al oír el tono discó un número y después giró para enfrentar la habitación. Después del segundo llamado, alguien contestó.

—¿Bueno?

—¿Es la casa de don Álvaro Tobar? —Habló con una mano sobre el micrófono del tubo.

Pausa. Después:

—Sí.

—Quiero hablar con el hijo, Júnior Tobar.

—Un momento, por favor.

Otra pausa.

—¿Sí?

—¿Habla Júnior Tobar?

—¿Ustedes tienen a mi padre? ¿Él está bien?

—Éste es el mensaje: toda la información les llegará mañana. —El segundo llamado lo haría desde la estación de servicio Esso.

—¿Quiénes son ustedes?

Pedro colgó con suavidad y echó a andar de vuelta a la casa.

Eran las nueve de la noche.

—Dios mío, ¿qué me está pasando?

Eran las dos y diecisiete.

A las tres, Martín entró para chequear al prisionero.

El prisionero estaba muerto.

CAPÍTULO SESENTA Y CINCO

La casa de Magda era un puesto de comando. Toda la familia estaba reunida en su interior. Sólo Elena, debido a su frágil salud, se había quedado en Santa Ana. Los hermanos Tobar habían establecido un cordón de seguridad alrededor de la casa y también alrededor de la propiedad de los Salah en Escalón. En casa de Magda, los hombres de Víctor Morales se encontraban apostados junto a los portones de entrada, por el sendero de acceso y alrededor del jardín. Vigilaban las entradas: un total de siete puertas. Impotentes para hacer otra cosa, los hombres de la familia se unieron a las fuerzas del mayor. Con pistolas metidas en los cinturones, sintonizaron las radios a emisoras que podían transmitir las novedades. Los dos hermanos de Magda se pusieron en contacto con el banco anticipando el pedido de rescate que sin duda llegaría muy pronto.

La noticia se propaló por primera vez a las cuatro de la tarde: "Interrumpimos este programa para anunciar el asesinato del industrial Abraham Salah y el secuestro de su socio, el magnate del algodón Álvaro Tobar. Hasta el momento ningún grupo se adjudicó el secuestro y la familia Tobar todavía no recibió ningún pedido de rescate". Minutos después comenzaron a llegar amigos a la casa de Magda, a todos los cuales se les pidió cortésmente que se retiraran.

Un poco antes de las nueve, Magda se encontraba en la sala familiar, recostada en el sofá junto a Flor y al teléfono. Desde el comienzo de ese horror, el teléfono había sonado en forma intermitente. Cada vez, Magda se sobresaltaba y tenía que reprimir el deseo de extender el brazo para contestar. Esta vez, no era ella la que estaba a cargo de las cosas.

De nuevo sonó la campanilla del teléfono.

Orlando Tobar levantó el teléfono.

—Un momento —dijo, hizo una inclinación de cabeza, puso en funcionamiento el grabador y le hizo una seña a su hermano Júnior, quien tomó el tubo.

—¿Tienen a mi padre? ¿Él está bien? —Después de una pausa preguntó: —¿Quiénes son ustedes? —Y poco después, colgó.

—¿Está vivo? —preguntó Magda.

Todos los que estaban reunidos en el cuarto —hermanos, hijos, parientes políticos— se inclinaron hacia Magda como para recibirla cuando Júnior le contestara. Hasta los antiguos santos que estaban en los nichos iluminados que tapizaban las paredes parecieron inclinarse hacia ella.

—Era un hombre. Lo único que dijo fue: "La información les llegará mañana".

—¿Mañana cuándo?

—No lo dijo.

La noche se hizo interminable. Pocos durmieron mientras las luces permanecían encendidas en las habitaciones, en el jardín y en el sendero de acceso.

En el cuarto de Magda, ella y Flor estaban acostadas sobre la cama, frente contra frente, cada una con los brazos extendidos sobre los hombros de la otra. Era la mitad de la noche y ninguna de las dos se había cambiado de ropa. Sobre la cama, entre las dos, había una caja con pañuelos de papel. Cada tanto, una tomaba uno y se secaba los ojos o se sonaba la nariz. La luz proveniente del vestidor proyectaba un resplandor sobre la alfombra elegante, sobre el tocador, sobre una pared cubierta de fotografías enmarcadas: Magda y Álvaro en el lago, sus rostros bronceados mirando hacia afuera. Magda y Álvaro abrigadísimos en el invierno de Nueva York. Magda y Álvaro besándose para la foto como dos payasos tontos.

—Deberías estar con Enrique —dijo Magda. Había hecho ese mismo comentario como una docena de veces antes.

—Enrique está con su madre. Me dijo que me quedara aquí. Es donde quiero estar. —Flor pensó en sus hijas, todas en la cama en el otro extremo del pasillo. Si se hubiera tratado de Enrique, habría necesitado tener a sus hijas muy cerca por el resto de su vida. Pero el hecho de que le estuviera sucediendo a su padre hizo que necesitara más a su madre.

—Me alegra que estés aquí. —Magda apretó el hombro de Flor y ésta comenzó a llorar de nuevo. Magda le palmeó la espalda. Por un momento eran eso; dos mujeres enfrentadas a la calamidad. Dos mujeres que descubrían que no existía ningún antídoto para esa clase de dolor.

Flor volvió a sonarse la nariz. Dijo:

—¿No pensaste en alguna otra cosa para preguntar? —Cuando llegara el segundo llamado, Júnior les haría dos preguntas a los secuestradores para que le demostraran que su padre todavía estaba con vida. Preguntas que exigían respuestas que sólo un miembro de la familia conocería.

—Sí, tengo una pregunta —contestó Magda—. ¿Qué significan cincuenta y nueve y setenta y cinco? Les pediré que le pregunten eso a tu padre.

—Ay, mamá —dijo Flor y de sus ojos volvieron a brotar lágrimas. Le pareció ver todos esos ochenta y tres en las cartas que ella y Enrique habían intercambiado.

Magda besó la cabeza de su hija.

—Ayúdame a pensar en otra pregunta.

Cuando la campanilla del teléfono sonó en el cuarto familiar a las ocho de la mañana, todos los que estaban cerca pegaron un salto: Júnior y Orlando en el sofá; su hermano Carlos frente al escritorio de su madre; sus esposas acurrucadas en distintas sillas. Orlando puso en funcionamiento el grabador cuando Júnior tomó el tubo.

Desde el otro extremo de la línea llegó la misma voz de la noche anterior.

—Bien. Escuche con atención. Queremos un millón de colones en billetes de cien.

—Espere un minuto. Primero quiero saber de mi padre. ¿Está bien? ¿Está vivo? —A Júnior se le apretó el pecho y se le secó la boca.

—Está vivo.

Júnior se humedeció los labios con la lengua.

—Tendrán que demostrármelo. No entregaremos el dinero hasta que lo hagan.

—¿Y cómo lo hacemos?

—Tenemos algunas preguntas para ustedes. Que mi padre las conteste. Si nos dan las respuestas correctas, procederemos como nos dice.

Un momento de vacilación.

—¿Cuáles son las preguntas?

Júnior le dijo la primera:

—¿Cuál es el total de cincuenta y nueve y setenta y cinco? —repitió el hombre.

—Sí. Aquí va la segunda —dijo Júnior y se la dijo.

—¿Qué está enterrado debajo del cacao? —repitió el hombre.

—Así es —dijo Júnior.

—¿Oyó lo que dije sobre el dinero?

—Quieren un millón de colones en billetes de cien.

—Exactamente. Pongan el dinero en un bolso de lona como el que usan los soldados. Tiene que estar listo para la entrega a las once. O sea, dentro de tres horas.

—¿Adónde lo llevamos?

—No se preocupen por eso todavía. Volveremos a llamar a las once para darles el lugar.

—Y también para darnos las respuestas —lo interrumpió Júnior—. Si no hay respuestas no hay dinero.

—Sí, sí. Otra cosa. El que entregue el bolso no tiene que ser alguien de la familia. No nos engañen. Conocemos bien a su familia. Ustedes están todos bajo vigilancia. Si envían a un miembro de la familia, el prisionero morirá.

—Una cosa más. ¿Cuándo liberarán a mi padre?

—Se lo diremos cuando recibamos el dinero.

—Dígame quiénes son ustedes.

—Digamos sólo que somos El Alma del Pueblo.

Y la comunicación se cortó.

De pie en la puerta del cobertizo, Basilio observó que Jacinta cruzaba el jardín hacia él. Habían pasado todos esos años y ella seguía siendo tan esbelta y linda como cuando era una muchacha, como cuando él le entregó su corazón. Ahora los dos eran viejos. Dos viejos que iban para los sesenta, mientras el abismo que los separaba se iba achicando milagrosamente con el paso del tiempo. Él nunca la había besado. Nunca la abrazó. Sólo en dos ocasiones tuvo el privilegio de apoyar una mano sobre la suya: el día que enterraron a Mercedes y justo después del nacimiento de María Mercedes. Estas privaciones que a otros les resultarían deplorables, para él carecían de importancia. Lo que realmente importaba era que cada mañana, cuando el sol se elevaba del otro lado del muro del jardín, Jacinta se levantaba no muy lejos de él. Por esto él agradecía a diario, porque su cercanía valía más que todo aquello.

Jacinta se acercó con la ropa lavada de Basilio en los brazos. En realidad, la ropa era una excusa para conversar un momento con él. Hombres armados patrullaban el jardín. Jacinta sintió sus ojos sobre ella cuando cruzó el parque.

—¿Estuviste esta mañana en el portón, Basilio? —preguntó Jacinta y le entregó la ropa.

Él puso el atado sobre el catre y volvió junto a ella.

—Ella no ha venido —dijo él porque sabía a quién se refería Jacinta: preguntaba por María Mercedes.

—A lo mejor está en uno de sus viajes de iglesia —dijo Jacinta—. Sólo Dios sabe todos los que hace. —La mitad del tiempo su hija estaba ausente. Ella y ese tal Fernando. Y también el perro amarillo. Por los campos. Por las montañas. Llevando la palabra a la gente, decía María Mercedes.

Sobre este tema Jacinta sólo hablaba con Basilio. En esos días, el trabajo de la iglesia despertaba muchas sospechas.

—Seguro que sí —dijo Basilio porque creía que era sólo cuestión de tiempo que María Mercedes apareciera. Si no lo hacía, ¿cuánto tardaría la gente en darse cuenta? ¿Qué pensaría la familia de su ausencia?

—Llegó el segundo llamado —dijo Jacinta—. Quieren un millón de colones. —Había estado sirviendo café en la sala familiar cuando oyó la conversación.

—¿Quién pidió todo eso?

—Oí que don Júnior decía: "Es El Alma del Pueblo".

En la cabeza de Basilio, un recuerdo. María Mercedes en el auto con él. María Mercedes que le recitaba un poema que había escrito. "Lo escribió Alma del Pueblo —había dicho—. O sea, yo."

—¿Qué te pasa, Basilio? —preguntó Jacinta.

Por tercera vez en la vida él extendió el brazo y le tomó la mano.

CAPÍTULO SESENTA Y SEIS

Volvieron a llamar. A las once, la misma voz masculina.

—¿Tienen listo el dinero?

—Está listo. Está en un bolso de lona del ejército. De los de color verde oliva.

—Un millón, ¿verdad?

—Un millón en billetes de cien colones.

—Bien.

—Antes de continuar, dénos las respuestas. Como le dije antes, sin respuestas no hay dinero. —Júnior estaba sentado en el sofá junto a su madre. Magda le apretaba la mano con fuerza.

El hombre del teléfono habló.

Júnior respiró hondo y repitió:

—Ochenta y tres y el anillo de Elena. —A Magda se le escapó un gemido y se dejó caer contra el respaldo del sofá. Flor se llevó una mano a la boca para reprimir un sollozo y se recostó contra su madre.

—Bueno —dijo Júnior—. Dígame dónde quieren el dinero.

—¿Tiene a alguien que lo lleve?

—Tenemos un hombre.

—Recuerde, ningún miembro de la familia.

—Entendido. —Júnior miró a Víctor Morales, que estaba en el otro extremo del cuarto. El mayor se encontraba de pie junto a un bolso de lona abultado. En realidad, su propio bolso del ejército. Él usaba una gorra azul de béisbol para facilitar la identificación. —Dígame dónde debe ir nuestro hombre. Llevará puesto una gorra azul.

—El hombre debe estar solo. Envíenlo por el Paseo Escalón hasta el Redondel Masferrer. Está frente a la iglesia Cristo Redentor. Tiene que entrar en el estacionamiento de la iglesia y después cruzar a pie al círculo de tráfico. Dígale que camine una vez alrededor del redondel. Tiene que llevar el dinero. Al mediodía, alguien se le acercará.

—El Redondel Masferrer. Al mediodía.

—Recuerde, tiene que ir solo. Ningún miembro de la familia, ningún policía, ningún truco raro o el prisionero muere.

—Entiendo.

De pronto se oyó el tono de discar.

Con el tubo todavía en la mano, Júnior también se desplomó junto a su madre.

—Papá está vivo —dijo.

Pablo observó el estacionamiento de la iglesia desde el pequeño parque que había calle por medio. La iglesia tenía paredes de piedra y amplios ventanales. Un campanario con una única campana se elevaba a un lado. Pablo verificó la hora. Faltaban diez minutos para el mediodía. A las doce la campana comenzaría a dar la hora. Como era día de semana, las puertas del frente de la iglesia estaban cerradas. En el estacionamiento sólo había dos autos. El círculo de tráfico —una loma con césped rodeada por un sendero angosto— se encontraba a la derecha. Pablo también lo vigiló. Observó los autos que en forma periódica avanzaban por la avenida y rodeaban el círculo antes de continuar.

El parque estaba a la sombra de laureles. Eran seis, para ser más precisos. Había allí dos bancos; uno cerca de la vereda y el otro, donde él estaba sentado, un poco más atrás, junto a un espacio con un sube y baja y dos columpios. Algunos niños estaban en los columpios; niños jóvenes con rodillas sucias y, porque no había clases, bastante tiempo libre en las manos. Pablo se palpó el bolsillo de la camisa y detectó el papel plegado que tenía adentro. Lo sacó, lo abrió y volvió a leer la nota.

La nota decía: "Retroceda por Escalón ocho cuadras hasta la Plaza Alegre. Permanezca de pie con el bolso de lona junto a la cabina de venta de entradas para los autitos chocadores. Tiene siete minutos. Nada de detenerse ni de hablar por teléfono. Nada de tomar contacto con alguien. Siete minutos o nos iremos y él morirá".

Del otro lado de la calle, un Buick color rojo oscuro entró en el estacionamiento de la iglesia. Pablo volvió a doblar la nota. Observó cómo el automóvil entraba en un espacio y se detenía. Muy pronto se abrió la puerta del vehículo y se apeó un hombre. Tenía una gorra azul en la cabeza.

Pablo sacó dos billetes de cinco colones del bolsillo del pantalón.

—Tss, cipote —llamó y dobló el dedo hacia el muchachito que estaba más cerca, el que parecía haber ido allí solo. —Vení aquí, niño. —El muchachito dejó de hamacarse. Pablo volvió a indicarle que se acercara y el chiquillo lo hizo.

El hombre de la gorra azul permaneció de pie en la vereda. De una correa sujeta al hombro le colgaba un bolso de lona abultado y firme por su contenido. El hombre tenía un brazo sobre el bolso, pero el bolso estaba tan lleno que él no conseguía rodearlo con el brazo. Cruzó la calle y se dirigió al círculo de tráfico. Cuando ingresó en el sendero, la campana de la iglesia comenzó a repicar.

—¿Qué quiere? —preguntó el muchacho. Parecía tener siete años, tal vez ocho. Tenía una cara redonda y una mejilla sucia.

—¿Querés ganarte diez colones?

El niño abrió bien los ojos.

—¿Cómo?

—¿Ves ese hombre que camina alrededor del redondel?

El chiquillo miró en esa dirección.

—Sí.

—Ese hombre y yo participamos de un juego. Cuando yo te diga, cruzá la calle y entregále esta nota. —Pablo levantó el papel y uno de los billetes. —Por eso te daré cinco.

La campana seguía repicando.

—¿Y qué me dice de los otros cinco? —preguntó el muchachito y señaló el billete.

—Te lo daré si esperas en el redondel hasta que el hombre se vaya. Cuando lo haya hecho, vuelves y te daré los otros cinco. Pero no mirés hacia aquí cuando estés con él. Si te hace alguna pregunta, no respondas. Te voy a estar observando. Si te veo mirar hacia aquí o hablar con él, olvidáte de estos otros cinco.

El niño frunció el entrecejo y miró hacia el otro lado de la calle. Las campanadas cesaron y la última reverberó un momento en el aire.

—¿Esto es un juego de los dos?

—Sí. Es un juego. —Pablo le extendió la nota y un billete. —Tomá. Caminá despacio. No mirés hacia atrás. Recordá que te voy a estar vigilando.

El chiquillo tomó la nota y el billete.

—En este juego —dijo—, ¿quién va ganando?

—Yo —respondió Pablo. Y el muchachito se alejó.

Al mediodía, Plaza Alegre y la galería eran un alboroto de comercio y regocijo. Al abrigo de techos de metal corrugado, una fila de pupuseras permanecían de pie junto a braseros y comales y moldeaban el almuerzo con las manos. Saludaban y conversaban con los clientes que se les acercaban. Frente a las mesas, con una cuchara los clientes se servían salsas de frascos de boca ancha y las ponían sobre pupusas y tortillas. Y soplaban sobre sus cafés, humeantes y fuertes.

En el tobogán gigante, los chicos lanzaban exclamaciones en las subidas y alaridos en las bajadas. En los autitos chocadores gritaban al dar las curvas o embestir a otros. En los *flippers*, jugadores concentrados golpeaban, empujaban y jalaban botones que hacían que se encendieran luces, sonaran chicharras y se iluminaran letreros.

Desde la galería de tiro se oía el pop pop pop de los rifles de aire comprimido que apuntaban a un desfile de conejos de latón que aparecían y desaparecían de la vista.

Cuando llegaron, Alma y Martín se habían sentado frente a una mesa de picnic que les permitía ver con comodidad los autitos chocadores y boletería. Las tazas de café estaban frente a ellos, enfriándose incluso al sol. Alma levantó la suya, bebió un trago y se atoró. Martín le palmeó la espalda.

—Tranquila —dijo.

—Estoy bien. —Volvió a apoyar la taza sobre la mesa con torpeza y volcó parte de su contenido sobre el mantel de plástico. Consultó su reloj. Eran las doce menos diez.

Tenían un plan. Cuando apareciera el mensajero junto a los autitos chocadores, sería ella la que se le acercaría. Estacionado en la galería de tiro, Martín la cubriría. Pedro estaba esperando en un auto del otro lado de la calle. Ella miró hacia el auto por entre las personas que caminaban por la galería.

—Esperaremos hasta las y veinte —dijo Martín—. Ni un minuto más.

Alma trató de beber otro trago de café, lo necesitaba, necesitaba algo, cualquier cosa. En su vida, jamás podría haber imaginado un desastre igual. El cuerpo rígido de don Álvaro acurrucado como si acabara de nacer. Pedro que entraba corriendo después del llamado con las preguntas que probarían que don Álvaro estaba con vida. El hecho de que su vida con la familia le hubiera dado las respuestas era una ironía que ella no podía soportar ni siquiera un momento.

—Tenés la dirección, ¿no? —preguntó Martín. Ahora él consultó su reloj. —Son las y trece.

—La tengo. —En el bolsillo de los pantalones, el cuadrado de papel con el mensaje: "Recojan al prisionero en Santa Tecla, en el dos-treinta y cinco de calle Delgado, Colonia Utila". En el bolsillo derecho del chaleco, el revólver Makarov. Para tranquilizarse, ella lo rodeó con una mano.

—Aquí viene nuestro hombre —dijo Martín.

Cruzando la galería y esquivando gente, un hombre de gorra azul que aferraba un bolso de lona. El aspecto del bolso era imponente. A Alma ya le parecía sentir su peso en el hombro. Cuando todo hubiera terminado ella desaparecería. De alguna manera se iría a Cuba y lucharía desde allí por la causa.

—Vamos —dijo, se puso de pie y se obligó a moverse con lentitud y método. Miró a Martín. —Ocupá tu posición primero —dijo. Lo miró alejarse hacia la galería de tiro, la mano metida en el bolsillo donde guardaba el revólver.

El mensajero avanzó hacia la venta de boletos. Lo hizo lentamente mientras paseaba la vista por la multitud. Después de un momento, ella se le acercó. Cuando estaba a pocos pasos de él, casi perdió todo control. Conocía a ese hombre. Ese hombre la conocía.

Por un momento se quedaron parados frente a frente sin hablar. Entonces Víctor Morales dijo:

—Vaya, vaya, qué interesante. Aunque confieso que no me sorprende. ¿Dónde está su amigo el catedrático? Veo que los dos se graduaron de su trabajo en la iglesia.

—Baje el bolso —dijo Alma. "Voy a tener que matarlo", pensó. —Vamos, baje el bolso. Ábralo. Quiero ver lo que tiene adentro. Y no intente nada raro. Son muchas las personas que nos cubren.

—Primero déme la ubicación del hombre —dijo Víctor.

—Ah, no. Usted baje la bolsa. Yo miro adentro y después le doy la ubicación.

Víctor abrió el cierre del bolso, que todavía colgaba de su hombro, y después lo bajó al suelo. Se puso en cuclillas junto a él y lo abrió lo suficiente para que ella viera los fajos de billetes.

—Bueno —dijo Alma—. Vuélvalo a cerrar y empújelo hacia aquí. En la pista, los autitos chocadores se tambaleaban y embestían. Uno enfiló hacia ellos. Cuando golpeara contra la barandilla, justo detrás de ese hombre, ella haría lo que tenía que hacer.

Todavía en cuclillas, él empujó el bolso hacia ella.

—¿Cuál es la ubicación?

—Aquí. En el bolsillo del chaleco. —Deslizó una mano sobre el arma. Él notó el cambio de dirección de su mirada. La forma en que su mano se abría dentro del bolsillo. Instantáneamente, gracias a años de práctica, extrajo una pistola que llevaba en la cintura debajo del saco. Mientras ella apuntaba, él disparó. Un buen tiro al pecho. Cuando ella cayó, le apuntó a la cabeza y volvió a apretar el gatillo.

Desde la galería de tiro, Martín oyó el golpe del autito chocador contra la barandilla. Oyó los dos disparos. Vio cómo a su camarada se le doblaban las rodillas. La vio desplomarse al suelo.

Víctor Morales aferró la manija del bolso, lo levantó y se lo puso sobre el hombro. "Ahora esto es mío", pensó. Giró sobre los talones y se lanzó contra las personas que lo rodeaban y que quedaron boquiabiertas y paralizadas.

Martín extrajo su arma y se abrió paso por entre la multitud en persecución de Víctor, la vista fija en ese gorra azul que se movía. Mientras rodeaba la pista de los autitos chocadores, pasaba frente a los flippers, Martín corría por entre la gente y empujaba a algunos mientras aumentaba su velocidad. La gente señalaba el revólver que empuñaba. Junto al cuerpo de Alma, una mujer gritó:

—¡Está muerta! ¡Está muerta!

Víctor avanzaba pesadamente con su carga por el parque hacia la vereda cuando Martín se le acercó por atrás. Cuando estuvo bien cerca, plantó los pies, sostuvo el arma con las dos manos e hizo dos disparos. ¡Paf! El primero le entró por la nuca. ¡Paf! El segundo, porque el blanco había comenzado a caer, le entró en la mitad del cráneo.

Entonces estalló el caos. Gente que gritaba. Gente que corría. Gente que se zambullía debajo de las mesas en busca de refugio. Un brasero y un comal volcados intensificaron la conmoción.

Martín corrió hacia el bolso. Atrapó la manija con la mano libre y la arrancó de la mano del muerto. Junto a la vereda, Pedro estaba en el automóvil, con el motor en marcha. Las puertas laterales, abiertas. Martín mitad levantó y mitad arrastró el bolso hacia el auto. Lo alzó y lo arrojó en el asiento trasero y le pegó un empujón para que entrara del todo. Cerró la puerta con un golpe. Pedro ya arrancaba cuando Martín saltó al asiento delantero.

Estaban a sólo una cuadra de distancia cuando comenzaron a ulular las sirenas. Pedro conducía a una velocidad normal al ascender hacia Escalón. Cuando llegó al estacionamiento de la iglesia, Pablo los aguardaba. Se detuvieron y Pablo subió al asiento de atrás.

—¡Puta! —exclamó cuando vio el bolso—. ¿Qué le pasó a Alma?

—No lo logró —contestó Martín. Al decirlo algo le dolió detrás de los ojos.

—Era su cuerpo o el dinero —dijo Pedro.

—Viva la causa —dijo Martín—. Y vivan los que mueren por ella.

CAPÍTULO SESENTA Y SIETE

El corazón tiene cuatro cavidades pequeñas, pero puede contener todo un mundo de pesar. Qué sentido tiene contar los golpes asestados por el destino: el impacto de las balas contra la carne, el espanto de darse cuenta de que los seres amados se han perdido por toda la eternidad, las terribles traiciones de que son capaces. Qué sentido tiene volver a contarlo, excepto para decir que el horror estuvo de visita y dejó en su camino dolor, culpa y no poca amargura.

Diciembre 5 de 1977

La familia se encontraba reunida debajo del pórtico del sendero de acceso a la casa de Magda. La servidumbre también estaba allí. El auto grande de Júnior Tobar se encontraba estacionado junto a la puerta y Basilio cargaba el equipaje en el baúl. Tres valijas para Magda, dos para Elena y por último, un bolso de tela de tamaño mediano con todas las pertenencias de Jacinta. Basilio cerró la tapa del baúl. Subió al pórtico y se quedó parado junto a Pilar. Ese día él no conduciría el automóvil. En realidad, una bendición. Ese día él no se sentía capaz de nada que le requiriera concentrar la atención, como llevar a Jacinta al aeropuerto para que pudiera alejarse volando de su vida.

Júnior guió a Elena al asiento delantero y la ayudó a sentarse. Flor se acercó, se arrodilló junto a su abuela y le habló con ternura. Magda hizo un recorrido frente a todos los del grupo: estrechó la mano de éste y besó al otro en la mejilla. Cuando llegó a Basilio, dijo:

—Cuida bien todo.

—Por favor, permítame ir también —dijo Basilio con desesperación—. Estoy seguro de que allá necesitará un chofer.

—Esto no será para siempre, Basilio. Te lo prometo.

Cuando Jacinta se acercó, él tensó las piernas y la observó para grabarse bien en la mente su rostro, su mirada color carbón ahora vacía.

—Tengo que irme —le dijo—. Tú lo sabes bien.

Él asintió. Fue todo lo que pudo hacer.

Ella lo rodeó con los brazos y acercó los labios a su mejilla.

—Hasta luego, mi fiel compañero —dijo, antes de soltarlo.

Él dio un paso atrás y echó a andar un poco tambaleante hacia el jardín.

Pilar sollozaba con desconsuelo. Cayó en brazos de Jacinta y la abrazó con vehemencia.

—Voy a ir a Miami a verte.

—Te esperaré.

Llegó el momento de la partida. Jacinta subió al asiento de atrás, junto a Magda. Antes de que el auto comenzara a avanzar por el sendero, Basilio apareció de nuevo y corrió hacia el lado del vehículo donde estaba Jacinta.

—Para ti —dijo y por la ventanilla le entregó un pequeño paquete envuelto en papel marrón.

Todos permanecieron de pie en el pórtico con la vista fija en el vehículo hasta que desapareció.

El avión subió a los cielos sobre el campo. Jacinta se sentó junto a la ventanilla y se puso a contemplar la sorprendente geometría de verdes y marrones, el concierto de azules que se deslizaba debajo de ellos. Junto a ella, Elena y Magda descansaban las cabezas contra el respaldo de los asientos y tenían los ojos cerrados al mundo cruel que trataban de dejar atrás.

Sobre la falda de Jacinta estaba el contenido del paquete de Basilio: cinco sobres cerrados dirigidos a ella; cada uno una carta de Miguel Acevedo.

Las fechas de los sobres eran marzo de 1945, noviembre de 1945, agosto de 1952 y enero de 1964. Todas habían sido despachadas de El Salvador. El quinto sobre contaba una historia diferente.

Jacinta abrió la cartera que había puesto entre ella y el costado del asiento. De ella sacó una caja pequeña. En la caja había seis fósforos quemados, el tizne desaparecido años antes. También en la caja había un trozo de yute con tres ágatas rojas. En la morgue, ella misma había desatado el amuleto sujeto al tirante de la ropa interior de la muchacha. Un segundo amuleto idéntico había sido descubierto en el cuerpo de Víctor Morales. ¿No era entonces cierto que su hermano desaparecido hacía tanto tiempo había matado a su hija momentos antes de morir él? La ironía de ese hecho hizo que en los ojos de Jacinta volvieran a agolparse lágrimas. "Mamá, dame fuerzas", pensó mientras frotaba esas piedras antiguas que su madre había tenido en una época en la mano.

Jacinta volvió a mirar por la ventanilla.

Allá abajo, tan lejos, su pasado quedaba reducido a una naturaleza muerta: El cono negro del volcán. Una bandada de aves salvajes. Un sendero que serpenteaba hacia un río. Una jovencita que caminaba detrás de su madre. Y un muchacho devoto que siempre las seguiría.

Durante un buen rato Jacinta siguió con la vista fija hacia abajo. Después guardó sus tesoros en la cajita y la metió en la cartera.

Se concentró entonces en las cartas de Miguel que todavía tenía sobre la falda.

La última que él había escrito estaba fechada diciembre de 1975. El remitente decía Miami, Florida. Fue la primera que Jacinta abrió.

La historia continuó, como lo hacen todas las historias hasta que se acaba la vida.

En un país llamado El Salvador, 1980 trajo una guerra civil en gran escala.

Al llegar 1992, cuando se firmó la paz, setenta y cinco mil personas habían muerto, trescientas mil habían huido y cinco millones permanecían allí llenas de esperanza en esa tierra amarga.

RECONOCIMIENTOS

Mi más profundo y sentido agradecimiento a Jim Kondrick, Judith Bernie Strommen, Martha y Jim Ables, Anita y el doctor Carlos Emilio Álvarez.

Gracias asimismo a Ellen Levine, Louise Guayle y Leslie Wells y Violeta Ávila de Lytton.

Al Espíritu, mi gratitud eterna.

Chichicaste: ortigas.
Chulas: nomeolvides.
Cipote, cipota: Nahuatlismo de "cipotl", niño, niña, joven.
Conacastes: palosantos.
Huacal: cazo de calabaza.
Milpa: maizal.
Petate: Nahuatlismo de "petar", entera.
Pozol: Nahuatlismo de "pusuli". Pedazos molidos, demenuzados de cualquier grano. Cualquier cosa desmenuzada.
Tapado: Especie de chal que usan las mujeres sobre la cabeza y los hombros.
Tecomate: Nahuatlismo de "tecumat", calabaza.
Zacate: Nahuatlismo de "tsacat", hierba, pasto.